Jerusalém

A Verdadeira Vida de William Blake

Tobias Churton

Jerusalém

A Verdadeira Vida de William Blake

Tradução:
Jefferson Rosado

MADRAS

Publicado originalmente em inglês sob o título *Jerusalém! The Real Life of William Blake,* por Watkins Publishing Ltd. <www.watkinspublishing.com>.
© 2014, edição de Watkins Publishing Limited.
© 2014, textos de Tobias Churton.
Direitos de edição e tradução para o Brasil.
Tradução autorizada do inglês.
© 2015, Madras Editora Ltda.

Editor:
Wagner Veneziani Costa

Produção e Capa:
Equipe Técnica Madras

Tradução:
Jefferson Rosado

Revisão da Tradução:
Fulvio Lubisco

Revisão:
Silvia Massimini Felix
Jerônimo Feitosa
Neuza Rosa

Dados Internacionais de Catalogação na Publicação (CIP)
(Câmara Brasileira do Livro, SP, Brasil)

Churton, Tobias
Jerusalém! : a verdadeira vida de William Blake /
Tobias Churton ; tradução Jefferson Rosado. -- São Paulo : Madras, 2015.
Título original: Jerusalém! : the real life of
William Blake.

ISBN 978-85-270-0960-4

Bibliografia.
1. Artistas - Grã-Bretanha - Biografia
2. Blake, William, 1757-1827 3. Poetas ingleses -
Século 19 - Biografia I. Título.
15-03400   CDD-821.7

Índices para catálogo sistemático:
1. Poetas ingleses : Biografia 821.7

É proibida a reprodução total ou parcial desta obra, de qualquer forma ou por qualquer meio eletrônico, mecânico, inclusive por meio de processos xerográficos, incluindo ainda o uso da internet, sem a permissão expressa da Madras Editora, na pessoa de seu editor (Lei nº 9.610, de 19/2/1998).

Todos os direitos desta edição, em língua portuguesa, reservados pela

MADRAS EDITORA LTDA.
Rua Paulo Gonçalves, 88 – Santana
CEP: 02403-020 – São Paulo/SP
Caixa Postal: 12183 – CEP: 02013-970
Tel.: (11) 2281-5555 – Fax: (11) 2959-3090
www.madras.com.br

*Dedico este livro à memória
de Kathleen Raine CBE (1908-2003)*

Índice

Prólogo por Michael Eavis CBE 13
Prólogo por Frank van Lamoen 15
Prefácio – O Cordão de Ouro 18
Introdução – Jerusalém 30
1 – A Única Forma de Morrer – 1827 45
2 – A Tela Preparada – 1727-1752 57
    Catherine e os morávios 60
    Cordeirinho, quem foi que te fez? 74
3 – Assim é o Reino dos Céus – 1806-1863 75
    Visão dos anjos 78
4 – Infância – 1752-1767 86
    Henry Rimius contra os morávios 88
    Educação 92
    Escola de desenho de Henry Pars 104
5 – Linhas e Redes – 1767-1772 106
    James Basire e a terrível verdade 111
6 – A Gaiola Dourada – 1772-1778 118
    Primeiro trabalho 123
    Maçonaria e Blake 125
7 – Sexo e o Gênio Singular – 1779-1782 134
    Primeiros trabalhos 142
    Blake e os Gordon Riots 146
8 – Uma Passagem para a Ascenção – 1783-1785 155
    Esboços poéticos 157

9 – **Uma Ilha na Lua** – 1786-1787 169
   Blake e o "Pagão Inglês".. 170
   O Livro de Thel 178
   "O Pequeno Garoto Negro" 181
10 – **Rumo à Nova Jerusalém** – 1788 184
11 – **A Sabedoria dos Anjos** – 1788-1790................................... 200
   A Igreja da Nova Jerusalém 204
   Sexo e Deus 216
12 – **A Luxúria do Bode é a Recompensa de Deus** – 1790....... 229
   Blake e Boehme 236
13 – **O que Agora Está Provado, Antes
Era Apenas Imaginado** – 1791.. 253
   Mary Wollstonecraft 262
14 – **"Obras de Talento e Imaginação
Extraordinários"** – 1792-1793 267
   Visões das Filhas de Albion.. 277
15 – **Formas Singulares e
Combinações Estranhas** – 1794.. 287
16 – **A Canção de Los e Sedição** – 1794-1795............................ 301
   A Canção de Los... 307
   Os africanos de Blake... 313
   As impressões de 1795... 314
   Lenore 320
17 – **O Limiar da Aurora** – 1795-1796...................................... 323
18 – **Os Quatro Zoas** – 1797-1800 331
   Thomas Butts.. 339
   Um novo século, um novo passo 342
   Lady Hesketh 345
19 – **Um Entusiasta no *Status Quo*** – 1801-1803 350
   Inimigos espirituais de formidável magnitude 358
20 – **Os Cabelos de Lady Hesketh
Arrepiam-se** – 1804-1805.. 368
   Ele o envenenará em sua torre.. 376

**21 – Aquele que Zomba da Arte,
Zomba de Jesus** – 1805-1807 378
    O escultor Flaxman faz uma pausa 381
    Reação e perseguição 383
    Os Peregrinos de Cantuária *384*
    Milton 389
**22 – A Coragem para Suportar
a Pobreza e a Desgraça** – 1808-1810 395
23 – *Obscurum per obscurius* 1811-1819 405
    O Evangelho Perpétuo 410
24 – Um Novo Tipo de Homem –1820-1827 418
    Jó 421
    Dante 426
Bibliografia 430
Índice Remissivo 437

Lista de gravuras

I – Miniatura de William Blake, por John Linnell (1821).

II – **São Tiago,** Piccadilly; *Arrows of Desire,* por Herman Hugo (1690); gravura de William Blake "Eu quero! Eu quero!", *Para as Crianças, os Portões do Paraíso* (1793).

III – A origem dos "Obscuros Moinhos Satânicos", de William Blake, em *Pia Desiderea* (1690), de Herman Hugo; *PIA DESIDERIA* ou *Preleções Divinas,* traduzido por Edmund Arwaker (1690); Emblema gravado do *PIA DESIDERIA* (1690): A Alma acorrentada à terra; Gravura de um desejo de Blake, Alma Acorrentada do livro *Pensamentos Noturnos,* de Edward Young (1797).

IV – Retrato de William Blake, por Catherine Sophia Boucher; St. Mary, Battersea, onde Blake se casou com Catherine Sophia Boucher, em 18 de agosto de 1782; *José de Arimateia,* por Blake (1773).

V – *Catherine Blake,* por George Cumberland; a residência de William Blake em 17 South Molton Street 17, W1; Placa comemorativa desse endereço.

VI – *A Casa de Lázaro,* gravura por William Blake (Lambeth, 1795); *Preludium II América: uma Profecia* (gravura 4; datada de 1793; executada em torno de 1820-1825).

VII – Gravura em relevo de *O Casamento do Céu e do Inferno,* de William Blake (1790).

VIII – William Blake, por John Flaxman (1804); *John Flaxman Modelando o Busto de William Hayley,* por George Romney (1795).

IX – De *Europa: uma Profecia*: "O Anjo de Albion subiu na Pedra da Noite", por William Blake (datado de 1794, executado somente depois de ca. 1820-1821).

X – Exemplos das 43 gravuras de William Blake para *Pensamentos Noturnos*, de Edward Young (1797).

XII – Retrato do arquidiácono Ralph Churton, por Thomas Kirby (1754-1831); Henry Crabb Robinson, com 86 anos, gravado por William Holl the Younger; Casa de Campo de William Blake, em Felpham.

XIII – William Blake em Hampstead Heath, por John Linnell (*c.* 1825); "Savoy Buildings", onde Blake morou e trabalhou entre 1821-27.

XIV – Oito das 20 gravuras de *Jó*, de William Blake (obra completada em 25 de março de 1823).

XV – *A História de Jó e Suas Penúrias*, por William Blake (publicado em 1826).

XVI – Desenho de William Blake, por John Linnell (1820); Pedra erguida para marcar a sepultura de William e Catherine Blake, em 38 Bunhill Fields, City Road, Londres EC1.

Prólogo

O trabalho e a pesquisa de Tobias Churton em *Jerusalém!* são realmente surpreendentes em seus detalhes. Ele me revelou muitas coisas. Essa deve ser uma das biografias de Blake mais iluminadas e esclarecedoras escritas até hoje. Eu gostaria muito que ele viesse a Glastonbury em 2015 e que lesse e falasse a respeito de alguns trechos de *Jerusalém!*.

William Blake sempre esteve muito próximo do meu coração. Talvez fosse o rebelde dentro dele que me atraía ou, certamente, seria nosso amor compartilhado pelo Metodismo. Para mim está claro que o atrativo fundamental em William Blake diz respeito às palavras mágicas do hino *Jerusalém*. Será que existe qualquer peça da literatura inglesa que seja tão conhecida quanto essas maravilhosas palavras?

Existem, além disso, poesias e prosas que envolvem intenções desafiadoras e inquisidoras para todos nós. Eu pessoalmente fiz uso de muitas citações de Blake em meus esforços para retratar o que exatamente significa Glastonbury – o misticismo e a esperança de que haja uma força da natureza que não apenas nos criou, mas nos sustenta diariamente em nossa busca pelo prazer e pelo significado de nossas vidas.

Blake pode ter sido um tanto excêntrico pela definição atual de sanidade mental, mas suas visões incríveis e crenças infantis em Deus guiaram sua energia e criaram o gênio heroico que ele realmente era.

Michael Eavis CBE

Fundador do Festival de Glastonbury

Nascido em 1935 de uma família de Dorsetshire, **Michael Eavis** é produtor de leite em uma fazenda de Pilton, em Somerset, no entanto é mais conhecido como fundador do Festival de Glastonbury. Filho de um professor e pastor metodista, Michael estudou na Catedral de Wells e no Thames Nautical Training College, que o levou a entrar na Marinha Mercante como aspirante.

Em 1958, ao herdar a Fazenda Worthy, em Pilton, ele retorna à sua terra natal, combinando seu compromisso com a agricultura a um interesse na política e na cultura *pop* da década de 1960, profundamente informado pela espiritualidade prática da Igreja Metodista (que ele frequenta todos os domingos).

Em 1970, consciente das necessidades de liberdade e de espaço da juventude, Michael sediou o Festival Pop de Pilton (gratuito), na própria Fazenda Worthy e, no ano seguinte, ele lançou o Festival de Glastonbury, mantendo seu constante compromisso com as obras de caridade locais, nacionais e internacionais.

Detentor de graus de honra nas universidades de Bath e Bristol (Mestre *honoris causa* de Artes, 2006), Michael Eavis foi premiado com o CBE em 2007. Hoje, ele é um importante integrante da esfera cultural britânica e muito apreciado pelos músicos e visitantes do festival, além de ter sido listado na revista *Time,* em 2009, como uma das pessoas mais influentes do mundo.

Prólogo

Em Gênesis 1:26-27, Deus decide fazer o homem "à sua imagem": uma qualificação com extensas implicações. Quão bom, onisciente, eterno e infinito é o homem? Em um primeiro momento, essa imagem é um tanto deformada; pode ela ser restaurada?

Respostas para essa pergunta foram formuladas em termos de metáforas do espelho. William Blake encontrou inspiração no sistema teosófico de Jacob Boehme, no qual o Adão original reflete o olhar fixo de Deus em contemplação passiva. Adão é a imaginação de Deus até ela ser distraída quando ele então cai na substância criada. Uma segunda queda ocorre no paraíso terrestre (o Éden): a imagem do espelho é nebulosa. Adão anseia pela luz. O que torna Adão humano é um sentido de perda, de melancolia. Mas, eventualmente, Jesus, o mediador e salvador, voltará para restaurar a imagem original. Portanto Blake referia-se a Jesus como "Jesus, a Imaginação". A intenção de Blake era a de restaurar a imagem original do Homem por meio da Arte.

Blake viveu na época em que Immanuel Kant estava em busca dos limites da razão: o que era inatingível teria de enquadrar-se nesse escopo ou ser excluído como *nonsense*. Kant percebeu que nem tudo poderia ser entendido apenas pela faculdade da razão. O sentido de vastidão de uma paisagem montanhosa, por exemplo, tem um efeito perturbante em nossa percepção racional.

Algumas coisas acontecem em limites transcendentes. Kant se referiu a esse fenômeno como *o sublime*. Para Blake, tal experiência não era nada excepcional, pois ele via o infinito nas coisas.

De certo modo, é aí que a arte moderna começa. A construção perspectivista é gradativamente abandonada, em virtude do turvamento causado pela diferença entre o primeiro plano e o plano de fundo. As coisas perdem seus limites e o modelo matemático abre o caminho para as visões e os gestos.

Blake era absolutamente *unzeitgemäss:* ele literalmente não se enquadrava nos padrões de sua época, era um estranho intemporal, um anacronismo. Antes de Blake, era impensável que as artes gráficas fossem julgadas em termos de suas habilidades expressivas: a escova era mais flexível do que o buril.

Além disso, os artistas gráficos, gravuristas e tipógrafos foram, em primeiro lugar, artesãos, que simplesmente copiaram o trabalho de outros artistas. Blake conseguiu fundir a expressão verbal e pictórica de uma forma completamente nova, produzindo um emblema novo, capaz de proporcionar discernimento àqueles que eram suscetíveis ao seu significado. Ele era um visionário excepcionalmente consciente de uma dimensão espiritual em nossa percepção.

Para ele, a percepção era uma faculdade que servia a um "Gênio Poético", não querendo referir-se ao ego romântico, mas à Mente, ao próprio Criador. E o próprio Criador o confrontou, ele assim sentiu, como um espelho.

Poucos documentos sobre a vida de William Blake sobreviveram. Sua imagem já fora distorcida logo após asua morte. Tobias Churton desvendou sua biografia de inúmeras "ideias recebidas" que anuviaram essa imagem, permitindo que Blake emergisse de seu trabalho, contra um pano de fundo de uma era marcada por revoluções e modernizações. É um livro brilhante, iluminado por um toque pessoal que convida a mais leituras, à medida que Churton generosamente compartilha com seus leitores seu entendimento pansófico a respeito de conhecimentos rejeitados.

Frank van Lamoen

Frank van Lamoen (nascido em 1959) é curador assistente de Artes Visuais do Museu Stedelijk de Amsterdã. Junto com Geurt Imanse e com o curador Frits Keers, ele organizou o "Kazimir Malevich: desenhos da coleção da Fundação de Arte Khardzhiev-Chaga" (1997). Frank é coautor (com Geurt Imanse) do notável *Russian*

Avant-Garde: The Khardzhiev Collection (nai010, 2014). Descrito pela diretora do Museu Stedelijk, Ann Goldstein, como "um incomparável documento", ele foi publicado em 2013 pelo próprio Museu.

Frank publicou artigos sobre alquimia, filosofia hermética e sobre os seguidores de Jacob Boehme, na Holanda, e compilou a primeira coleção holandesa da obra de Giordano Bruno.

Durante um quarto de século, ele contribuiu com prestigiosas publicações para a *Bibliotheca Philosophica Hermetica*, em Amsterdã, sobre a tradição textual hermética e as obras de Jacob Boehme, incluindo *Jacob Böhmes Weg in die Welt* (Amsterdã, In de Pelikaan, 2007).

Prefácio – O Cordão de Ouro

Foi uma garota chamada Val que me apresentou William Blake. Isso foi em 1979. Ela estava na Faculdade de Brasenose Christian Union e eu era um colega estudante de Teologia que lutava com ideias não ortodoxas e pelo desejo de ser aclamado como poeta; Val pensou que eu deveria dar uma olhada na biografia de Blake escrita por Mona Wilson em 1927. Acho que Val estava preocupada tanto com a salvação de Blake quanto com a minha.

Lembro-me de pegar o livro e de me impressionar muito com a imagem da capa: o retrato de Blake, com cerca de 50 anos, feito por Thomas Phillips. Modestamente vestido, o artista-poeta tinha olhos grandes e arregalados que fixavam algo além da moldura. Independentemente de onde o dirigisse, seu olhar refletia a imagem de um rosto honesto, vivo e inspirado. Folheei algumas páginas, repletas de longos trechos de versos, e coloquei o livro de volta em seu lugar. Parecia uma obra de muito trabalho.

Em algum momento durante os 18 meses seguintes, comprei o livro e o li. Val estava certa; havia entre nós uma afinidade de ideias e algumas mensagens perturbadoras. A que mais me chocou foi uma criação literária de Blake: a pseudo divindade cega chamada Urizen, o "deus ciumento" que não reconhece nenhum deus além de si próprio. Como principal vilão do universo mítico de Blake, Urizen foi instantaneamente reconhecido dentre as obras artísticas de Blake como o magnífico "Ancião dos Dias".

Você deve tê-lo visto, famosamente delimitando e vinculando o seu universo com uma bússola. Assim como em seu quadro épico, ele se inclina entre as nuvens até o limite de um mar infinito de tempo e espaço, tornando-o mensurável, explicável, sólido, material e até, pode-se dizer, inteligível – isto é, dentro da esfera da Razão.

Blake tinha grandes ideias e, obviamente, era um homem de visão! Mas eu podia ver ainda outra coisa: eu podia ver "Urizen" em toda a nossa volta e, em 1981, acabei escrevendo um poema a esse respeito: "O retorno de Urizen".

Urizen personifica a faculdade humana da Razão abstraída de todas as outras faculdades psicológicas. Blake, assim como Jung, bem mais tarde, acreditava que havia quatro categorias principais de funções da mente. A Razão era uma dessas quatro faculdades da psique humana; as outras são o Sentimento, a Intuição e a Sensação. No século XVIII, Blake já entretivera a Maior Ideia de seu tempo, tempo normalmente conhecido, ou disfarçado, como "A Idade da Razão".

Temendo a "superstição" do passado, muitos pensadores da geração dos pais de Blake – e de sua própria – refugiaram-se complacentes entre os frios confortos da Razão: o que era muito bom para algumas tarefas, mas não para todos. O anticristão Pierre-Gaspard Chaumette faria surgir uma "Deusa da Razão" em Notre Dame, Paris, em 1793, durante a Revolução Francesa – o final lógico para um culto que vinha ganhando terreno por todo um século: aparentemente, a Razão havia suplantado a Igreja Católica.

A Razão aparecia suprema, como um guia estável para o pensamento e a ação: na escuridão do desconhecimento, a única esperança do homem reside em sua racionalidade. Os partidários desse princípio identificaram a centelha de Deus dentro do peito do homem como a Razão, um poder de discernimento e, assim, pensou-se em um poder de criação.

Blake tomou essa ideia, aparentemente confortável, e revirou-a dentro de sua mente. Longe de a razão abstrata ser uma fonte de estabilidade, Blake demonstrou ser ela tão estável quanto um devoto marido cuja esposa o abandonou por causa de um palhaço. Imaginando-se o único senhor do universo, o Urizen de Blake alienou-se de sua "emanação" feminina, chamada "Ahania". Ele se abstrai ou se separa, tal como a razão "analisa", e isso significa significa "desmembrar". Como consorte rejeitada de Urizen, Ahania personifica a Sabedoria e o Prazer. Essas duas qualidades essenciais são abandonadas quando a Razão caminha sozinha. Com o Ego envolto, separado dela e de suas três faculdades companheiras, Urizen fica cego e acorrentado, residindo sozinho em um inferno autocriado. Ele é um poder caído e o universo perceptível exibe os destroços estruturais de sua infinita *juventude agressiva*.

Sim, eu certamente sabia onde Blake queria chegar com sua dinâmica e demoníaca mitologia. Eu tinha ouvido o suficiente dos seguidores de Urizen, quando estudante (não foi isso que todos nós ouvimos?): os espertalhões e "objetivos" evangelistas da ciência, armados de boas conversas e com respostas para tudo, desdenhando a existência espiritual e protegidos dos efeitos de sua loucura pelo ardente orgulho e pela segurança em seus números: arrogantes, sarcásticos, zombadores, cínicos... vazios. Conheci "Urizen" com a idade de 16 anos quando escrevi um poema sobre dois cavaleiros cômicos que, perdidos em uma floresta, evitam o socorro de um belo edifício que brota do emaranhado da natureza ao seu redor: "A Razão era o portal acima de seus portões seguros,/mas os cavaleiros não cederam ao seu fascínio feminino".

Era difícil escapar do mundo de Urizen à medida que crescíamos na tecnocracia ocidental, tecnocracia essa que podia calmamente contemplar sua própria destruição, bem como um culto permeante e persistente de "segurança", que parecia não conhecer limites, salvo aqueles que ele impunha a todos.

Pouco tempo depois, uma querida namorada deu-me de presente o livro *Dante, de Blake* – o último projeto de Blake – para meu 21º aniversário. Fui apresentado ao produtor da BBC, Ed Goldwyn, em um café de Farringdon Road, em Londres. Ed estava planejando uma série de documentários sobre os possíveis "futuros" da Inglaterra e da Europa. Durante o café, eu o presenteei entusiasticamente com o mito de Urizen, de Blake – ora representando "a nova Europa e sua Mídia" – desafiada por "Orc", o Filho da liberdade e da rebelião, que emerge das profundezas torturadas do angustiado amor, quando o equilíbrio psíquico é fundamentalmente perturbado. Orc era – e é – um incrível personagem!

Em 1969, ele se insinuou na música "The Doors", de Jim Morrison, que começa com "Criança Selvagem, cheia de graça: salvadora da raça humana – sua face cruel!".

Se Urizen é o furioso "Bill Sykes" do romance *Oliver Twist* de seu universo, então Orc é um desenfreado e Ardiloso Curandeiro do mesmo romance, que escapou das garras de Fagin para desencadear um tumulto de frenesi libertário. Kathleen Raine, especialista em Blake, certa vez me contou como ela enxergara o impetuoso Orc refletido "nas pequenas crianças *punks* de King's Road".

Pedi ao produtor da BBC para vê-lo no movimento da Alemanha "Alternativen" – que havia surgido em Berlim, Frankfurt e em outros lugares – no despertar do tão racional "milagre econômico" da Alemanha e da superestrutura *Sicherheit* (= Segurança), ao final dos anos 1960 e 1970.

Apresentei o produtor da BBC ao florescente "Partido Verde" alemão (*Die Grünen*), a respeito do qual nem ele nem os britânicos jamais haviam ouvido falar (era 1982). Os Alemães Verdes desafiaram a prevalecente Lógica do Sistema, um sistema que sempre declarava que "Não havia qualquer alternativa" e, ao mesmo tempo, estigmatizava as alternativas como sendo fantasias do "*New Age*", para serem mantidas cuidadosamente reprimidas em Glastonbury e nos cursos de Literatura Inglesa: longe do poder.

Talvez fossem as políticas a assegurarem que o conhecimento profundo dos eventos na Alemanha Ocidental nunca viessem a aparecer na tela da TV.

O movimento "Alternativen" era ligado a grupos e indivíduos socialistas opostos às iminentes implantações de mísseis da OTAN em um país amplamente considerado como o primeiro campo de batalha de qualquer guerra entre o Ocidente e a União Soviética: não surpreendentemente, havia pouco alívio na perspectiva de uma Alemanha Ocidental pacífica reduzida a terras estéreis e seus habitantes a cinzas prematuras no caso de um erro de cálculo das intenções soviéticas. Esse era o período da "Dama de Ferro" e do clube de admiração mútua Thatcher-Ronald Reagan. De qualquer modo, eu não acho que a Broadcasting Company da Grã-Bretanha já estivesse pronta para assumir os sonhos e aspirações dos jovens alemães como uma "alternativa futura" viável, por mais compreensível que fosse, em um clima ainda dividido pela publicação, por parte do governo, em 1980, de panfletos que orientavam os cidadãos britânicos sobre o que fazer para sobreviver a um ataque nuclear (fiquem dentro de casa!).

Pouco antes de Michael Caine expressar as palavras do dramaturgo Willy Russell: "Blake é um poeta morto!", na época do filme *O Despertar de Rita*, em 1983, eu achava que ainda havia vida nesse velho personagem, por mais morto que Blake possa ter parecido ao mundo. Eu estava na vila de Rodenhausen, Hessen, hóspede de amigos alemães (dois músicos, um pintor e um psicólogo industrial) que conheci durante uma visita de pesquisa do meu projeto "Futuros", financiada pela BBC. Foi ali que gravei minha primeira composição "Song of Innocence" (Canção da Inocência), uma melodia original que teve sua letra adaptada a partir da "Introdução" para as *Canções da Inocência e Experiência*, de Blake, o projeto de um livro iluminado de Blake, lançado em 1789 (uma data famosa na história da França) e, até onde eu sabia, ainda corrente.

Blake e as esperanças revolucionárias pareciam andar sempre juntos, embora a de Blake não fosse do tipo banal, a de "quebrar e agarrar". Cantei a música "Piping down the valleys wild" em um vale selvagem alemão, acompanhado apenas pelo meu violão, um vale repleto de olhos arregalados de inocência recuperada e uma vocação espiritual com a qual a Igreja da Inglaterrra não poderia lidar. Era *"uma bênção estar vivo!"*, como diria Wordsworth na aurora que precede o tom cinzento da realidade.

Ao voltar para a Inglaterra, entre as tarefas de pesquisas do Canal 4 e da BBC TV, comecei a desenvolver um projeto de música e filme para uma série de documentários. Esse conceito de "filme com música" intitulava-se O AMOR ESTÁ EM CHAMAS! *William Blake 1757-1827*. O projeto do documentário intitulava-se *The Gnostics* (Os Gnósticos).

Em 1983, conheci um artista cujos pais eram donos de um lindo piano de cauda Steinway. Eu nunca tinha ouvido um som daqueles! Como em um conto de fadas, a música reverberou como um eco na alma do instrumento: sons de outro mundo, sons que me eram conhecidos antes de tê-los ouvido. A inocência da abordagem foi maravilhosamente bem-sucedida. Abra-se para o Superior e tudo pode acontecer, embora eu realmente acredite que *"isso"* acontece somente para as mentes preparadas, isto é, a mente livre da dominação – ou da consciência da dominação – de qualquer faculdade particular. Todas as quatro faculdades devem trabalhar juntas. Quando isso ocorre, é possível sentir como se a mente estivesse vazia; mas se ela estiver integrada, ou seja, pronta para ouvir, então você poderá atingir o mundo além do vegetal e o que está além poderá, por assim dizer, chegar a você. Isso é o que Blake quis dizer sobre a "Visão Quádrupla" em oposição ao que ele chamava, com desdém, de "Visão singular e o sono de Newton". É claro que se trata de *Isaac Newton*, o qual nunca conseguiu tornar-se artista; Newton literalmente assumiu a alquimia. Foi Pink Floyd e os *designers* da capa de seu álbum *HipGnosis* que perceberam o potencial artístico do prisma de Newton, até mesmo levando-o para o lado mais escuro da Lua. Na visão de Blake, em todas as suas obras sobre "Óptica", o cientista permaneceu cego ao universo espiritual que ele procurou entender tão assiduamente por meio dos números. Talvez ele se esforçasse demais. Como Blake disse: "Deus não é um diagrama matemático". Newton teve suas maiores ideias sem nem mesmo tentar tê-las. "Se vocês não morrerem e não nascerem novamente, não poderão entrar no reino." Mas Blake não sabia tudo sobre o verdadeiro Newton: ele ficaria surpreso se soubesse.

Depois de três anos, meu conceito sobre meu filme de Blake cresceu, assim como minha namorada, na época, encorajava e ouvia o empreendimento com uma paciência semelhante à de Kate, a esposa de Blake, impregnada pelas explosões visionárias e pelos escritos de seu marido. *As ideias vêm do céu?*, perguntou Mao Zedong. "Não", ele assegurou, "elas vêm da correta prática revolucionária!". Mao estava errado sobre isso, como na maioria das coisas que contavam. Boas ideias vêm do céu. Em 1986, conheci a insubstituível, a grande Kathleen Raine CBE (1908-2003), poetisa e especialista em Blake, e ela me contou sobre o que Blake queria dizer por céu.

Ela começou com uma citação de Blake:

"A poesia, a pintura e a música: os três poderes para conversar com o Paraíso que o Dilúvio não desbaratou – por 'Dilúvio', Blake queria dizer o *Dilúvio de Tempo e Espaço*".

"É claro que 'conversar com o Paraíso' nos remete ao Evangelho, no qual consta que 'o Reino dos Céus está dentro de você'. *Esse é o Paraíso. O Paraíso é a vida interior de todos os homens. Todos nós podemos conversar com o Paraíso.*"

Era nisso que Blake acreditava firmemente. Nós todos podemos conversar com o Paraíso. Mas, é claro, você tem de querer e muitos não querem. E muitos *deles* trabalham em filmes, em arte, na publicação e na televisão, os mesmos lugares onde você pode imaginar que a crença em tais coisas poderia transmitir verdadeiras dádivas ao público. Contanto que as artes tenham *status* social e que exista lucro a ser realizado para realizá-las, esses lugares irão atrair tanto o pior quanto o melhor que existe, e é preciso apenas uma maçã podre para que as coisas caiam por terra, tal como o mítico Newton muito bem sabia.

Como cheguei a conhecer Kathleen Raine? Ao final de 1985, comecei a trabalhar no *The Gnostics*, a primeira parte de quatro de uma série do Canal 4, algo que nunca tinha sido visto antes nem foi visto até hoje (não é possível vê-lo nem por amor nem por dinheiro) – e tenho certeza de que não é por acaso.

A série cobria a história do que Kathleen chamou de "tradição excluída", a tradição do pensamento e da experiência espiritual independente, assumindo como ponto de partida a descoberta de 1945, no Egito, dos famosos "Evangelhos Gnósticos" para o rastreamento de ideias semelhantes às dos gnósticos cristãos através do tempo. Investigamos de maneira meticulosamente histórica e acadêmica, com a aprovação do conservador *Daily Telegraph,* os cátaros de Languedoc dos séculos XII e XIII, a tradição hermética, que serviu como o pouco conhecido "manifesto" da Renascença e o início do movimento científico, assim como o mundo moderno, focando-nos em Carl Jung, no neognosticismo nos Estados Unidos e no notável homem de negócios holandês, que se tornou um filantropo do gnosticismo e em estudos relacionados, proprietário de uma biblioteca especializada em Amsterdã, a *Bibliotheca Philosophica Hermetica*. O fundador, Joost Ritman, foi criado na tradição rosa-cruz holandesa. Realmente, nós havíamos ligado o antigo e o moderno.

Não fugiu à minha atenção que William Blake poderia muito bem ser descrito como um "gnóstico", se definirmos o termo bem precisamente. Na série, eu quis caracterizar Blake com alguns detalhes. Infelizmente, o mar do tempo e do espaço, limitado pelo velho Urizen, não permitiu essa inclusão. Entretanto, entrevistei Kathleen Raine e soube que eu iria voltar ao assunto com ela o mais breve possível. Nesse meio-tempo, inseri um capítulo especial sobre Blake no livro que acompanhava a série *The Gnostics,* um *best-seller* nacional, introduzindo milhares de pessoas à tradição no Reino Unido, bem como na Europa e na América; isso me trouxe muitos amigos e, ouso dizer, alguns inimigos também.

Minha recompensa por ser um bom garoto na série *The Gnostics* foi, afinal, dirigir meu filme sobre Blake, um "filme composto" para o qual eu tive o prazer de ser amigavelmente aconselhado por Michael Powell, pouco antes desse visionário da tela do cinema ter deixado o mundo para o derradeiro Palácio da Imagem.

A ideia era apresentar a vida de Blake *como ele a via em sua própria mente.* O editor comissionado John Ranelagh garantiu 20 mil libras para o financiamento do projeto. Encontrei uma produtora, Karla Ehrlich, e uma companhia de produção, e assegurei o acordo com Brian Blessed para o papel de Blake (com menos barba; Michael Powell sugeriu Wayne Sleep, uma surpreendente, mas intrigante escolha). Dennis Rich, artista de *storyboards* – ele havia planejado o filme de James Bond *007 Nunca Diga Nunca Mais* –, produziu uma *storyboard* absolutamente primorosa, uma verdadeira obra de arte em seu próprio direito, e declarou que ele era muito grato finalmente por trabalhar em um filme para o qual não teve de desenhar um helicóptero! Pesquisei os locais, escrevi o *script* e gravei o teste de uma faixa do meu tema de abertura ("Londres 1769"), tocado e arranjado com brilhantismo pelo ex-membro da banda Genesis, Anthony Phillips.

Tudo parecia estar certo. E então, John Ranelagh deixou o Canal 4 ao final de 1987, um evento que foi seguido por uma das tempestades mais severas que já atingiu Londres em toda a sua história (15 e 16 de outubro). Estranhamente, nada foi mais o mesmo a partir de então.

O novo editor comissionado era uma pessoa completamente diferente e, apesar das garantias oferecidas ao seu predecessor, o projeto foi abandonado.

Fui informado que o público britânico não estava pronto para um batismo de imersão na mente de William Blake. Bem, nunca estariam, não é? Mas uma criança não sabe o que é o Natal até ela viver essa experiência. Seria, por acaso, "a volta do cego Urizen, de volta novamente; e com medo novamente?". A título de compensação – ou seria uma "dispensa?" – fui contratado para fazer um filme sobre a doutrina da Igreja da Inglaterra. Sim, a ironia do fato parece mais dura e mais vívida 27 anos depois!

Eu tinha um amigo na Holanda, um amigo espiritual de William Blake: o fundador da Biblioteca Filosófica Hermética, Joost Ritman. Graças a ele, eu consegui fazer um filme para ser exibido como uma nova quarta parte da série *The Gnostics*, da mesma forma que ela foi transmitida pela Dutch TV. Montei minha própria empresa nessa época e *The New Age and the New Man* nasceu, em 1989, enquanto ninguém estava olhando. Entrevistei Kathleen Raine pela terceira vez (certifiquei-me de que ela tinha feito uma aparição no filme da doutrina da Igreja Inglesa *No Man Hath Seen God*, Canal 4, 1988), e dediquei um bom terço do filme a William Blake. A apresentação de impressão colorida estava guardada no meu quarto de despejo com sua tampa enferrujando. Levei-a ao Canal 4 e eles se recusaram a transmiti-la: ninguém estava interessado na "tradição excluída".

A porta televisual fechou-se e, até onde tenho conhecimento, permaneceu fechada desde então; não havia nenhuma visão na *tele*.

Contudo, a vida tem de seguir. E Blake esteve comigo em todo o seu percurso. Em 1993, eu tinha de viajar para Uppsala para treinar como pastor na Igreja da Suécia – eu teria gostado de contar essa história a vocês, mas, infelizmente, não há tempo suficiente para isso.

Pouco tempo antes, a mãe de minha namorada presenteou-me com uma bela cópia da obra completa de *Jerusalém*, de Blake, que consistia em mais de cem gravuras iluminadas. E qual era a conclusão de Blake? Era esta: que Jerusalém significava *liberdade espiritual*. Ainda me pergunto se foi isso que influenciou minha repentina decisão de voltar do aeroporto para envolver-me em anos de trabalho produtivo a respeito do que atualmente é chamado de "Esoterismo Ocidental".

Vinte anos, para ser preciso. Parece surpreendente para mim. Onde foi parar todo o tempo? E, de qualquer forma, o que é essa "coisa de tempo"?

Agora, quem é o "verdadeiro Blake"? Existe um Blake que eu tenho de conhecer por meio de experiências compartilhadas, dons e afinidades temperamentais, espirituais e intelectuais, mas ele é o mesmo que emergirá do fogo da objetiva – sim, objetiva – investigação?

Olhar para o Blake histórico é um pouco como olhar para o "Jesus histórico", ou de *qualquer coisa* histórica, por assim dizer. Ele se tornou uma lenda (como convém a um santo gnóstico) e, ultimamente, bem pior, um "tesouro nacional". A pessoa que conhecemos interiormente recua à medida que a objetivarmos. Ahá! Isso não é sempre verdade?

As coisas sempre pareceram bem diferentes no tribunal onde a intenção é chegar aos "fatos" e à "prova" das declarações feitas, aos eventos rememorados. Um caso de amor passional parece muito diferente diante de um juiz e de um júri!

Mas as circunstâncias conspiraram, e conspiraram estranhamente, para fazer com que esta biografia aconteça agora. De fato, é uma coisa esplêndida eu não ter sido convidado para uma biografia completa há 30 anos. Eu teria aceitado a oferta, mas não estava, e agora percebo claramente, preparado para essa tarefa. Só posso afirmar minha crença de que os anos de estudo sobre a "tradição excluída", que Blake também tomou como sua, afinal, fizeram de mim um candidato para a tarefa. Também lembro de algo que Kathleen Raine me disse. Quando eu a tirei de seu conforto em Paultons Square, Chelsea, para uma entrevista (filmada), ela suspirou e disse: "Acho que sou a única que pode fazer isso!". Acho que ela estava certa. Então, quando comecei a pesquisar sua biografia eu encontrei em meu sótão – honestamente! – uma mala de microcassetes perdidas de entrevistas com grandes acadêmicos gnósticos, como Hans Jonas, Gilles Quispel, Elaine Pagels e, é claro, Kathleen Raine. Tocando a fita de Raine novamente, fiquei surpreso. Como fomos além, em uma longa e mágica conversa, ela de repente anunciou: "Você, Toby! Você é o futuro! Você vai levar a tocha!". Isso era um pouco forte! Nenhum jovem aventureiro quer que seu futuro seja esculpido para ele; mas está começando a parecer que Kathleen dividiu os poderes proféticos de seu guru (ou seja, de Blake). E aqui estamos.

Meus agradecimentos são, em primeira instância, para meu editor comissionado em Watkins, Michael Mann, que aproveitou a ideia de uma biografia de Blake que realmente entregava a essência daquilo pelo qual o próprio Blake foi movido (e que foi tão frequentemente ignorado, desclassificado, não compreendido ou perdido). Michael não se importará em dividir as honras com a falecida Kathleen Raine, sem cuja inspiração eu passaria a ser o mais pobre leitor e espectador de Blake. Também gostaria de agradecer Frank van Lamoen, curador assistente no Museu Stedelijk, em Amsterdã, e à equipe da *Bibliotheca Philosophica Hermetica*, de Amsterdã, de Joost Ritman, especialmente José Bouman e Cis van Heertum, pelo acesso às primeiras edições das gravuras do *Jó,* de Blake, e sua versão do novo *Night Thoughts*.

Além disso, gostaria de agradecer ao artista gráfico Jean Luke Epstein pela realização da pesquisa em meu nome, com a assistência muito gentil da Biblioteca e do Museu da Maçonaria, na Rua Great Queen, oposta ao prédio onde o jovem Blake passou sete anos de sua vida como tipógrafo aprendiz. A arquivista e gerente de registros, Susan A. Snell, da Biblioteca e Museu da Maçonaria, Freemasons Hall, foi uma pessoa muito solícita com as informações sobre as ligações mais tênues de Blake com a Maçonaria.

Gostaria de prestar meus agradecimentos finais para minha mãe e meu pai, Patricia e Victor Churton, que me apresentaram aos pouco conhecidos ou lembrados círculos dos séculos XVIII e XIX, há 40 anos, quando eles embarcaram em uma verdadeira crônica da história da família, que quase me levou à porta de entrada da casa de Blake, como nós veremos.

Tobias Churton
Staffordshire
Uma nota sobre a pontuação de Blake

William Blake não frequentou a universidade. De fato, ele não iria tolerar, de forma alguma, a disciplina acadêmica daquele século. Sua educação linguística, quando não era oferecida por sua mãe, possivelmente uma enfermeira, foi autodidata.

É provável que Blake tenha herdado sua pontuação e gramática idiossincrática em parte por causa das habilidades limitadas de sua mãe no inglês escrito. Porém, Blake leu muito e, quando cresceu, se familiarizou com a literatura inglesa clássica, assim como com os trabalhos de escritores e filósofos espirituais antigos.

No entanto, apesar do seu dom em produzir poesias e prosas didáticas inspiradas e trabalhadas lindamente, sua pontuação – ou a falta dela – deve surpreender alguns leitores.

Aquilo que talvez pareça um conjunto de erros tipográficos nas transcrições de seus escritos pode ser considerado como a "forma livre" de Blake e, até mesmo algumas vezes, arrogante com o emprego – ou não – de pontos finais, vírgulas, apóstrofos possessivos e letras maiúsculas, combinados com peculiaridades ocasionais de ortografia. Enquanto a língua inglesa não era estritamente padronizada ao nível em que está hoje, a pontuação, a gramática e a ortografia de Blake eram passíveis de objeção por parte de alguns observadores, até mesmo em sua época, e seus erros eram considerados como sinal de pouca instrução ou o desejo de ter uma educação de cavalheiro.

O próprio Blake, contudo, tinha orgulho de seu conhecimento, adquirido por meio de trabalho duro. Ele era deliberadamente anticonformista em relação à criatividade literária. Portanto, as peculiaridades linguísticas de Blake devem ser atribuídas mais à obstinação e a um próprio hábito seu do que à ignorância.

Introdução – Jerusalém!

Eu lhe dou o final de um cordão de ouro
Apenas enrole-o como um novelo:
Ele vai conduzi-lo à porta dos Céus,
Construída no muro de Jerusalém.
(Introdução do capítulo 4, *Jerusalém*; datada de 1804)

Em todos os finais de semana, na Inglaterra, você pode ter certeza de que um grupo de foliões, em algum lugar, estará lançando uma espontânea homenagem a *Jerusalém*, de William Blake – seja em um casamento, em uma festa em um *pub* ou na comemoração de alguma equipe de *rugby*. Poucas vozes erguidas na música serão de pessoas que já tenham, ou terão visitado, ou mesmo ouvido falar, da retrospectiva de 2009 de William Blake, ou sabido que, em 6 de maio de 2013, Tate Britain relançou as designadas galerias de Blake, a exemplo de uma coleção que já percorreu os Estados Unidos, a Espanha e a Rússia. Isso não importa; de alguma forma, *Blake* já os atingiu.

Na Rádio BBC, em 3 de abril de 2013, uma chamada foi feita para eleger um hino inglês específico. No topo da lista veio a canção "Jerusalém", que toca partes que outros hinos não podem alcançar, incluindo o Hino Nacional. Não é necessário dizer que ela inspirou o hit *Jerusalém*, do Royal Court Theatre, de 2009, de Jez Butterworth, em que estrelou Mark Rylance, quem primeiro reproduziu William Blake (no original) em uma fascinante produção da BBC em 1993.

"Jerusalém" transcende o Hino Nacional porque não é um hino nacionalista; ele expressa um anseio da alma inglesa, algo vital e agradável para as pessoas nos quatro cantos do mundo. Os americanos não precisam lembrar que William Blake inspirou Ralph Waldo Emerson e o visionário americano Walt Whitman. Embora Blake tenha chamado a si mesmo de "Blake inglês", ele teria sido um poeta e profeta pobre, se sua mensagem tivesse ecoado em apenas um único país. Alguns de seus críticos mais perspicazes vêm da Índia. Blake se dirigiu ao Homem – e àquilo que deu errado com o Homem – e disse como colocá-lo no caminho.

Várias pessoas hoje anseiam profundamente por algum tipo de reavivamento espiritual, não no sentido de "Billy Graham", mas uma renovação da faculdade da visão, uma reincorporada liberação de nós mesmos da nossa cultura de estreitamento. Nós olhamos, na maior parte das vezes, em vão, para a televisão e o cinema, e encontramos neles confusão, superficialidade e exploração. Muitos de nós nos sentimos perdidos em meio aos nossos próprios objetos – e nos sentimos, nós mesmos, como objetos, numerados e taxados. O universo, em toda a sua escala, começou a se sentir fechado, nossas vidas aprisionadas, nossos melhores pensamentos e sentimentos encerrados neles mesmos. Grandes oportunidades são jogadas fora, dia após dia, no caos da mídia incessante.

William Blake discursou sobre nossa condição no surgimento do materialismo que depois nos envolveu. Ele fez isso na poesia, na pintura e na música (infelizmente suas melodias, se não seus versos, foram perdidos). Blake pôde colocar-nos novamente em contato com o paraíso enquanto ainda estamos na Terra, como Kathleen Raine enfatizou na conversa citada no prefácio deste livro. Até o fim da vida de Kathleen, ela iria dizer simplesmente: "Blake é meu guru. Ele me ensinou tudo". Ficava claro, quando você a conhecia, que Blake – que nunca teve uma educação universitária – sabia tudo o que valia a pena saber.

Mas o verdadeiro guru, Blake, perdeu-se em meio a uma miríade de biografias inadequadas, dissertações universitárias e comentários de artes, muito frequentemente escritos por pessoas que não encontraram as chaves luminescentes para o simbolismo e o espírito libertador de Blake. Com bastante frequência, os críticos fazem tempestade em copo dágua, com interpretações excessivamente literais. Palavras apropriadas aparecem – como "espiritual" –, mas apenas em casos raros, nos quais você sente que o escritor realmente *sabe* (como se conhecesse a pessoa) o que ele ou ela está falando.

Há muito tempo observou-se que, se Blake tivesse nascido na Alemanha, ele seria tão famoso quanto Beethoven, com estátuas dele nas cidades e a leitura obrigatória de sua obra para a cultura pessoal. Levou um século após sua morte, em 1827, para Blake ser apreciado em praticamente qualquer nível além de um pequeno círculo de adeptos (*ou seja*: Samuel Palmer, John Linnell, Dante Gabriel Rossetti). A estrela que surgiu para trazer o poeta, tipógrafo, pintor e filósofo para o *status* de "tesouro nacional" aumentou acentuadamente nos anos 1960, quando os esforços dos poetas-profetas, como Adrian Mitchell (1932-2008), e a experimentação política livre libertaram a energia vigorosa e visionária, formalmente suprimida pelos partidos ortodoxos.

De repente, com LSD, Pink Floyd, Yoga e Sofismo no ar, tornou-se possível unir-se a Blake e ver, *realmente ver*, "um céu em uma flor selvagem, um mundo em um grão de areia, e a eternidade em uma hora". Toda ciência deveria estar ao lado dos visionários: Jacob Bronowski, apresentador e escritor da série de documentários da BBC, em 1973, *The Ascent of Man* (A Ascenção do Homem), era um dos maiores fãs de Blake.

Aldous Huxley manteve no coração a frase de Blake: "Quando as portas da percepção forem limpas, poderemos então enxergar as coisas como realmente são: infinitas", e adotou o conceito de Blake em seu livro sobre a consciência expandida, As Portas da Percepção (1954). Jim Morrison tomou a ideia dessas mesmas "portas" para o nome de sua banda poética/teatral, The Doors – que incendiou em todos os que a estavam ouvindo depois de imprimir na imensa plateia a cena de "Break on Through to the Other Side" (Abram o caminho para o outro lado), nesse ano repleto de "*Songs of Innocence*" (Canções da Inocência), 1967.

Innocence (Inocência) tornou-se logo *Experience* (Experiência) – com Jimi Hendrix – e William Blake também estava lá, dando conforto e orientação através dos anos escuros que seguiram a primeira breve abertura das portas da percepção, nos anos 1960.

Todo mundo agora percebe que alguma coisa aconteceu naquele tempo, embora poucos tenham certeza do que era.

Blake escreveu para nós porque ele percebeu, muito à frente de seu tempo, que a filosofia do materialismo dominaria o mundo, mas não destruiria "o Homem Antigo", "o Gênio Poético", a "Divina Imaginação". Ele "não era um número", ele era "um homem livre". Por meio de fogos de rebelião e mudanças cataclísmicas, a "Criança de Liberdade e Rebelião" surgiria novamente para desafiar o domínio da Razão abstrata e a sua funesta Lei, e romper as barreiras dos infinitos mundos internos. O Homem e a Mulher, espiritualmente Livres, ressurgiriam e reintegrariam o Homem Quebrado que vivia no escuro, no coração e centro de seu próprio e verdadeiro ser. A Vida Eterna, uma vez mais, significaria algo para os objetos do mundo ocidental. O esforço espiritual titânico de Blake foi obscurecido e matizado por inúmeros acadêmicos e especialistas que, a meu ver, nunca viram a madeira das árvores e esqueceram sua essência. Portanto, para alguns, Blake é um "poeta romântico" com algumas ideias prescientes sobre a forma poética. Para outros, ele é um protossocialista revolucionário, um furioso *Cockney "Digger"* com algumas ideias sobre amor livre – "um dos rapazes" cujo "lado visionário" é um pouco o de uma aberração: ideias alegadamente obscuras demais para "pessoas modernas". A principal, entre as exceções dos prevalecentes equívocos, reside, em minha opinião, em comentários feitos por W. B. Yeats e Kathleen Raine: eles dão sentido ao homem.

Blake estava preocupado com um total reavivamento espiritual. Se você lhe pedisse para pintar a igreja em Felpham, Sussex (onde ele viveu de 1800-1803), ele não pensaria que você tinha se referido a um retrato ou a uma paisagem. Pouco interessado nesses dois gêneros, ele pintaria a própria igreja, de cima para baixo, por dentro e por fora, restaurando a aparência de uma igreja popular perdida na Idade Média, antes de os seres humanos se tornarem, nas palavras de Orson Welles e parafraseando Blake, "pobres rabanetes bifurcados", à deriva e apartados da imortalidade.

Então, de que forma o amor popular por "Jerusalém" se enquadra em tudo isso? De várias formas, e, em um primeiro momento, existe pouca conexão entre o entusiasmo para o "hino" e a biografia da pessoa que o escrevera. Quando perguntei a vários artistas que cantaram o hino se eles sabiam quem escrevera, muitos deles expressaram surpresa com a pergunta. *O que isso importa?* Entretanto, veremos que é preciso entender o autor para poder entender o hino. Devemos ver, porém, que para entender o escritor é preciso entender o cântico. Se nos importamos com o hino, devemos querer conhecer alguma coisa de seu autor.

O desconhecimento do homem – e, portanto, do hino – era claro, ou melhor, era evidente, a partir daquele momento, em 1916, quando "Jerusalém" entrou pela primeira vez na consciência popular, mais de um século depois da composição da letra do hino.

Assim como muitos leitores já sabem, "Jerusalém" nem sequer era um hino nem tampouco seus versos vívidos podem ser descritos como um "poema". E o "seu" nome não é, de fato, "Jerusalém"; os versos que conhecemos e que foram sutilmente mudados *tinham* um nome, porque eles eram parte de outra coisa. Os versos que começam por "E aqueles pés em tempos antigos..." vêm do prefácio do poema épico de Blake chamado "Milton", que ele começou a escrever por volta de 1803-1804, mas que não terminou em uma década ou mais; pelo menos ele não terminou a correspondente gravura em um livro iluminado que podia ser comprado em sua casa de South Molton Street, Mayfair, ao redor da época de Waterloo.

Um século depois, o poeta Laureate Robert Bridges incluiu os versos de "Jerusalém" em uma antologia de 1916, com intenções patrióticas, chamada *O Espírito do Homem*. Isso é estranho, porque sua primeira edição do *Livro de Versos Ingleses de Oxford* (1900; editado por Arthur Quiller-Couch), para o qual Bridges contribuiu, incluía dez poemas de Blake, mas não "Jerusalém". Alguém apresentou os versos a Bridges que, encorajado a usar sua posição para elevar o moral em uma guerra que ele temia ser muito custosa e potencialmente sem fim, decidiu que os versos poderiam inculcar o correto espírito de autossacrifício nacional para uma causa maior ("construir Jerusalém", a Nova Jerusalém – uma visão do Livro do Apocalipse, familiar às pessoas daquele tempo, que eram conhecedoras das Escrituras).

Bridges queria que as palavras de Blake se encaixassem em uma música para um encontro empolgante da campanha de "Luta pelo Direito", a ser realizada em Queens Hall de Londres. Então ele abordou o compositor *sir* Charles Hubert Hastings Parry (1848-1918), que compôs a bela melodia "Repton" para a canção popular "Dear Lord and Father of Mankind" (Querido Senhor e Pai da Humanidade).

Bridges pensou que as estrofes de "Jerusalém", então chamadas de letra de música, iriam fazer lembrar do que estava em jogo na guerra, junto com a visão do que poderia ser feito além da luta: "Nem minha espada descansará até que tenhamos erguido uma Jerusalém nas agradáveis e verdejantes terras da Inglaterra". A "espada" poderia facilmente ser equiparada a um rifle e a uma baioneta.

As pessoas estavam lutando por um futuro melhor, um divino futuro garantido pelo favor de Cristo à terra com a qual o Cordeiro de Deus – que voluntariamente se sacrificou – estava feliz em se identificar. Não era apenas um "monte verde distante", onde o "Cordeiro" foi crucificado, mas também era uma terra verdejante e agradável ameaçada pelos alemães em sua coletiva crueldade.

Pessoalmente avesso ao possível "jingoísmo" da campanha da "Luta pelo Direito", Parry estava desconfortável com o uso de sua melodia e arranjo quando apresentou o trabalho acabado em 10 de março de 1916. No entanto, 18 dias depois, o Queens Hall o viu tocado com órgão e coral para uma plateia arrebatada. As dúvidas de Parry, no entanto, não foram dissipadas por tal popularidade calorosa. Em maio de 1917, ele retirou seu apoio musical da campanha "Luta pelo Direito". A música estava em risco de desaparecer do repertório, quando Millicent Garrett Fawcett, da União Nacional das Sociedades em Sufrágio das Mulheres, pediu a Parry para apresentá-la, em 13 de março de 1918, em um Concerto de Demonstração de Sufrágio, e subsequentemente, como uma canção de voto para as mulheres. As mulheres viram outro aspecto da beleza do trabalho. Graças a elas, pudemos chegar a conhecê-la. E elas não foram as únicas em sua aprovação.

Quando o rei George V ouviu a versão orquestrada, preparada por Parry, para o concerto do Sufrágio, ele declarou sua preferência por "Jerusalém" a "God Save the King" – uma ironia da qual Blake certamente teria gostado. A combinação de poesia e música lançou um feitiço sobre os ouvintes, semelhante ao que "Nimrod", de *sir* Edward Elgar, fez com Winston Churchill. "Jerusalém" falava da luta espiritual como o mais alto propósito da existência, essa luta mais interna que deu à vida sua dignidade essencial e transcendente e para a qual o mundo estava cego.

O próprio Parry estava feliz porque "Jerusalém", nas mãos das mulheres, proporcionaria um senso de alegria, de algo bom a ser feito que abrilhantaria vidas. Ele entendeu que "construir Jerusalém" não era algo para ser realizado com bombas e armas que derrubavam as pessoas e as coisas de sua existência: ela deve ser *construída* mediante o compromisso *interior* de vidas devotadas a uma vida maior do que suas próprias vidas comuns. O que um artista poderia querer mais? O maior compositor inglês, *sir* Edward Elgar, escreveria o seu próprio arranjo para a misteriosa melodia de Parry.

Inevitavelmente, os socialistas tiveram sucesso na sua campanha e carregaram a "Nova Jerusalém" com um significado de bem social politicamente orientado, que era definitivamente preso à Terra, mas que divertiu muita gente ao alegar que o Partido Trabalhista era uma influência divina. Na crítica Eleição Geral de 1945, o aspirante P. M. Clement Attlee declarou que o Partido Trabalhista construiria uma "Nova Jerusalém"; em seus sonhos, pelo menos, todos os socialistas passariam a cantar o mesmo hino. Mas não haveria nenhum prédio com pedras preciosas ou pináculos dourados nos novos apartamentos, prédios e fazendas da Grã-Bretanha do pós-guerra. A Nova Jerusalém seria rapidamente construída com muito concreto armado, austeridade aplicada e teoria de arquitetura social – uma demolição preparatória da Luftwaffe, completada por "Motoristas Malucos" em uma invasão de caminhões pelo país, e Valquírias no alto das fumaças de óleo diesel.

E deve ser dito que Blake teria encontrado pouca coisa para admirar na filosofia de um estado controlado, ou mesmo liberal, pelo socialismo. Ela era contra seus princípios no nível mais fundamental. Primeiro, a ideia de "igualdade" o repeliria. Ao escrever sua obra explosiva *O Casamento do Céu e do Inferno*: "Uma mesma lei para o leão e para o boi é opressão". Indivíduos são absolutos; por nossos próprios pensamentos e ações tornamo-nos "ovelhas" ou "cabritos". Os homens querem ser agentes livres e cada ser humano é diferente de outro enquanto todos compartilham da "Humanidade Divina", em diversos graus e níveis que os indivíduos possam experimentar.

O mais alto estado do homem é a "liberdade espiritual", e isso é realizado minuciosa e particularmente em indivíduos e não coletivamente. A liberdade do homem cresce à medida que ele descobre sua dignidade espiritual. Onde reside sua dignidade? Ela está na realização de que o Homem é um ser espiritual, um ser espiritual irracionalmente imprevisível, de infinito potencial. Contrariamente ao *Direitos do Homem*, de Thomas Paine, e à facção Rousseau-Voltaire, Blake não acreditava que o Homem era basicamente "bom", mas basicamente *Deus*. E Deus, como o "místico" alemão Jacob Boehme (1575-1624) lhe ensinara, tinha dois aspectos aparentemente contraditórios, e o Homem ficou preso nesses fluxos até acordar. Nos dois aspectos da natureza de Deus poderia ser encontrada a única "dialética histórica" que chamou a atenção de Blake. Ele não estava interessado em qualquer alegada "luta de classes": essa seria uma quimera, um conto de ciúmes e inveja para os amargurados. A verdadeira riqueza reside no espírito.

O homem não "pertence" à sociedade; nós todos somos, Blake acreditava, membros do Corpo Divino, coexistentes com Deus.

"Albion", de Blake, não é outra palavra para "Sociedade". A política resume-se em conveniência; a sociedade em geral é um grupo assustado, cheio de "acusadores" e o espírito de acusação contra qualquer um que "quebra as regras" – tal como Jesus, que Blake não identificou com os "obreiros", mas com a Imaginação.

Tudo isso explica a ênfase em "Jerusalém", na "Luta Mental". Todas as pessoas podem ouvir a voz de "Satã" ou do falso ego (preso ao mundo da natureza), e a voz do anjo – isto é, o ser espiritual. O "príncipe deste mundo" é o *Ego*: "Eu primeiro, eu por último, eu o tempo todo!", como minha mãe costumava dizer. Esse falso Eu oculta o verdadeiro Deus.

Blake leu na Bíblia e na Hermética, assim como nos trabalhos de neoplatônicos, gnósticos e "rosa-cruzes", uma mensagem consistente confirmada pelos seus escolhidos professores Paracelso e Jacob Boehme. O Homem Primitivo caíra de sua dignidade espiritual como resultado do que a Tradição esotérica espiritual chamou de "amor do corpo": uma fascinação narcisista e fatal com o reflexo da forma eterna do Homem na natureza.

Blake achou suas concepções internas mais verdadeiras para a realidade espiritual do que seu "olho vegetal" poderia ver daquilo que era aparentemente "fora de si mesmo". A regra da Natureza divorciada de Deus era uma regra cruel e tirânica e o "Satã" da criação material era efetivamente o "falso ego" do universo: pavoneando-se arrogantemente com suas "regras e regulamentos".

Blake – e isso é importante entender – acreditava que a filosofia e a ciência de seu tempo estavam empurrando o Homem cada vez mais para esse "deserto" de tempo e espaço abstratos.

Bem, aqui estamos. Chegamos. Estamos afundados na areia e não percebemos a eternidade em seus grãos. Blake não estaria de todo surpreso ao ver o que o telescópio Hubble trouxe para nossos olhos vegetais: um oceano infinito de forças explodindo e implodindo que expandem ou contraem tal como as principais teorias supõem, tudo feito com números e espectroscópios. Se pudéssemos aspirar a "grandeza do Cosmos" (como é visto hoje), ele cheiraria muito mal, a metano, e pior, envolto em nuvens de abortos gasosos: um exclusivo oásis de luz evasiva em um deserto repleto de "buracos negros". Blake denominou o "governador" do universo natural de "um ser muito cruel", imponente em sua aparência de Golias, mas cruel e cego. E essa crueldade habita em nós mesmos. Lidar com isso e lutar contra as forças de nossa natureza interior é a *Luta Mental* a respeito da qual os versos de "Jerusalém" nos fala. Não é possível a Nova Jerusalém com tijolos ou pedras; ela é construída com amor e lágrimas e o sacrifício do falso Ego que esconde o Real. Os construtores da Grande Cidade são homens e mulheres de Imaginação, alimentados pela verdade espiritual.

Quanto ao que Blake queria precisamente significar por "esses moinhos satânicos escuros" (mudados, pontualmente, para *aqueles* moinhos satânicos escuros, no hino popular), nós descobriremos no devido tempo. Mas uma coisa posso contar-lhes: a visão dos moinhos satânicos escuros de Blake definitivamente *não* era as fábricas fumarentas, barulhentas, as batidas e marteladas, as fundições, prensas de extrusão e moinhos de algodão de trabalho suado e da supremacia tecnológica que, assim como o motor a vapor, que rugiu na estrada de ferro através da Midlands "Black Country", alarmando tanto a rainha Vitória que ela insistiu em fechar as cortinas do vagão para evitar que a fuligem do vapor da sujeira e a ganância na construção do império estragassem seu dia.

Independentemente da distorção das palavras de Blake sobre algum céu ou terra patrióticos, o "hino", com sua expressiva magia e sem nenhuma surpresa, foi ouvido e cantado no casamento de Catherine Middleton e do príncipe William, na Abadia de Westminster – agora uma música da "nova era" de uma monarquia democrática, racional, emocional ou, talvez, um anseio em conseguir algo melhor do que pensamos "ter" agora.

Não tenho dúvidas de que Blake teria ficado lisonjeado com a atenção: ele passou a maior parte da sua carreira criativa ridicularizado e reprimido. Todavia, é difícil imaginar que Blake pudesse ter, por um minuto, estômago para aceitar o uso das suas palavras para promover o recrutamento e o entusiasmo das pessoas para a Primeira Guerra Mundial. Suponho que ele teria percebido que, no verso, a "espada" que não "descansou na mão" foi precedida, como observamos, por uma ênfase evidente na "*luta mental*". Anteriormente, Blake tornara explícitos alguns versos em seu Prefácio de *Milton* no qual a "Luta Mental" era a própria alternativa cristã para a "Guerra Corporal":

> Despertem, ó Jovens da Nova Era! Direcionem suas frentes contra os ignorantes Mercenários!
> Pois temos Mercenários em nosso campo, a Corte e a Universidade, que, se pudessem, debelariam para sempre o Mental e prolongariam a Guerra Corporal.

O "mercenário" é alguém que não se preocupa com a essência do conflito, alguém que se beneficia com a própria luta. Blake estava defendendo um tipo de luta interior, pessoal, um *jihad* contra as forças do mundo material; uma luta que poderia ser combatida apenas com armas espirituais e não materiais, pois nada havia a ganhar do mundo material, tal como: "o reino dos céus está dentro de você". Os Grandes Poderes, do ponto de vista do plano mais elevado, estavam lutando por, precisamente, Nada.

Além disso, a ênfase patriótica de "Jerusalém", como a conhecemos, requereria considerável qualificação no intuito de assegurar a aprovação do autor para o uso de sua obra. Blake considerava o seu país como sendo um dos que tinham caído de uma graça primitiva, uma simplicidade épica. O primeiro objetivo do país deveria ser o de redescobrir sua mágica ciência espiritual, segregada como um fugitivo na Terra, para então restaurar-se em plena maturidade humana – ou seja, para reintegrar suas energias, como aconteceria com um Homem quebrado. Ele chamou esse Homem de "Albion": a ideia espiritual encarnada nas Ilhas Britânicas. Todo britânico era, espiritualmente, uma parte dele e partilhava de sua Queda catastrófica, da diminuição de seus poderes e de sua divisão em potências menores. Reduzir a visão de Blake do Homem Primitivo em uma melodia e um sentimento sobre a "vitória" nacionalista o teria espantado, embora confirmasse sua convicção de que tudo o que cai no mundo da matéria é fatalmente distorcido em sua substância e significado.

> Minha mãe gemia! Meu pai chorava.
> No perigoso mundo no qual me atirei.
> Indefeso, nu, gritando alto,
> Como uma fera oculta em uma nuvem.
> ("Mágoa Infantil"; de *Canções da Experiência*)

A visão de Blake é realmente grande demais, fundamentalmente perturbadora para muitos hoje que, em minha experiência, não herdaram a "tradição excluída" que Blake abraçou, mas uma filosofia ou filosofias bem opostas ao que Blake defendia na poesia, na pintura e na música. A matéria é rei; o Homem é matéria: um organismo guiado pelo gene.

Há no Ocidente, sobretudo na Europa, estabelecimentos artísticos, científicos e políticos, um poço efervescente de hostilidade declarada a qualquer coisa que diga respeito ao "esoterismo ocidental", tudo o que, para eles, é destinado a uma lata de lixo de crenças obsoletas, um refúgio para excêntricos e ludistas (avessos à tecnologia).

Desdenhar e zombar de ideias espirituais é prevalente e encorajador. Quem ousa colocar-se em risco? Era assim na época de Blake, não muito tempo atrás, e continua sendo assim atualmente. Mais surpreendente é que Blake tornou-se um "tesouro nacional" (termo feio) da indústria de arte britânica exportável, enquanto se tornava aceito como autor de um hino de orgulho popular e indiscutivelmente nacionalista: algo para deixar o inglês feliz. No entanto, Blake, de alguma forma, começou a ser reconhecido quando algumas obras de sua exibição permanente no Tate Britain, por exemplo, foram lidas desajeitadamente, pois os curadores não sabiam como apresentar Blake ao público em geral (atualmente, seu retrato está pendurado em uma parede, misteriosa e ridiculamente associado ao desenvolvimento da arte da paisagem britânica)/ali está ele para ser visto, apesar de, curiosamente, estar "cortado "das galerias principais, pelo menos no presente momento.

Tal como este livro demonstra, um entendimento histórico de William Blake é impossível sem o conhecimento da cultura das forças prevalecentes na época em que ele viveu. Em vários aspectos, Blake falhou com sua principal plateia, a nação inglesa – uma falha que, imagino, o deixou ansioso por fazer valer na última década de sua vida, quando considerou realizada a "publicação" de seus trabalhos e cartas praticamente encheram seu quarto, cartas a serem lidas pelos "espíritos" que transmitiriam suas obras, por assim dizer, ao inconsciente coletivo.

Blake acreditava que, nos mundos espirituais, ele desfrutava de um grande fã-clube, enquanto na Inglaterra de George III, da Regência e de George IV, membros significativos do estabelecimento governante consideravam Blake como um inimigo. Não é possível trancar, pendurar ou transportar um homem para torná-lo inaudível. A pobreza iria assegurar que somente os espíritos mais fortes e esclarecidos se aproximariam de sua porta.

Eu não acho que a grande obra de Blake *Sitz im Leben*, ou *O Assento Vital*, tem sido adequadamente analisada ou persuasivamente compreendida nas biografias anteriores.

Para ajudar a estabelecer uma maior perspectiva a seu respeito, fui abençoado por ter herdado um grande conjunto de registros nunca antes publicados – cartas, diários, panfletos e livros – que usarei para esclarecer e apresentar uma perspectiva a respeito da vida e época de Blake (os *Churton Papers*). O arquidiácono Ralph Churton (1754-1831) era quase contemporâneo exato de Blake, e, como Blake, não emergiu de uma riqueza pecuniária. Entretanto, seus caminhos na vida fizeram com que eles trilhassem direções diferentes, até mesmo quando seus interesses essenciais, o destino espiritual de seu país, foram, fascinamente, os mesmos.

O que meu coração mais almeja – mais do que a vida ou tudo o que parece tornar a vida mais confortável com sua ausência – é o Interesse na Verdadeira Religião e na Verdadeira Ciência...
            (Carta de William Blake para Thomas Butts, 1802)

Enquanto Blake, inculto, desenvolvia um sistema idiossincrático de crença cristã, Ralph Churton passava a frequentar a Faculdade Brasenose College, Oxford, distinguindo-se subsequentemente como teólogo e pilar do estabelecimento religioso inglês. Ele também um famoso biógrafo, um correspondente de Boswell e de Gilbert White, e um importante antiquário.

Uma das minhas afirmações é que Blake é responsável, mais do que é reconhecido por isso, pelo desenvolvimento do antiquarismo britânico, no século XVIII, em pensamento e em atitudes. Para tomar um exemplo-chave, Blake deu valor ao tesouro de arte encontrado nas igrejas góticas do país – na Abadia de Westminster, em particular – quando era aprendiz na gravurista de James Basire, em Great Queen Street, rua oposta ao Freemasons Hall and Tavern. O trabalho na Abadia era executado por ordem de um amigo e correspondente de Churton, Richard Gough (1735-1809), padrinho da filha de Churton, Mary. Gough, como Churton, era membro da Sociedade dos Antiquários de Londres, fundada pela carta régia em 1751, seis anos antes do nascimento de Blake. Diretor da Sociedade de 1771 a 1791, Gough passou o período de aprendizado e da carreira de Blake até seus 42 anos compilando o poderoso *Sepulchral Monuments,* em dois volumes, e uma tradução inglesa de *Britannia* (1789), de Camden, a grande obra contemporânea da topografia e História Antiga inglesa. Parece ter sido *Britannia* a inspirar o épico e visionário poema de Blake, "Jerusalém". Foi o trabalho de Gough que arrebatou o adolescente Blake até a Abadia de Westminster e à sua famosa e influente realização de que a "forma gótica é a forma viva".

Churton usou a empresa de Basire para executar as gravuras de *Vida de Alexander Nowell, Dean of St. Pauls* (Oxford, 1809), por sugestão de Gough. Ele também era correspondente regular do antiquário de Thomas Dunham Whitaker (1759-1821), um amigo do companheiro antiquário Charles Townley (1737-1805), cuja coleção de arte romana e grega formaria grande parte do acervo de antiguidades esculpidas do Museu Britânico. Membro da Academia Real, Townley conhecia tanto Blake quanto um dos mais próximos amigos dele, o escultor John Flaxman (1755-1826). Flaxman era também correspondente do patrono de Blake (1800-1804), William Hayley. Churton também conhecia Flaxman e, pessoalmente, organizou um trabalho monumental para ele na Radcliffe Library, Oxford, em 1805-1806.

Churton era bem consciente dos desenvolvimentos na religião que o afligiam. Ele rezou pelo retorno daqueles que se afastaram da Igreja da Inglaterra. Blake era um deles? Veremos que, nos círculos que controlavam mais os mundos artístico e intelectual aos quais Blake precisava pertencer para conseguir uma reputação, opiniões e lealdades estabelecidas contavam muito. Encontraremos o arquidiácono Churton e seus amigos do "lado vencedor" e Blake, "pobre Blake", como *seus* amigos frequentemente o chamavam, do "lado perdedor". Porém, veremos que as coisas não foram assim tão simples nesse período extremamente volátil e profundamente surpreendente de fermento intelectual, religioso e político.

Talvez a maior surpresa para os aficionados de Blake da última década foi apresentada pela extensa pesquisa do dr. Keri Davies, membro visitante de School of Arts and Humanities, da Nottingham Trent University, e da dra. Marsha Keith Schuchard, baseada em Atlanta, autora de *Caminho Sexual de William Blake para a Visão Espiritual* (Inner Traditions, 2008). Em 2004, Schuchard colaborou com Davies no artigo semanal "Recuperando a história perdida da família moraviana de William Blake",[1] ao qual seguiu a surpreendente descoberta de Schuchard, em 2002, de registros a respeito da mãe de William Blake, Catherine, e de seu primeiro marido, Thomas Armitage, na Bilbioteca e Arquivo da Igreja Moraviana, em Muswell Hill, Londres.

O trabalho esclarecedor de Davies e Schuchard sobre a mãe de Blake e seu primeiro marido coincide com a crença de longa data de que Blake veio de uma família de dissidentes (Muggletonianos, batistas ou algum outro grupo), uma suposição que encorajou a ideia de um Blake religioso, movendo-se "naturalmente" no dissidente radicalismo político de "esquerda". Esta é a primeira biografia publicada que toma em consideração o novo conhecimento a respeito do autêntico antecedente espiritual da vida da mãe de Blake, nascida em Nottinghamshire (não "Cockney"), e as influências espirituais disponíveis na criação do poeta.

Esse conhecimento – e reverencio Davies e Schuchard por isso – tem enormes implicações no entendimento do verdadeiro

---

1. Marsha Keith Schuchard e Keri Davies, "Recovering the Lost Moravian History of William Blake's Family", Blake, An Illustrated Quarterly. 38/1 (verão 2004), Universidade de Rochester, New York, p. 36-43 (doravante abreviada como SCHUCHARD-DAVIES).

Blake e ajuda-nos a enxergá-lo em um contexto mais rico e amplo do que foi apresentado até então, e coloca um ponto final na noção persistente de Blake como uma peculiaridade surpreendente, uma espécie de curiosidade ou um rótulo na história das artes e letras, explicado e definido por um jargão psicológico, vagamente religioso ou até mesmo psiquiátrico.

No processo da investigação, teremos de superar em muito o romantismo que envolveu a reputação de Blake na época da linda biografia de Alexander Gilchrist (1861-1880) e nos depararemos com algumas surpresas penosas e, talvez, a destruição de algumas ilusões queridas no caminho. Tenho certeza de que encontraremos Blake tão desafiador quanto seus contemporâneos e, enquanto a distância do tempo sem dúvida amenizará o choque de valores que deve ter provocado calafrios na plateia vitoriana de Gilchrist, não tenho dúvida de que a relevância contínua de Blake para nossos predicamentos ainda induzirá tanto hostilidade desprezível (embora velada) quanto a geração de alegrias para as mentes abertas – pois Blake era um santo. E o milagre é o que viemos a conhecer e a ouvir dele.

Tobias Churton
Staffordshire, novembro de 2014

Capítulo 1

A Única Forma de Morrer – 1827

Em 1827, a Inglaterra era um lugar perigoso para ser rei. Em fevereiro, depois de 15 anos tempestuosos na função, o primeiro ministro, lorde Liverpool, sofreu um derrame. Dividido entre o duque de Wellington, um Tory de linha dura, e o moderado George Canning como sucessor, George IV sentiu-se vulnerável. Em 7 de março, ele saiu de Brighton Pavilion e mudou-se para o castelo de Windsor. Exposto à astúcia de um assassino pela expansão de Brighton, o pavilhão nunca mais veria o rei.

Desde o Ato de Importação de 1815, o governo do rei sofreu um ressentimento generalizado por causa dos altos preços dos grãos. Destinada a ser uma medida temporária, como acontece com as muitas pressões de políticas dolorosas, a assim chamada proibição da Lei do Milho sobre as importações de trigo, que protegia os fazendeiros dos baixos preços, causou miséria e fome por todo o país, até mesmo onde o pão não era escasso.

Economicamente sobrecarregado pelas dívidas da guerra napoleônica, o governo aumentava os impostos de maneira consistente. Em uma tentativa de atenuar as preocupações populares, em abril desse ano, o rei escolheu o brilhante ex-ministro das Relações Exteriores, George Canning, como primeiro-ministro. A esperança na liberalidade de Canning foi frustrada com sua morte em 8 de agosto: uma notícia desconcertante para um pobre artista chamado William Blake que, com 70 anos, foi morrendo aos poucos em sua residência da Rua Tribunal Fountain, próxima ao Strand.

No início do ano, Blake, fisicamente debilitado, tomou conhecimento do último livro de Robert John Thornton MD, *A Oração do Senhor, Recentemente Traduzida* (1827), com vigorosas invectivas contra o que Blake interpretou como sendo sua tradução de "Tory", em um conluio curioso com a tributação tirânica. Blake, forte de espírito, até adicionou uma cruel paródia à Oração do Senhor, em termos pelos quais ele imaginou ser uma mentira sorrateira por detrás das devoções do dr. Thornton:

> Pai Nosso *Augustus Caesar* [isto é, rei George Augustus Frederick] que está nos seus Céus Telescópicos Astronômicos Substanciais, Santificado seja o seu nome, ou Título & reverência para sua Sombra; Seu reinado venha à Terra primeiro e, dali, para o Céu. Dê a nós, cotidianamente, o Dinheiro Real Substancial e Tributado para a compra do Pão; livre-nos do Espírito Santo, assim que nós chamarmos de Natureza tudo o que não pode ser cobrado, pois tudo são dívidas & tributos entre César & nós, e uns aos outros. Não nos leve a ler a Bíblia, mas deixe a nossa Bíblia ser Virgílio e Shakespeare e livre-nos da Pobreza em Jesus, esse Maligno. Porque seus são o Reinado ou a Divindade Alegórica e o Poder ou a Guerra, & a Glória ou a Lei das Eras após Eras em seus Descendentes, pois Deus é apenas uma Alegoria de Reis & nada Mais. Amém.[2]

Material pedante sem qualquer pretensão de ser publicado: era uma mentira para qualquer noção sobre um Blake que, castigado pela pobreza, que expressava sua ferocidade profética na velhice. Ele foi autêntico até o fim de sua vida. E o final sobreveio quatro dias depois da morte de Canning, no domingo, 12 agosto de 1827.

O destino escolheu um lugar interessante para Blake deixar esse mundo. Mantida pelo cunhado de Blake, o sr. Banes, Fountain Court era uma casa de tijolos vermelhos de três andares, no lado oeste de

---

2. *The Complete Poetry & Prose of William Blake*, ed. David V. Erdman, comentários de Harold Bloom, Anchor Books, edição revista, 1988 (doravante abreviada como CPP), "Annotations to Thornton", p. 669. Acrescentei a pontuação para efeito de compreensão. A pontuação de Blake, ou sua falta, era idiossincrática.

um curso d'água estreito e insignificante que corria para o Tâmisa, perto dos edifícios Beaufort, Somerset House (no Strand) e o Savoy (na bacia do Tâmisa). Supervisionada pela paróquia de St. Clement Danes, a área densamente povoada foi notória durante grande parte do século anterior pela pobreza, mortalidade infantil e criminalidade. Conhecida como "Westminster radical", sua periferia atraía a ministração prática de filantropos, asilos e outros controles sociais.

Em 1821, quando o sr. e a sra. Blake ali se instalaram, a paróquia tinha, em sua maioria, níveis médios de renda, enquanto o próprio Strand, depois de sérias melhorias, em 1810, era uma rua antiga e bem colorida, de ridícula mas variada estrutura, o que discretamente chamava a atenção pelo contraste da estrutura dos prédios. A maioria era de tijolos, processados ou não, com altas janelas tipo guilhotina, quadradas e arredondadas, ao passo que protuberâncias de duas águas, de características excêntricas, pendiam sobre as "Lojas de Antiguidades", montadas em grandes painéis, pintados e emoldurados. A rua era pavimentada com paralelepípedos, com formato de pão, que seguiam para o leste, em direção à magnífica St. Mary le Strand de Wren, e a oeste para a Royal Academy, na Charing Cross (Trafalgar Square e Nelson's Column ainda não existiam). Homens e mulheres de todas as classes fervilhavam sobre o pavimento da rua, enquanto algumas mulheres com altos chapéus vendiam lavanda e os garotos da loja, portando aventais, faziam as entregas. Homens com casacos e cartolas acompanhavam suas esposas, com longos vestidos, usando xales sobre as amplas golas de renda, com fitas que amarravam capuzes grandes e pequenos. Escritórios para publicação de livros, jornais e revistas eram muitos e percorriam o caminho até às ruas Fleet e Middle Temple. Ainda havia bons negócios na publicação radical, reacionária e utópica, embora poucos deles fossem encontrados na Fountain Court.

Se subirmos um lance de escada, delimitado pelos graciosos balaústres e lambris de Queen Anne Street, para o primeiro andar na Fountain Court, nº 3, podemos ver duas portas iluminadas por uma janela com vista para o quintal. A porta da esquerda permite entrada para o salão posterior, onde Blake trabalha, sua esposa cozinha e o casal apaixonado dorme. A porta da direita leva o visitante para uma sombria "sala de visitas", onde as aquarelas, as gravuras e as têmperas de Blake estão penduradas.

Essa sala tem uma janela para Fountain Court, enquanto uma porta à esquerda da entrada leva o visitante ao *santuário*.

Uma sala ampla com painéis, considerada por um punhado de jovens devotos do artista como um verdadeiro Santo dos Santos, um lugar de encantamento de dimensões de apenas 12 por pouco menos de 14 pés de largura e comprimento. Aí o visitante percebe que está do lado esquerdo da cama, diante da qual há uma lareira para cozinhar, no canto direito. Ao lado da cama há um armário. Olhando para a esquerda, há uma bela janela de guilhotina. Sob o parapeito está a mesa de gravuras e a cadeira de Blake, à direita da qual há um armário onde o mestre guardava suas ferramentas.

Através da janela, por uma fresta do quintal, pode-se ver um trecho do Rio Tâmisa, suas margens enlameadas e as montanhas de Kent e, além, está Surrey.

Um desenho e uma aquarela de um admirador, devoto de Blake, Frederic Shields (1833-1911), mostra a sala como ele a viu quando, como ilustrador da biografia de Blake feita por Gilchrist, em 1863, ele prestou homenagem ao seu mestre, ao visitar a "sala morta" de Blake. O impacto do trabalho de Shield foi tamanho em Dante Gabriel Rossetti que o brilhante pré-rafaelita mudou de arte para a poesia, inspirado pelo que agora pareceu ser um pouco menos que um santuário. Tal emoção não deteve a demolição dos prédios, tempos depois. Curiosamente, o desenho de Shield mostra três almas ascendendo, de braços erguidos, possivelmente anjos. Eles pareciam ter sido pintados no painel à esquerda da janela sagrada. Seria adorável pensar que eles eram obras de Blake: brilhante grafite espiritual. Mas eles não aparecem na aquarela de Shield: percebe-se que alguma licença havia sido exercida em resposta às salas que, quando ocupadas pelo sr. e pela sra. Blake, inspiraram uma "sensação de LIBERDADE" que era "muito raramente sentida em outro lugar" por outro dos jovens admiradores de Blake.[3]

Percebe-se que já entramos em uma terra lendária: os santos inspiram as lendas, mas não as escrevem. As lendas da morte santa de

---

3. G. E. Bentley Jr., *Blake Records*, 2 ed., Yale University Press, 2004 (doravante abreviada como BR), p. 752.

Blake, no número 3 de Fountain Court, começaram quase imediatamente depois, nas palavras de um estudante de 18 anos da Academia Real, George Richmond (1809-1896):

> Ele morreu na noite de domingo, às 18 horas, da maneira mais gloriosa. Ele disse que estava indo para aquele País que havia desejado ver durante toda a Sua vida; sentia-se Feliz, à espera da Salvação através de Jesus Cristo – Pouco antes de morrer, seu Semblante tornou-se calmo. Seus olhos brilharam e sua voz irrompeu, Cantando as coisas que ele via no Céu. Verdadeiramente ele morreu como um Santo, como se uma pessoa estivesse ao seu lado Observando-o. – Ele deverá ser enterrado na sexta-feira, ao meio-dia. Caso queira ir ao Funeral – e se você for, haverá Lugar no Coche.[4]

O "Querido Amigo" convidado para o funeral por Richmond era o pintor de 22 anos Samuel Palmer, filho de um pastor batista da zona leste de Londres. Palmer era um dos poucos eleitos que compartilharam a visão que temos de Blake (por meio de Gilchrist), mas o santo de Richmond e Palmer corresponde a um Blake mais velho; Palmer só conheceu Blake em outubro de 1824, três anos antes do final. A lenda da boa morte de Blake foi romantizada a partir das reminiscências de Palmer, dos amigos de Palmer e de conhecidos de seus amigos.

Histórias sobre a morte de Blake surgiram um ano depois de sua partida, no segundo volume de *Nollekens and his Times* (Londres, Henry Colburn, 1828), pelo amigo de Blake, John Thomas Smith. Joseph Nollekens (1737-1823) foi indiscutivelmente o maior escultor britânico do século XVIII e Smith era um executor de muito sucesso da Academia Real Inglesa.

Smith preferia Blake a Nollekens:

> Durante a última doença de Blake, ocasionada pela mistura de bílis com seu sangue, ele frequentemente se reanimava para completar seus desenhos para sua pretensa ilustração

---

4. *The Letters of William Blake*, com documentos relacionados, ed. Geoffrey Keynes, Kt; Clarendon Press, Oxford, 1980 (doravante abreviada como *LETTERS* (cartas), "Carta de George Richmond para Samuel Palmer", quarta-feira, 15 de agosto de 1827, p. 171.

de Dante; um de seus favoritos autores, embora concordasse com Fuseli e Flaxman, em pensar que a tradução de Carey fosse superior a de todas as outras. Com apenas 16 anos, ele aprendeu a língua italiana de propósito, só para apreciar as obras de Dante da melhor forma possível. Para fazer esse trabalho, ele produziu sete gravuras no tamanho de um livro e aproximadamente cem desenhos acabados de tamanho consideravelmente maior, o que fariam justiça à sua mente maravilhosa e ao seu coração liberal, proporcionando-lhe essa prazerosa tarefa em uma época em que poucas pessoas se arriscariam a dar-lhe emprego, e cuja generosidade suavizou, para o resto da vida, seus sofrimentos corporais que ele suportou com a máxima força cristã.

No dia de sua morte, 12 de agosto de 1827, ele compôs e proferiu canções tão doces para o seu Criador e para os ouvidos de sua Catherine que, quando ela parou para ouvi-lo, olhando para ela afetuosamente, ele disse: "Minha amada, elas não são minhas – não – elas não são minhas".[5]

Esse último e luminoso detalhe foi atribuído "à viúva" por Gilchrist, 32 anos depois. Visto que a viúva (Catherine Blake) estava morta havia muito tempo, ele deve ter ouvido a história de Frederick Tatham (1805-1878), pintor e dissidente extremista, cuja irmã, Julia, casou-se com George Richmond, e que afirmou que a viúva de Blake o havia nomeado encarregado do legado artístico de Blake.

O advogado e crítico Henry Crabb Robinson visitou a viúva em janeiro de 1828. Visivelmente afetada por sua consideração, ela lhe contou que Blake "morreu como um anjo". Isso Robinson confiou em seu diário, o que representa um único relato, em primeira mão, sobre a morte de Blake.

A próxima parte da lenda chegou impressa, depois de dois anos do relato de Smith. A biografia *Lives of the Most Eminent British Painters, Sculptors and Architects* (6 volumes, John Murray, "The Family Library", 1830), de Allan Cunnigham, baseou-se fortemente nos

---
5. BR, p. 625.

relatos de Smith, mas contou com erros factuais importantes, como o ano da morte de Blake (apenas três anos após o ocorrido). A segunda edição de Cunningham era mais simpática e corrigia as sugestões anteriores de que Blake não podia distinguir entre o que ele imaginava e o que seus olhos comuns viam.

> Ele [Blake] tinha agora 71 anos [incorreto], e suas forças estavam cedendo rapidamente. Contudo, ele partiu alegre e contente. "Eu dou graças", disse ele, "por morrer. Minha única tristeza é a de deixar você, Katherine; nós vivemos felizes e vivemos por muitos anos; vivemos sempre juntos, mas logo deveremos separar-nos. Por que eu deveria temer a morte? Não, eu não a temo.
>
> Esforcei-me para viver segundo as ordens de Cristo e tenho procurado adorar a Deus verdadeiramente – na minha própria casa, quando eu não sou visto pelos homens." Ele estava cada vez mais fraco – e não conseguia mais sentar-se corretamente; e foi deitado em sua cama, sem ninguém para cuidar dele, com exceção de sua esposa que, fraca e envelhecida, precisava de ajuda em tão comovente dever.
>
> *O Ancião dos Dias* [uma de suas pinturas] era a obra favorita de Blake e, três dias antes de sua morte, ele se sentou na cama e a coloriu com suas cores mais selecionadas e com seu estilo mais feliz. Ele a tocou e a retocou – segurou-a no braço e depois a atirou, dizendo: "Aí está! Não há o que fazer! Eu não posso consertá-la!". Ele viu sua mulher em lágrimas – ela sentiu que aquilo seria o fim do trabalho dele. "Fique aí, Kate!", gritou Blake, "fique como está – vou desenhar seu retrato – por você ter sido sempre um anjo para mim". Ela o atendeu, e o homem que estava prestes a morrer fez uma imagem dela bem próxima à realidade [a obra, se existe, desapareceu].
>
> A mesma alegria com que esse homem singular acolheu a morte fez seus momentos derradeiros ficarem intensamente pesarosos. Ele deitou-se entoando músicas cujos

versos e melodias eram improvisados. Ele se lamentou por não poder mais passar à frente aquelas inspirações, como ele costumava chamá-las, para o papel. "Kate", disse ele, "eu sou um homem mudado – eu sempre trouxe à tona e escrevi meus pensamentos, mesmo que chovesse, nevasse ou fizesse bom tempo, e você também sempre ficou ao meu lado – mas isso não vai durar". Ele morreu em 12 de agosto, 1828 *[sic]*, sem nenhuma dor visível – sua esposa, que o estava assistindo, não percebeu quando ele parou de respirar.[6]

Se esse trabalho é claramente comovente, o próximo relato da morte de Blake é mais peculiar, de uma fonte positivamente doentia. Frederick Tatham comprometeu-se em explorar o legado de Blake enquanto, ao mesmo tempo, repudiava muito de sua essência. Tendo se tornado um seguidor do clérigo escocês da escola de Edward Irving, a Igreja Católica Apostólica, Tatham estava, ele mesmo afirmou, convencido pelas convicções do companheiro de escola a queimar grande parte da herança, ou melhor, da alegada herança, do trabalho de Blake.

Tatham recebeu relatos escritos sobre Blake da parte de quatro amigos dele. Ele os destruiu e produziu seu próprio texto, colocando-se ao centro do Gólgota da transição de Blake deste mundo para o próximo. Ele incluiu sua versão do relato de 1823 para ser vendido com a cópia pessoal de Blake do seu enorme e tecnicamente elaborado poema "Jerusalém", o que presumidamente "agregou-lhe valor", na esperança de boas vendas.

Veja a prosa cruenta de Tatham:

> Sua vida, embora fosse uma chama moribunda que brilhava mais uma vez, deu mais uma prova de ânimo, durante a qual Blake estava alegre e livre das torturas por causa de seu próximo fim. Ele pensou estar melhor e, por sentir-se mais seguro, pediu para olhar a Obra na qual ele estava trabalhando, quando foi tomado por um último ataque: o trabalho era uma impressão colorida do *Ancião dos Dias*

6.R, p. 654-55.

que colidia com o primeiro ciclo da terra, obra realizada e expressamente encomendada pelo escritor deste texto. Depois de concluir seu trabalho, ele exclamou: "Aí está. Fiz tudo o que eu podia. É o melhor de tudo o que eu já fiz e espero que o sr. Tatham goste". Ele atirou o trabalho ao chão e disse: "Kate, você tem sido uma boa Esposa e vou desenhar seu retrato". Ela se sentou próximo à sua cama e ele fez um Desenho, o qual é finamente produzido e expresso. Ele então jogou o retrato ao chão, depois de ter desenhado por uma hora, e começou a cantar louvores e músicas de alegria e Triunfo que a sra. Blake descreveu como sendo verdadeiramente sublimes, tanto as melodias quanto os versos. Ele cantou alto e com verdadeira energia extática, e parecia estar muito feliz, como se tivesse terminado seu percurso e concluído sua corrida, devendo logo alcançar sua meta e receber o prêmio de seu alto e eterno chamado. Depois de responder a algumas perguntas relativas aos bens materiais de vida após sua morte [para quem?] e depois de ter falado do autor deste texto, como uma pessoa possível de tornar-se o gestor de seus negócios, seu espírito partiu como uma brisa suspirante e gentil, e adormeceu em companhia dos poderosos ancestrais, por ele descritos anteriormente. Ele passou da Morte para a vida Imortal em 12 de agosto de 1827, com 69 anos [incorreto; Blake tinha 70 anos]. Tamanha era a Diversão de sua última Hora de vida que suas explosões fizeram com que o quarto retumbasse de alegria. As paredes soaram e ressoaram com a beatífica Sinfonia. Era um prelúdio aos Hinos dos Santos, uma abertura para o Coro dos Céus. Era um canto para a resposta dos Anjos.[7]

Acredito que os leitores certamente poderão enxergar nas entrelinhas desse relato nauseante, pseudopiedoso e meloso, a banda de rock "Uriah Heap" por detrás dessa pretensão. Isso nada mais era do que um indivíduo agindo e tentando lucrar a partir de uma percebida vantagem de controlar as obras de um artista cujo valor era espera-

---

7. BR, p. 682-3.

do que aumentasse quando não havia mais trabalho a ser feito e a irritação de sua presença na terra não mais poderia estimular ofensa ou objeção. Evidentemente, Tatham é o clássico chorão vitoriano na cabeceira da cama de um próximo lucro. Mesmo o "Ele" semidivino e sublinhado várias vezes parece ter sido extraído do uso devocional de Richmond, com sua letra maiúscula, para referir-se ao pronome do defunto. É extraordinário que essa evidente impostura do clássico evangelicalismo hipócrita não tenha sido examinada por tanto tempo, embora John Linnell, patrão e artista, amigo de Blake nos últimos anos, nunca tenha acreditado no relato de Tatham, para se dizer o mínimo, e Palmer nunca foi convencido a conversar com Gilchrist sobre seu velho "amigo" Tatham: medo de um processo por difamação, talvez, ou simplesmente uma série de problemas de um caráter muito instável.

Tatham era um canalha do tipo que homens e mulheres, em sua inocência, nunca acreditam que exista, mas existe. A própria ideia de que Blake deixasse para seu último suspiro tomar as providências para garantir o bem-estar de sua esposa é inacreditável! Nesse detalhe nós podemos discernir a probabilidade de uma referência à imagem de Cristo na Cruz, que deixou os cuidados de sua mãe ao "discípulo que ele amava" (João 19:27, com Jesus entregando seu "espírito" três versos depois); nesse caso, Tatham está se apresentando, ele mesmo, como "o discípulo amado".

Incidentalmente, o avô de Tatham Ralph era um aventureiro, enquanto a carreira de seu pai, o arquiteto Charles Heathcote Tatham (1772-1842), tinha algo de aventureira e manipuladora também. Charles Tatham tinha um talento de regularmente se safar do colapso financeiro iminente ao associar-se com alguém talentoso e rico em um momento crítico: sua vida é lida como um exercício de autopromoção. Frederick Tatham, o filho mais velho de Charles, um escultor de 22 anos na época da morte de Blake, era tão oportunista quanto seu pai; assim como sua arte nada tinha de original.

A biografia interesseira de Tatham contou com bens usurpados de outrem. Foi uma ferramenta de *marketing* e, como muitas lendas medievais de santos, adaptada para extrair dinheiro das relíquias da vítima silenciosa. O que Tatham não podia vender de Blake, ele queimou.

Quem quer que imagine Tatham testemunhando a morte de Blake deveria ler o relato com cuidado e notar que o relato de

John Thomas Smith, de 1828, inclui o detalhe, provavelmente não de Tatham, de que este último viajou 90 milhas, mesmo doente, para comparecer ao funeral de Blake na sexta-feira (17 de agosto), em Bunhill Fields, por causa de sua "estima" por Blake, uma estima correspondida que, Tatham insistiu, era apenas comparada aos sentimentos por sua própria família.

Tatham se estabeleceu com "direitos" sobre Blake até os anos de 1850, quando Gilchrist passou a pesquisar a vida de Blake. O relato de Gilchrist baseia-se muito nos relatos de Tatham e de Smith, assim como o de Smith. A partir de então, a engenhosa mistura de fontes de Gilchrist foi aceita pelos biógrafos desde então, porque ele parecia ter estado em contato mais próximo com Blake, por meio de seus "discípulos" e amigos.

A narrativa de Gilchrist sobre a morte santa acrescenta apenas um detalhe, que parece ser uma extrapolação da carta comovente de Richmond para Palmer: "Ele Morreu como um Santo, como uma pessoa que estava sendo por Ele Observada". Gilchrist escreve: "Uma vizinha humilde, a única outra companheira [de Kate], disse depois: 'Eu testemunhei a morte, não de um homem, mas de um anjo abençoado'". Enquanto isso, indubitavelmente existem traços da piedosa exclamação de John Wayne, no papel do centurião que testemunha a Crucificação de Cristo, no filme *A Maior História de Todos os Tempos* (George Stevens, 1965), que antes contradiz Gilchrist, com a patética declaração a respeito da cena do leito de morte: "Agosto, 1827, ele está deitado com suas forças abandonando-o, no quarto silencioso com vista para o rio, não muito distante da agitação e do barulho do Strand: ela [Kate], ao lado de sua cama, está sozinha. Ele não tinha mais ninguém que o assistisse, nem sequer uma enfermeira, embora ele mesmo não quisesse ninguém". Figurantes reunidos ao lado do leito, como testemunhas da Ressurreição.

Imagine a prosa crepuscular de Gilchrist nos lábios de Peter Cook (na sátira radical *The Wrong Box*, de Bryan Forbes, 1966, por exemplo), e você terá alguma ideia do "trabalho" de registrar a morte – e vida – de Blake. As lendas tendem ou precisam basear-se em um núcleo espiritual, mas, ao final, elas estrangulam a realidade antes de entrar no campo universal da mitologia onde qualquer um pode ler qualquer coisa que goste do material.

Para o biógrafo, trata-se de um desafio diferente perceber que a lenda de William Blake começou uma semana depois de sua morte, ao fim de uma vida repleta de calúnias da parte daqueles que o exploravam, que a ele se opunham ou, possivelmente, o conheciam bem demais.

A religião foi a causa de muita distorção na vida de Blake; mais particularmente a romantização e sentimentalização da Bíblia que, por volta de 1827, foi uma norma cultural na Inglaterra e na América: uma necessidade de respeitabilidade, um componente que era requerido no discurso polido, que inevitavelmente mergulhou em modos aceitáveis da hipocrisia calada. O desfecho das cenas de morte descritas acima quase pede pela seguinte conclusão:

> Quando então Jesus tomou do vinagre, Ele disse: *Tudo está consumado*: Ele reclinou a cabeça, e entregou Seu espírito. [...] Então, os discípulos foram de novo para sua própria casa. Mas Maria esperou chorando diante do sepulcro: enquanto chorava, ela se abaixou, olhou dentro do sepulcro e viu dois Anjos com túnicas brancas, um posicionado na cabeça, outro aos pés, onde o corpo de Jesus estava repousando.
>
> (João 19:30; 20:11-12)

Os Anjos haviam representado um importante papel na vida de Blake. Na época em que Blake morreu, a presença dos anjos, de alguma maneira, ou o encontro iminente com eles, era uma característica vital da "boa morte". A boa morte era uma parte evangélica de grande importância; crianças eram levadas à presença de agonizantes para que pudessem ver e acreditar e ser edificadas pelo desvanecimento da vida e pela passagem da alma para os cuidados amorosos do Salvador.

É claro que não era tão simples. Havia *outro jeito de morrer*. Às vezes, Deus nos livre, uma "má morte" ocorria, o que podia ser muito inquietante para os fiéis irmãos. Para entender a alternativa perturbadora para a boa morte, precisamos apenas examinar a vida real da mãe de Blake, Catherine, uma vida desconhecida para Gilchrist ou para as biografias subsequentes.

Capítulo 2

A Tela Preparada – 1727-1752

Em abril de 1751, André François le Breton publicou o primeiro volume da *Enciclopédia* francesa, com contribuições de Voltaire e Rousseau. Ela oferecia explicações racionais e uma expectativa de explicações racionais para cada faceta da existência.

Sete meses mais tarde, Peter Böhler (1712-1775), bispo das Igrejas Morávias da Grã-Bretanha e da América, com ministério na Casa de Reunião da Irmandade Morávia, em Fetter Lane, perto da Rua Fleet, em Londres, estava perturbado com a condição espiritual de um dos membros internos da Irmandade: Thomas Armitage, 38 anos, um camiseiro, nascido em Royston, Yorkshire, agora comerciante na 28 Broad Street (Broadwick St.), Soho.

Os registros sobreviventes da Igreja Morávia mostram que, em 20 de novembro de 1751, o irmão Böhler estava preocupado com o efeito da situação de Armitage em sua congregação, porque ele tinha o "coração em condições não muito boas". Armitage estava morrendo por causa de uma tuberculose, mas Böhler não se referia ao coração físico de Armitage; o que ele queria dizer por "coração" era o centro mais profundo do emocional do camiseiro, pelo qual o Irmão criava expectativas para aproveitar o intercurso espiritual com Jesus. Era por meio do amor de Deus que a salvação vinha para aquele que acreditava. O amor de Deus era mediado pelo coração e a resposta esperada para esse amor era o comprometimento do coração. A religião dos Irmãos Morávios era "uma religião do coração" e não da razão. Diante da perspectiva da morte, o coração de Armitage não era suficientemente aquecido. Ele estava morrendo de uma forma ruim.

Böhler instruiu rapidamente os membros da "Congregação do Cordeiro", o grupo mais interno da sociedade morávia, para serem mais cuidadosos no futuro com relação a quem era admitido na comunidade do coração e para a "Ceia do Senhor". Havia problemas com o estado de Armitage, vergonhoso para sua esposa e talvez para algum outro irmão. Böhler percebeu que ele, ou um de seus companheiros "obreiros", deveriam ter oferecido uma mão orientadora para sanar o problema. Como resultado, Böhler sentiu que não poderia mencionar o Irmão Armitage na "Liturgia" e lamentou muito a falta de uma *Enfermeira* aprovada pela Congregação. Um Irmão ou Irmã a postos para dar um relato à Congregação sobre o estado do coração doente do Irmão deveria cuidar de Armitage dia e noite. Böhler insistiu que essa disposição fazia parte da Constituição Estabelecida da Congregação do Cordeiro: uma regra para ser estritamente aplicada no futuro.[8]

Três dias depois, a Congregação registrou o enterro, em Bloomsbury-Ground, do corpo do Irmão Thomas Armitage, que foi recebido na Congregação do Cordeiro em 26 de novembro de 1750, e compartilhou do Santíssimo Sacramento em seu leito de morte, em 28 de setembro de 1751. Ele morreu na "manhã da última manhã de terça-feira", mas não antes de mostrar "uma ansiedade" que "enevoou o amor que, de outra forma, ele sempre levava próximo ao seu Coração". Esse era um assunto de real importância para Böhler: aqueles inseridos no amor de Jesus, *aqueles que buscaram refúgio em Suas feridas*, deveriam estar livres de manchas de problemas puramente mundanos que interrompiam a comunicação com Deus, especialmente ao final. O Irmão deveria ser diferente dos outros na fé, daqueles para quem a morte era a "rainha dos terrores". No final, porém, foi anotado no registro que, na noite anterior à partida de

---

8. Arquivos da Igreja Morávia (doravante AIM), C/36/11/6 (Helpers Conference Minute Book, vol. VI: 6 de outubro de 1748 – 6 de janeiro de 1766), páginas não numeradas para "quinta-feira, 20 novembro de 1751", citados no manuscrito do dr. Keri Davies, da Nottingham Trent University", "The Lost Moravian History of William Blake's Family: Snapshots from the Archive"; in www. academia.edu/713215; (doravante referenciado como K DAVIES).

Armitage, ele desejou o perdão daqueles que magoou, para depois fazer uma "partida cordial" ao se despedir de sua esposa.⁹

Thomas Armitage, o camiseiro, com suas preocupações de último minuto a respeito de seu estado e de sua vida, não era ninguém mais do que o primeiro marido da mãe de William Blake, Catherine, nascida em Wright. De fato, foi Catherine quem primeiro buscou a filiação na Congregação do Cordeiro, em Fetter Lane.

A descoberta e a análise dos registros da Irmandade Morávia, em Muswell Hill, feitas pela dra. Marsha Keith Schuchard e pelo dr. Keri Davies, entre 2002 e 2004, embora seja de imensa relevância para poder entender William Blake, não era o primeiro indício de que os pais de Blake não eram, como consta do registro biográfico, "dissidentes".

Em 5 de abril de 1797, ao lado de outros 18 gravuristas, William Blake assinou um testemunho para a efetivação de um detector de notas falsas inventado por Alexander Tilloch (1759-1825). Tilloch, que conhecia Blake pessoalmente, era tataravô de William Muir, um copiador de Blake. Nos anos de 1920, Muir informou ao biógrafo amplamente esquecido de Blake, Thomas Wright, que a família de Blake frequentava a Igreja Morávia de Fetter. Wright publicou a informação de Muir, possivelmente derivada das memórias familiares de Tilloch-Muir sobre Blake ou seus parentes, em *The Life of William Blake* (2 volumes, Olney, T. Wright, 1929).

A história de Muir levou Wright e a crítica Margaret Ruth Lowery a considerar se alguns dos "Esboços Poéticos" (1783) e as *Canções da Inocência e de Experiência* poderiam refletir as prioridades, hinos e imagens espirituais Morávios.¹⁰ Curiosamente, porém, não foi essa a pista que levou Marsha Shuchard aos arquivos da Igreja Morávia, mas, sim, seu interesse nas relações da comunidade de Fetter Lane travadas com o cientista e religioso visionário Emanuel

---

9. AIM C/36/7/5 (Congregation Diary, vol. V: 1º de janeiro de 1751 – 31 de dezembro de 1751), p. 80. Também marcado em C/36/1/2 (Register of Deaths & Burials: Burials and Deaths: 1742 – julho de 1951), fol. 12 v: "Thomas Armitage, M. [ie Married Brother], falecido em 19 de novembro de 1751, enterrado no dia 23. *Ibid.* [ie at Bloomsbury]"; texto original tirado de K DAVIES.
10. Margaret Ruth Lowery, *Windows of the Morning: a Critical Study of William Blake's Poetical Sketches*, 1783. Yale Studies in English, 93 (Yale University Press, New Haven, 1940).

Swedenborg. Essas relações, ela suspeitava, influenciaram doutrinas sexuais controversas associadas a Swedenborg.

Algumas das mais extraordinárias ideias de Blake foram consideradas como sendo o desenvolvimento em tensão crescente com as recomendações e experiências de Swedenborg. Será que existia no século XVIII uma sensibilidade espiritual que pudesse acomodar a espiritualidade dos seguidores de Swedenborg e dos morávios em conjunto. Será que Blake desfrutou dessa sensibilidade?

Quando verificamos que William Blake não havia sido educado em uma escola, mas em casa por sua mãe, podemos entender por que conhecer a Irmandade Morávia e a participação da mãe de Blake nessa comunidade é tão importante para a biografia de Blake.

Catherine e os Morávios

O conde Nikolaus Ludwig von Zinzendorf und Pottendorf (1700-1760) era um descendente de condes imperiais da Baixa Áustria que se converteu ao Luteranismo e mudou-se para a Saxônia Protestante. Em 1722, 35 anos antes do nascimento de Blake, o conde Zinzendorf abriu seu coração para as necessidades dos membros da *Unitas Fratrum*. A "Fraternidade Unida" representava a comunidade sobrevivente do movimento reformista protestante de Jan Hus (1369-1415).

Jan Hus havia sido chamado de "primeiro protestante". No ano de Agincourt, Hus foi queimado na fogueira por doutrinas consideradas heréticas pela Igreja Católica Romana. Depois da morte de Hus, os seguidores das terras de língua checa, a Boêmia e a Morávia, resistiram à opressão violenta, carregando o exemplo de seu fundador durante e depois da Reforma. Horrivelmente perseguidos durante os Trinta Anos de Guerra Mundial (1618-1648), os boêmios, ou a Irmandade Morávia, como eles ficaram sendo conhecidos, foram dispersados enquanto mantinham contato com a comunidade por meio de ministros nomeados. O gênio checo Johann Amos Comensky, ou "Comenius" (1592-1670), era um desses ministros. Comenius não apenas influenciou alguns dos fundadores da Sociedade Real de Londres, mas também revolucionou as ideias sobre a educação na Holanda, Escandinávia, Bretanha e Alemanha (ele foi chamado de pai da UNICEF) – e, significativamente, entre a própria Irmandade Morávia. Comenius era um profundo pensador espiritual.

As pessoas que admiravam Comenius no século XVIII, tais como os membros literatos da *Unitas Fratrum*, frequentemente eram simpáticas às obras espirituais-alquímicas rosacrucianas e à teosofia de Jacob Boehme (1575-1624). Boehme percebia o "coração" como sendo o motor ou o *locus* da transformação alquímica da matéria em espírito, separando o aspecto básico do homem (o joio) para torná-lo o Deus-homem, Jesus: o Pão da Vida. A Irmandade mantinha um misticismo profundo, de estilo medieval pessoal, com uma intensidade de oração mística e visualização espiritual. Cristo era para ser encontrado no dia a dia: um cotidiano transformado pelo coração.

A espiritualidade do conde Zinzendorf havia sido muito afetada pelo movimento Pietista, que dominou a Universidade de Halle, onde Zinzendorf realizou seus estudos antes de ir para a Universidade de Wittenburg. Seu padrinho, Philipp Jakob Spener, um líder Pietista, abriu os olhos de Zinzendorf para a vida espiritual interior de divina humanidade que lhe possibilitou sentir-se em simpatia ecumênica com Igrejas diferentes (ele acreditava que todas tinham algo para oferecer), enquanto consciente de uma vocação espiritual, o que não era costumeiro em sua família aristocrática.

O conde Zinzendorf permitiu que os membros da *Unitas Fratrum* e outros – incluindo os seguidores do cavaleiro evangélico Caspar Schwenckfeld (1490-1561), que apoiou uma doutrina de comunhão com o "Cristo interior" – se estabelecessem livremente em suas terras, em Berthelsdorf, na Saxônia. Os morávios construíram uma vila chamada Herrnhut, que se tornou a raiz do movimento.

Depois de alguns conflitos, Zinzendorf impôs uma disciplina e estabeleceu um foco que, em 13 de agosto de 1727, resultou em uma espécie de experiência espiritual coletiva, um despertar. O resultado levou a Irmandade a abraçar a ideia de missão global de pregação; não era para pregar onde existiam igrejas nem tampouco era pregar para suplantar igrejas existentes, mas pregar para revitalizar o corpo de Cristo na Terra.

O sistema não se baseava em princípios monásticos, mas na família e na experiência individual compartilhada. Missionários viajaram para a América – eles tinham de embarcar de portos ingleses e assim chegaram a Londres – para então estabelecer bases desde

Belém, Pensilvânia, até locais tão longínquos quanto a Groenlândia, o Caribe, a África do Sul, a Algéria, o Suriname e a América do Sul. A Irmandade misturou-se entre os coptas do Egito e os inuítes do Labrador. Uma igualdade espiritual radical trouxe os nobres para o mesmo nível que os escravos negros, indígenas da América do Norte e inuítes. Parecia que a religião do coração tinha, de fato, uma aplicação universal. Zinzendorf dizia que, em Jesus, Deus finalmente encontrara uma imagem da qual as pessoas poderiam completa e intimamente aproximar-se: "Ele se tornou como nós para que nós nos tornemos como ele". Ele mostrou àqueles que haviam recebido a graça a "Divina Humanidade". Zinzendorf falou da "humanização" da "divina essência". A "Divina Humanidade" iria, é claro, tornar-se a pedra angular da experiência visionária de William Blake, a profundidade desses significados era, para ele, óbvia, mas seu uso foi bem mal compreendido.

Em 1736, foi exilado para a Saxônia por diferenças doutrinais com as autoridades luteranas; em 1737, a Irmandade consagrou Zinzendorf bispo de Berlim. Acusado por oponentes de abandonar seus missionários, em 1739, ele demonstrou sua fé levando sua missão para São Tomás (agora as Ilhas Virgens, nos Estados Unidos), sem saber se algum dia ele retornaria.

Três anos depois de Zinzendorf ter concedido asilo à *Unitas Fratrum* em suas terras, Catherine Wright, a sétima filha de um fazendeiro, Gervase Wright, e de sua esposa Mary, foi aceita como membro na igreja Santa Maria Madalena, Walkeringham, Nottinghamshire, em 21 de novembro de 1725.[11] Como e por que Catherine foi para Londres ainda é desconhecido, mas agora sabemos suas origens; a ideia de um "Blake completamente londrino" pode ser dispensada: Blake tinha o país em sua alma.

Catherine Wright tinha 12 anos quando um grupo da Irmandade Morávia da Alemanha chegou a Londres para assegurar uma passagem para a Georgia. Um deles era Peter Böhler, que encontrou uma Londres florescente de sociedades religiosas anglicanas,

---

11. Marsha Keith Schuchard e Keri Davies, "Recovering the Lost Moravian History of William Blake's Family", *Blake, an Illustrated Quarterly*, 38/1 (verão de 2004), University of Rochester, New York, p. 36-43 (doravante SCHUCHARD-DAVIS).

algumas das quais eram amigáveis com o "Clube Santo" de Oxford, para jovens clérigos, dirigido por Charles e John Wesley, e fundou um grupo na casa do vendedor de livros James Hutton, na Rua Little Wild, ao norte do Strand.

O destino fez com que Böhler fosse apresentado a Wesley, cujo coração era conhecida e "estranhamente quente". Impressionado pela espiritualidade dos morávios, Wesley foi, em nossa língua atual, "convertido" pela Irmandade. Ele formou com Böhler o que Zinzendorf chamou de "banda" e consistia de oito membros em fraternidade cristã.

Ao final de 1738, o grupo cresceu para 50 membros, de maneira que um quarto foi alugado num beco de Fetter Lane, entre o Strand e Lincolns Inn Fields. O teólogo e dirigente morávio August Gottlieb Spangenberg (1704-1792) visitou o grupo em 1739, incentivando uma missão às colônias americanas.

Wesley já tinha realizado uma viagem malsucedida a Savannah, Georgia, em 1736. Em julho de 1740, contudo, ele se sentiu frustrado com os morávios. Achando a prática dos morávios intolerável, por restringir a participação ativa da comunidade até depois do período de "quietude" ou à "espera da graça", Wesley deixou o grupo. Muitos se uniram a ele, a maioria mulheres que acharam Wesley carismático e seus argumentos convincentes.

Em 1741, os membros remanescentes apelaram a Zinzendorf para que salvasse a comunidade de Londres do declínio. Zinzendorf, porém, estava totalmente engajado na Pensilvânia, onde conheceu Benjamin Franklin e organizou com os líderes iroqueses o movimento livre dos missionários morávios. No entanto, ele despachou o bispo Spangenberg e um grupo de "Obreiros" (morávios em período integral) para o resgate. Esse resgate foi tão bem-sucedido que, no ano seguinte, James Hutton teve de alugar uma Casa de Reuniões de antigos Dissidentes Independentes, com um púlpito, para poder acomodar os novos membros. Essa casa tornou-se a Capela da Irmandade, em Fetter Lane.

Registros de 1743 mostram que naquele ano o sr. e a sra. Blake eram membros da sociedade: teriam sido eles os avós paternos de William Blake?

A especulação deve ser considerada com base no fato de que Catherine deve ter conhecido seu segundo marido entre os membros morávios. O ano de 1743 também viu o estabelecimento da Congregação do Cordeiro – a sociedade interna de 72 membros "formada pela Igreja da Inglaterra em união com a Irmandade Morávia"[12] – junto à qual, em 1750, Catherine Armitage, futura mãe de Blake, procuraria uma associação mais próxima. Três meses depois da fuga "romântica" de Bonnie Prince Charlie (Carlos III) da Escócia para a França, Catherine Wright e Thomas Armitage eram casados. Foi em 14 de dezembro de 1746 que o reverendo Alexander Keith realizou um casamento curto, econômico, sem proclamas, na capela de St. George, em Mayfair.

Nascido em Cudworth, na paróquia de Royston, Yorkshire, em maio de 1722, o segundo marido de Catherine era um camiseiro anglicano; ele tinha 24, ela 21 anos. Em 1748, ela se mudou para uma casa de quatro andares na esquina das ruas Broad e Marshall, no Soho.

Talvez tenha sido a chegada excitante do "Pilgrim Count" Zinzendorf em Londres, em 1749, que fez surgir o interesse de Catherine Armitage pela capela de Fetter Lane; talvez ela, ou ela e o marido, já participassem da assistência (ou seja, eles não eram membros plenos, mas assistiam aos serviços de pregação) – a Casa de Reunião realizava cerca de 70 reuniões diferentes por semana. Zinzendorf alugou a Casa Lindsey, em Chelsea, para os seis anos seguintes, enfeitando-a com pinturas que inspiravam o estudo e a meditação.

A visualização do Deus-homem e de suas feridas era vital para a doutrina e a prática de Zinzendorf. Ele também concordava com o uso extensivo dos livros de artes educacionais e emblemáticas de Comenius para explicar aos adultos e às crianças o artesanato humano e as ligações divinas que vinculavam o mundo, frequentemente invisíveis – isto é, para os cegos, mas claramente visíveis para os que podiam enxergar. O espírito de Deus concedeu tanto a visão quanto a razão. A elaboração de pinturas e transparências "emblemáticas" e "hieroglíficas" foi discutida por ocasião do aniversário de Zinzendorf.[13]

O século XVII foi uma idade de ouro para o lançamento de livros sobre emblemas. Os livros de emblemas mostravam pinturas peculiares que continham mensagens alegóricas e morais, como se fossem uma parábola literalmente expressa. As metáforas, tais

---
12. SCHUCHARD-DAVIES, p. 38.
13. AIM C/36/7/3.

como "a âncora da alma", eram assim pintadas. Os livros de emblemas alquímicos eram populares e intrigantes: o significado não era sempre aparente, mas a estranheza poderia ser bastante atraente. Normalmente acompanhados por versos ou por uma frase, frequentemente paradoxais, os emblemas eram sempre carregados de duplo sentido.

A natureza poderia ser interpretada como um vasto criptograma no qual Deus segredou seu espírito como em uma "assinatura" ou estilo discernível ao iniciado. Blake estava muito familiarizado com a arte e o prazer dos livros de emblemas, que abordavam, pode-se dizer, níveis de significados inconscientes de uma forma às vezes lógica, outras vezes de uma forma ilógica.

Os irmãos eram encorajados a visualizar, até o ponto de visão, o corpo divino de Jesus ferido. Essa visão expressava a "humanização" da divina essência. Da mesma forma, olhar para um emblema espiritual poderia criar um plano visionário intermediário no qual a substância espiritual da mensagem poderia tornar-se vividamente real ou até mesmo super-real.

O coração devia ser progressivamente separado do mundo diabólico que influenciou ou regeu a alma pela atração das tentações terrenas. A atração por Jesus aumentava os níveis de percepção para a visão de outro mundo, um mundo mais elevado. O divino era, por assim dizer, *segregado* na imagem do mundo. É possível utilmente comparar essas ideias com a notável "Canção da Inocência" de Blake, "A Divina Imagem":

> E todos devem amar a forma humana,
> No pagão, turco ou judeu.
> Onde a Misericórdia, o Amor & a Piedade habitam,
> Ali também habita Deus.

É preciso observar que a "forma humana" deve ser amada "na", e não "da", identidade aparente, ou imagem, do "pagão, turco ou judeu"; essa percepção forneceu a base do ecumenismo morávio: a humanidade divinizada. A mensagem morávia era direcionada à *imagem divina*. Os irmãos espiritualmente regenerados deviam considerar os órgãos sexuais conforme restaurados da mácula do antigo pecado e orientados para suas divinamente pretensas funções nas quais nenhuma vergonha existia, sendo o casamento um verdadeiro sacramento: o "corpo divino" era devolvido aos participantes do sacramento: "Esse é meu corpo que eu lhes dou".

Zinzendorf proclamou que a primeira das feridas redentoras do "Cordeiro" fora feita em Sua circuncisão. O sangue da ferida indicou a santidade da sexualidade redimida, dos genitais, cominada com a perfeita imagem da inocência infantil. Quanto mais o cristão era espiritualizado, mais ele ou ela era livre do demônio da natureza inferior. Pode-se dizer que a divindade era um estado da mente, um estado que resulta da reorientação do coração. Essa não era uma revolução sexual vulgar, embora o ser vulgar possa tê-lo considerado como tal.

Com a vantagem das relações pessoais e familiares com a corte Protestante da Dinamarca, Zinzendorf cultivou homens influentes de diferentes confissões. John Potter, arcebispo da Cantuária (1737-1747), associou-se à Ordem do Grão de Mostarda de Zinzendorf, como também o arcebispo católico de Paris. Zinzendorf procurou a ajuda do primaz inglês para que a Igreja Morávia fosse reconhecida na Inglaterra como "uma antiga Igreja Episcopal Protestante". Em 1749, o *status* da igreja irmã morávia com a Igreja da Inglaterra foi reconhecido por um Ato do Parlamento, embora, por razões técnicas, os morávios tivessem de registrar os lugares de veneração em conformidade com as Leis de Tolerância.

A adesão à irmandade eclesiástica foi talvez o evento que fez com que Catherine e Thomas Armitage embarcassem na jornada moraviana. Isso também explica por que, no relato de J. T. Smith sobre a morte de Blake, feito em 1828, um ano antes, Smith registra que a sra. Blake alegadamente perguntou a seu marido onde ele gostaria de ser velado e se ele queria um ministro anglicano ou um "Ministro Dissidente" para ler o serviço. Blake expressou uma indiferença pessoal para o fato de onde seu corpo deveria ser sepultado, embora ele devesse também ser colocado próximo à sua família imediata, em Bunhill-row. Assim como, para o serviço, ele expressamente desejou a Igreja da Inglaterra.

Deve ter sido porque a sra. Blake, ou o autor, não sabiam que os morávios não eram "dissidentes": um erro comum. Por outro lado, é também possível o profundo ecumenismo de Blake, ele próprio precisando de uma rejeição do sectarismo, o havia levado a termos amigáveis com um clérigo dissidente conhecido da sra. Blake.

Blake manteve boas relações com muitas pessoas em sua vida e, talvez, a sra. Blake estivesse um pouco confusa com as visões às vezes ambíguas, outras vezes inflamadas, em relação a uma religião organizada.

Administrado pela City of London Corporation, Bunhill-row era um velório popular de não conformistas (separado do corpo da Igreja da Inglaterra), mas aberta a todos os que pagavam uma taxa modesta. Ele era, portanto, adequado para qualquer anglicano que não frequentava os serviços anglicanos regularmente ou, como no caso de Blake, nunca frequentou. Blake acreditava que religião era prática e percepção, sem cerimônia ou piedade pública. A Igreja era o Corpo de Deus, que dava e recebia o perdão. Aliás, um ministro da Igreja da Inglaterra nunca entraria em um lugar frequentado por dissidentes ou administrado por eles, para ministrar um serviço sagrado. Esse princípio, observado pelo ministro anglicano, provavelmente era também seguido pelos pais e pela tia de Blake, que morreu, até onde sabemos, quando eles foram batizados pela Igreja da Inglaterra. Para os Blake, Bunhill-row não era um cemitério de dissidentes, mas um cemitério cristão.

Certamente, Catherine Armitage foi batizada anglicana quando foi abordada, a seu próprio pedido, para aconselhamento por membros de um "coro" morávio.

Os coros eram subgrupos da "banda", organizados como ajudantes, de acordo com o *status* conjugal, gênero e idade. Dos registros da Igreja Morávia de 12 de março de 1750 consta uma lista de outras 13 mulheres que seriam aconselhadas individualmente, uma mulher casada de sobrenome Armitage.[14] As "circunstâncias" de seu "coração" seriam então reportadas à Congregação... Em 30 de julho, Böhler organizou uma "classe" de oito pessoas "visitadas" que precisariam ser conhecidas melhor. O sr. Armitage não estava incluído nela.

---

14. AIM C/36/14/2 (Labourers Conference Minute Book: 10 de janeiro de 1744 – 23 de janeiro de 1751), páginas sem número "12 de março de 1749", K. DAVIES, p. 13.

Em 13 de agosto, registrou-se que Thomas Armitage expressou o desejo de "estar mais próximo" da Irmandade.[15] Essa expressão de "desejo" era muito importante na tradição pietista, pois era considerado que o principal e mais profundo *desejo* da alma era a união com Jesus e esse *amor* purificado era a substância do desejo que os Coros buscavam. Também é preciso lembrar das famosas "flechas do desejo" de Blake e de seu "arco de ouro ardente", no hino de "Jerusalém": muitos acreditam na ideia de que Blake, na realidade, referia-se aos desejos carnais.

Embora a palavra "desejo" tenha sido romanceada e, é claro, erotizada, esse não era o principal significado no discurso cultivado da época de Blake. Desejo expressa *vontade*.

Uma vez apresentados aos membros da Congregação, cabia agora a Catherine e Thomas Armitage cumprirem os procedimentos normais para se juntarem ao círculo interno por meio de cartas. Seus conteúdos seriam avaliados de acordo com o estado do coração revelado. Incrivelmente, a carta da mãe de Blake como também a de seu marido sobreviveram até nossos dias. Observem como a carta de Catherine termina com o segundo verso de um hino morávio composto por James Hutton, impresso em 1742, começando por: "Flui das profundezas do meu coração".

> Tenho muito pouco para dizer a meu respeito porque sou uma pobre criatura [sic] cheia de vontades, mas meu Querido Salvador irá satisfazê-las todas e eu ficaria feliz se pudesse sempre repousar na Cruz, assim como sei que devo agradecê-Lo pela última sexta-feira, na festa do amor, Nosso Salvador ficou satisfeito quando me deixou lamber suas feridas e abraçar a Cruz mais do que Nunca, e acredito que o abraçarei mais e mais até minha frágil natureza não poder mais; a seu pedido escrevi isso, mas eu não mereço as bênçãos desejadas por não Amar nosso Querido Salvador o suficiente, mas, se for a vontade d'Ele trazer-me entre seu feliz rebanho em ligação mais

---

15. AIM C/36/14/2 (Labourers Conference Minute Book: 10 de janeiro de 1744 – 23 de janeiro de 1751), páginas sem número – "segunda-feira, 13 de agosto de 1750". K. DAVIES, p. 14.

próxima, eu ficarei muito agradecida. Eu lhes diria mais a meu respeito, mas não há nada de bom que eu possa escrever agora sobre meu Salvador, que é todo Amor.

Deixe-me beber aqui, beber para sempre
e nunca mais partir,
pois o que eu provei me faz chorar
Crave nessa Fonte Meu coração
Querido Salvador, Você que já viu quantas vezes eu me afastei de ti.
Que tua obra, hoje renovada,
Permaneça eternamente.[16]

A referência à "festa do amor" deriva da prática do "ágape" do cristianismo primitivo, que significa amor espiritual. Os membros da congregação reuniam-se para compartilhar comidas simples, enquanto, intimamente e de uma forma infantil, falavam de suas alegrias na fé por meio de orações e cânticos.

As referências bastante surpreendentes sobre "lamber as feridas" e "abraçar" a Cruz refletem a ênfase extraordinária de Zinzendorf sobre o sangue e as feridas do Salvador: o preço da salvação, vívidos sinais do amor de Cristo. Zinzendorf queria que os membros que ficassem o mais próximo possível da "divina imagem", na qual Deus levou sua essência ao conhecimento da humanidade.

Os membros foram encorajados a criar uma visão deles mesmos escalando a "ferida" do flanco de Cristo, como também a experimentar o sangue glorioso das feridas e encontrar nelas a própria doçura. Os críticos condenavam esse aspecto dos ensinamentos de Zinzendorf, o de ensinar a encorajar um erotismo sublimado, até mesmo manifestado. De fato, o filho de Zinzendorf, Christian Renatus, tomou essas imagens como inspiração para os movimentos musicais extremos de sua própria banda na Alemanha. Em Herrnhaag ("God's Grove"), próximo a Büdingen, atos homossexuais alegadamente praticados no espírito de amor cristão causaram um escândalo. Zinzendorf sempre se esforçou para conseguir que os membros canalizassem os desejos físicos para uma fase puramente espiritual,

---

16. IM C/36/2/159. A carta de Catherine não tem data, mas Keri Davies considera que seja provavelmente 14 de novembro de 1750, como a de seu marido. K. DAVIES, p. 20.

pela prática do confronto do corpo, em vez de ignorá-lo. Os membros que se "desviaram" – por conversarem sobre esse assunto com outros membros – foram dispensados da Congregação.

O comportamento de Christian Renatus resultou em sua dispensa por seu pai dos ofícios da Igreja. Tentar segurar essa forma altamente carregada de serviço de amor mútuo sem evocar ideias eufóricas de "amor livre" nunca seria fácil, mas, em geral, a comunidade lidou com isso, embora os indivíduos chegassem a escorregar dos ideais professados.

A carta de Thomas Armitage (datada de 14 de novembro de 1750) deixa claro que o casal tinha sido "ouvinte" na capela de Fetter Lane por algum tempo e desejava unir-se à Congregação.

> Meu Querido Salvador fez com que eu os Amasse em um grau como eu nunca Experimentei por qualquer Grupo de Pessoas; e acredito que seja a vontade dele que eu me junte a vocês; porque ele mesmo o fez, pois eu não podia mais suportar a Doutrina de seu Corpo Ensanguentado até, bem recentemente, ninguém mais senão o meu Querido Salvador pôde mostrar-me perfeitamente; e ele me envolveu tão docemente que eu nunca mais esquecerei, quando, apenas por curiosidade, fui ouvir o Irmão Cennick, pensando ser essa a última vez que eu ouviria qualquer um dos Irmãos; & meu Jesus mostrou-me que eu estivera procurando outra coisa além dele, e nem poderia eu suportar o pensamento de ouvir qualquer outra coisa; apenas dele ser Crucificado e de suas feridas ensanguentadas, que eu Experimentei e eram muito doces e o único alimento para minha alma; sou muito pobre e fraco em mim mesmo &, às vezes, meu Amor por Ele é muito frio em relação a ele, embora ele tenha feito tanto por mim, mas quando meu Amado Salvador voltar a acender a Centelha, então sinto que poderei amá-lo com ternura; assim, ele fará com que eu O ame completamente ou, do contrário, não deverei absolutamente amá-lo; & eu posso sentir meu Salvador; perdoe todas as minhas ações mundanas praticadas ocasionalmente; de tempos

em tempos; tudo aquilo que meu Querido Deus Ama é tal que, apesar de toda a minha maldade, eu sei que ele me Ama com aquele Amor eterno, e que nada nos separará; assim como São Paulo disse, "de Seu Irmão Indigno no Sofrimento de Jesus".[17]

A menção do autodenominado "mundano" e "indigno" Armitage indo, por curiosidade, ouvir o "Irmão Cennick", é interessante. Um anglicano de formação, John Cennick (1718-1755) era um pregador muito popular que, pessoalmente, fundou as comunidades morávias de Yorkshire e Wiltshire, onde compunha hinos e vivia uma vida de pregação e de viagens, não muito diferente daquela do famoso Wesley.

De 1748 a 1755, Cennick ficou baseado em Dublin. Wesley, que detestava Cennick, ali o encontrou e em Fetter Lane.

Havendo recebido seu primeiro convite para Ballymeena em agosto de 1746, Cennick, depois, envolveu-se incansavelmente com a pregação e o trabalho da fundação de comunidades por toda a terra irlandesa. Em Dublin, ele se tornou uma figura de chacota e alvo de músicas irreverentes por parte de alguns católicos, enquanto era rejeitado como "papista" por alguns protestantes. No tempo das cartas de Armitage, sabemos, pelo diário de Cennick, que ele passou o mês inteiro de outubro de 1750 pregando em Balinderry, no norte, tendo antes andado uma distância considerável no caminho de volta a Dublin e, em seguida, de volta para Balinderry.

Em dezembro, ele foi convidado para pregar no salão de Pontmore Castle e, na primavera de 1751, ele ainda estava pregando nas vizinhanças de Pontmore. Não sabemos exatamente se foi em Dublin, Fetter Lane ou durante as viagens missionárias inglesas de Cennick que Armitage encontrou-se com ele pela primeira vez.

Uma coisa é clara em todos esses relatos. Essa não era realmente a Idade da Razão. Havia consolo na religião, se as pessoas soubessem onde ir.

Depois de uma análise pelos Anciãos da Igreja, em 26 de novembro de 1750, Catherine e Thomas Armitage foram admitidos para a Congregação do Cordeiro.

---

17. AIM C/36/2/158. K. DAVIES, p. 21.

Quatro meses depois, o casal sofreu a perda do único filho, Thomas. O Arquivo Morávio registra o enterro da criança em 1º de março de 1751, em um cemitério em Lamb's Conduit Fields, Bloomsbury.[18] Esse era o meio-irmãozinho de William Blake. Será que ele chegou a saber disso?

Cordeirinho, quem foi que te fez?

O Irmão Armitage estava encontrando dificuldades em sua loja de Broad Street. Em 14 de agosto, ele pedia à Irmandade que recomendasse alguém para ajudá-lo. O registro menciona que o irmão Lehman falaria com o Irmão Page a esse respeito. As coisas pioraram. Em 12 de setembro de 1751, Armitage perguntou aos Irmãos se "alguém" poderia desembolsar 20 libras para que pudesse saldar uma nota promissória vencida no ano anterior, "mas, como os Irmãos estavam escassos de dinheiro, eles acharam que seria melhor propor à pessoa credora que substituísse a nota por outra a fim de liquidar a pendência."[19]

Ao final de setembro, o marido de Catherine estava gravemente doente. Em 28 de setembro, conforme seu desejo, o "[Ir]mão Armitage recebeu a Santa Comunhão que lhe foi administrada em privacidade. À uma hora da manhã do dia seguinte acontecia o Sabá, a Festa do Amor, em Bloomsbury".[20]

Em 19 de novembro, 15 dias após os britânicos comemorarem a notícia de que Robert Clive, de 26 anos, havia liderado, em Arcot, na Índia, uma defesa brilhante contra uma força armada francesa bem mais forte do que a dele, Thomas Armitage morreu: uma morte pouco edificante, seguida por eventos não identificados.

Era uma prática controversa da Igreja Morávia que os Anciãos supervisionassem o casamento das pessoas solteiras. A ideia de "paixonar-se" simplesmente refletia a queda do homem na escravidão

---

18. IM C/36/7/5 (Congregation Diary, vol. V: 1º de janeiro de 1751 – 31 de dezembro de 1751), p. 10. Também anotado em C/36/1/2 (Register of Deaths & Burials: Burials and Deaths: 1742 – julho de 1751), fol. 10 v: "Thomas, Son of Thomas and Catharine Armitage, falecido em fev. de 1751, e enterrado em 1º de março em Bloomsbury". K. DAVIES, p. 15.
19. AIM C/36/11/6 (Helpers Conference Minute Book, vol. VI: 6 de junho de 1748 – 6 de janeiro de 1766), páginas sem número para "quinta-feira, 12 set. 1751". K. DAVIES, p. 15.
20. AIM C/36/7/5 (Congregation Diary, vol. V: 1º de janeiro de 1751 – 31 de dezembro de 1751), p. 61. K. DAVIES, p. 16.

material. Os casais deviam ser preparados para atender ao alto chamado de Deus, como em um abençoado sacramento. Se Catherine, a viúva, tivesse a intenção de casar-se novamente, ela deveria estar preparada para ter os Anciãos para aconselhá-la e, se sua intenção era permanecer na Congregação do Cordeiro, ela deveria ter em mente que também seria por eles aconselhada.

No início, o problema de Catherine parecia ser financeiro. Em 4 de dezembro, Böhler pediu aos Irmãos Mason e Syms que fizessem uma análise de sua situação financeira, pois o testamento do marido não era "equitativo". Seus termos pediam que ela pagasse 80 libras aos irmãos se ela se casasse novamente. Essa soma poderia acabar com qualquer herança, deixando-a desamparada, a menos, é claro, que ela se casasse de novo por dinheiro: algo que os Anciãos não aprovariam.

Aborrecido, Böhler insistiu que, no futuro, os testamentos fossem submetidos ao conselho da "Conferência dos Anciãos".[21]

Depois de um exame minucioso dos negócios de Catherine pela Irmandade, concluiu-se, em 18 de dezembro, que, uma vez quitadas as dívidas, ela teria uma reserva de cerca 150 libras assim como os bens domésticos.[22]

Não podemos precisar. O que aconteceu em seguida. O Registro da Igreja da Irmandade estabelece simplesmente que ela saíra da Congregação do Cordeiro: isso não significa que ela deixara de frequentar os serviços em Fetter Lane como "ouvinte". Aparentemente, o que motivou sua saída foi seu casamento, dez meses depois, com James Blake, futuro pai de William, como também pode ter sido, especialmente, alguma impropriedade ou causa mundana.

De acordo com a análise minuciosa dos arquivos morávios realizada pelo dr. Keri Davies, os Anciãos e os "Obreiros da Casa do Coro" estavam sinceramente interessados em proteger as pessoas descasadas e encontrar parceiros espirituais compatíveis com os ideais da Irmandade e a personalidade dos membros. É possível que a escolha de Catherine por James Blake fosse uma razão inaceitável para os

---

21. AIM C/36/11/6 (Helpers Conference Minute Book, vol. VI: 6 de junho de 1748 – 6 de janeiro de 1766), páginas sem número para "quarta-feira, 4 de dezembro de 1751". K. DAVIES, p. 17.
22. AIM C/36/11/6 (Helpers Conference Minute Book). Essa nota marca definitivamente o último registro de Catherine Armitage no Arquivo. K. DAVIES, p. 17.

Anciãos[23] (talvez tenha ocorrido muito cedo, no período da viuvez, depois de um tempo curto de luto); Keri Davies observou: "Mesmo se James Blake fosse um morávio, o casamento sem o consentimento dos Anciãos levaria à exclusão da Congregação".[24]

Pode ter simplesmente parecido que James Blake fosse um camiseiro itinerante que procurava montar seu negócio e que ali estava uma jovem viúva que tinha como herança uma camisaria e que precisava de um homem que lhe proporcionasse uma renda – além de uma família. Esse tipo de "vínculo", pelo menos visto de fora, não seria aprovado pelos membros da Congregação, especialmente se fosse projetado em detrimento do conselho dos Anciãos ou em segredo. Também devemos pensar se a consciência de Böhler estava totalmente tranquila por ter inicialmente aceitado os Armitage na Congregação em virtude de tudo o que havia acontecido; isso não sabemos com certeza.

O que sabemos é que, em 15 de outubro de 1752, Catherine Armitage voltou à capela de St. George, perto de Hanover Square, e casou-se com James Blake, o camiseiro. Havia outros 15 casamentos rápidos a ser realizados nesse dia, e o deles custou um guinéu. Enquanto isso, a cerca de 4 mil milhas a oeste de onde eles estavam, no exato momento em que os dois entravam na residência de Broad Street como casados, o bispo August Gottlieb Spangenberg e um grupo de morávios de Belém, Pensilvânia, acompanhavam o inspetor e cartógrafo William Churton (1710-1767), meu antepassado, para fazer um levantamento e a medição de 98.925 acres nas Montanhas Blue Ridge, na Virgínia, para o uso dos morávios.

O trabalho de Zinzendorf era pagar pela terra e ali nascia um novo mundo.

---

23. AIM C/36/5/1 (Church Book nº 1), p. 45. K. DAVIES, p. 23.
24. K. DAVIES, p. 23.

Capítulo 3

Assim é o Reino dos Céus – 1806-1863

Deixai vir a mim os pequeninos, e não os impeçais;
pois o Reino dos Céus pertence aos que lhe são semelhantes.
(Mateus 19:14)

A investigação sobre a vida de William Blake teve de enfrentar o fato frustrante de que as sobreviventes informações biográficas a seu respeito são pouco confiáveis.

Os biógrafos do passado contornaram esse problema produzindo uma "Diatessarão" – uma "harmonia" dos quatro evangelhos canônicos em um só, realizada no século II. Juntam-se apenas partes de uma e de outra das fontes que a fonte principal disponível, em relação a qualquer elemento da narrativa, não possui para, em seguida, homogeneizar o todo adicionando detalhes extrínsecos para preencher as lacunas existentes, tal como faz um bom diretor de arte em um filme. É preciso evitar muitas das questões sobre autenticidade, autoria e confiabilidade. Em minha experiência, o resultado é que a leitura da biografia de Blake tende a confundir o leitor em relação a que ponto da narrativa ele se encontra. Anos passam despercebidos, o contexto histórico desaparece, comentários críticos sobre as pinturas ou poemas são confundidos com diferentes citações, como se "Blake" mantivesse as mesmas ideias o tempo todo durante sua vida, e o biógrafo seleciona aquelas que dão continuidade à narrativa apesar de seu anacronismo. O leitor dificilmente está consciente da idade do personagem principal: se ele é mais velho ou mais jovem.

O motivo dessa frequente confusão é que o modelo essencial das biografias deriva da abordagem de Alexander Gilchrist cujo relato sobre a vida de Blake apareceu em dois volumes, em 1863. Gilchrist apoiou-se principalmente em cinco breves reminiscências da vida de Blake escritas entre 1806 e 1832; apenas aquelas do escritor Benjamin Heath Malkin (1806) e do advogado e crítico da Unitarian, Henry Crabb Robinson (1811 e 1825-1827), foram escritas enquanto Blake vivia. Muito da informação de Gilchrist veio a partir do que se ouviu falar e de pesquisas feitas com muitas pessoas que conheciam Blake quando eram jovens – e quando Blake já estava com idade avançada. A obra de Gilchrist ganhou autoridade justamente pelas reminiscências inestimáveis de homens que haviam conhecido Blake e com os quais Gilchrist fez contato. Esses homens eram George Richmond, Samuel Palmer, Frederick Tatham, John Linnell e Edward Calvert: todos eles artistas. Maria Denman, irmã da esposa do escultor John Flaxman, também contribuiu com algumas histórias, assim como fizeram os filhos de John Linnell. Fontes escritas e evidências de histórias contadas por pessoas que conheceram Blake vieram de Malkin, de Robinson, do antiquarista John Thomas Smith e do paisagista e astrólogo John Varley, dos quais apenas Crabb Robinson estava ainda vivo quando Gilchrist escreveu essa sua biografia.

Até aqui, tudo bem. Agora, as más notícias: entre os trabalhos sobreviventes de William Blake não temos diários, jornais, nenhum relato autobiográfico e, supreendentemente, não existem muitas cartas. Dentre elas, apesar de algumas revelarem a filosofia e as atitudes de Blake, nenhuma delas é verdadeiramente íntima. A carta mais recente é datada de outubro de 1791, algumas linhas do *trigésimo terceiro* ano de Blake, e então... nada por mais de quatro anos.

Foi um dos patrões de Blake, o poeta e biógrafo de Milton, Cowper e Romney, William Hayley (1745-1820), que preservou a maioria das cartas sobreviventes. Essas, porém, cobriram apenas os anos de sua colaboração (1800-1805). Blake não parece ter mantido muitas cartas de outras pessoas e ele demorava muito para responder, o que aborrecia seus amigos.

Não temos relatos de Blake sobre sua infância, sua educação, o histórico de sua família ou mesmo sobre seu pai e sua mãe – e nada que lhes pertencesse (salvo a petição de sua mãe para entrar na Congregação Morávia). Assuntos pessoais apenas entravam na obra de Blake quando havia uma crítica, uma dimensão espiritual em jogo, na qual as relações espirituais se entrelaçavam e, então, eram apenas abstratas. Ele parecia ter pouco interesse ou consciência do tempo. Seu senso de história era forte, mas seu vasto conhecimento serviu, em grande parte, para as prioridades internas, idealistas e espirituais. Deve-se concluir que ele não desejou ser visto como uma criatura no tempo e no espaço, mas como um habitante do céu que estava passando uma temporada em nossa escuridão.

Os escritos e desenhos do seu famoso "Caderno de Anotações" (preservado na Biblioteca Britânica) estão sem data, e às vezes sem condições de ser datados. De fato, os dois principais editores de seus coletados escritos, Geoffrey Keynes e David V. Erdman, tiveram muito trabalho para fazer coincidir as obras com as datas.

Frequentemente, a marca d'água no papel teve de bastar como um guia básico de orientação. É muito comum, portanto, ser impossível fazer coincidir com precisão os escritos com os eventos específicos na vida de Blake.

Tampouco temos poemas de amor dedicados à sua esposa (e apenas um, talvez dois, retratos sobreviventes dele ou dela), nenhuma palavra, seja de obediência ou não, dirigida à sua mãe ou ao seu pai; não existe qualquer panegírico dirigido a lugares ou pessoas de sua juventude. Se ele chegou a escrever algum, ele foi esquecido ou destruído. Também não sabemos se ele viajou por Londres, Surrey ou Kent antes de seus 40 anos; teria o "Viajante Mental" visitado Glastonbury alguma vez, em carne e osso, por assim dizer? O que temos em termos de dados biográficos feitos por ele mesmo são relatos breves e, com eles, devemos buscar sua definição e significado apropriados.

Tem sido tentador para os biógrafos do passado apresentar a vida e a obra de Blake por tema e até mesmo pelas fases místicas, mas Blake não era Picasso: não temos períodos brancos ou pretos. A obra de Blake desdobra-se muitas vezes em períodos de vários anos; ele raramente considerava um trabalho concluído e sempre voltava às mesmas obras, seja para retocar os "novos" projetos ou ressuscitar velhos trabalhos. O tempo pouco significava para ele; a eternidade era tudo. Até sua vida não estava acabada; ela simplesmente terminava, embora, para ele, a vida apenas recomeçava.

Visão dos anjos

Podemos apreciar os efeitos da confusão biográfica quando olhamos para o verdadeiro valor de um "evento" bem conhecido e para a imagem de Blake nos anos anteriores.

Em 1993, o Dulwich Festival encomendou ao artista Stan Peskett a pintura de um mural para a lateral de uma casa construída por Goose Green, East Dulwich. A maravilhosa "Visão dos Anjos", de Peskett, executada com a ajuda de crianças escolares locais, pode agora ser vista por todos. A pintura pitoresca de um carvalho radiante, cercado por presenças angelicais, representa uma visão que, acredita-se amplamente, foi uma das primeiras coisas admiradas pelo menino William Blake, que vagava pelos jardins do mercado de Dulwich, nos campos de Peckham Rye. Essa é uma das imagens mais fortes para encapsular o mito popular de William Blake, visionário e criança do céu.

Infelizmente, essa história parece, como muitas outras, ter recebido o tratamento de "Diatessarão".

Benjamin Heath Malkin (1769-1842), autor do relato contemporâneo mais recente sobre a carreira de Blake, sem dúvida o consultou para a introdução biográfica do artista em seu livro *Memórias de um Pai de Seu Filho* (1806).

Blake contribuiu com uma gravura do brilhante filho de Malkin que morrera tragicamente jovem.

O relato de Malkin começa apresentando Blake como um rapaz que frequentava salas de leilão e que apreciava as pinturas das belas casas das camadas sociais superiores. Não há nada sobre anjos em Peckham Rye. Tal omissão, porém, deve ter sido feita para defender a reputação de Blake sobre as dúvidas a respeito de sua sanidade religiosa.

Apoiando-se no relato de Malkin, o artigo de Crabb Robinson para o jornal alemão *Vaterländisches Museum* (II, p. 107-131, 1811) novamente lança Blake como o jovem e precoce especialista em arte: não há anjos no Peckham Rye. O fato interessante na vida de Blake, na visão de Robinson, está na combinação alegada de "gênio" e "louco" em um único homem, uma visão que seria modificada depois de ele conhecer Blake em 1825. Robinson era, contudo, consciente dos anjos na vida de Blake: "Nosso artista vive", Robinson escreveu, "como Swedenborg, em comunicação com os anjos".

Robinson conta uma história, ouvida diretamente de alguém para quem Blake pedira confidência, de como Blake, certo dia, carregava um quadro a ser entregue na casa de "uma senhora de classe" (possivelmente *O Último Julgamento*, pintado para a senhorita Egremont) e queria descansar em uma pousada. Foi ali que o anjo Gabriel o tocou no ombro: "Blake, por que está se demorando aqui? Vamos andando, você não deve estar cansado". Imediatamente Blake levantou-se "totalmente recuperado". Até onde Robinson sabia nessa época (1811), foi essa aparente convivência de Blake com os anjos que o tornou surdo às críticas (Blake era, de fato, muito sensível às críticas). Sem uma fonte sobre a qual se basear, Robinson atribuiu o seguinte a Blake, sem uma fonte para basear-se: "Eu sei que ela [uma imagem pintada] é como deveria ser, pois é uma reprodução exata do que eu vi em uma visão e que, portanto, deve ser muito bonita". As pinturas de Blake eram, em sua maioria, imagens de suas visões.

A questão da infância de Blake deve ter sido abordada depois que Crabb Robinson o visitou em Fountain Court, em 17 de dezembro de 1825, depois de um primeiro encontro, uma semana antes, na casa de ricos colecionadores de arte, sr. e a sra. Aders, em Euston Square. Nessa época, não havia uma estação de trem e os campos de Rhodes Farm estavam a apenas duas ruas ao norte.

Robinson registrou partes dessa sua conversa com Blake: "Sua faculdade de vidência, ele disse possuir desde a primeira infância. Ele acredita que todos os homens têm essa faculdade, mas a perderam por não querer cultivar o dom".[25] Blake não estava alucinando involuntariamente como uma pessoa louca, como Robinson teria acreditado anteriormente (na insistência incidental de Robert Southey): Blake exerceu uma faculdade aberta a todos. Os meios devem ter-lhe sido ensinados. Em uma carta sobre Blake, enviada para Dorothy Wordsworth, dois meses depois (fevereiro de 1826), Robinson concluiu significativamente: "Ele não é bem um discípulo de Jacob Boehme e de Swedenborg como um colega vidente".[26]

---

25. *Diary, Reminiscences, and Correspondence of Henry Crabb Robinson, Barrister-at-Law, FSA*. Selecionado e Editado por Thomas Sadler, Ph.D. vol. 2, XI, Macmillan, London, 1869, p. 30 1ff.
26. *Ibid.*, XIII, p. 323.

Era claro que ao citar essa tão distinta companhia de videntes, Robinson estava preparado para aceitar que Blake cutivara a faculdade em um nível excepcional.

A história completa dos anjos do Peckham Rye, com "asas brilhantes angelicais enfeitadas com lantejoulas, como estrelas", é citada pela primeira vez em sua plenitude por Gilchrist, mais de 30 anos depois da morte de Blake. Gilchrist tem uma história parecida para contar no capítulo 35:

> Em uma das festas do sr. Aders – na qual Flaxman, [sr. Thomas] Lawrence e outros artistas de renome estavam presentes – Blake estava conversando com um pequeno grupo reunido ao seu redor, a pouca distância de uma senhora cujas crianças tinham recentemente chegado do internato para as férias. "Certa noite passada", dizia Blake com sua habitual voz calma e tranquila, "ao fazer uma caminhada, cheguei a um prado e, no canto mais distante, vi um grupo de cordeiros. Ao aproximar-me, o solo estava repleto de flores e o aprisco e seus hóspedes peludos eram de uma única beleza pastoral. Mas olhei novamente e já não havia mais cordeiros, mas uma escultura magnífica". Pensando que a história fosse uma apresentação preparada para entreter suas crianças, a senhora ansiosamente perguntou: "Com licença, sr. Blake, posso saber onde o senhor viu isso?". E, prontamente, Blake respondeu: "Aqui, madame", e apontou para a própria cabeça.[27]

Que lembrança para relatar depois de 30 anos! Entretanto, isso pode realmente ter acontecido na festa dos Aders. Crabb Robinson teve seu primeiro encontro com Blake no jantar oferecido por Charles e Elizabeth Aders, em 10 de dezembro de 1825. O amigo de Blake, John Linnell, assim como outro pintor e gravurista, possivelmente John Thomas Smith, também estavam presentes. Robinson escreveu em seu diário: "À noite, chegaram srta. Denman e a srta. Flaxman [provavelmente a irmã de Flaxman]". Visto que a irmã mais nova da esposa de John Flaxman, Maria Denman, correspon-

---

27. Gilchrist, *The Life of William Blake*, ed. Ruthven Todd, Everyman's Library, Dent, London, 1982, p. 317.

deu-se com Gilchrist, ela deve ter sido a fonte da história, embora esta deva ter vindo de Linnell. De qualquer modo, temos aqui o que parece ser um relato genuíno a respeito de uma visão em um prado, apesar de não ter sido incluída na infância de Blake.

Depois da morte de Blake, apareceu no mercado o livro de John Thomas Smith sobre o escultor Joseph Nollekens. Smith descartou qualquer suspeita de Blake ser "intelectualmente perturbado"[28] – mas nada havia sobre anjos em uma árvore. O mesmo deve ser dito sobre o relato de Allan Cunningham a respeito de Blake, em 1830: *As vidas dos mais eminentes pintores britânicos, escultores e arquitetos*[29] – no qual também nada constava de anjos em uma árvore.

Podemos chegar mais perto de fontes confiáveis quando nos voltamos para o manuscrito de Frederick Tatham intitulado "Vida de Blake", escrito em 1832, cinco anos ou mais depois da morte de Blake. Porém, três coisas sobre o relato de Tatham devem ser destacadas. Primeiro, George Richmond contou ao colecionador de arte John Clark Strange, enquanto Strange estava pesquisando uma abortiva biografia de Blake em 1859-1861, que quatro amigos de Blake confiaram relatos escritos extensos de Blake para Tatham e que Tatham os havia destruído. Segundo, que a viúva de Blake, Catherine, morreu em outubro de 1831 e não havia mais nada para acrescentar ou contradizer no relato supersticioso de Tatham. Terceiro, a história de Tatham não apenas empresta fatos dos relatos de Malkin e Smith, mas também constam algumas imprecisões.

Embora Tatham tenha se tornado uma fonte estabelecida, nunca teremos certeza da veracidade de qualquer uma de suas histórias. Grande parte da "biografia" estabelecida de Blake é baseada nos escritos de Tatham. Tatham afirma que algumas das histórias foram contadas pela própria viúva, mas, infelizmente, não temos nenhuma forma de saber: a sra. Blake não escreveu nenhum relato dela. Tatham empregou a velha viúva de Blake como governanta de sua jovem família. Ele declara que a sra. Blake o adorava; devemos acreditá-lo? Também nada sabemos nada sobre o estado psicológico da

---

28. *Nollekens and his Times: Comprehending a Life of that Celebrated Sculptor; and Memoirs of Several Contemporary Artists, from the Time of Roubiliac, Hogarth and Reynolds, to that of Fuseli, Flaxman, and Blake*, Henry Colburn, London,1828.
29. "The Family History" séries, 6 vols., John Murray, London, 1829-1831.

sra. Blake depois da perda da luz de sua vida, mas sabemos que os antigos amigos de Tatham o consideravam meio louco com o zelo religioso sectário – Richmond casara-se com a irmã de Tatham, Julia, em 1831, de maneira que Richmond tinha informações internas sobre seu cunhado. Tatham tinha apenas 22 anos quando Blake morreu, uma idade difícil para ele entender as necessidades de uma mulher idosa, mesmo se Tatham tivesse sido um homem perfeitamente normal, o que ele não era. A conclusão que podemos deduzir ao julgar o manuscrito de Tatham é que ele incluiu o que servia aos seus propósitos. Seu propósito era vender o trabalho de Blake, incluindo-se como a fonte "autorizada" no que diz respeito a ambas as informações: sobre Blake e sobre seu "produto" colocado à venda. Se uma história pudesse aumentar o potencial de venda em um mercado religiosamente conservador, ela seguramente estará presente.

De qualquer forma, o relato de Tatham nada aborda sobre anjos e árvores, embora ele conte algo curiosamente parecido: "Ainda criança, sua mãe [de Blake] o castigou por dizer que havia visto o Profeta Ezequiel embaixo de uma árvore nos campos".

Dessa vez temos campos, uma árvore e o profeta Ezequiel, que, é claro, era famoso por sua visão de criaturas celestiais cujas asas fizeram o barulho "de muitas águas" (Ezequiel 1:24). Por que sua mãe deve tê-lo castigado, como Tatham afirma, nós não sabemos; o detalhe pode ser um erro. Sintomaticamente, Gilchrist tem uma espécie de versão diferente da história do castigo. Em Gilchrist, depois da alegada visão de anjos em uma árvore em Peckham Rye, a mãe de Blake o salva de um espancamento de seu "pai rigoroso", pensando que seu filho estivesse mentindo e, principalmente, mentindo sobre algo sagrado. E novamente, como podemos ter certeza sobre qual dos pais era complacente? Um dos dois? Ambos? Nenhum? A pergunta é importante, mas não é tratada assim nas fontes.

Talvez cheguemos perto de uma resposta quando consultamos as notas de John Clark Strange a respeito de Blake. Um membro de Streatly, perto de Reading, chamado Strange, comprou algumas pinturas de Blake em um leilão de Thomas Butts Junior, no Foster's, em 29 de junho 1853. O pai de Butts conseguira as pinturas em compras regulares e encomendas das obras de Blake. A fascinação de Strange culminou em uma série de pesquisas, com uma biografia do artista obscuro em sua mente. Strange sabia que quem possuía o *caderno de anotações* de Blake era o artista e poeta Dante Gabriel Rossetti, em Londres. Ele também conheceu Samuel Palmer e o irmão de Palmer, William, que estava trabalhando no Museu Britânico como assistente. Strange pacientemente trabalhou na loja de conveniência de George Richmond, e, em 1861, conheceu Alexander Gilchrist, apenas para ouvir que ele havia terminado sua própria biografia sobre Blake. Eles haviam coberto o mesmo campo.

Na terça-feira, 10 de maio de 1859, Strange visitou pela segunda vez o bem-sucedido retratista George Richmond, que estava ocupado com hóspedes e deu respostas apressadas às perguntas de Strange.

Richmond observou que "nenhum de seus parentes [de Blake] demonstrou qualquer interesse por ele [Blake]", então acrescentou um raro detalhe, único no manuscrito de Strange:

> Blake falou ternamente de uma antiga enfermeira. Foi para ela que ele relatou sua primeira visão: Quando garoto, ele estava caminhando pelos campos na época da colheita e viu alguns colhedores entre os quais havia anjos. Ao voltar para casa, ele contou para seus amigos que ficaram zombando dele, com exceção da enfermeira que acreditou em sua visão. Ele sempre falou dela com grande afeição.[30]

Aqui não houve castigo. Pode-se apenas especular se essa bondosa senhora – reminiscência da notória simpatia do jovem Winston Churchill pelo "feminismo" – seria uma das enfermeiras que o bispo morávio Böhler acreditava que fossem vitais para cuidar espiritualmente do ânimo dos Irmãos doentes.

Esse episódio envolvente mostra o quanto se perdeu por não termos o próprio testemunho de Blake de sua juventude. Porém, nós temos algo parecido com a famosa imagem de anjos em uma árvore – dessa vez sem castigo ou ameaça de castigo. Entretanto, a confiança que tínhamos de ter conseguido chegar à raiz dessa famosa história foi rapidamente minada pela visita de Strange ao artista Samuel Palmer, em Kensington, quarta-feira, 11 maio de 1859. A história de Palmer parece ter sido a raiz

---

30. J. C. Strange, *MS Journal* (1859-1861), in BR, p. 707-732.

do episódio de Gilchrist na festa dos Aders em Euston Square, quando Blake descreveu um grupo de ovelhas que se tornaram uma escultura. Ou seria essa uma variante do conto? A seu favor, falta o diálogo intrigante que parece ser uma característica tão improvável da "versão" de Gilchrist. Em seu relato, Strange conta:

> Na casa de uma senhora (que P[almer] [provavelmente nomeou como sendo a sra. Elizabeth Aders]), onde muitos artistas se reuniam, entre eles Blake e Samuel Taylor Coleridge, Blake estava contando a um grupo que ao passar pelos campos de Dulwich na noite anterior, presenciara uma cena agradável que ele descreveu brilhantemente – vários anjos lindos perambulavam num canto do campo – uma moça presente ficou tão abalada com a descrição que implorou ao sr. Blake para contar-lhe onde eles estavam para que pudesse ali levar seu filhinho. Foi quando Blake permaneceu em silêncio e apontou para a sua cabeça como resposta. A cena tinha surgido em sua mente.[31]

Novamente a história dos anjos é contada por Palmer a Strange em termos de uma experiência recente de Blake e não como uma memória de infância. Os "lindos anjos", na forma de falar de Blake, podiam simplesmente significar pessoas um pouco excêntricas. Blake poderia ter uma vaga ideia dos anjos: ele afirmou – depois de ter lido o relato de Swedenborg sobre anjos – que os "anjos" têm a tendência de pensar que estão sempre certos! Alternativamente, ele poderia falar de seus amigos como "anjos" ao fazerem algo que ele considerasse divino. Um anjo é um ser que traz ou leva algo de Deus: ele é um intermediário. Como a viúva de Blake disse a Crabb Robinson, em janeiro de 1828: "Ele morreu como um anjo". Será que os anjos morrem?

Palmer tinha outra história de anjos para contar a Strange, e esta parece ser o gancho para o relato de Gilchrist:

> Quando muito jovem, Blake costumava caminhar pelos campos e frequentemente voltava para casa & descrevia os anjos que ele via nas árvores. No início, isso deixava o pai muito irritado com seus relatos, que considerava

---

31. *Ibid.*, p. 728.

como mentiras, e muitas vezes batia nele severamente a título de castigo.[32]

Agora, temos anjos em árvores – não apenas uma árvore, mas várias – e em mais de uma ocasião. Não há mais "Peckham Rye", mas apenas "caminhadas pelos campos". Também temos a ideia de Blake apresentando a descrição do que ele viu (o que suspeito que Gilchrist forneceu com sua bela frase sobre anjos enfeitando os ramos). Seu pai fica irritado, mas apenas "no início". No entanto, o jovem Blake teve de sofrer muitas "pancadas". Não há nenhuma enfermeira nem mãe para apoiar ou interferir em seu relato. Será que James Blake chegou a tolerar as descrições de seu filho ou até mesmo a acreditar nelas de alguma forma? No próximo capítulo veremos o que deve ter feito o pequeno Will ver anjos, primeiramente.

O que está claro em todos esses relatos é que a maneira especial de Blake ver o mundo ao seu redor, quando combinado com estados ordinários da mente, era propícia para gerar lendas, porque Blake sempre fazia seu primeiro apelo à imaginação, e, ao ouvi-lo, podemos penetrar em uma esfera imaginativa, em uma zona intermediária entre o mundo que conhecemos ou achamos que conhecemos, ou pensamos que conhecemos, e um reino superior, "o reino dos céus".

Falando mais prosaicamente, a história cheia de anjos muito provavelmente surgiu como uma confluência de vários relatos de campos, uma árvore, árvores e anjos, tramada em mais de três décadas através das memórias de um pequeno círculo de pessoas cujas mentes Blake conseguira tocar. Podemos seguramente concluir que a história de Blake visualizando uma árvore específica cheia de anjos, em Peckham Rye, seja um mito popular e potente, porque ela envolve a ideia da mente de uma criança inocente, cheia de imaginação e aberta para mundos espirituais visíveis através de um véu natureza gloriosa e translúcida. Gostamos do mito porque, no fundo, sentimos a carência da visão. É como Blake disse para Crabb Robinson: todos nós nascemos com essa faculdade visionária, porém ela é logo bloqueada pelas preocupações e desilusões do mundo. Em Blake, essa faculdade não parou de crescer.

Havia algo em sua criação que fez com que isso fosse estimulado?

---

32. *Ibid.*, p. 729.

Capítulo 4

Infância – 1752-1767

Está na hora de voltarmos para Catherine e James Blake. Nós os deixamos brevemente, depois do casamento, em outubro de 1752, entrando em sua casa de Broad Street, Soho, na paróquia de St. James, Piccadilly. Se o casal saísse novamente e caminhado dez minutos para o norte, eles se encontrariam nos verdes campos de Green Lane, rumo à fazenda de Bilson, na estrada de New Turnpike Road, geograficamente posicionada no sentido leste-oeste. Se tivessem trilhado esse mesmo caminho um século atrás, eles estariam em campos abertos ao lado de um moinho de vento.

O conde de Craven comprou Soho Field durante a Grande Praga de 1665, para enterrar milhares de mortos e construir 36 casinhas para as almas mais pobres. Desajeitada e pesadamente, o desenvolvimento de West End seguiu adiante depois do Grande Incêndio de 1666.

O arquiteto *sir* Christopher Wren queria belas casas de alvenaria com bons esgotos e comércio honesto. Sem dúvida os construtores ("maçons") fizeram um bom trabalho. A construção entre Broad Street e Golden Square estava em andamento no início do século XVIII, com belas casas para os aristocratas e serviços para pessoas abastadas.

Estabelecendo a nova família a pouca distância do Mercado Carnaby, os Blake herdaram uma respeitável área que pouco desvalorizara à medida que os aristocratas mudaram para o sudoeste, mais próximos dos palácios de St. James e Westminster.

Para o pai de William Blake, James, esse era um grande incremento em sua vida social.

De acordo com G.E. Bentley Jr., o James Blake que nasceu em 12 de abril de 1722 e foi batizado peloreverendo John Peirson, em St. Mary, Rotherhithe, Surrey, quase com certeza era o pai de Blake: filho de James e Elizabeth (provalmente nascido Baker), que se casou em St. Olave, Southwark, em 30 de abril de 1721.[33] O nascimento de James coincidiu com o advento do *Unitas Fratrum* nas terras do conde Zinzendorf, na Saxônia.

Em 14 de julho de 1737, no salão da Companhia dos Drapers, em Throgmorton Street, ao leste da cidade, James Blake, com 15 anos, ao preço de 60 libras, tornou-se aprendiz junto ao comerciante Francis Smith, por indicação de seu pai, Smith tornar-se-ia mestre de *Worshipful Company of Drapers* (Venerável Companhia dos Drapers), em 1778.

Em 1743, com sete anos de aprendizado completos, o camiseiro e retroseiro James Blake passou a morar em Glasshouse Street, próximo de Great Jermyn Street, Westminster. Enquanto o primeiro marido de Catherine Thomas Armitage estava fazendo o seu testamento, em 1751, James Blake trabalhando como vigia noturno de Glasshouse Street junto com um corresidente chamado "Açougueiro" – possivelmente um parente, pois durante a crise amorosa de William Blake, causada pela rejeição de uma namorada, em 1781, segundo Gilchrist, ele passou uma temporada em Battersea, na casa de um jardineiro chamado "Boutcher" (açougueiro) (Gilchrist havia localizado os parentes de James em Battersea).

Ao final de 1752, a camiseira e retroseira Sarah Adams assumiu o aluguel de James Blake, da residência de Glasshouse St., que era avaliada em 18 libras, enquanto o aluguel de Broad Street era de 21 libras. Com 30 anos, a vida de James Blake havia melhorado um pouco.

Em 15 de julho de 1753, a chegada do irmão mais velho de William Blake, batizado James pelo avô, na Piccadilly de St. James, coincidiu não apenas com os tumultos em Bury contra John Kay, inventor do Serviço Aéreo Econômico, um acordo entre companhias aéreas, chamado "Flying Shuttle" (Ponte Aérea) que reduzia drasticamente a mão de obra – Kay teve de fugir para a França –, como também gerou uma série de escândalos em publicações promovidas

---

33. BR, p. 2.

por um inimigo da Igreja Morávia (ou "Herrnhutters", como ele os chamava), um tal de Henry Rimius.

Henry Rimius contra os morávios

Rimius tirou vantagem de uma crise de quase falência financeira da Igreja Morávia de Londres, causada pela morte repentina de um agiota. Para nós, a breve obra de Rimius, *Uma Inocente Narrativa sobre a Ascensão e Progresso do Herrnhutters* (Londres, A. Linde, 1753), oferece algum *insight*, talvez distorcido, da filosofia ensinada pelo conde Zinzendorf. Para os morávios, o efeito das publicações foi o de estigmatizar a comunidade, nas mentes hostis, a marca do "fanatismo".

Essa acusação foi reforçada pela publicação de Rimius, no mesmo ano em Londres, de *Uma Carta Pastoral contra o Fanatismo, Endereçada aos Menonitas de Friesland*, de John Stinstra ("Impresso para A. Linde, Livreiro de Sua Majestade", 1753).

Stinstra assim abre seu trabalho: "O Fanatismo e o Espírito de *Dominação* são os dois inimigos mais perigosos da Religião".

Johann Stinstra (1708-1790) era um pregador menonita holandês que, quando foi acusado de denegrir a Trindade pelas autoridades da Frísia, em 1742, defendeu-se recorrendo às ideias inglesas de liberdade e tolerância encontradas em obras como *A Razoabilidade do Cristianismo*, de John Locke (1695), e em outros "Esclarecidos" escritores e teólogos. A crítica de Stinstra sobre a religiosidade emocional dos morávios procedia de sua convicção de que Deus deu ao homem uma razão como um guia para discernir o que era bom na religião e que as paixões, portanto, deveriam estar sujeitas à razão.

Os morávios na Alemanha e na Holanda foram acusados de denegrir a razão em favor do "entusiasmo" e do "fanatismo", pelos quais era entendida a tendência para a dominação, contrária à liberdade. Podemos imediatamente enxergar os traços da grande contenda da vida espiritual e filosófica de Blake, definidos quatro anos antes de seu nascimento. Reivindicações rivais da Razão e Entusiasmo (baseados no alegado artifício enganoso da *Imaginação*) modelariam a percepção de Blake e de sua obra durante grande parte de sua vida e além, do seu trabalho por sua vida e mais além, até mesmo em nossa própria época.

Traduzido por Rimius, a obra de Stinstra incluía um prefácio do tradutor que acusava Zinzendorf de tentar absorver as fracassadas comunidades do holandês menonita para reforçar e melhorar suas finanças debilitadas. Rimius escreveu obscenamente a respeito de uma seita holandesa em Guelders, Províncias Unidas, que respondia à pregação excessiva com convulsões corporais, gemidos excessivos e choros vazios: "Oh, dai-me Jesus, eu preciso ter Jesus, Jesus!" – enquanto crianças previamente instruídas "expressavam lindas palavras sobre a Corrupção do Homem e o Mistério da Redenção". Ele então pintou os morávios ou "Herrnhutters" com o mesmo pincel, alertando os ingleses para se livrarem de suas "ilusões" "nesses reinos".

O alemão Rimius havia testemunhado as dúbias atividades do filho de Zinzendorf, Christian Renatus, em Herrenhut, na Saxônia. Muito castigado, Christian Renatus acabou morrendo, para tristeza de seu pai, em Londres, em 1752. Indiferente aos efeitos pessoais de seus ataques, Rimius prosseguiu com sua perseguição de 1753, com um *Chamado Solene ao Conde Zinzendorf*, em 1754. O "Chamado Solene" consistia de outras "revelações", tais como o uso vergonhoso da palavra *pudenda* nos cânticos morávios (a palavra latina "*pudenda*" para genitais femininos atualmente signifca "aquilo do que se deve sentir vergonha"; e Zinzendorf acreditava que esse não mais fosse o caso para o cristão espiritualmente regenerado).

A de Rimius era uma história assustadoramente injuriosa, vendida pelas ruas, que empregava uma sagaz estratégia de *marketing*, colocada nas mãos de cada Membro da Câmara dos Comuns.

Zinzendorf aconselhou-se com figuras do estabelecimento superior, incluindo o Orador dos Comuns, *sir* Arthur Onslow. Zinzendorf foi avisado que esse tipo de coisa era apenas um fato da vida na Londres de George II; era claro que os amigos o defenderiam.

O governo estava mais preocupado com as hostilidades francesas no continente e na América: em 12 de dezembro de 1753, o general George Washington, do exército britânico, deu um ultimato às forças francesas do Forte le Boeuf, à margem do Lago Erie; Washington disse-lhes que os britânicos (icluindo ele mesmo) reinvindicavam o Vale do Ohio.

De sua parte, Zinzendorf estava relutante em deixar que pessoas desinformadas defendessem a Igreja Morávia e, então, sob pressão, em maio de 1754, ele mesmo escreveu *Uma Exposição, ou o Status Quo de Questões Contestadas na Inglaterra, das Pessoas Conhecidas pelo Nome de Unitas Fratrum*.

Os pontos 68 e 69 do trabalho teriam sido princípios familiares, embora vexatórios, para a mãe de William Blake:

> 68. De modo geral, nenhum casamento deve ser realizado sem o Conhecimento dos Diretores do respectivo Coro. E uma promessa dada sem seu Conhecimento seria considerada uma ação precipitada, embora não fosse absolutamente anulada.
>
> 69. Nenhum Irmão e nenhuma Irmã se casa, propriamente dizendo, de sua própria Vontade, conforme aconselham os Anciãos do Primeiro Século, mas, se as pessoas devessem concordar em se casarem honestamente, então elas não devem ser absolutamente impedidas de fazê-lo por qualquer meio. Casar pessoas contra sua própria vontade pode ser o caso de Famílias do mundo, mas nunca em nossa Comunidade.[34]

A detalhada e sóbria resposta de Zinzendorf para as acusações de fraude e fanatismo não foi publicada até 1755, quando Zinzendorf deixou Lindsey House, Chelsea, para cuidar das comunidades holandesas e alemãs. Nesse ínterim, muito dano havia sido ocasionado à Igreja. Pode-se apenas imaginar o efeito do ataque à sra. Blake, cujo casamento com James Blake, um forasteiro para a Congregação do Cordeiro, sem dúvida desagradou o bispo Böhler; ou, nesse sentido, qual efeito esse ataque teve no novo marido de Catherine que tentava manter a confiança nos negócios e o respeito social? Seu orgulho não teria sido afetado pelas objeções espirituais ao seu casamento com Catherine? Não teria ele pensado que os Anciãos estivessem agindo, nesse caso, como "dominadores", ele mesmo preferindo a "liberdade" – o *slogan* do dia? O único apoio à ideia de que os Blake frequentassem

---

34. *An Exposition, or the True State, of Matters Objected in England, of the People Known by the Name of Unitas Fratrum*, J. Robinson, Ludgate Street, London, 1755, p. 29-30.

a capela Morávia depois de seu casamento era o de Muir, citada no capítulo 2; mas eu não confiaria muito nisso.

Em 1756 estabelecia-se o primeiro serviço regular de navio de passageiros entre a Grã-Bretanha e as colônias americanas. Em Londres, John, o segundo filho dos Blake, era batizado em St. James, em 1º de junho.

Um ano mais tarde, Robert Clive teve uma decisiva vitória em Plassey, a cem milhas rio acima do Rio Hooghly, de Calcutá, tornando-se o governante de Bengala. A batalha (22 de junho de 1757) marcou um divisor de águas na crescente ascendência da Grã-Bretanha na Índia.

Cinco meses depois, em 28 de novembro, William Blake nascia neste mundo. Ele foi batizado na Piccadilly de St. James, em 11 de dezembro, cinco dias depois de o exército prussiano de Frederico II derrotar os austríacos na Batalha de Leuthen, na Silésia prussiana. Qual evento provou ser o mais significativo?

Entre 1755 e 1759, morre o pequeno John e, então, um quarto filho nasce na família Blake, em 1760, que também é batizado com o nome de John, em 31 de março. O pequeno William tinha 2 anos e o pequeno John se tornaria a pedra no sapato de seu irmão, o jovem Will.

Blake tinha 4 anos quando ganhou mais um irmãozinho, Robert, que, ao contrário, cresceria para amá-lo. "Bob" foi batizado em Piccadilly, em 11 de julho de 1762, enquanto em Paris publicava-se *O Contrato Social*, de Rousseau.

Rousseau argumentava que toda a população constituía o poder soberano do Estado, distintamente de seu governo. A ideia era lenha para a fogueira da revolução, se revolução fosse o que era desejado; mas poucos a desejavam na época.

A chegada da irmãzinha mais nova, Catherine Elizabeth, em 7 de janeiro de 1764, quando Blake tinha 6 anos, completava a família Blake. Vale observar que William era, para todos os efeitos e propósitos, o irmão do meio, uma situação intensificada pelo fato de que seus pais adoravam o irmão mais novo John, algo injustificado na visão de William. Será que a especial consideração dos pais para com John fosse porque ele era a criança perdida e "retornada", pelo menos no nome? Ou será que, de alguma forma, os pais identificavam-se mais com ele do que com os outros filhos? Qualquer que fosse a razão, podemos perceber que o irmão do meio era frequentemente frustrado pela pergunta mantida em silêncio: "E QUANTO A MIM?".

Existe algo de parcialmente prejudicado e marcado na psique da personalidade de William Blake adulto que, à medida que dele nos aproximamos, o torna menos atraente, embora pudesse ser gentil e encantador, caso quisesse sê-lo. Além disso, está claro em todos os registros que William Blake era uma "criança superdotada", precocemente inteligente e hiperconsciente, extremamente sensível e "diferente" de seus companheiros. Houve algo em sua educação que trouxe essas características à tona?

Educação

De acordo com o conde Zinzendorf, as crianças morávias eram educadas diferentemente da maioria das outras crianças. Ele escreveu: "Nós não pretendemos exigir de um filho que siga as mesmas máximas de seu pai", acrescentando: "Nós permitimos a maior liberdade aos corações de nossas crianças".[35] Os morávios estabeleceram seus próprios internatos e claramente viram o destino espiritual da criança individual em comunhão com a Igreja e em harmonia com a criação universal de Deus como propósito primário da educação: o bem-estar espiritual era tudo. Comenius havia ensinado que o conhecimento da ciência, propriamente integrado, proporcionava às crianças uma consciência da divina inteligência, presença e providência. Blake não frequentou uma escola morávia, mas sua mãe provavelmente absorveu algo do pensamento espiritual de Zinzendorf.

Em 1811, não se sabe com que autoridade Crabb Robinson escreveu como Blake, nascido de pais "não muito bem de vida", foi logo cedo "abandonado à sua própria orientação ou desorientação". Robinson deixou implícito que seus pais não podiam pagar a escola, uma sugestão em sintonia com o cinismo dos parágrafos de abertura para o jornal alemão para o qual estava escrevendo, 14 anos antes de ele encontrar-se com o homem que o caluniou e chamou de "louco".

---

35. Henry Meyer, *Child Nature and Nurture according to Nicolaus Ludwig von Zinzendorf*, Abingdon, New York, 1928.

Porém, como sua mãe sabia ler e escrever, ela tinha perfeitas condições de ensinar-lhe o básico e, talvez, até alguns hinos e orações morávios, e intimidades infantis para ser inseridas em seu inconsciente. Os morávios tinham um bom suprimento de livros de ensino para as crianças, livros de emblemas religiosos e guias práticos baseados, ou incluindo, o *Orbis Sensualium Pictus* (O Mundo Visível em Imagens, Nuremberg, 1658), publicado pela primeira vez em inglês, em 1659, do educador checo Comenius. Utilizando xilogravuras e legendas, o livro introduzia as crianças em praticamente qualquer comércio e atividade útil, incluindo a escrita, o drama e alguns esportes, mostrando como todos eles faziam parte do mundo da experiência que levava à sabedoria e à "pansofia" – ao conhecimento. "Vou mostrar-lhes tudo", o livro prometia. Ele ainda incluía um alfabeto de fácil aprendizagem, baseado em imagens fonéticas.

Allan Cunningham tinha algumas coisas muito interessantes para dizer, embora seja um mistério saber de onde ele adquirira essas informações: "Parece que o menino era, em particular, encorajado por sua mãe". Negligenciando a aritmética, "ele desejou ardentemente ser artista". O jovem Blake "desenhava em todas as faturas e no balcão da loja". Mais interessantemente, Cunningham declara que o maior prazer de Blake (não temos a idade certa disso) era "retirar-se para a solidão de seu quarto e ali fazer desenhos que ilustrava com versos para, em seguida, pendurá-los no quarto de sua mãe".

Novamente, o ímpeto de sua primeira educação veio de sua mãe. A combinação de quadros ilustrados por versos não somente sugere o que, é claro, seriam as produções de Blake adulto como também os livros emblemáticos mencionados anteriormente e, particularmente, um desses livros que o pregador morávio John Cennick considerou de grande valor e sobre o qual ele discutia com a Congregação.[36] Esse livro era uma obra de trabalho devocional para crianças, muito popular no século XVII, o *Pia Desideria* (Desejos Piedosos), escrito em latim pelo capelão militar jesuíta Herman Hugo (1588-1629), que

---

36. *The Life of Mr John Cennick ... written by himself*. London, vendido por J. Lewis e Mr. [James] Hutton (bookseller of Little Wild St), 2 ed., 1745, p. 24. Sou grato à obra *William Blake's Sexual Path to Spiritual Vision*, de Marsha Keith Schuchard, Inner Traditions, 2008, p. 125-126, por me alertar sobre o significado da *Pia Desideria* e sua conexão com John Cennick.

continha gravações notáveis feitas por Boëce van Bolsvert (1580-1633). Uma tradução inglesa, feita por Edmund Arwaker, com 47 gravuras em cobre, foi publicada como *PIA DESIDERIA* ou *Expressões Divinas* em Londres, em 1690.[37]

A leitura desse livro permite entrar na mente em formação da criança William Blake. O livro abre sua festa visual na p. 3, com um tratamento bem literal de "flechas de desejo". Do lado oposto da gravura, um audacioso título:

PELO DESEJO DAS Moradas Eternas, JESUS CRISTO,
Com quem os Anjos desejam envolver-se
Sem qualquer noção, eu nunca transmiti
As pinturas secretas do meu Coração apaixonado;
Cujos íntimos recessos ninguém mais
Senão aquele grande Poder que os emoldurou, a mentira aberta...

À esquerda do poema há uma gravura de poder gráfico excepcional, mostrando um homem abrindo sua camisa. De seu coração voam setas literalmente dirigidas ao olho que tudo enxerga e literalmente aos ouvidos de Deus, cercado de nuvens ("Ó nuvens, desdobrem-se!"). A citação, embaixo, procede do Salmo 38:9 e a mensagem atinge o alvo: "Senhor, diante de ti está todo o meu anseio...". Ao lado do homem há uma máscara de ator (ele se despojou de seu eu social); próximo à máscara, uma aljava de flechas: seus desejos cotidianos. Suas verdadeiras flechas de desejo procedem de dentro, quando ele mostra a verdade espiritual de si mesmo para seu Deus.

A próxima gravura ilustra Isaías 26:9: "Com minh'alma te desejei na Noite". A imagem mostra uma cabeça alada, iluminada por uma lanterna, vagando através de uma bela noite estrelada. É uma reminiscência inconfundível de vários trabalhos maduros de Blake, especialmente "Eu quero! Eu quero!" em seu *Para Crianças: os Portões do Paraíso* (1793), e muitos Blakes "vagantes" – um motivo visual recorrente.

---

37. *PIA DESIDERIA or Divine Addresses, In Three Books. Illustrated with XLVII. Copper-Plates. Written in Latine by Herm. Hugo. Englished by EDM. ARWAKER, MA, LONDON, Printed by JL for Henry Bonwicke at the Red Lion in St Paul's Churchyard MDCXC.*

A arte emblemática de Boëce van Bolsvert teve, acredito, um profundo efeito na imaginação de Blake e até mesmo em seu estilo, bem evidente nos desenhos de suas gravuras menores comerciais – para o *Sepultura de Blair*, por exemplo, assim como uma obra menor que ilustra os versos de William Hayley, na qual era necessário contar uma história em uma única imagem. Qualquer um que tivesse visto as gravações de Blake de almas acorrentadas à terra, incapazes de se erguer para o céu, e o *Pensamentos Noturnos*, de Young, ficaria surpreso ao ver a imagem de Bolsvert da alma alada tentando erguer-se para o céu, em *Pia Desideria*.

Porém, onde o catolicismo de *Pia Desideria* insiste que a alma é obstruída por um globo de pecado ou de amor-próprio, Blake atribui frustração à crueldade da Natureza. Dentro da imagem de Van Bolsvert há uma segunda imagem onde a ação principal é comparada a um garoto atado por uma corda ao seu "papagaio" (pipa) em forma de pássaro, não sendo a ele acorrentado, lançar ao voo. As demandas de Deus não são o material de jogos dirigidos à Terra: algo da Terra deve ser liberado para que a Alma possa alcançar seu Desejo.

Como poderíamos deixar de perceber o uso que Hugo e seus ilustradores fazem dos jovens anjos guardiões e dos anjos infantis, como companheiros das almas penitentes?

Os anjos observam as ações e, em alguns casos, "interferem" por nós, observadores, identificando-nos com sua visão angelical. Eles vêm diretamente em nós. Quando o salmo "Tu, ó Deus, bem conheces minha estultícia" é ilustrado, podemos ver um querubim cobrindo seus próprios olhos para evitar de ver, evitando ver a tolice do homem néscio.

O anjo da guarda e a alma frequentemente aparecem como crianças – imagens muito em sintonia com a ênfase morávia dos estados espirituais, próprios das crianças, de amor e receptividade, o que nos remete ao comentário de Coleridge sobre algumas das *Canções da Inocência*, a ele mostradas por Crabb Robinson, de que os poemas e seu autor deveriam sofrer pela falta de inocência em seus leitores: uma verdadeira profecia.

É também sugestivo de *Pia Desideria* ter sido escolhido como livro importante pelo padrinho pietista do conde Zinzendorf, Philip Jacob Spener (1635-1705). Publicado em 1675, *Pia Desideria*, de

Spener, alertava os leitores para a corrupção espiritual na Igreja Luterana. Ele explicava como, melhorando a pregação e o entendimento espiritual, a corrupção poderia ser tratada. Originalmente pretendido como prefácio para uma obra de Johann Arndt (1555-1621), o "Pious Desires" (Desejos Piedosos), do livro, para uma Igreja espiritualmente regenerada eram compartilhados por esse pai do Pietismo e autor do clássico *Verdadeiro Cristianismo* em cooperação com o próprio Spener e com o amigo de Arndt, o teólogo luterano Johann Valentin Andreae (1586-1654), quem primeiro criou a mitologia da Fraternidade Rosa-cruz. De seus desejos piedosos também compartilhou o conde Zinzendorf e, depois dele, William Blake.

Poderíamos aqui acrescentar a pergunta: "Em que consiste um DESEJO PIEDOSO?", que se tornaria um tema da vida e obra de Blake.

O ataque impiedoso de Henry aos "Herrnhutters" empregou tudo o que podia para abatê-los. Em sua obra *Cândida Narrativa sobre a Ascensão e Progresso dos Herrnhutters*, de 1753, Rimius citou os escritos de Zinzendorf para apresentá-lo como um fanático, um inimigo da razão, um destruidor da verdadeira religião. Porém, visto de forma simpática, o pensamento de Zinzendorf revela algo liberal, no sentido gentil, algo sobre como a lógica aplicada e a racionalidade podem separar a mente de uma pessoa da intuição, do sentimento, da compreensão e, ainda, do senso comum.

A seguinte observação de Zinzendorf poderia ter sido pronunciada por William Blake em praticamente qualquer período de sua carreira: "Os Sentimentos são definidos pela Experiência; a Razão é dolorosa, pois ela faz com que nos percamos de nós mesmos".

É difícil não pensar que Catherine Blake não tivesse, no mínimo até certo ponto, prioridades morávias em mente no que dissesse respeito à educação de William. Foi Zinzendorf que enxergava a pintura, a arte e a música como caminhos para Deus, e foi Blake que diria, mais poeticamente, que a pintura, a poesia e a música constituíam "os três poderes no Homem que permitiam conversar com o Paraíso que o Dilúvio não eliminou".

Essa afirmação constitui uma visão avançada da educação em uma era em que a abordagem aos clássicos gregos e romanos era frequente, pois, tacitamente, eram considerados superiores ao conhecimento da

Bíblia, isso sem falar dos estudos vocacionais ou científicos da época. Porém, deve ter havido muitas críticas hostis prontas para declarar que a ideia das artes criativas, como ponto central de educação, era um sistema atrasado para pessoas atrasadas.

Felizmente, Blake não era, em sua infância, sujeito a críticas. Não podemos esquecer-nos da história contada por Richmond a Strange: que Blake lembrou-se com carinho de sua "velha enfermeira", a pessoa com quem confidenciava suas visões sem medo de ser repreendido. *Quem era essa mulher maravilhosa?* A ela devemos muito mais do que imaginamos.

É notável o fato de que Blake, em uma época posterior de sua vida, ao descrever os personagens que mais influenciaram seu pensamento, nunca mencionou um professor ou um guia íntimo que possa ter entrado nas facilidades da residência de seu pai. Às vezes, ele dava a impressão que devesse a formação de sua mente a seres astrais ou angelicais encontrados em um estado de preexistência, seres que podiam ser convocados em sua imaginação de mundos internos.

Em seu primeiro encontro com Crabb Robinson, Blake ofereceu a ideia de ter sido convencionalmente íntimo de Sócrates e de Jesus Cristo, em outra época ou em outro plano de existência. Em sua maturidade, ele, indubitavelmente, afirmaria ter ligações formais com o pensamento de Paracelso (1493-1541), com Jacob Boehme e com Emanuel Swedenborg (1688-1772): um suíço, um alemão e um sueco, apenas o último dos quais chegou a visitar as terras verdes e agradáveis da Inglaterra. Porém, é impossível indicar o período exato em que ele leu suas obras pela primeira vez apesar de sabermos que, em 1784, Blake citou uma edição de *Céu e Inferno*, de Swedenborg, publicada em Londres quando ele tinha 26 anos. Os livros religiosos de Swedenborg eram disponíveis em latim desde 1760, mas Blake não tinha conhecimento da língua, pelo menos quando jovem.

Seria justo dizer que Blake não *absorveu* totalmente os pontos de vista de Boehme, Paracelso e Swedenborg – embora ele valorizasse frases e aforismos e partilhava de seus pontos de vista. Foi escrito a respeito de um grande admirador de Paracelso, dr. Tobias Hess de Tübingen (1558-1614), que "Hess ouvia Deus, e ninguém mais". E acredito que nós podemos, com certeza, dizer o mesmo de Blake.

Em 1852, Crabb Robinson compilou um manuscrito de "Reminiscências". Ele copiou anotações do velho diário e ainda acrescentou outras ocorrências à medida que elas voltassem à sua memória.

Ao transcrever, a partir de seu diário, seu encontro com Blake em Fountain Court, em 17 de dezembro de 1825, ele acrescentou um detalhe que lhe veio à mente e que não havia sido registrado nesse mesmo dia:

> Está quase certo que ela [a esposa de Blake] acreditasse em todas as suas visões. E, em uma ocasião, ela disse: "Sabe, querido, a primeira vez que você viu Deus foi quando você tinha 4 anos de idade; Ele apareceu na janela e fez você dar um grito".[38]

Mimi, a tia de John Lennon, registrou algo parecido de seu sobrinho quando ele tinha 8 ou nove 9. John entrou em sua cozinha dizendo que ele acabara de ver Deus. Mimi lhe perguntou o que Ele (Deus) estava fazendo e John respondeu que Ele estava apenas sentado perto da lareira. Mimi aquiesceu: "Imagino que ele estivesse sentindo um pouco de frio".[39]

Em uma entrevista realizada em 1980, Lennon, adulto, afirmou que a "visão psicodélica" era uma realidade a ele acessível e que era, na verdade, a própria realidade, visto que ele (John) era apenas uma criança, o que fazia dele um "gênio", se é que gênios realmente existam.[40]

Como qualquer jovem poeta, William teria desenvolvido um ouvido para palavras, música, cadências, mas com que idade ele desenvolveu os específicos gostos literários é desconhecido. Presumimos aqui certa precocidade. O que sabemos é que, em algum momento, ele veio a ser inspirado por Chaucer assim como por poetas elisabetanos, incluindo Shakespeare e Spenser. E, é claro, havia John Milton e Andrew Marvell, além da História Inglesa.

---

38. BR, p. 699.
39. Ray Coleman, John Winston Lennon, vol. 1, 1940-1966, Sidgwick & Jackson, London, 1984, p. 39.
40. Esse tema foi explorado em *John Lennon: A Journey in the Life*, um drama musical para TV de cem minutos da BBC Everyman, pesquisado por mim em 1985, estrelado por Bernard Hill, como Lennon, e dirigido por Ken Howard, produzido com a aprovação de Yoko Ono Lennon. No decorrer da produção, o diretor Ken Howard entrevistou a "tia Mimi", de John, por telefone; Mary Elizabeth "Mimi" Smith deu o aval para a história de "Deus" relatada por Coleman.

Há pouca dúvida sobre alguns dos nomes curiosos que encontramos em seus trabalhos mais "proféticos", os quais devem sua estilística origem aos fragmentos alegadamente de antigas poesias celtas coletadas por James Macpherson e publicadas com o nome de *Ossian*, em 1760, quando Blake tinha 3 anos. Há dúvidas quanto a ele ter sido exposto a elas nesse período de tempo. Ele declararia, bem mais tarde, que não se importava se Macpherson poderia ser considerado o responsável por ter agrupado os versos a partir de sua própria imaginação (isto é, de forma fraudulenta, conforme é geralmente aceito): no que diz respeito a Blake, Macpherson tinha acessado, por meio de sua imaginação, uma verdade antiga; foi o coração de Blake que lhe disse isso.

Para Blake, o antigo Bardo *Ossian* era essencialmente real. Ele sabia o que era acessar mundos antigos a ponto de fortemente sentir de já ter convivido neles. Para ele, a História era um caso de *déjà vu*.

Blake aceitou totalmente a ideia de que já existiu uma civilização que, mesmo que tivesse passado dos reinos espirituais para o tempo e o espaço, ela ainda mantinha ligações suficientes com o céu para torná-la um ideal permanente e indestrutível cujos contornos poderiam ser percebidos através dos mundos interiores, o paraíso da imaginação. Essa civilização teria existido nas ilhas britânicas e poderia ser expressada em termos de uma única figura: ALBION.

Para Blake, a Imaginação não era uma simples faculdade, uma espécie de ferramenta criativa, um departamento do cérebro. Ainda menos era a imaginação essencial, uma armadilha da razão, embora a razão pudesse ser por ela "revelada". A imaginação era, ela mesma, vida divina. A imaginação manteve a ligação entre a Terra e o Céu, matéria e espírito. Seus frutos: intuição, poesia, pintura e música. Blake, com idiossincrática audácia, iria se referir a "Jesus, a Imaginação", porque tradicionalmente Jesus havia aberto essa ligação, descendendo e ascendendo com os anjos e, em Seu ser constituía-se essa ligação ("Eu sou o Caminho"), esse "cordão de ouro" que Blake viria a celebrar em sua épica *Jerusalém*.

Havendo aberto os céus para a visão do Homem – isto é, para as pessoas simples, não intelectuais –, ele podia dizer, "o reino dos céus está dentro de você". Blake, então, podia dizer que Jesus era de fato filho de Deus – "assim como eu sou, assim também é você", conforme ele informou ao perplexo Crabb Robinson, em 1826. Parece haver poucos motivos para duvidar que Blake percebesse essa identificação em algum nível de sua infância, mesmo se ele ainda não tivesse as ferramentas intelectuais ou técnicas para expressá-la. Certamente, seus existentes poemas iniciais, compilados como *Esboços Poéticos*, em 1783, foram escritos quando ele tinha 12 anos; eles dão poucas pistas sobre as belezas e as fantasmagorias que estavam por vir.

Tatham oferece informações sobre a educação de Blake, mas sua confiabilidade é questionável. G. E. Bentley Jr. afirmou a desconcertante advertência: "Tatham não é muito confiável, mas é melhor acreditar nele até termos uma razão para desacreditá-lo".[41] Se a deslealdade não for causa de desconfiança, o que então a causaria? Tatham até confunde o aniversário de Blake e refere-se ao filho mais velho de James Blake como "John".

Tatham conta que James Blake era "indulgente e afetuoso". Todas as evidências apoiam isso, salvo, talvez, certa história de um suposto "espancamento". O irmão mais novo de Blake, John, era, de acordo com Tatham, "o preferido de seus pais".

Ele se tornaria um aprendiz de padaria, mas, não chegando a bons termos na função, seus pais finalmente o dispensariam advertindo-o de que, um dia, ele imploraria ajuda na porta de casa de John – isto é, que Will (nome familiar de Blake) nunca conseguiria um bom emprego. Entretanto, John morreu em condições de penúria, em algum momento entre 1793 e 1802, enquanto Blake acabou tornando-se um melhor profeta, mas isso de pouco lhe valeu. Blake escreveria ao seu irmão mais velho, James, tentando assegurar-lhe que seu salvador pecuniário estava prestes a chegar, mas James achava difícil aprovar seus interesses artísticos, oferecendo-lhe os conselhos costumeiros.

Tatham indica uma passividade em Blake que iria aborrecer o próprio Blake em tempos futuros, e que, com o benefício da retrospectiva, poderia aborrecer até críticos maduros sobre sua conduta: "Embora seja facilmente persuadido", declara Tatham, "ele despreza restrições e regras, tanto que seu pai não se atreveu a fazê-lo frequentar uma escola".

---

41 BR, p. 661. Os trechos do manuscrito de Tatham que seguem no texto são de BR, p. 661-664.

A razão que Tatham apresenta para uma reticência de Robinson atribuída à falta de meios é que Blake "odiava levar pancadas". Havia vários professores no século XVIII, em Londres, que poderiam ter tratado dessa resistência com impunidade. Contrariar a vontade de uma criança era a base comum da educação: "chicotear o Adão que ofende" na alma recalcitrante era a justificativa para o espancamento regular das crianças. Talvez os pais de Blake não acreditassem que o filho precisasse ser espancado na alma. Talvez acreditassem no menino, reconhecendo nele algo de especial que precisava de cuidado. É de se supor que eles realmente o amavam, mas será que Blake sabia disso?

Relatos que chegaram até nós sugerem uma independência crescente no garoto, que ainda não tinha 10 anos. Malkin, que provavelmente conseguiu o relato do próprio Blake, descreve o garoto como assistente de vendedor no Christie's, Langford's e outros leiloeiros. De acordo com Malkin, o pai de Blake foi "indulgente" para com seus interesses artísticos (de Blake). Com dinheiro de seu pai, Blake comprou gravuras e começou uma coleção. Enquanto o leiloeiro Abraham Langford (1711-1774) chamava o menino de 11 a 13 anos de seu "pequeno especialista" e gentilmente abaixava o preço de um lote ocasional para a causa dos mais jovens, outro leiloeiro ficava doente com as obsessões de Blake por Michelangelo, como se ninguém além dele existisse.

O desenvolvimento de um senso estético afiado, especialmente quando orientado para uma forma ideal de arte foi, provavelmente, a causa do distanciamento cada vez maior de sua mãe. Vale mencionar que, quando o incentivo de Blake dizia respeito às artes contemporâneas, era seu pai que assumia o controle. Tenho fortes suspeitas de que, se Catherine Blake tivesse permanecido próxima de uma espiritualidade ou parecida com a espiritualidade morávia, ela teria defendido, de uma forma ou de outra, a ideia de que seu filho deveria ser grato às feridas do Cordeiro e pensar profundamente sobre sua salvação, conseguida ao preço do derramamento do sangue de Cristo. Ela mesma havia "lambido as feridas" e abraçado a Cruz. Uma coisa absolutamente notável é que, das tantas pinturas religiosas em sua carreira, em nenhuma Blake associou o sangue com Jesus. Seu Jesus não era deste mundo. A iconografia de Blake, completamente consoante com as sensibilidades dos gnósticos, era mais à maneira de *São João da Cruz* de Dalí: há uma cruz, há mãos estendidas, mas, sem dúvida, para o desgosto dos evangélicos, nenhum significado artístico ou simbólico é dado ao próprio sangue como moeda de salvação. Essa não é uma simples especulação de minha parte.

Em 7 de dezembro de 1826, Crabb Robinson apreciou uma de suas conversações finais com Blake.

> E, neste dia, ele falou do Velho Testamento como se fosse o Elemento do Mal. Cristo, ele disse, muito se assemelhava à sua Mãe & isso na medida em que ele foi um dos piores dos homens.[42]

Blake referia-se à concepção de Deus que ele associou com partes do Velho Testamento. Blake pressentiu uma concepção ameaçadora, inferior, do divino que ele, como muitos outros antes e depois, acreditou estar em discordância com o evangelho de arrependimento, de amor e de perdão. Blake poderia ser muito cínico com a ideia, opinando que era como se Deus viesse no Velho Testamento com um cajado para bater na cabeça das pessoas, retornando no Novo Testamento com um bálsamo para curá-las.

O mais interessante foi o uso de Blake da palavra "Mãe", pela qual, com certeza, ele quis significar a fé judaica (o "Velho Testamento") na qual Jesus foi criado.

O que Blake pensou sobre o que Jesus poderia ter atribuído contra sua mãe muito provavelmente geraria uma discussão interessante, embora passagens do evangelho mostrem um Jesus bem indiferente para com os membros de sua família.[43] Jesus não seguiu os conselhos de sua mãe. Porém, a força do uso da palavra "Mãe" nesse contexto não pode ser deixada de lado. Estaria Blake determinado a não ser como sua mãe?

Robinson assumiu o desafio das palavras de Blake e perguntou-lhe o que ele queria significar quando disse que Jesus se comportava como "o pior dos homens". Blake deu o exemplo de quando Jesus

---

42. *Blake, Coleridge, Wordsworth, Lamb, ETC. Being Selections from the Remains of Henry Crabb Robinson*, ed. Edith J. Morley, Manchester University Press, 1922; "Reminiscences of Blake", p. 26.
43. Ver meu livro *The Missing Family of Jesus*, Watkins, London, 2010.

expulsou os vendilhões do Templo; ele acreditava que Jesus não deveria ter se envolvido em assuntos políticos do governo: eles não faziam parte do seu mundo. Blake disse que Jesus, como o homem que era, não tinha o direito de colocar em julgamento os vendilhões. Ele mesmo ensinou que "não devemos julgar para não sermos julgados". Por que ele fez o que disse a outrem para não fazer?

Robinson então registrou o argumento decisivo: "Por falar em expiação no sentido comum calvinista, ele [Blake] disse, 'É uma doutrina horrível; se outra pessoa paga a sua dívida, eu não a esqueço'".[44] Essa é uma negação direta da doutrina forense da expiação – pela qual Deus queria sangue, conforme a Epístola aos Hebreus exigia: "Aliás, conforme a lei, o sangue é utilizado para quase todas as purificações, e sem efusão de sangue não há perdão [dos pecados]" (9:22). Essa doutrina (baseada no Levítico 17:11) contradizia profundamente a estética e o sentido ético de Blake. É extremamente óbvio dizer que ele ligou a doutrina à figura da "Mãe". Não sabemos por que Blake nada tinha a dizer sobre sua mãe, pelo menos nos documentos sobreviventes, mas também pode ser que, em virtude do seu desenvolvimento artístico, ele a associou a um conflito sobre o significado de religião, no qual eles se encontravam em lados opostos. Ela queria sangue; ele não.

No entanto, é claro que havia muito mais no universo espiritual morávio do que a ênfase às feridas de Cristo. A distinção da vida espiritual e terrena, a primazia da primeira, com a correspondente ênfase no valor espiritual da arte: esta, sem dúvida, havia se tornado essencial à vida interior de Blake.

Entretanto, a discussão de Blake com Robinson mostra categoricamente que Blake, pelo menos na maturidade, apenas negou a expiação forense – ou seja, que Cristo assumiu nossos pecados e pagou o preço da redenção com seu sangue por conta de todos os escravos do pecado, e que esse único ato constitui o significado da Crucificação, sendo o ponto crucial da salvação cristã: Deus estava irado com o homem e nos destruiria não fosse por Jesus que, antecipadamente, pagou ao Senhor – algo pelo qual nunca conseguiremos

---

44. *Blake, Coleridge, Wordsworth, Lamb, ETC. Being Selections from the Remains of Henry Crabb Robinson*, ed. Edith J. Morley, Manchester University Press, 1922; "Reminiscences of Blake", p. 26.

agradecer nem corresponder o suficiente. Esse foi um presente deliberado e sem merecimento que custou a vida humana de Jesus. Apenas poderíamos ter fé na realização da expiação. O Demônio foi enganado porque não sabia que a crucificação-expiação havia sido planejada e tinha sido mantida em segredo desde sempre. No fim, o Demônio forneceu os meios de sua própria queda. O cristão redimido poderia ser libertado do Demônio. Foi assim que São Paulo interpretou a expiação. Ela derivou do sacrifício dos cordeiros que aguardavam a libertação de Israel da escravidão do Egito, e esse foi o "tipo" estabelecido para a libertação final da escravidão: a escravidão do pecado.

Se deixarmos de perceber que Blake não precisava da doutrina em seu sentido evangélico ou, como Robinson o chamou, sentido "calvinista", ficaremos bem confusos sobre o que constituiu a sincera crença cristã de Blake.

Escola de desenho de Henry Pars

Em 1754, três anos antes do nascimento de Blake, a Sociedade para o Encorajamento das Artes, Manufatura e Comércio (A Sociedade Real das Artes) estava estabelecida. Benjamin Franklin era um membro notável dessa útil e bem-sucedida sociedade fundada pelo mestre de desenho William Shipley (1715-1803), nascido em Maidstone de Northampton.

Shipley começou sua carreira em Londres com uma escola de desenho a leste dos Edifícios Beaufort – bem próxima à última residência de Blake, em Fountain Court – no Strand. Muitos alunos distintos a frequentaram, incluindo Richard Cosway (1742-1821) e William Pars (1742-1782).

Em 1764, o artista paisagista William Pars foi escolhido pela Sociedade Dilettanti para acompanhar Richard Chandler e Nicholas Revett à Grécia, como ilustrador. A turnê da época, que incluiu a Ásia Menor em seu caminho, ocupou quatro volumes de "*Antiguidades Jônicas*", publicados em 1769, e dedicados pela Sociedade Dilettanti ao rei George III, que se tornou o primeiro patrono da Academia Real Inglesa, formada, nos moldes da Dilettanti, no mês de dezembro anterior.

Em 1767, o irmão mais velho de William Pars, Henry Pars (1734-1806), era dirigente da Escola de Desenho de Shipley, e foi a ela que James Blake levou seu filho mais velho, William, de 9 anos, para estudar desenho. Blake estava frequentando a escola de desenho de Pars na época em que o irmão mais novo de seu professor retornava da Ásia Menor para fazer muito sucesso com sua pintura e os desenhos de seu *Antiguidades Jônicas*.

James Blake certamente escolheu o lugar certo para dar a seu filho um começo adequado em uma vida de artes. Isso mostra em James um grande senso de orgulho assim como um proveito inteligente das oportunidades. De acordo com Malkin, o generoso sr. Blake comprou para o jovem Will moldes de Hércules, da Vênus de Médici, um gladiador e "cabeças, mãos e pés variados". Moldes eram caros. Blake fez cópias de Rafael, Michelangelo e do mestre flamengo Hemskerck, Albrecht Dürer, Julio Romano, e o que Malkin chamou de "o resto da classe histórica", enquanto os companheiros jovens de Blake zombavam de seu "gosto mecânico", restrito a trabalhos por muitos considerados como do passado, mas que Blake amava. Podemos ver elementos de Blake de muitas e diferentes formas humanas em todas essas obras.

Foi no restaurante Simpson, agora situado no Strand, que Blake teve a oportunidade de conhecer a próxima geração de artistas e causar alguma impressão no mundo da arte que estava crescendo em influência, assim como ele sofreria de seu sucesso em razão dos perigos do patrocínio principesco.

Tudo andava bem até Blake tomar a pior decisão de sua vida.

Capítulo 5

Linhas e Redes – 1767-1772

> Levantar-me-ei e irei a meu pai, e dir-lhe-ei: Meu pai, pequei contra o céu e contra ti; já não sou digno de ser chamado teu filho. Trata-me como a um dos teus empregados.
> Levantou-se, pois, e foi ter com seu pai. Estava ainda longe, quando seu pai o viu e, movido de compaixão, correu-lhe ao encontro, lançou-se-lhe ao pescoço e o beijou. O filho lhe disse, então: Meu pai, pequei contra o céu e contra ti; já não sou digno de ser chamado teu filho.
>
> ("Parábola do Filho Pródigo"; Lucas 15:18-21)

Arte é uma visão a ser compartilhada. O artista está sempre visualizando algo. No processo criativo, o artista compartilha a visão consigo mesmo, depois com aqueles que veem ou leem a visão. A arte está no ponto de vista. As visões de quem Blake compartilhou ao entrar na escola de desenho de Henry Pars em 1767? As de seus pais? De seu professor? De seus irmãos? De seus amigos? De mestres antigos? Dele mesmo?

Em 1764, antes do irmão mais novo de Henry Pars, William acompanhou Richard Chandler e Nicholas Revett em uma turnê cultural na Grécia e na Ásia Menor. O cavalheiro de Suffolk e o artista/arquiteto Revett já haviam sofrido um impacto quanto ao que pareceria ser, na década de 1780, um renascimento grego irrefreável; Blake, em seu epicentro, estaria fortemente imerso nesse ressurgimento.

Em 1748, Revett, James Stuart (1713-1788), o colega artista Gavin Hamilton e o arquiteto Matthew Brettingham, o mais jovem, estudaram *in situ* as ruínas clássicas de Nápoles, Pula nos Bálcãs, e lugares antigos em Salônica e Atenas. Retornando em 1755, Stuart e

Revett condividiram a elegante e sedutora visão de Atenas com mais de 500 inscritos em sua obra-prima em antiquarismo, *As Antiguidades de Atenas e Outros Monumentos* (1762), que rapidamente se tornou um guia indispensável para o autêntico gosto neoclássico na pintura, na arquitetura e na cerâmica.

A tarefa de gravar as pinturas e desenhos de Stuart e Revett coube a James Basire (1730-1802), da Rua Great Queen, 31, alguns minutos ao norte do Strand. Basire tinha conhecido Revett e Stuart quando estudou na Itália, depois de 1749. Ele estava bem posicionado para contribuir com as gravuras de *Antiguidades Jônicas* (1769) de Pars, Chandler e Revett, bem como obter comissões prestigiosas da Sociedade dos Antiquários e da Sociedade Real, enquanto Blake continuava seus estudos na escola de desenho.[45]

É significativa a informação de que o pai de William e Henry Pars era gravurista de metais. Os artistas contaram que dependiam dos gravuristas para levar seus desenhos a uma audiência maior. Nesse período, arte e antiquarismo eram inseparáveis; a cultura consistia amplamente da aquisição e apresentação das glórias passadas para torná-las a presente glória por associação. A inovação poderia ser perigosa. Como todos os demais, Blake olhava para o passado em busca de inspiração.

Essa tendência cultural, com seus tons de nostalgia romântica, foi compensada, entre os pouco envolvidos com círculos artísticos, por prioridades do mercado. Onde isso ocorria, havia muita coisa acontecendo que deveria ter fixado as mentes políticas de maneira mais segura no presente e no futuro.

Quando Blake tinha 5 anos, a decadência do poder francês na América e na Índia estava selada pelos termos custosos do Tratado de Paris, de 1763. Agitações contra o governo de Londres nas colônias americanas começaram logo depois; alguns colonos recusavam-se a pagar taxas para a defesa contra um inimigo derrotado. A famosa denúncia de James Otis da "taxação sem representação" foi declarada em 24 de maio de 1764, pouco mais de um ano depois do Tratado de

---

45. Dr. Richard Chandler (1738-1810), amigo e correspondente do arquidiácono Ralph Churton FSA (1754-1831); Churton escreveu *Memoir of Dr Richard Chandler* para sua nova edição de *Travels in Asia Minor and Greece*, de Chandler (com notas de Nicholas Revett), Oxford, 1825.

Paris. Em seguida, começaram os boicotes aos produtos de luxo britânicos. Contra o juízo de William Pitt (Sênior), infelizmente fora do poder em 1765, a administração de lorde Bute assegurou a passagem da Lei do Selo: a tributação dos selos estabelecida para materiais de impressão na América. Pitt sabia que a medida prejudicaria o comércio e falou eloquentemente contra sua aplicação, advertindo o governo para administrar as colônias com mais bom senso e menos orgulho. Bute, preocupado com os débitos e problemas nas finanças por causa da guerra da França, impôs a Lei do Aquartelamento, obrigando os colonos a abrigar soldados e cavalos. Isso culminou com revoltas e protestos em Nova York, em julho, que, incidentalmente, foi aproximadamente a época em que Gilchrist datou a história de Peckham Rye sobre "anjos na árvore".

Em 1766, retornando ao poder com lorde Grafton, Pitt garantiu, em março, a revogação da Lei do Selo, mas a Lei do Aquartelamento permaneceu, levando ao fechamento da assembleia de Nova York pelas tropas britânicas, em dezembro, por recusar-se a obedecer.

Em 1767, quando o jovem Blake entrou em seu segundo ano fazendo cópias a partir de modelos, impressionando o professor com suas habilidades para o desenho, o governo britânico foi atingido por clamores estridentes por "liberdade", em casa e no estrangeiro. Em maio de 1768, quando John "Liberdade" Wilkes não conseguiu ser reeleito como deputado em Londres, baseado em uma plataforma antigovernista, ele foi preso como um fora da lei, as tropas dispararam contra seus partidários e gritavam "Sem liberdade, sem rei!". Cinco pessoas foram mortas. Três meses antes, nas províncias, como eram chamadas as colônias pelos ingleses, Samuel Adams negou a autoridade parlamentar sobre as colônias. O chamado de Adams para ações unidas provocou a chegada de dois regimentos em Boston, despachados pelo secretário de Estado para as colônias, lorde Hillsborough. Os Tories coloniais, temendo anarquia nos estados, deram-lhes as boas-vindas. Infelizmente, Pitt renunciou em outubro, incapacitado por uma gota e por uma desordem mental que o alienou dos negócios importantes.

O ano de 1768 terminou com o estabelecimento da primeira capela de Wesleyan, nos Estados Unidos (em Nova York), e a fundação em Londres da Academia Real Inglesa. Administrada pela Sociedade

Dilettanti, com seu primeiro presidente, Joshua Reynolds, a academia planejou estabelecer uma escola em Somerset House, ao lado da escola de desenho de Pars. Nesse meio-tempo, em Nottingham, o condado natal da mãe de Blake, o pioneiro industrial Richard Arkwright montava uma fábrica para a estrutura de uma fiação movida a motor a vapor enquanto o capitão James Cook embarcava no navio *Endeavour* para um território inexplorado no Endeavour, levando consigo o brilhante botânico Joseph Banks, membro da Sociedade de Artes e Manufaturas de Shipley desde 1761.

Em 1769, essa sociedade exibiu a famosa pintura de George Stubbs, "*The Tiger*", na Rua Somerset, perto da escola de desenho de Pars. É difícil imaginar Blake, com 12 anos, não ter percebido o acontecimento, mas, que ele tenha sido influenciado pelo notável poema "O Tigre" nunca saberemos, embora sua própria gravura de um tigre para ilustrar esse seu poema, 20 anos mais tarde, nada tivesse da *finesse* ou da habilidade de observação de Stubbs sobre o tema; os animais nunca foram o forte de Blake.

Em novembro de 1769, a Carolina do Norte uniu-se à Carolina do Sul na adoção da proibição da Associação da Virgínia no comércio britânico, até que, em 1767, o chanceler do Erário, Charles Townshend, revogou a tributação sobre os fornecimentos a governadores e juízes independentes nas colônias.

O cientista de livre-pensamento Thomas Jefferson, eleito para a Câmara dos Burgueses, suscitou a libertação dos escravos; enquanto na França, Denis Diderot publicou *O Sonho de d'Alembert*, defendendo a concepção materialista do Universo. No ano seguinte, o aliado de Diderot, Paul-Henri Dietrich, barão de Holbach, publicou seu sistema de mundo mecanicista e isento de Deus. *O Sistema da Natureza*, retratando o homem simplesmente como um ser físico, organizado para sentir e pensar. Apesar de escandalizar o estabelecimento político e religioso de 1769, ele teria, hoje, uma horda de seguidores.

Em 19 de janeiro de 1770, os nova-iorquinos, autodenominados "filhos da liberdade", enfrentaram as tropas britânicas por causa da Lei do Aquartelamento. Dois meses depois, em Boston, as tropas do governo atiraram em cinco manifestantes (o chamado "Massacre de Boston"), enquanto em Londres, ainda condenando a política do governo na

América, "Wilkes, o Libertador", foi solto da prisão e nomeado xerife de Londres, tornando-se prefeito em 1774. Em 12 de abril, a nova administração de lorde North revogou toda a legislação de Townshend com exceção da tributação sobre o chá. Uma semana depois, o capitão Cook avistava a Austrália pela primeira vez.

Em 1771, as pessoas pareciam estar mais tranquilas nas colônias americanas à medida que os governadores tentavam impor a ordem em meio às esporádicas rebeldias locais. William Tryon, governador da Carolina do Norte, passou o mês de maio suprimindo os chamados "reguladores", um grupo que, desde 1764, rebelou-se contra o controle fiscal das "elites" da Carolina sobre as transações de propriedades. Na nova cidade de Hillsborough, Carolina do Norte, planejada pelo agrimensor e cartógrafo de lorde Granville, William Churton (que, em 1752-1753, mediu as terras a oeste de Blue Ridge para o bispo Spangenberg e a Igreja Morávia), a casa que Churton havia legado ao legalista do partido Tory, Edmund Fanning, agora secretário privado de William Tryon, foi queimada até o chão pelos "reguladores" irados.

Quando o capitão Cook retornou, havendo reivindicado a Austrália para a Grã-Bretanha, os cientistas suecos e o místico Emanuel Swedenborg também retornaram para Londres, de Amsterdã, onde ele acabara de publicar sua obra de despedida, *A Verdadeira Religião Cristã*. Swedenborg escreveu para John Wesley, dizendo que o mundo dos espíritos desejava entrar em contato com ele. Wesley respondeu que ele teria primeiro de fazer uma viagem, mas que iria encontrá-lo na volta, para o que Swedenborg respondeu que iria fazer sua última viagem ao mundo espiritual em 29 de março de 1772 e não poderia, portanto, cumprir o calendário de Wesley. Depois de um acidente vascular cerebral, Emanuel Swedenborg morreu em Londres, em 29 de março de 1772. A empregada, Elizabeth Reynolds, confirmou a premonição de Swedenborg; ele falou tanto em morrer, como se fosse sair de férias ou até mesmo festejar.

Com 14 anos, William Blake chegou a um divisor de águas em sua vida. Em 4 de agosto de 1772, no Stationers' Hall, entre Ludgate Hill e St. Paul, Blake estava diante de oficiais uniformizados do Tribunal de Assistentes, enquanto seu pai, o camiseiro e retroseiro James Blake, assinava um contrato com o principal gravurista, James

Basire. Basire recebeu 50 guinéus. Por essa soma, ele hospedaria o jovem Blake em seu estabelecimento de Great Queen Street, para ali viver por sete anos, com a condição de o aprendiz abster-se dos jogos de azar, bares e teatros.

Este não era um caminho para se tornar artista.

James Basire e a Terrível Verdade

Relatos de como o jovem Will se tornou um diferente garoto aprendiz. O relato de 1828 feito pelo velho amigo de Blake, John Thomas Smith, indica que Will era "totalmente destituído da habilidade de um vendedor de Londres". Ele foi "mandado embora do balcão como um tolo". No momento em que Blake foi contratado, seu irmão mais velho, James, foi ser aprendiz de camiseiro e retroseiro. É possível que o pai quisesse afastar Will por ele ser um estorvo aos seus negócios? Será que Blake sentiu essa motivação mesmo se não fosse totalmente verdade?

Samuel Palmer contou a Gilchrist uma história reveladora sobre Blake mais velho quando Palmer, com grande emoção, ficava ouvindo Blake lendo a parábola do Filho Pródigo. Quando Blake chegou no ponto de o filho ver o pai "ao longe", ele não podia mais conter-se e chorou. Tal como disse o dr. Johnson, Blake sentiu-se culpado com respeito ao relacionamento com seu pai. Pai e filho parecem ter sofrido um rompimento, talvez por volta da época em que seu pai o abandonou aos cuidados de Basire.

Por outro lado, Cunningham declara que James Blake estava tentando colocar o filho sob a tutela de "um artista eminente", com o qual ele havia se consultado. O artista, porém, "pediu uma soma tão grande pela instrução que o prudente lojista hesitou". Segundo escreve Cunningham, "o jovem Blake pronunciou-se imediatamente e disse que preferia ser um gravurista".[46] Cunningham ainda aponta que isso, ao menos, proporcionaria "algum ganho" e seria algo ligado à pintura: uma declaração totalmente desnecessária. Um artista bem-sucedido não somente proporcionaria "algum", mas muitos ganhos.

A maioria dos grandes artistas ou, pelo menos, artistas britânicos bem-sucedidos da época de Blake do tempo de Blake, teve antecedentes relativamente humildes (ou seja, em relação às pessoas e às

---

46. Allan Cunningham, de *Lives of the Most Eminent British Painters ... &c.* (1830), in BR, p. 627.

propriedades que eles pintavam), mas, antes, eles tiveram de servir em lugares de aprendizado, tal como o aparente clube "Second St. Martin"s Lane Academy", fundado por Hogarth, em 1735, em que muitos dentre os membros eram, incidentalmente, gravuristas.

Infelizmente, essa academia, transferida por George Michael Moser e Francis Hayman para Pall Mall em 1767, acabara de fechar, quando a questão do futuro de Blake tornou-se crítica. Seu fechamento ocorreu em 1771, quando Moser foi nomeado o primeiro guardião da Academia Real Inglesa e transferido de Pall Mall para uma acomodação temporária em Old Somerset House, no Strand.

A pergunta então é: *por que Blake não frequentou novas escolas dirigidas pela Academia Real?* Seu (posterior) amigo, John Flaxman, frequentou e, por pouco, ele não ganharia, ali, uma medalha de ouro, em 1772, quando o presidente Joshua o afastou.

Teria sido Reynolds o "artista eminente" que o pai de Blake consultou? Ao longo de sua vida, Blake criou uma aversão por Reynolds, aparentemente baseado em opiniões dos dois com relação ao papel da imaginação na arte. Poderia a semente ter sido semeada em uma humilhação imaginada de seu pai? Blake foi dado a explosões repentinas quando as paixões eram altas; elas poderiam vir a custar-lhe caro.

O interessante é que, após seu aprendizado, Blake se tornaria aluno de Moser na Academia Real Inglesa, como se tentasse recuperar o tempo perdido, e encontrar-se-ia quase descontroladamente indignado por um comentário de *sir* Joshua sobre seu sentido de estilo. Flaxman, por assim dizer, roubaria sete anos de Blake ao estabelecer-se na Academia, enquanto Blake vestiria o avental de artesão.

Semelhante ao de Cunningham, o relato de Tatham de 1832 refere-se a um "enorme prêmio" requerido por um "pintor de eminência" para treinar Blake. De acordo com Tatham, Blake "informou, com sua generosidade característica, que seu pai de forma alguma gastaria tanto dinheiro com ele, pois isso seria uma injustiça para com seus irmãos e irmãs; portanto, ele se propôs a estudar Gravação por ser menos dispendioso e suficientemente elegível para sua futura vocação".[47]

---

47. BR, p. 665.

Se confiarmos nesse relato, é porque Blake pediu por isso. Para satisfazer a alegada insistência de seu filho, James Blake procurou um mestre gravurista adequado. De acordo com Samuel Palmer, em conversa com J. C. Strange, em 1859, James Blake levou seu filho a um gravurista em Broad Street, mas Blake ficou tão horrorizado a ponto de declarar que nunca se submeteria aos ensinamentos de tal pessoa.[48]

O incansável pesquisador e biógrafo de Blake, G. E. Bentley Jr., descobriu que, em 1772, havia dois gravuristas morando em Broad Street: o da Academia Real e "Gravurista do Rei", Francesco Bartolozzi (1725-1815), e Pierre Étienne Falconet (1741-1791). Porém, Falconet realizou um número muito pequeno de gravuras; ele era principalmente conhecido como pintor de retratos, especialmente de artistas famosos, havendo estudado sob a direção de Joshua Reynolds (que era amigo do pai de Falconet).

O próprio Falconet poderia muito bem ter sido o "artista eminente" que pedira demais, embora ele não viesse a ser enforcado, como diziam que acontecera ao artista. Tomando o último detalhe como o mais significativo, Bentley, segundo Gilchrist, reconheceu que o pai levou Blake para ver o gravurista e artista William Wynne Ryland, quem de fato veio a ser enforcado, mas que, em 1772, morava em Royal Exchange, Cornhill, e em Queen's Row, Knightsbridge, e não em Broad Street, conforme Palmer declarou ao contar sua história sobre o enforcamento.[49]

Eu gostaria de adiantar a hipótese de que Blake conheceu Ryland na casa de Falconet, em Broad Street ou, pelo menos, que Falconet, pessoalmente, dirigiu James Blake para Ryland: uma hipótese baseada na seguinte evidência.

A coleção da Academia Real de Artes possuía uma gravura a crayon do miniaturista Ozias Humphry (1742-1810, mais tarde um amigo de Blake), feita por D. P. Pariset. Embaixo dessa gravura estava escrito: "Vendido por P. Falconet, na esquina da Panton Street [uma rua comercial], Hay Market, por Ryland e Bryer, Cornhill"; ela é datada de 1768. De fato, é uma de uma série de impressões publicadas

---

48. BR, p. 729.
49. *Ibid.*

por Falconet, Ryland & Bryer. *Falconet esteve recentemente em atividades comerciais com Ryland*, o gravurista que viria a ser enforcado.

De fato, a National Portrait Gallery tem uma gravura de D. P. Pariset (datada de 1768-1769) do próprio William Wynne Ryland "conforme Pierre Étienne Falconet". É um dos 34 retratos pintados por Falconet de membros proeminentes em cenários artísticos de Londres, gravado por Pariset (1740-*post* 1783), a maioria tendo sida publicada por Falconet com Ryland & Bryer. Uma gravura de dois *shillings* de Joshua Reynolds, de 1768, até proporciona o endereço familiar do editor: "Vendido por P. Falconet, Broad Street, Mercado Carnaby, e Ryland e Bryer Cornhill". Se você quisesse conhecer a respeito de pintores famosos, Falconet era o lugar certo; ele poderia também colocá-lo em contato com gravuristas. E ele vivia praticamente ao lado dos Blake.

Ryland (1738-1783) tornou-se "Gravurista do Rei" depois de gravar retratos do rei George III e da rainha Charlotte, depois de outros artistas. Ele foi admitido como membro da Sociedade Incorporada dos Artistas em 1766, e introduziu-se no comércio de gravuras com seu aluno Henry Bryer. O negócio foi à falência em dezembro de 1771, um evento muito recente na época do aprendizado de Blake.

A necessidade urgente por capital de Ryland explicaria por que Falconet teria direcionado Blake para Ryland. Não se pode imaginar o jovem Blake desejando estar nas mãos de alguém cujas necessidades primárias eram por dinheiro. Entretanto, pode-se bem imaginar um cenário no qual Falconet chamou seu associado para Broad Street a fim de investigar uma boa "oportunidade": James Blake estava disposto a pagar uma bela quantia.

Ryland seria enforcado em Tyburn, em 29 de agosto de 1783, por forjar um golpe de 714 libras com a intenção de fraudar a companhia East India. A providência pelo menos salvou Blake do aprendizado com um indivíduo desesperado, mas provou ser impotente contra a própria obstinação de Blake.

Indubitavelmente, o aprendizado com James Basire era muito melhor do que se envolver nos negócios duvidosos de Falconet ou de Ryland. Como já vimos antes, Basire era um homem cujo trabalho era altamente respeitado pelos antiquaristas da Grã-Bretanha, e isso refletia as boas e educadas maneiras do país. Basire tinha excelentes relações com a Sociedade dos Antiquários, a Sociedade Real e a Sociedade Dilettanti. Isso deve ter, de certo modo, encantado o jovem Blake por conta de sua paixão por história e antiguidade, e uma necessidade por segurança familiar. Mas, visceralmente, ele queria era sair de casa da família e ficar longe das prováveis reclamações de seu irmão mais velho que se queixava por ele não estar contribuindo para as finanças da família: se o aprendizado era bom o suficiente para seu pai e seu irmão mais velho, então por que também não o era para William Blake?

O que *o* tornava tão diferente? Esses argumentos, certamente, deveriam ter tocado a alma sensível de Blake. Além disso, os gravuristas deviam formar-se na Academia Real e Blake indubitavelmente reconhecia nas gravuras uma arte de boa-fé em seu próprio direito. Ele tinha o grande Albrecht Dürer em alta estima e possuía uma cópia da famosa gravura de Dürer, *Melancolia I,* cujo tema de maior inspiração, derivado das sombras da introspecção saturnina, perturbaria seus pensamentos, pois ele julgou-o verdadeiro.

Smith afirma que Blake compartilhava com Basire uma admiração pelo gravurista italiano Marcantonio Raimondi (c.1480-1534), uma vez que as gravuras emblemáticas fizeram parte da educação de Blake e sua primeira percepção visual das coisas espirituais.

Pode ter sido um argumento convincente a possibilidade de que, na gravação, Blake podia combinar suas paixões artísticas com um futuro de segurança financeira, associada a um comprometimento compartilhado para com sua família, que não parecia enxergar seu empenho.

Vale notar que, entre as coleções atuais da Academia Real, James Basire não tem mais do que duas obras de arte a ele atribuídas. *Cristo e os Dois Discípulos de Emaús* é uma gravura e estampa "segundo Rafael" – um dos artistas favoritos de Blake – publicado em 1753 por Richard Dalton (c.1715-1791), depois do retorno de Basire da Itália. *Pylades e Orestes*, "segundo Benjamin West" (1738-1820), era uma publicação recente por John Boydell (julho de 1771), quando Blake era aprendiz junto ao filho mais célebre do gravurista Isaac Basire (1704-1768).

Mas é preciso observar as palavras *"segundo Rafael"* e *"segundo Benjamin West"*, ou seja, o gravurista aconteceu *"depois"*... do artista. Mas quem foi então o artista? Certamente não foi o gravurista! Os artistas poderiam esperar mais por suas obras do que os gravuristas. Consideremos o caso de Benjamin West, por exemplo. Nascido na Pensilvânia, um amigo próximo de Benjamin Franklin, West se tornaria o segundo presidente da Academia Real, em 1792; isso era segurança. No ano em que Blake foi aprendiz, George III nomeou West "pintor histórico da corte", com uma remuneração anual de mil libras. Agora sim, essa era realmente uma segurança real. É somente depois dele e de suas obras que o gravurista aparece.

A Academia Real não ensinava a arte da gravação. Ela era considerada uma promoção e, acima de tudo, uma excelência em "desenho", assim como uma realização em pintura e escultura. Os papéis na arte estavam sendo formalizados e Blake entrava no cenário da arte no momento exato em que esse processo estava ocorrendo sistematicamente.

Algo muito parecido ocorreu no caso da "arquitetura", durante o meio século anterior. Quando Christopher Wren nasceu, em 1632, construir com pedras era o trabalho dos "franco-maçons", trabalhadores da "pedra bruta": pedra adequada para ser cinzelada. Depois de completarem o aprendizado, os maçons promissores passavam por um treinamento intensivo após o qual eles estavam aptos a estabelecer seus próprios negócios, desenhando projetos, supervisionando as respectivas execuções, e tornavam-se mestres pedreiros. O arquiteto do rei era chamado de Mestre Maçom pelo rei.

Quando os gentis-homens passaram a se interessar pela construção, como uma disciplina clássica (a saber: *De Architectura*, por Vitruvius) e como uma extensão da arte liberal da Geometria, ostensivamente autodenominaram-se Arquitetos, distinguindo-se dos homens que tinham sido submetidos à aprendizagem e possuíam a experiência prática da construção. Eram os arquitetos que dirigiam as tarefas dos "pedreiros". Eles queriam acreditar que a arte estava no Desenho (ou seja, no Projeto). Os maçons (pedreiros) eram considerados homens de profissão.

Se quisessem ser "arquitetos", eles precisavam ficar ricos, apelar para novos gostos, especialmente em classicismo, e manter suas mãos limpas.

A gravação, na terrível verdade, era fundamentalmente experimentada como uma *indústria de serviços* para artistas, escritores e editores. Um artista podia lidar com gravuras a fim de aumentar sua "paleta", por assim dizer, mas seria uma intrusão para um gravurista declarar-se um Artista em gravuras. É claro que toda a nomenclatura foi ligada às distinções de classes. Um aristocrata não esperava ser pintado por um cavalheiro de nível, mas, certamente, não esperaria também posar diante de um homem de profissão. As pessoas não posavam para gravuristas, como também as moças não mostravam o colo para os gravuristas.

Um aprendizado de sete anos para ser gravurista era uma condição que, para Blake, era completamente errada. Era a pior e, fundamentalmente, a mais destrutiva decisão de sua vida, e ele a tomou, ou foi forçado a tomá-la quando tinha apenas 14 anos. Para dar apenas um exemplo de por que isso lhe foi tão prejudicial, é preciso apenas observar o que seu *amigo* Flaxman teve de escrever sobre o patrão de Blake, William Hayley, na época em que Blake foi trabalhar para Hayley em Felpham, Sussex, em 1800. Flaxman, da Academia Real, explicitamente aconselhou Hayley que Blake não deveria ser encorajado a fazer grandes pinturas, alegando algo como ele ser "inadequado, porque ele não havia sido treinado nem tinha capacidade para esse tipo de pinturas".

Poucos duvidaram da "genialidade" de Blake, mas isso não era suficiente.

Capítulo 6

A Gaiola Dourada – 1772-1778

> Com os orvalhos doces de maio
> minhas asas foram umedecidas,
> E Febo atiçou minha ira vocal
> Ele me tomou em sua rede sedosa,
> E me prendeu em sua gaiola dourada.
> Ele gosta de sentar-se e ouvir-me cantar,
>
> Então, rindo, brinca e joga comigo;
> E ele estende minha asa dourada,
> E zomba de minha liberdade perdida.
> (de *Esboços Poéticos*, impresso em 1783)

Ao final de 1772, Blake devia ter a impressão de que o mundo todo estaria clamando por liberdade e que ele fosse o único acorrentado ao seu buril, sua tinta, sua cera, seu ácido mordente, às placas de cobre e ao seu mestre.

Em 2 de novembro, para promulgar suas reinvindicações a direitos, os radicais na América estabeleceram "Comitês de Correspondência". Mais agitação estava a ponto de ferver do outro lado do Atlântico. Blake podia escrever apenas para si mesmo.

Em certo momento durante seu aprendizado, Blake adquiriu o *Pintura e Escultura dos Gregos*, de Abbé Winckelmann (1765). Ao inscrever seu nome, Blake deu como seu endereço o "Lincoln Inn", como se ele fosse um advogado em seu escritório, mas o escritório era de Basire. O mestre de Blake casara-se com Isabella Turner em agosto de 1768, embora Basire dificilmente pudesse agir de outra forma porque, apenas quatro meses depois, os Basire tiveram um filho, batizado James. Podemos somente supor o que Blake deve ter ouvido sobre o pequeno James. Não sabemos se a mãe da criança era gentil com o novo aprendiz. Também havia outro aprendiz, mas apenas por duas semanas: Thomas Ryder completou seu aprendizado em 16 de agosto de 1772.[50]

Deve ter sido um pouco estranho encontrar os nomes das pessoas de sua família seguindo-o até a Great Queen Street: dois "Jameses", pai e filho, com ele próprio sendo o filho do meio novamente, tal como fora em sua própria casa.

> É provável que Blake tenha escrito as seguintes linhas (incluídas em *Poetical Sketches*) durante seu período de aprendizado: "Maravilhosa divindade! Estou envolvido em mortalidade; minha carne é uma prisão, meus ossos, as barras da morte. A angústia encobre nosso telhado e o descontentamento flui como um rio. Até mesmo na infância, o Sofrimento dormiu comigo em meu berço; dentro de casa, ele me seguiu de cima para baixo enquanto eu crescia; ele foi meu companheiro de escola; e, assim, ele estava em meus passos e em minhas brincadeiras, até ele se tornar para mim como um irmão. Caminhei com ele por lugares sombrios e em pátios de igrejas; e, muitas vezes, encontrei-me sentado, junto ao Sofrimento, na pedra de um túmulo".[51]

Ele logo encontraria seu conforto em muitas lápides frias.

Richard Gough (1735-1809) era o filho brilhante de um próspero membro do parlamento e diretor da Companhia das Índias Orientais desde 1771. Esse precoce diplomado do Corpus Christi College, em Cambridge, tinha sido diretor da Sociedade dos Antiquários de Londres. Os interesses de Gough cobriram toda a história da Grã-Bretanha e, como tal, serviu como um mediador vital para o emergente consenso neoclássico. Gough era um particular entusiasta da história britânica antiga, e não menos interessado pela arte da

---
50. BR, p. 15.
51. "Contemplation"; CPP, p. 442.

Idade Média, a arte e a arquitetura que passaram a ser chamadas de "góticas".

Gough não compartilhou com os clérigos escoceses nem com os maçons da rejeição feita pelo reverendo James Anderson do "gótico" como sendo um "lixo", e escreveu em seu *Constituições dos Franco-Maçons*, a saber: "as nações bem educadas começaram a descobrir a Confusão e a Impropriedade das Construções Góticas; e, nos Séculos XV e XVI o ESTILO AGOSTINIANO ressurgiu de seus Escombros, na Itália" (*Constituições*, 1723, p. 39). Se ele já não o tivesse feito, Blake viria para compartilhar da parcialidade e pronunciar-se a respeito das negligenciadas arte e construções medievais britânicas, declarando-as "formas vivas". Para Blake, o "gótico" era baseado em um instintivo e inspirado sentimento espiritual, não racional, que Blake associou aos estilos grego e romano da arte e do pensamento.

Então, isso deve ter sido música para os ouvidos de Blake quando, em 1773, ele foi chamado para fazer sua contribuição, embora ainda fosse um aprendiz, para o que seria publicado 13 anos depois como o primeiro magnífico volume de Gough, *Monumentos Sepulcrais da Grã-Bretanha, aplicados para ilustrar a história das famílias, modos, hábitos e artes nos diferentes períodos da Conquista Normanda até o século XVII*. Este seria seguido, em 1796, por um segundo volume, que cobria o século XV.

Em 1806, Malkin foi o primeiro a publicar a história de dois novos aprendizes que tumultuaram dois dos anos de aprendizado de Blake, "acabando completamente com sua harmonia" do ambiente, porque "Blake, preferindo não tomar o partido de seu mestre contra seus colegas aprendizes, foi castigado e colocado do lado de fora do estabelecimento para fazer seu trabalho", somando-se a isso o fato de que Blake "sempre menciona essa circunstância de Basire com gratidão, dizendo que que ele era simples demais, enquanto os aprendizes eram espertos demais".[52]

A memória de alguém parece estar aqui falhando com relação aos registros da Sociedade das Papelarias, examinados por G. E. Bentley Jr., que descobriu apenas um único novo aprendiz depois de Blake (isto é, no prazo de aprendizado de Blake), e ele é James

---

52. Malkin, *A Father's Memoirs*; BR, p. 563.

Parker (1750-1805), filho de Paul Parker, um comerciante de milho de St. Mary le Strand, que entrou como aprendiz em 3 de agosto de 1773: um ano depois de Blake.[53] Portanto, ou a história é lendária, ou Blake desentendeu-se com Parker, pelo menos temporariamente, e os dois aprendizes, Blake e Parker, formariam uma associação depois de saírem de Basire.

Tatham também menciona Blake desentendendo-se "com os companheiros aprendizes" sobre "assuntos de argumentos intelectual"; masTatham estava seguindo Malkin. É possível que Basire possa ter encontrado motivos para pedir emprestados mais aprendizes de alguém, por um determinado período de tempo, por conta de uma sobrecarga de trabalho, mas isso parece improvável. A história foi contada para que Blake pudesse ser enviado para a abadia de Westminster a fim de que desenhasse na solidão e até para iluminação mística. Essa época da vida de Blake é razoavelmente romantizada em todas as biografias. Porém, Gough insistia que, para os seus trabalhos, os desenhos fossem feitos de estruturas eclesiásticas por todo o país, e, se o próprio Blake chegou a concluir algumas dessas gravações, então ele certamente já seria um desenhista hábil, como é demonstrado pelos vários desenhos sobreviventes dos monumentos sepulcrais atribuídos às suas mãos. Gough pagou Basire para que os desenhos fossem feitos de qualquer coisa que tomasse conta de sua imaginação antiquária. Blake simplesmente teria sido obrigado a sair da residência de Great Queen Street para começar a trabalhar para Gough, um homem de posses.

Tatham afirma que, enquanto Blake estava trabalhando em um dos monumentos da abadia de Westminster, um estudante de Westminster pensou que seria divertido provocá-lo. Enfurecido, Blake empurrou-o do andaime em vez de reclamar com o reitor. Com razão, o reitor expulsou os garotos da Abadia. Bem, os garotos de Westminster eram muito bagunceiros, sempre brigando entre si e com seus mestres, e ameaçavam qualquer um que aparecesse em seu caminho quando jogavam futebol na clausura do edifício.

Blake já tivera um ou dois desentendimentos com esses garotos, o que é consistente com todos os relatórios sobre o mau comportamento

---

53. BR, p. 15.

desses rapazes, mas a escola não tem nenhum registro de qualquer ação disciplinar e, como eles frequentavam a abadia todos os dias para assistir aos ofícios, eles não poderiam ser banidos. Talvez tenham sofrido algum tipo de advertência, no entanto ela teria de ser extraordinariamente rígida para que tivesse algum efeito.

Se o próprio Blake tivesse dado uma boa surra em um ou em vários garotos, em minha opinião, ele teria estabelecido proteção e respeito suficientes. Depois disso, pode-se até mesmo imaginá-los *protegendo Blake*.

Gilchrist relata que Blake viu cenas do passado diante de seus olhos na Abadia. E quem não teria, depois de passar horas em esforço concentrado, contemplando várias vezes os rostos de Ricardo II, Eduardo III, de sua rainha, Philippa, e o graciosamente sóbrio monumento ao cavaleiro Aymer de Valence, na aurora, no crepúsculo e à luz de velas, com as vozes dos garotos animados que, paulatinamente, iam sumindo e as pedras rendiam seus registros? Palmer escreveu uma carta emocionante a Gilchrist, datada de 23 de agosto de 1855, indicando o poder da experiência que a Abadia exerceu sobre a imaginação de Blake:

> Na abadia de Westminster estavam suas mais recentes e sagradas lembranças.
> Eu lhe perguntei se gostaria de pintar, no vidro da grande janela que dava para o oeste, seu "Filhos de Deus gritando de Alegria", de seu projeto chamado *Jó*.
> Ele disse, depois de uma pausa, "Eu poderia frazê-lo!", e exultou com essa possibilidade.[54]

O contraste entre o velho e o novo dificilmente teria alcançado uma intensidade mais profunda como aconteceu durante as horas gastas na abadia e nas igrejas de Londres, e talvez além. Enquanto Blake estava maravilhado com os "arquitetos" góticos (Mestres Maçons), o ano de 1773 presenciou a construção da primeira ponte de ferro fundido do mundo: "A Ponte de Ferro", na Coalbrookdale Gorge, em Shropshire; isso na mesma época em que os irmãos Robert e

---

54. BR, p. 16.

James Adam publicavam seu manifesto do movimento neoclássico, *Trabalhos de Arquitetura*, de uma mentalidade totalmente diferente.

Primeiro trabalho

A idade clássica de Blake não era a da Grécia e de Roma. Sua verdadeira simpatia era bastante evidente na obra que os acadêmicos consideraram a primeira, ou uma de suas primeiras gravuras: *José de Arimateia entre as Rochas de Albion*. Em sua primeira versão, ela está datada de 1773, quando, devemos lembrar, as habilidades de Blake em gravura ainda eram poucas.

Ou ele era um aluno que aprendia muito rápido (o que, em geral, era verdade) ou ele datou a gravura daquela forma por alguma outra razão. A obra retrata aquele que deu a Jesus um túmulo ou um descanso temporário, e o homem que as lendas inglesas dizem que levou o próprio Menino Jesus para as costas britânicas. Blake faria uma gravura revisada, acrescentando que José de Arimateia era "um dos artistas góticos que construíram as catedrais durante a chamada Idade das Trevas". Claramente, não eram trevas para Blake e devemos presumir que ele acreditava que José de Arimateia, pelo menos, tinha percorrido as verdes montanhas da Inglaterra. Blake tomou as formas musculares a partir da *Crucificação de São Pedro*, mas substituiu as proporções clássicas de Michelangelo por formas góticas, como ele passaria a fazê-lo muitas vezes, mais tarde.

A forma também tinha outra ressonância. Em alguma data desconhecida, Blake tomou conhecimento do trabalho do predecessor de Gough na Sociedade dos Antiquários, William Stukeley (1687-1765). As gravuras fascinantes que ilustram o *Stonehenge, um Templo Restaurado* (1740), de Stukeley, foram executadas por Gerard van der Gucht (1696/7-1776), um membro da Sociedade para as Artes, situada próxima da Academia de Desenho de Shipley. É quase certo que Blake consultou a obra de Stukeley para escrever seu iluminado poema *Jerusalém*, que estava em sua mente quando ele concebeu seu projeto para José de Arimateia.

Uma das gravuras de Gucht apresenta "um Druida Britânico". Stukeley acreditava que os druidas tinham construído Stonehenge, uma visão que o próprio Gough não aceitara. A história e a ciência ficaram do lado de Gough nisso, mas Blake aceitou a ideia de uma religião primitiva centrada nas Ilhas Britânicas que, em sua opinião, foi corrompida com a queda dos druidas.

A figura do druida britânico e a de José de Arimateia permitem uma comparação entre as duas e, para Blake, a conhecida visita lendária de José de Arimateia à Grã-Bretanha coincidiu aproximadamente com a derrota dos druidas pelos romanos. Na imaginação de Blake, houve uma explosão curiosa, quando essas histórias foram combinadas; pois José estava levando de volta para Álbion o descendente dos patriarcas, e Blake acreditava que o período patriarcal havia prosperado na Grã-Bretanha. Essas eram Ilhas Santas – e olhem o que tinha acontecido com elas! E olhem o que *estava* acontecendo com elas!

Contar e compreender a história ou o mito da antiga corrupção da ciência primitiva era algo que animou Blake em toda a sua vida adulta, e ocorre que a mesma coisa pode ser dita de William Stukeley.

Em 1998, como editor da revista *Freemasonry Today*, eu estava encantado ao publicar um furo levantado pelo especialista em Stukeley, David Haycock, que contava sobre sua rara descoberta do documento ilustrado por Stukeley, nos arquivos do Instituto Wellcome, em Londres: *Paleografia Sacra – ou Discursos sobre Monumentos da Antiguidade, que Relatam a História Sagrada, 11.*[55] Seu conteúdo complementa o trabalho de Stukeley sobre Stonehenge de um modo sutil e direto.

Ao redor da borda do retrato de Van der Gucht, na obra de Stukeley, *Stonehenge*, está marcado o apelido de Stukeley, "Chyndonnax", supostamente o nome de um druida gaulês.

O nome "Chyndonnax" aparece em uma pedra ou rocha à frente do "Druida Britânico", também em Stonehenge. A morfologia dos braços esquerdos de "José de Arimateia", e do "Druida Britânico", de Blake, é idêntica. Na verdade, ambos os braços formam um quadrado, como na régua de um construtor. É preciso lembrar que Blake insistiu que José era um dos construtores das catedrais góticas, enxergada como a Idade da *Luz* e não das Trevas, se comparada com sua própria época. E Stukeley acreditava que os druidas tinham sido não apenas os construtores de Stonehenge, mas também os

---

55. "A Discovery of a rare document on Masonic Origins – Stukeley and the Mysteries", *Freemasonry Today*, outono de 1998, p. 22ff.

predecessores da linhagem dos maçons. Isso é, em parte, o que o documento de Haycock havia descoberto.

Maçonaria e Blake

Stukeley é um dos muitos maçons famosos do século XVIII e um dos primeiros a registrar sua experiência do novo sistema da "Grande Loja Maçônica", estabelecido entre c.1716 e 1723, a partir de um sistema de "Aceitação" anterior, operado entre a Companhia dos Maçons de Londres e as fraternidades dos maçons espalhadas pelo país, agora ocultas para nós.

Stukeley foi iniciado em 6 de janeiro de 1721, na Salutation Tavern, Tavistock Street, de Londres. Uma nova Loja foi estabelecida com Stukeley como Mestre, em dezembro daquele mesmo ano, em "Fountain Tavern", no Strand, que presumidamente foi a origem de Fountain Court, onde Blake morava e morreu no século seguinte. Os amigos de Stukeley incluíam Isaac Newton e John, segundo duque de Montagu (eleito Grão-Mestre da Grande Loja Maçônica de Londres no Dia de São João Batista, 24 de junho de 1721).

Em 1723, o reverendo James Anderson, que trabalhava para o duque, assinalou, em suas constituições dos maçons, que os "Edifícios Celtas" evidenciaram a propagação do "Ofício da Maçonaria" do Oriente.

Em 1753, o relato de Stukeley sobre sua própria vida revela que ele suspeitou que a Maçonaria representava os "resquícios dos mistérios dos anciãos". Os antecedentes da declaração foramk descobertos por Haycock. A ambição do ensaio, previamente desconhecido de Stukeley, de 1735, era descobrir "um esquema da primeira, da antiga e patriarcal religião que primeiro existiu, antes do nascimento de Moisés e de Cristo".

No início, os patriarcas gozavam de "o dom mais precioso do céu", mas "seus encantos nativos foram miseravelmente desfigurados, obscurecidos e pervertidos pela superstição e pela idolatria". Os ensinamentos de Moisés e de Jesus tinham a intenção de restaurar a religião original. Essa seria também a visão precisa de Blake, e sua semente foi bem plantada até 1773, ou pelo menos assim pareceria. De fato, podemos dizer que as posteriores figuras míticas de Blake lutando pela psique de Albion, *patriarquétipos* sem dúvida.

Stukeley reconheceu nos primeiros documentos maçônicos escritos (os "Antigos Encargos" e seus protótipos que remontam ao final do século XIV) a visão análoga do conhecimento original e primário inscrito em pilares ou tábuas, atribuídos a Enoque e descobertos por Hermes Trismegisto, e construídos para sobreviver a dilúvios e incêndios. Blake entendeu, ou viria a entender, que o acesso a esse conhecimento antediluviano seria por intermédio da pintura, da poesia e da música: as artes da divina imaginação que a razão abstrata suprimiu. Blake era um porta-voz da arte original, a ciência original. É curioso o fato de ele se posicionar contra Newton, pois Newton também estava em busca da religião orginal!

O trabalho do antiquário, tal como Stukeley o enxergava, foi principalmente trazer de volta à luz o que a ignorância deixou que apodrecesse: "A origem dos mistérios (conforme sugerimos antes) não é outra senão a primeira corrupção da verdadeira religião, quando, por primeiro, os indivíduos começaram a se desviar da religião patriarcal para adotarem a idolatria e a superstição, e isso era quase tão cedo quanto a renovação da humanidade, depois do dilúvio de Noé". Portanto, podemos ver aqui a significativa importância do antiquarismo na carreira de Blake, e sua semente foi logo plantada.

De acordo com Haycock: "Portanto, os mistérios haviam existido em todo o mundo antigo, sendo essa a religião secreta – um fragmento da religião patriarcal primitiva – que Stukeley acreditava que os druidas tinham possuído, e que ele [Stukeley] esperava descobrir nos segredos da Maçonaria".

O poema de Blake, *Jerusalém*, poderia ser chamado de um comentário bem prolongado nessa linha do manuscrito perdido (e recuperado) de Stukeley: "Tamanha era a engenhosidade do poder maligno, que ele perverteu a verdadeira religião...". A Maçonaria existia por causa da perda do conhecimento por meio da corrupção passada de uma religião antiga, primitiva e patriarcal. O entendimento de Blake é praticamente idêntico. Sob sua gravura de José de Arimateia, ele mostra que esses patriarcas antigos não eram grandes figuras, mas Boas Pessoas: "Vagando envoltos em peles de ovelhas e cabras, para quem o Mundo não era digno, assim eram os cristãos em todas as Idades". *Sim*, esses pés trilharam as montanhas verdes da Inglaterra – mas seria muito difícil imaginá-lo agora. Os "moinhos satânicos" haviam assumido.

Então, Blake era um franco-maçom? Nós não sabemos. Seu local de trabalho, na Great Queen Street, na verdade, estava diretamente oposto ao antigo Hall dos Franco-Maçons e tavernas, o epicentro da Maçonaria de Londres. Ele deve ter ficado fascinado pelo que acontecia diariamente no lado oposto. Ele teria visto vários homens em aventais entrando nas tavernas e no hall para as reuniões dos rituais e saindo novamente. Porém, com a idade de 15 ou 16 anos (em 1773), ele definitivamente não era elegível para a fraternidade, não apenas por causa da idade, mas porque ele era vinculado e homens vinculados não podem ser maçons.

O nome "James Blake" foi encontrado em uma lista de membros de uma "Antiga" Loja, a Loja nº 38, de 1757-1759.[56] É possível que o pai de Blake se associara à organização rival da Grande Loja, os "Antigos", fundada em 1751.

O extraordinário é que as escrituras relativas à ocupação das instalações opostas ao hall dos maçons pela família Basire vieram a ser parte da coleção da Instituição Real Maçônica para Moças (RMIG), assim como a caridade maçônica voltou a reativá-la, juntando as propriedades para formar seus escritórios administrativos, na virada do século XX. Os números agora são 30, 31 e 32, mas foram anteriormente os números 19, 20 e 21 de Great Queen Street. Os documentos agora fazem parte do arquivo da Biblioteca e do Museu da Maçonaria, no Hall da Franco-Maçonaria, em Great Queen Street.

Os documentos incluem uma cópia da certidão de casamento de James Basire e Isabella Turner, casados por licença em 26 de agosto de 1768, por Richard Southgate, curador, na presença de Joseph Holman e Joseph George Holman, em St. Giles in the Fields, Middlesex;

---

56. Um "James Blake", posteriormente "Blake", está listado como membro da Antiga Loja nº 38, localizada em Feathers, Oxford Road (mais tarde rua), em Londres, a partir de novembro de 1757 até junho de 1759. Em seguida, com 12 outros membros dessa mesma Loja, ele foi transferido e se tornou membro da Antiga Loja nº 24, que se reunia, em sua formação em 1753, no Castelo de Edimburgo, Marsh Street, e mais tarde no Bull Inn, Bristol, e ele está listado e assina como membro pagante de dezembro de 1759 a dezembro de 1761, nessa mesma Loja, quando os pagamentos cessam. Acredita-se que essa Loja tenha encerrado as reuniões em 1763-1764. Isso pode indicar que esses membros viajaram para Bristol por causa de suas ocupações, mas não há detalhes que são fornecidos a esse respeito. Não fica claro se esse "James Blake" mudou-se para Bristol. Agradeço a Susan A. Snell BA, responsável pelo Arquivo e Registros da Biblioteca e Museu da Maçonaria, Freemasons Hall, por essa e outras informações sobre a locação da 31, Great Queen Street, de James Basire.

a certidão de batismo do filho, James Basire II (1769-1822), batizado em St. Giles in the Fields, Middlesex, em 8 de dezembro de 1769; e as escrituras relativas à venda da casa e do jardim de Great Queen Street, quando o neto de Basire, James (1796-1869), mudou-se para Quality Court, Chancery Lane, para produzir formulários impressos para empresas jurídicas.

É uma possibilidade real que o Mestre de Blake tenha se associado à Fraternidade como, possivelmente, o filho também. Pode ter havido vantagens sociais a considerar em termos de expandir o círculo de potenciais comissões. Do contrário, é difícil entender como uma organização de caridade maçônica pode ter surgido por meio de documentos de família de significância íntima. Porém, simplesmente não sabemos o suficiente sobre o pensamento de meados ao fim do século XVIII dos maçons ingleses em geral, para averiguar se Blake teria se sentido espiritualmente à vontade na Fraternidade, depois de seu 21º ano de vida.

Sabemos que havia maçons espiritualmente orientados, mas saber se a organização, como um todo, fosse digna de respeito, em razão da história mítica e ideias espirituais que sustentavam seu misticismo, está longe de ser uma certeza.

O fato é que a percepção de Blake da história e da religião não precisava de iniciação maçônica para sustentá-la. Os maçons tinham muito mais a aprender dele, no devido tempo, do que ele dos maçons. Além disso, a ênfase maçônica na geometria, no classicismo, nas sete artes liberais, na política, no sentido da filosofia e no privilégio aristocrático newtoniano, bem como a noção do criador do universo como um Grande Arquiteto ou um Grande Geômetra, o teria repelido mais do que atraído. Porém, as lojas individuais e irmãos da "velha escola" devem ter sustentado prioridades culturais que lhe foram simpáticas. Havia maçons interessados na ideia patriarcal "Noaquita" e na filosofia hermética.

Havia também obras de caridade honestas, idealismo social e estruturas de bem-estar que atraíam a fundação e o interesse maçônicos.

As campanhas contra a escravidão encontrariam nas Lojas Maçônicas de Londres provedores generosos de acomodações para palestras. A cultura maçônica, de qualquer modo, era parte da cultura que cercava Blake, e não poderia ser destituída de uma consideração de sua visão do mundo. Além disso, a Maçonaria estava passando por uma transformação no continente em formas mais espirituais, filosóficas e esotéricas, influenciadas em grande parte por pensadores com os quais Blake empatizava (Swedenborg, Boehme e Paracelso), e é difícil imaginar que Blake não tenha pegado muito do que estava no ar: o ar muito diferente do que nós respiramos hoje, embora eu não tivesse por que mencionar os esgotos abertos na épóca de Blake.

Em março de 1773, a peça do escritor irlandês Oliver Goldsmith, *Ela se Humilha para Conquistar,* foi encenada em Covent Garden, a um minuto de caminhada da casa de Basire.

Teria Blake permissão para assisti-la? Gilchrist conta a história do próprio Goldsmith entrar na propriedade de Basire e ficar admirado com a cabeça "finamente marcada" de Blake, o tipo de cabeça que ele mesmo gostaria de ter quando crescesse. Goldsmith faleceria pouco tempo depois, em 4 de abril de 1774.

Blake tinha apenas 16 anos quando ouviu falar da "Festa do Chá de Boston". Esse evidente ato de rebelião ocorreu em 16 de dezembro de 1773, quando cerca de mil manifestantes em Boston despojaram três navios britânicos de sua carga de chá. Em 20 de maio de 1774, o parlamento aprovou atos para fechar o porto de Boston e reduzir o poder legislativo. Quinze dias depois, a Lei do Aquartelamento foi reativada. Pitt fez todo o possível para aconselhar restrição e concessão mas a complacência, o rigor e o orgulho ferido ganharam o dia.

Fora dos antigos limites da abadia de Westminster, 1774 foi um grande ano. Na Áustria, Franz Mesmer usava hipnose para terapia, enquanto William Herschel construiu um enorme telescópio que nunca fora visto antes. E enquanto James Watt vendia sua primeira máquina a vapor para o industrial John Wilkinson, uma onda de suicídios chocoum os estados alemães, depois do lançamento de *Os Sofrimentos do Jovem Werther,* de Johann Wolfgang Goethe, que acendeu um novo rastilho de romantismo coletivo.

Um leitor de Ossian (como Blake), Goethe apresentou Werther como um artista em conflito com a sociedade, enquanto uma força mística da natureza era glorificada. A mensagem de Goethe, de uma salvação natural ao nosso redor, não apareceria em inglês por outros cinco anos, mas as notícias de simpatizantes ao suicídio atravessaram as fronteiras linguísticas e os jovens passaram a vestir as cores de Werther.

Em 1º de dezembro, George Washington assinou as Resoluções de Fairfax, banindo as importações e exportações de escravos da e para a Grã-Bretanha. Quinze dias depois, o advogado John Sullivan liderou um grupo de rebeldes para capturar pólvora e atirar contra o Forte William & Mary. Os "Filhos da Liberdade" preparavam-se para a guerra.

Em 9 de fevereiro de 1775, o parlamento declarou Massachusetts um estado em rebelião, enquanto o agitador inglês Tom Paine, recém-chegado aos estados americanos, fundou uma revista radical na Pensilvânia. Em março, Edmund Burke, em Londres, recomendou uma reconciliação, mas lorde North exigiu restrição ao comércio da Nova Inglaterra para a Grã-Bretanha e a Irlanda em retaliação às ultrajantes rebeliões.

A ciência ia ganhando ritmo, estimulada por um sentimento de liberdade burguesa e revelação iminente. Henri Lavoisier transgrediu a ciência tradicional ao provar que a água não era um elemento fundamental, mas reduzível a dois gases. O filósofo natural Joseph Priestley, em seu laboratório, em Bowood House, Wiltshire, identificou sete gases e descobriu o oxigênio, ou "ar deflogisticado", como ele o chamava.

E o explorador escocês James Bruce retornou de uma jornada épica de exploração ao Nilo Azul, do Egito à Etiópia. Ele trouxe consigo o "Códice Bruce" dos escritos do Cristianismo Gnóstico, como aqueles lidos apenas na Igreja primitiva como referência à heresia; ele comprara os códices no Alto Egito, em 1769. Um trabalho intitulado *O Grande Logos* [Palavra], *correspondendo aos mistérios*, era apenas um texto esotérico surpreendente na coleção de Bruce.

Carl Gottfried Woide, um polonês especialista nas línguas copta e saídica, fez cópias desse e do livro perdido de Enoque, escrito na língua Geez da Etiópia. Em 1782, ele se tornaria o bibliotecário assistente do Museu Britânico.

Ele não traduziu os trabalhos (eles foram concluídos somente em 1933), mas o acadêmico indiano Piloo Nanavutti era de opinião que Woide comunicara suas descobertas aos círculos que Blake e seus amigos frequentavam, especialmente os círculos swedenborguianos.[57] Não é improvável que os próprios mitos poéticos de Blake tenham falhas estruturais procedentes de sua criação gnóstica e dos mitos sobre a queda, incluindo conceitos de emanação em pares de seres divinos, macho e fêmea, e a ideia de "Aeons" derivados do espírito absoluto e deformados em matéria e conflito sob pressões metafísicas internas.

As pressões metafísicas não eram uma novidade para Benjamin Franklin e para o dr. Benjamin Rush. Em 14 de abril de 1775, eles formaram o primeiro colonial antiescravagista: a Sociedade para Refúgio dos Negros Livres Ilegalmente Mantidos em Escravidão.

Enquanto Franklin e Rush se esforçavam para abolir a escravidão, havia reais combates em Lexington e Concord, Massachusetts. Um simples olhar para alguns dos nomes envolvidos e é possível ver as contradições e agonias da situação americana. Enquanto a evidência era disputada, é possível que a independência tenha sido primeiramente declarada em Charlotte, no condado de Mecklenburg, Carolina do Norte. Charlotte e o condado de Mecklenburg foram nomeados pela rainha como Charlotte de Mecklenburg-Strelitz. Carolina foi nomeada depois que o rei Charles II, o "monarca alegre", foi recepcionado em sua volta à Grã-Bretanha depois de uma decepção popular com a república cromwelliana. O republicanismo não era uma novidade, mas, de repente, sentiu-se novo.

Em 17 de junho, os rebeldes sofreram uma derrota em Bunker Hill. Seis dias depois, George Washington, da Virginia, assumiu o comando do que seria chamado "o exército continental". Falhando em perceber o que Pitt previra – isto é, que a Guerra não poderia ser vencida sem a satisfação ser atingida pela maioria dos rebeldes –, George III rejeitou a oferta de paz, incapaz de ver a rebelião em outros termos que não outra rebelião aberta contra a Coroa, tal como a última Rebelião Jacobina, 30 anos antes. Essa rebelião havia sido reprimida com uma vitória que provou ser absoluta. Mas essa rebelião das colônias era bem diferente.

---

57. Piloo Nanavutti, "Blake and the Gnostic Legends"; *The Aligargh Journal of English Studies*, 1976, vol. 1, nº 2, India, Aligargh Muslim University, p. 168-190.

Em 13 de outubro, o congresso barrou os negros do exército continental; então, o governador Dunmore ofereceu liberdade aos escravos que lutassem contra os rebeldes. Isso irritou os fazendeiros que consideravam os escravos indispensáveis à economia.

Na véspera do Ano-Novo, Washington declarou que os escravos livres poderiam alistar-se no exército.

Era 1776 e William Blake tinha 18 anos, ainda amarrado à casa de Basire, sonhando com dias de verão no campo, pelo Rio Tâmisa, e garotas que poderiam cativar seu coração.

Em 9 de janeiro, Tom Paine estava cheio de ideias a respeito dos "Direitos do Homem", publicados em um panfleto chamado "Senso Comum". Todos gostam de pensar que possuem esse dom cada vez mais raro, e 120 mil cópias foram impressas para aqueles que quisessem saber o que era senso comum.

Paine descreveu o rei George III como cruel, o que, pelos padrões daquele tempo, ele não era. "Deixe os nomes de Whig e Tory ser extintos", Paine declarou, e ele foi apoiado (ou rejeitado) por Whigs e Tories.

Em 28 de março, Blake, sem dúvida, se reuniria na celebração da família, pois seu irmão mais velho, James, tinha agora retornado aos negócios de seu pai, ele que foi o mais recente aprendiz de Gideon Boitoult, cidadão e agulheiro de Londres, "tornado livre da servidão". James foi "admitido assim que estivesse uniformizado" e "vestido apropriadamente". Ele era vendedor de artigos de costura.

Em 4 de julho, do outro lado do oceano, outro grupo de homens declarou estar livre da servidão: ou seja, eles haviam assinado a Declaração de Independência dos Estados Unidos. Enquanto isso, em Birmingham, Inglaterra, a Revolução Industrial acionava outra máquina a vapor de Watt, projetada por seu sócio, Matthew Boulton, decorrendo daí outros avanços tecnológicos cruciais. O resultado seria muito dinheiro, uma grande quantidade de dinheiro e, no caso de os pioneiros não terem certeza do que isso poderia significar filosoficamente, Adam Smith atendeu a essa necessidade e publicou *Investigação sobre a Natureza e as Causas da Riqueza das Nações*.

Isso tudo tinha a ver com interesses próprios, lucro, capital e empregos; William Blake, em devido tempo, perceberia que havia nisso muitos outros propósitos. O primeiro volume de *A História do Declínio e Queda do Império Romano,* de Gibbon, também foi publicado. Gibbon culpou o Cristianismo: aparentemente, ele enfraqueceu a determinação.

Na véspera do Ano-Novo, Benjamin Franklin encontrava-se em Paris, negociando a ajuda da França para os rebeldes. George III estava estupefato pelo que ele considerava no mínimo uma traição do rei Luís XVI. O rei francês, eventualmente, teria de enfrentar as consequências de encorajar a rebelião contra uma monarquia legítima, embora Luís, sem dúvida, tivesse preferido defender sua inconsistência fatal em nome do "interesse nacional".

Em 1777, Washington obteve uma vitória significativa em Princeton, seguida, em 17 de outubro, por uma derrota humilhante infligida ao rei quando o exército britânico do general Burgoyne, no Canadá, rendeu-se a Horatio Gates, em Saratoga.

William Blake tinha 20 anos. Em 17 de dezembro de 1777, Luís XVI da França reconheceu a independência dos estados da América, concordando em negociar com eles como um país soberano.

O custo da guerra colonial estava deprimindo a Inglaterra como também os estados. Em 6 de fevereiro de 1778, a França e os "Estados Unidos" assinavam um acordo comercial.

Enquanto a França entrava na guerra, o iluminismo francês passava por momentos de sofrimento. Em 30 de maio, Voltaire morria, com 84 anos. Um mês depois, Rousseau morreu louco, rapidamente seguido por Denis Diderot, que morreu de apoplexia.

Então, depois de sete longos anos, William Blake chegava aos seus 21 anos. Ele estava livre do serviço de aprendiz e era, finalmente, um filho da liberdade. Era tempo de recuperar o atraso.

Capítulo 7

Sexo e o Gênio Singular – 1779-1782

> Então seus olhos se abriram;
> e, vendo que estavam nus,
> tomaram folhas de figueira, ligaram-nas
> e fizeram cinturas para si.
>
> (Gênesis 3:7)

Embaixo do avental de aprendiz, bate o coração do romântico. Esse coração agora estava livre. Blake, com 21 anos, estava pronto para envolver-se em problemas.

Comparando a Berlim dos anos 1930 com Paris na década de 1920, o poeta Aleister Crowley opinava que, pelo menos em Paris, nunca era permitido que a licença se tornasse liberdade. Em 1780, o problema em Londres era que para os ímpetos sexuais não havia licença alguma. Um salto para a liberdade podia ser catastrófico. A única licença era a do casamento. O poema "London", de Blake, possivelmente composto durante essa década, fala do "carro funerário do casamento": uma forte imagem que não requer elucidação. A Igreja, conformista e não conformista, manteve a experimentada/confiável e milenar doutrina de que os que desejavam a salvação tinham de abster-se dos desejos lascivos ou canalizá-los para gerar herdeiros legítimos a fim de que o desejo não se tornasse um vício e, assim, transformasse o indivíduo em um seguidor de Satã a caminho da danação.

A morte era ubíqua e, à medida que as almas abandonassem o palco do mundo, o Demônio, reconhecendo seus adeptos, poderia escolher à vontade.

A imundície é dirigida para o esgoto e todos podem ver e cheirar o que ela realmente é.

O resultado era uma sociedade caracterizada por uma santidade exemplar, um tormento pessoal e uma hipocrisia generalizada. Os pecadores tentavam manter sua libertinagem em segredo, mas, entre os bairros próximos de Londres, a verdade era sempre revelada. Os casos do príncipe de Gales eram de conhecimento comum, para o desespero do rei, que acreditava na Igreja e no decoro e tentava impor os dois.

A literatura ilícita à parte, havia dois campos pelos quais os pensamentos sexuais podiam ser legitimamente superados. O primeiro era a ciência; o segundo, a arte. Ambos eram preservados pelas classes altas, embora isso estivesse mudando e as classes altas, como um todo, não estavam gostando disso.

Ao norte da Inglaterra, o irreverente cientista Joseph Priestley (1733-1804), filho de um alfaiate, deixou de lado os livros educacionais e estudos filosóficos naturais sobre o "atual estado da eletricidade" para dedicar-se à razão radical sobre governo e religião, evidenciado em trabalhos como seu *Institutos de Religião Natural e Revelada* (1772-1774), uma ejaculação em três volumes que teria aborrecido Blake possivelmente muito mais do que aborreceu o próprio governo.

No momento em que Blake deixava a tutela de Basire pela última vez, o sexologista pioneiro escocês, dr. James Graham (1745-1794), estava na Europa, conquistando o apoio de lady Spencer, mãe da "Foxita" radical Georgiana, duquesa de Devonshire. Graham ganhou fama, em 1778, em consequência do casamento escandaloso de seu irmão, de 21 anos, William Graham, com uma viúva de mais do que o dobro de sua idade.

Catharine Macaulay (1731-1791) era uma historiadora republicana e amiga do reformista antiescravagista americano, Benjamin West.

O dr. Graham retornou do continente em 1781 para fundar seu "Templo da Saúde", em Adelphi, uma grande construção dos Irmãos Adam. Para mais abrangência pública dos benefícios à saúde de sua "química pneumática", os visitantes eram tratados pela sucessiva visão de "Deusas da Saúde" exemplares, dentre elas a jovem Emy, ou Emma Lyon, que se tornaria a musa do obcecado artista George Romney, esposa de *sir* William Hamilton, em 1791, e, finalmente, ministra de lorde Nelson, alguns anos depois: claramente uma deusa da saúde, rejuvenescida em tudo menos no nome.

O dr. Graham tinha algumas noções sobre as colunas elevadas da arquitetura clássica. Tendo estudado eletromagnetismo nos Estados Unidos com o amigo de Ben Franklin, Franklin Ebenezer Kinnersley, enquanto absorvia emanações de pensamento, por assim dizer, de um especialista em hipnose e "magnetizador" chamado Franz Mesmer, Graham ficou convencido de que a força vital legítima no corpo humano era o sêmen. O fluxo livre através dos sistemas masculino e feminino era literalmente vital e não deveria ser desperdiçado em masturbação ou prostituição. Ao contrário, ele devia ser celebrado e glorificado no leito conjugal. Tomando a vitalidade literal para além da metáfora, em 1781, o dr. Graham instituiu a "Cama Celestial", em Schomberg House, Pall Mall, em 1781. Por 50 libras, casais casados poderiam ter a alegria celeste de uma noite de rejuvenescimento científico a bordo de um grande barco mecânico, à medida que o próprio e o casal entravam em ação pelo movimento de alavancas colocados nos ângulos da cama que proporcionavam posições propícias para a felicidade, enquanto música celestial circulava através de tubos respondendo às vibrações com um volume adicional, enquanto todo o colosso de pilares de vidro era eletromagneticamente carregado para animar os espíritos e afinar o corpo à essência perolada do Cosmos. Da cúpula acima, perfumes orientais eram emanados para manter o ambiente suave e deliciosamente misterioso. Uma citação bíblica servia para as rubricas da cama e para manter afastados os guardiões morais: "Sede fecundos, disse-lhes ele, multiplicai-vos e enchei a terra!" (Gênesis 9:1)

Favorecido pela cortesã do príncipe de Gales, Mary Darby Robinson (chamada "Perdita"), o herói nacional Admiral Keppel, os políticos pró-liberdade Charles James Fox e John "Liberty" Wilkes, juntamente com grande parte da sociedade Whig, apoiaram a teatralidade ostensiva de Graham no caso da iluminação sexual segura, que era apenas um dos mais coloridos e acessíveis aspectos de uma revolução sexual frustrada, que mexia nas bases, calças e saias de uma Londres que estava quente e disposta a uma "ação".

Em julho de 1779, William Blake inscreveu um desenho e o testemunho de um artista respeitado para o guardião da Academia Real Inglesa, George Michael Moser (1706-1783). Blake foi admitido como estagiário por três meses na Antiga Escola da Academia, em Somerset House, no Strand, onde ele esperava pintar uma figura anatômica de dois pés de altura, listando e copiando músculos e tendões. Como é evidente em vários de seus trabalhos, Blake assistiu às aulas bem de perto. Ao final do período probatório, ele teve de inscrever outro desenho com sua aplicação para conseguir o *status* pleno de estudante. Em 8 de outubro de 1779, Blake, com outros seis alunos, foi admitido. Ele recebeu os documentos de admissão, assinados pelo presidente Joshua Reynolds e por sua secretária, F. M. Newton.

Agora Blake tinha autorização para desenhar nas galerias da academia e para assistir a palestras e exibições por seis anos. Ele tinha acesso a professores de anatomia, pintura, arquitetura e perspectiva. Os professores eram solicitados a apresentar seis palestras por ano cada um. A gravura não fazia parte do programa.

O suíço Moser havia ensinado George III, quando o rei era garoto. Moser era um grande ourives, esmaltador, gravurista e artista.

Infelizmente, a visão de Blake tinha sido condicionada por uma história engraçada que ele inscreveu como doação, depois de 1798, para as *Obras* de *sir* Joshua Reynolds (editada por Edward Malone). Preocupado porque o jovem Blake era muito obcecado com o que ele chamou de "Hard Stiff & Dry Unfinished Works" (Trabalhos inacabados) de Rafael e Michelangelo, Moser ofereceu, para a análise de Blake, cópias dos trabalhos de Elisabeth Vigée Le Brun e do artista barroco Peter Paul Rubens. Bem!

Blake não tinha tempo para Rubens, enquanto Elisabeth Vigée Le Brun era uma pintora francesa de retratos da moda. Ser francesa não era nenhum crime, mas ser uma pintora de retratos da moda era uma espécie de traição, do tipo beijo de Judas, de integridade artística, quanto à estética espiritual que dizia respeito a Blake: bajular para enganar. Blake ficava praticamente desequilibrado sobre a questão, pois seu próprio trabalho era ignorado e, quando não, ele era ridicularizado.

Na verdade, Moser estava simplesmente tentando abrir a mente prejudicada de Blake: uma tarefa difícil em qualquer tempo com estudantes inseguros. Moser queria mostrar a Blake algo realmente *novo*.

Admitida na Academia Francesa em 1783, Elisabeth Vigée Le Brun tinha caído na simpatia da rainha Maria Antonieta. Em 1779, com apenas 24 anos, Elizabeth foi inspirada pela obra de Rubens, desenvolvendo seu próprio estilo no processo. Moser deve ter desejado que o jovem Blake se inspirasse de forma parecida e esforçou-se muito para isso. E como Blake reagiu? Ele "secretamente enraiveceu-se" e depois falou o que pensava. Fosse qual fosse o que ele tinha registrado em sua mente, isso fez com que ele deixasse de lado suas anotações de *As Obras de Sir Joshua Reynolds*, deixando as seguintes austeras palavras para o seu professor: "Essas coisas que você [Moser] chama de acabadas [A]cabadas *[sic]* nem sequer estão começadas; como elas podem, então, ser acabadas? O Homem que não conhece o Começo, jamais pode conhecer o Fim da Arte". É de se perguntar se essas foram suas próprias palavras naquela época. De qualquer forma, Moser deve ter se dedicado menos ao estudante depois de ser alvo da reprimenda. Blake não fez a si mesmo nenhum favor ao mostrar sua inteligência, mas ele continuaria agindo do mesmo modo. Seu raciocínio: *você pediria a um profeta de Deus para falar mais baixo?* Tal como o livre-pensador sr. Emerson, em *Um Quarto com Vista*, de E. M. Forster, Blake acreditava que havia um tempo para ser gentil e um tempo para "levantar da cadeira e desabafar!".

Não podemos deixar de perguntar se o comentário de Tatham sobre Blake "odiar uma repreensão" fosse verdadeiro, pois então não seria surpresa se todas as vezes que ele se sentisse na presença de uma reprimenda ou de uma crítica *com respeito à sua percepção*, sua alma viesse a imaginar a mão levantada de seu pai ameaçando-o e ele lutando para controlar-se enquanto ansiasse pela Enfermeira que o compreenderia e confortaria.

Enquanto Blake, o estudante retardatário, continuou suas devoções austeras e segregantes para o Quattrocento, desdenhando o gosto público ou a moda, muitas outras vertentes de interesse e emoção giravam em torno da Academia Real. Ele pode ter sido menos cego a elas do que insistisse que fosse às belezas das obras de Rubens e de Elisabeth Vigée Le Brun.

A Academia Real não era uma instituição isolada. Fundada graças aos esforços da Sociedade dos Dilettanti e dos membros da sociedade, tal como Joshua Reynolds, ela exercia uma influência considerável. Os Dilettanti eram proximamente associados ao Brook's Club, que havia se mudado recentemente de Pall Mall para maiores instalações em St. James's Street, uma mudança imitada, em 1782, pelo Boodle's Club, fundado pelo conde de Shelburne (primeiro-ministro 1782-3), do outro lado da rua.

Quando Blake entrou na Academia, em 1780, o membro da Sociedade Dilettanti Richard Payne Knight (1750-1824) tomou seu assento como membro na Câmara dos Comuns. Tendendo a observar mais do que expor seus pontos de vistas ao calor do debate do parlamento, Payne Knight não esperava a aprovação popular de seus interesses. Ele era um colecionador de bronzes clássicos, moedas, desenhos e gravuras e, particularmente, com respeito ao seu grande interesse: Priapismo. Seu *Relatos do Remanescente Culto de Adoração de Príapo* seria publicado em 1786 e incluiria muitas gravuras de *priapi*.

Príapo era, é claro, o deus sagrado dos jardineiros rústicos, esculpido ou retratado com um grande pênis. Knight tomou imagens fálicas como um princípio universal da criação divina e do gênio gerador. Em outras palavras, ele aceitou o que a religião cristã frequentemente considerava como instrumento de vergonha e elevou-o a um símbolo religioso, o que Knight acreditava que ele tivesse sido no passado.

Assim, ele descobriu de que forma a apreciação da estética e da sensibilidade artística eram estimuladas pela sensação física cuja motivação não precisava ser a degradação, mas a elevação da consciência. Inconscientemente, ele criou o princípio primeiro do neopaganismo. Blake não foi imune a essa mensagem.

O óbvio sempre nos passa despercebido. Uma galeria de arte era o lugar onde as pessoas podiam ver genitais nus no contexto artístico e de beleza (embora isso nunca tenha impedido as risadinhas dos visitantes escolares): a ideia da "forma humana divina" era quase um clichê do mundo da arte dessa época e a referência não era ao Filho de Deus, pelo menos na concepção dos morávios. A arte poderia prover uma excelente cobertura para a estimulação sensual que poderia ser procurada em um relacionamento amoroso ou em um bordel.

De fato, a arte poderia proporcionar um cenário para as intrigas dos ricos e para os romances dos românticos – isto é, onde a Própria Natureza não era suficiente. Mas o que seria de um cenário clássico sem uma estátua, uma figura mítica ou um templo em ruínas? É claro que os "novos românticos" logo removeriam a mobília do antigo jardim substituindo-a por uma concepção da Natureza, como o próprio templo rude, e o Homem, o observador, como objeto de adoração, com o falo e todo o resto.

O discreto cruzamento entre a arte e a pornografia de alta qualidade era mais evidente em um número de trabalhos elaborados pelo negociante de arte francês Pierre-François Hugues, autocognominado "Baron d'Hancarville" (1719-1805), particularmente seus notáveis *Monuments de la vie privée des XII Césars d'après une suite de pierres et médailles gravées sous leur règne* (local de publicação dado como "Capree [Capri], em Sabellus; Roma, 1785"). Os "Monumentos da vida privada dos 12 Césares" praticamente estabeleceram um novo gênero de uma publicação "rara" cuja relação de estímulo físico para a elevação seria sempre ambígua.

D'Hancarville conhecia muito bem seu mercado. Em 1780, ele apresentou um embaixador da Grã-Bretanha em Nápoles, *sir* William Hamilton, para a família Porcinari, da qual Hamilton comprou uma coleção considerável de antiguidades, um dos interesses enormes da Academia Real. Hamilton e Hugues decidiram então capitalizar nas aquisições produzindo um dos mais proeminentes livros de arte de todos os tempos, a *Coleção de Antiguidades dos Etruscos, Gregos e Romanos do Gabinete do Honorável William Hamilton* (*Antiquités Etrusques, Grècques Et Romaines, Du Cabinet De M. Hamilton*; 4 vols, Nápoles, 1766-1767).

O *Recherches Sur L'Origine, L'Esprit Et Les Progrès Des Arts De La Grèce; Sur Leur Connections Avec Les Arts Et La Rélignon Des Plus Anciens Peuples Connus* (3 volumes, Londres, 1785) foi um desastre financeiro cujas ilustrações desinibidas da genitália clássica e de atividade sexual causaram tamanho escândalo que o negociante de arte teve de fugir da Inglaterra para a França.

Apesar do escândalo, o trabalho original de d'Hancarville foi enormemente influente. As ilustrações de vasos foram copiadas por Josiah Wedgwood em sua fábrica de Etrúria, em Staffordshire, que lançou um novo mercado de cerâmicas enquanto John Flaxman (1755-1826), agora amigo de Blake, foi influenciado em seu estilo de desenho pelo frescor das linhas gregas e etruscas. Flaxman trabalhou para Wedgwood desde 1775, modelando relevos para louças de jaspe e basalto. Ele encontraria um emprego para Blake com Wedgwood nos anos seguintes.

Blake não era indiferente a d'Hancarville. Dois trabalhos das mãos de Blake são cópias de gravações dos volumes 2 e 3 de d'Hancarville e de Hamilton 1766-1767.[58] Tatham erroneamente atribuiu os desenhos ao pintor de cópias de Blake e colecionador de *intaglio* clássico George Cumberland (Cumberland era fanático pelo classicismo priápico). A primeira aquarela de Blake mostra uma "apoteose" de Baco, com Ariadne segurando um chifre de abundância, enquanto Íris lhe oferece ambrosia, seu vestido é recoberto de olhos, enquanto Silenus toca sua lira. A segunda obra, feita a crayon e pena, mostra Baco em fúria, na forma de um búfalo, levado por um gênio alado, possivelmente Ariadne, em direção a um altar. Assistentes masculinos, igualmente furiosos, dançam ao seu redor, alguns portando tochas. Um pequeno tripé indica a cena como um espaço de oráculos (isto é, a divina inspiração), enquanto um crânio entre os pés de um dos assistentes sugere um lugar de sacrifício. Todos esses temas de mistérios báquicos deve ter chamado a atenção de Blake. É provável, mas incerto, que as obras foram copiadas no tempo de Academia de Blake. Todos os pênis estão flácidos. Dever-se-ia esperar até a década seguinte para um Príapo ereto aparecer ousadamente no trabalho do próprio Blake.

Outro personagem importante no mundo próximo à Academia era Charles Townley (1737-1805). Townley juntou-se à Sociedade Dilettanti em 1786, depois de uma juventude passada em viagens pela Itália colecionando antiguidades. Seu amigo, o artista Scots e o negociante de arte romana Gavin Hamilton, participaram da turnê na Itália, em 1748, com James Stuart, Matthew Brettingham Jr. e Nicholas Revett, que encorajou os Dilettanti a estabelecer mais explorações na Grécia e na Ásia Menor.

---

58. British Library, "Figures from a Greek Vase, after d'Hancarville: The Apotheosis of Bacchus"; BL 1867-10-12-207. "Figures from a Greek Vase, after d'Hancarville, A Bacchic Mystery"; BL 1867-10-12-208.

Na pintura de Johann Zoffany, de 1782, *Charles Townley no Parque St. Gallery*, podemos ver Townley conversando com o barão de d'Hancarville, cercado por uma coleção de mármores e vasos gregos e romanos que formariam, no século seguinte, a base da coleção clássica do Museu Britânico, ofuscada até então pelos mármores de Elgin. Se os mármores de Elgin devessem ser transferidos para Atenas, a Biblioteica Britância deveria considerar a reelevação da coleção de Townley, a qual, durante o tempo de Blake na academia, podia ser vista em Park Street, onde foi colocada em uma casa propositalmente construída em 1778.

Richard Cosway (1742-1821) tinha sido, antes da época de Blake, aluno na Academia de Desenho de Shipley, no Strand. Enquanto Blake copiava o trabalho dos Mestres na Academia, Cosway ganhava um bom dinheiro como miniaturista. Membro pleno da Academia Real desde 1771, ele pintou o príncipe de Gales em 1780 e causou uma boa impressão. Em janeiro de 1781, Cosway se casaria com a compositora anglo-italiana Maria Hadfield, que sediou um salão de moda em Schomberg House, Pall Mall, residência do casal desde 1784 – o *Leito celestial* havendo sido desmantelado e substituído por um dormitório um pouco mais convencional. Dois anos mais tarde, quando Thomas Jefferson era embaixador dos Estados Unidos em Paris, ele se apaixonou por Maria Cosway, mantendo uma miniatura de sua esposa feita por Cosway perto dele. A própria Cosway era uma libertina, sempre disposta a tentar algo novo e, na Londres dos anos 1780, havia uma grande variedade de escopos. Havia mesmerismo, tratamentos magnéticos, judaísmo cabalístico místico e messiânico, apresentações teatrais visionárias, Franco-Maçonaria de Alto Grau e magia branca de Cagliostro para saciar o sentidos e o espírito, para aqueles com posses suficientes para bancar essa viagem frenética. O leito celestial seria substituído, em algum momento, na forma doméstica convencional.

Se o jovem William Blake tivesse sido um homem de posses, teria sido ele tentado por tudo isso?

Primeiros trabalhos

Blake desenvolveria uma aversão pela arte da Antiguidade clássica que o alienaria de muitas coisas desse período, embora não de tudo.

Por volta de 1820, com mais de 60 anos, ele escreveria, memoravelmente, em uma única placa de bronze intitulada *A Poesia de Homero e de Virgílio*: "O grego é a forma matemática: o gótico é a forma de vida. A forma matemática é eterna na memória racional: a forma de vida é existência eterna". A Existência supera a Razão. A Vida supera a Memória. Sentir supera a Geometria. A Natureza supera a Matemática. Essa famosa dicotomia deve bem ter um quê de Flaxman, com o qual, assim como ele fez com a arte antiga, Blake também envolveu-se em uma espécie de relacionamento de amor e ódio.

O desenho de Flaxman para Wedgwood, "A Apoteose de Homero" (1778), era tão famoso quanto o próprio Flaxman. Blake queria uma "apoteose" de coisas nas quais ele acreditava. Ele acreditava que o Cristianismo estava perdendo seu vigor ao aderir ao classicismo. Ele não gostava das novas igrejas construídas como templos romanos (tal como a Catedral St. Paul).

Blake gostava das coisas vivas, naturais, sinceras e diretas (pode-se dizer "orgânicas"): para muitos, sua arte seria demasiadamente "a cara dele". Sua franqueza colocava as pessoas em embaraço.

Em resumo, os clássicos eram frios; os góticos quentes, como a Bíblia, propriamente entendida com um gêiser de poesia, surgindo do espírito. No conflito entre a cabeça e o coração, Blake era um verdadeiro morávio (talvez inconscientemente): o coração estava mais próximo de Deus. Para Blake, a História Inglesa era uma extensão da Bíblia, mas escrita por historiadores inconscientes da continuidade espiritual.

Portanto, não é surpresa o fato de as primeiras invenções pictóricas de Blake terem sido dominadas por temas históricos ingleses, geralmente feitos com pena e aquarela.

Os temas de seu período na Academia incluem *Lear and Cordelia in Prison; The Landing of Brutus in England; St. Augustine Converting King Ethelbert of Kent; The Making of Magna Carta; The Keys of Calais; The Penance of Jane Shore; Joseph of Arimathea Preaching to the Inhabitants of Britain*. Ele também fez vinhetas de Shakespeare: *Cordelia and the Sleeping Lear; Juliet Asleep; Falstaff and Prince Hal; Prospero and Miranda; Lear Grasping his Sword; Macbeth and Lady Macbeth; Othello and Desdemona*. Ele refaria vários desses temas na década de 1790, melhorando-os muito mais.

Um projeto recente que ele aperfeiçoaria consideravelmente mais tarde é conhecido individualmente como *Glad Day, Albion Rose* e, como Geoffrey Keynes o apelidou, a Dança de Albion.

A pintura acabada (c.1794) mostra uma figura na montanha, cercada por raios coloridos radiantes, principalmente vermelhos e dourados, seus braços estão estendidos como se ele tivesse recebido um forte choque elétrico, enquanto uma perna estende-se para sua direita.

Essa pintura tornou-se muito popular e o título de *Glad Day* (Dia Feliz) estendeu-se para *Glad Day, Love and Duty* (Dia Feliz, Amor e Dever), como o lema da escola privada Abbotsholme do educador visionário Cecil Reddie, em Staffordshire (fundada em 1889), ligada através da Round Square Association a escolas inspiradas pelo educador alemão Kurt Hahn, como Gordonstoun, na Escócia.

Os dois esboços a lápis de cerca de 1780 mostram posições variantes, uma delas revelando que Blake, para começar, não estava certo do que fazer com as pernas em sua figura. É somente possível ver nisso uma tentativa de afastar as duas pernas, como a figura do Magus da obra *Três Livros da Filosofia Oculta*, de Agrippa (versão iglesa, 1651), onde um "Homem Vitruviano" estende as pernas e os braços cujos quatro pontos formam um quadrado (um outro mostra as proporções formando um pentagrama). Mas as linhas mais fortes do desenho de Blake colocam as pernas sutilmente juntas, aparentemente (o desenho é obscuro), um pé atrás do outro, como uma bailarina ao se curvar ou reverenciar. O outro esboço mostra a figura reversa, com a perna esquerda evidenciada em um ângulo, precisamente como Blake iria retratar Albion adorando o Cristo crucificado, no poema iluminado *Jerusalém* (completado em 1815-1820, mas iniciado em 1804).

Acredito que o conceito geométrico do "Homem Vitruviano", cujo formato é a medida arquitetônica de todas as coisas (quadrados, círculos, ângulos retos) cujas proporções estabelecem as proporções da criação – sendo feita "à imagem de Deus" –, não era precisamente ao gosto de Blake.

Enquanto Blake estava satisfeito com a ideia de Paracelso do Homem como um Microcosmo, um pequeno Universo, ele não gostaria do "enquadramento" da "divina forma humana". Seu Albion é o Homem Verdadeiro, mas como Forma Viva e não como Forma Matemática. E Albion, como Blake, não se conformaria. Vale também notar que, na famosa versão pintada do desenho, a figura olha para a frente com um grande olhar inocente e uma alegria renovada. No esboço anterior, seus olhos são direcionados para cima, para seu Desejo, e sua cabeça está inclinada para trás. Isso faz dele um gesto de autoentrega e oferenda, de total abertura de coração: o Homem, por assim dizer, como Deus ama enxergá-lo como Ele enxerga a Si mesmo: suas mãos abertas, nada escondendo, nu, honesto e verdadeiro.

Isso, acredito, nada mais é que a apoteose de William Blake: o homem interior cujas "vestes" (corpo) foram totalmente transformadas na travessia através do tempo e do espaço do Homem verdadeiro, ressuscitado e brilhante, radiante como uma estrela. Como tudo o que é melhor, mais pessoalmente a arte, torna-se imediatamente de importância universal. Tal como Blake insistia: somos todos membros do corpo de Deus.

Blake estava preparado para inspirar-se no clássico, mas não ficaria preso a ele; ele queria algo novo, mas, claramente, ainda não estava pronto.

Entrementes, no mundo do tempo e do espaço, a Grã-Bretanha estava achando que não conseguiria uma vitória decisiva contra as pressões estratégicas do general Washington.

Além disso, não havia ódio ao "inimigo": a matança seria pouca ou nenhuma, apenas ocasionalmente, como forma de punição. Mas, agora que a França fizera sua escolha e os rebeldes tinham conquistado aliados na França e na Espanha, e a Guerra estava custando caro ao país, havia, com certeza, uma vontade de vencer. Os tradicionais inimigos estavam atacando a Inglaterra por procuração.

No início de 1780, as colônias britânicas foram retiradas da Secretaria do Estado para a autoridade das Colônias e colocadas sob o comando da Secretaria do Estado para a Guerra. Isso significava que uma administração militar substituía uma estrutura civil e orientada para o comércio. Em 12 de maio chegaram notícias da vitória. Cerca de 5 mil homens comandados pelo major americano Benjamin Lincoln renderam-se ao tenente-general Henry Clinton.

Ao mesmo tempo, em Londres, Blake exibia seu quadro em pena e aquarela "A Morte de Earl Godwin", na 12ª exibição da Academia Real. Era um tema histórico convencional, realizado com vitalidade e um forte sentido de posicionamento da efetiva imagem.

Em 27 de maio, quando o jornal *The Morning Chronicle* e o *London Advertiser* publicaram a quarta parte da pesquisa da exposição de George Cumberland, Blake recebeu um sinal positivo de Cumberland: "embora não haja nada a dizer sobre o colorido" – não havia muita cor –, "é um bom desenho e tem muita personalidade".

George Cumberland (1754-1848) também era artista. Ele tinha frequentado a Academia Real Inglesa em 1772, mas a abandonaria mais tarde.

Cumberland tornou-se amigo de Blake, juntando-se a ele Thomas Stothard (1755-1834), Flaxman, e, ocasionalmente, o gravurista William Sharp (1749-1824), unidos em bons tempos, absorvendo e compartilhando ideias. Cumberland e Sharp criaram ideias radicais e sexuais, algumas das quais Blake gostou, outras não.

Flaxman e Sharp dividiriam com Blake seu entusiasmo por Swedenborg ao final da década de 1780.

Mais conservador por natureza, Stothard estudara na Academia em 1778. Ele se tornaria um Associado em 1792 e um acadêmico pleno em 1794, com um *portfolio* de desenhos populares para publicações convencionais.

Blake e os Gordon Riots

Em junho, Blake teve seu primeiro contato com o que os políticos radicais poderiam significar pelas ruas. Lorde George Gordon, afilhado de George II, de 29 anos, ficou indignado com as menores concessões feitas aos católicos romanos em 1778.

Encorajando a massa a acreditar que havia sido tudo uma farsa para angariar católicos em posições oficiais do exército para irem à América matar os protestantes do irmão de Gordon, lorde Gordon atiçou o antigo mote "Sem papado, sem escravidão!", e soltou sua "Associação Protestante" em Londres. A Associação era, de fato, um pouco mais do que uma gentalha boa em bebida e boa de oratória.

Em 6 de junho, William Blake foi visto à frente de arruaceiros furiosos.

Tendo já incendiado "casas de oração" católicas, eles agora atacavam a casa do lorde Justice Hyde, em Leicester Fields, de onde eles se dirigiram, empurrando Blake com eles, para Great Queen Street, passando pela casa tranquila de Basire, e para a prisão de Newgate onde libertaram 300 prisioneiros, ameaçando os transeuntes a se juntarem em uma orgia de violência e loucas euforias. Mais de 300 pessoas foram mortas e Londres enfrentava seu maior incêndio desde 1666.

Os magistrados pareciam paralisados com indecisão, assim como o lorde chanceler.

O rei interveio, convocou uma reunião com o Conselho Privado e com o procurador-geral, e conseguiu uma decisão pela qual os manifestantes poderiam ser despedidos sem nem mesmo poderem invocar o Riot Act. O próprio George ofereceu-se para conduzir os guardas: "Eu lamento a conduta dos magistrados, mas posso responder por *um* deles, *um* que cumprirá o seu dever", ele disse, querendo dar significado a cada palavra. As ações do rei salvaram a capital de uma situação ainda pior. Os manifestantes ficaram insanos: eles até tentaram um ataque frontal aos militares em Fleet Street.

O *Caminho Sexual para a Visão Espiritual* (2008) de Marsha Schuchard sugere que os *Gordon Riots* marcaram os tempos em que Blake estava inspirado para produzir o *Dia Feliz*, a obra de um visionário apanhado, não tanto pelos manifestantes, mas por uma visão de Albion que crescia contra uma alegada opressão monárquica e um falso governo. Além do fato de que o *Dia Feliz* não existia ainda como gravura ou pintura naquele tempo, é difícil imaginar Blake, de classe média mais baixa, apoiando a anarquia dos moradores dos bairros mais pobres de Londres. Blake não demonstra sinais visíveis de ser um protestante radical no sentido político: toda a evidência sugere uma abordagem ecumênica e tolerante para com o Catolicismo. Não sabemos o que Blake pensou do espetáculo, mas sabemos que seu amigo, George Cumberland, refletiu sobre isso – e Cumberland era mais politicamente radical do que Blake:

> (...) perto da maior parte da noite de domingo [4 de junho], em um muro perto de Romish Chapel, nos campos

Moor, testemunhando cenas que fizeram meu coração sangrar, sem ser capaz de preveni-las – era a mais singular e infeliz visão do mundo –, a *turba* encorajada por *magistrados* e protegida por *tropas* – apoiada pela *injustiça mais ordenada*, destruindo as propriedades de indivíduos inocentes – junto com lorde Gordon, para quem nenhuma punição seria grande demais, os magistrados desta cidade merecem uma boa parte da vingança de um povo vilmente abandonado o qual, instigado pelo sofrimento, ontem queimou *sir* G. Saville e um comerciante além de duas escolas e muitos locais privados de oração – hoje eles queimaram a mobília de lorde Peters sr. Hydes &c, e, armados de porretes, fui informado de que 5 mil estão nesse instante dirigindo-se para a residência do duque de Richmonds, lorde Shelburns e outros; eles arrombaram a prisão de Newgate e soltaram todos os presos. Nesse momento, o local está em chamas [...] dizem que hoje os soldados depuseram suas armas ao receberem ordens de atirar...[59]

Cerca de 70 anos depois, a enteada de Stothard, a sra. A. E. Bray, descreveu um evento curioso, supostamente ocorrido em setembro de 1780, que novamente liga Blake ao radicalismo, embora, mais uma vez, por uma associação errônea.

Em sua biografia de Stothard, a sra. Bray descreveu Blake em companhia de Stothard e do velho amigo, sr. Ogleby, sendo presos como espiões pelos militares, enquanto desenhava no Rio Medway. Ao ser informado pela Academia Real sobre as intenções inocentes dos prisioneiros, o oficial de comando do Castelo Upnor, perto de Chatham, passou momentos agradáveis com os jovens. Ogleby disse que era uma experiência que ele esperava nunca mais repetir.

Deve ter sido o lugar. Originalmente construído na época elizabetana, o castelo havia sido reformado em 1718 para abrigar a artilharia, com espaço para 64 soldados e dois oficiais. Deve ter sido um local muito salutar para jovens e artistas sensíveis, armados apenas de lápis e pincéis. Talvez eles tivessem bebido mais do que

---

59. BR, p. 21; British Library Add. MSS 36, 492, ff. 350-51.

estavam acostumados. Depois dos eventos de 1780, Blake provavelmente sentiu que já tinha visto o suficiente de soldados pelo resto de sua vida. Entretanto, o caminho do mundo não concordaria com ele.

Em 20 de novembro, a Grã-Bretanha declarou guerra à Holanda, depois que os holandeses se uniram à Liga da Neutralidade Armada da czarina Catarina. A neutralidade consistia em fornecer armas aos rebeldes americanos, por meio de uma base holandesa nas Índias Ocidentais.

Enquanto isso, Washington ordenou o extermínio dos povos iroqueses dos vales aos redores do Rio Mohawk, enquanto seu amigo, o marquês de Lafayette, voltava à América, havendo assegurado o acordo de Luís XVI para enviar tropas e navios para ajudar Washington.

A Grã-Bretanha não ficou parada. Em 3 de fevereiro de 1781, a ilha holandesa de Santo Eustáquio, nas Índias Orientais, foi capturada, enquanto em Paris, o marquês de Condorcet contribuía com um crescente debate ao publicar seu *Reflexões sobre a Escravidão Negra*. Cerca de 100 mil escravos eram anualmente importados da África pelas Antilhas e pelas Américas.

Em Königsberg, o filósofo Immanuel Kant (1724-1804) afirmou que na formação da vontade, da intuição e do sentido a experiência precedia a razão. Enquanto, à primeira vista, a filosofia de Kant poderia ter sido reindivicada a favor de Blake, ela também tinha um ferrão em sua cauda: convicções baseadas em intuições e nos sentidos poderiam ser consideradas desprovidas de conteúdo racional. Uma religião que não podia formular um forte apelo à razão era passível de ser descartada como sendo produto da imaginação. A questão ainda permanecia: qual faculdade tinha a maior autoridade? O assunto incomodaria Blake profundamente nos anos de 1790, o que era bem importante, pois envolvia certa influência sobre a orientação da arte pictórica.

Para enfatizar ainda mais o ponto, em 1782, um conhecido de Blake, nascido em Zürich, Henry Fuseli (1741-1825), tendo retornado a Londres do continente em 1779, exibiu sua inesquecível obra *Horror Gótico, o Pesadelo*. A pintura apresenta uma criatura da imaginação, um pequeno ser demoníaco agachado sobre o corpo vulnerável de uma jovem mulher com uma camisola, aparentemente dormindo ou morta. Em uma cama, sua cabeça pende para o chão, enquanto os olhos sem luz da criatura olham fixamente para o espectador. Isso é real? É claro que não: é um pesadelo, como diz o título. O que podemos deduzir disso? Existe razão em um pesadelo? Não? Então, por que os pesadelos acontecem? O que eles significam? Do que temos medo? A cena é sem dúvida sexual, erótica, ameaçadora e, no entanto, estranhamente cômica, com *nuances* de um *Sonho Noturno de Verão* (Fuseli estava trabalhando na Galeria Shakespeare de Alderman Boydell, na época). A obra decepcionou os racionalistas que foram forçados a descartá-la por não saber o que fazer com ela e muito menos apreciá-la.

Não era a filosofia que decidiria o que aconteceria na América, mas os custos. Em 27 de fevereiro de 1782, em um golpe contra o ministério de lorde North, o parlamento votou em não ir adiante com a guerra. Lorde Rockingham tornou-se primeiro-ministro: um triunfo temporário para os conservadores. Um pouco radical e libertino, Charles James Fox tornou-se secretário das Relações Internacionais e adotou uma política de fim de guerra na América. A administração também supervisionou a Lei de Alívio dos Pobres que criou asilos: o que resultou em uma vantagem para o pai de Blake que se beneficiaria fornecendo roupas aos pobres.

Por volta dessa época, a mente de William Blake estava provavelmente menos preocupada com o futuro britânico do que com o seu casamento com Catherine Sophia Boucher (ou "Boutcher"). Ele tinha-se amarrado novamente.

Foi provavelmente em 1781, no ano anterior, que uma garota chamada Clara tinha partido seu coração romântico, o mais recente de uma série de desilusões românticas. Blake ficou tão abatido a ponto de a família afastá-lo de Broad Street e enviaá-lo a um parente de James Blake Sênior, em Battersea, um comerciante de produtos de jardinagem.

Estaria Blake pronto para desempenhar o papel de Príapo em seu frondoso enclave? Durante essa sua estadia, Blake conheceu Catherine, última filha de William Butcher (a grafia do último nome varia), da paróquia de St. Mary Lambeth, que se casara com Mary Davis of Wandsworth em 1738. Catherine "Boucher" nasceu em 25 de abril de 1762 e foi batizada em 16 de maio, na igreja de St. Mary, Battersea.

Catherine apaixonou-se por Blake no momento em que ela o viu: seu coração mais forte bateu e ela percebeu que era ele. Ela esperou por uma chance e a oportunidade veio quando Blake abriu-lhe seu coração, declarando estar muito triste por ter perdido seu amor. Catherine deve ter respondido: "Tenho pena de você, do fundo do meu coração", e Blake deve ter respondido: "Você tem pena de mim? Então eu a amarei por isso". E foi assim: ele estava a caminho da recuperação.

Existe um retrato do jovem Blake de perfil, atribuído a Catherine e desenhado depois de sua morte. Ela desenhou Blake de memória, com os olhos grandes, testa nobre e cabelo loiro acastanhado, como chamas onduladas, parecendo uma coroa. Ele parecia ser uma criatura de outro mundo.

Em 18 de agosto de 1782, o reverendo J. Gardnor casou Will na presença de Thomas Monger, James Blake (presumido pai de Will) e Robert Munday, atendente da paróquia. Gilchrist e Tatham compartilhavam a opinião de que o pai de Blake não estava a favor desse casamento. Ele pode não ter feito nada para ajudar o filho, mas compareceu assim mesmo. James Blake já tinha passado pelo desconforto de entrar em um casamento que outras pessoas consideravam inaceitável, mas, no caso de seu filho, ele provavelmente sentiu que tinha fundada razão para desaprová-lo. Quais recursos o jovem tinha? O que a senhorita Boucher levava para ajudar na festa? As duas perguntas convidavam a respostas duvidosas, mas, a seu favor, o casamento deve ter sido considerado um emoliente para amolecer o coração e a mente de Will enquanto lhe dava um incentivo para ganhar a vida. De qualquer forma, não era provável que Will fosse deixar a linda Kate: ele tinha mais de 21 anos e era grande o suficiente para cuidar de si. Catherine assinou seu nome com um "X": ou ela não sabia escrever ou não quis dar-se ao trabalho. Blake registrou Battersea como sua paróquia residencial.

É possível que seu pai dissera que eles não voltariam para Broad Street ou o próprio Blake disse o mesmo para seu pai.

O casal foi morar em Green Street, 23, Leicester Fields (agora Leicester Square). O próprio príncipe de Gales tinha morado em Leicester Fields. Era uma boa área, embora o príncipe tivesse mudado para Carlton House, Piccadilly, cortejado por conservadores oportunistas radicais.

Agora Blake tentava conseguir alguns trabalhos de gravação para poder manter sua casa. Ele precisava de uma editora. Provavelmente foi nessa época que ele conheceu Joseph Johnson. Johnson tinha uma livraria e promovia um modesto jantar literário semanalmente, na praça da igreja St. Paul, 72. O mais famoso editor de livros radicais na Inglaterra, Johnson trabalhou ocasionalmente com gravuristas como Blake. Ele conhecia William Godwin, Mary Wollstonecraft, Erasmus Darwin, Henry Fuseli e Joseph Priestley.

Oportunidades de negócios à parte, provavelmente foi através de Johnson que Blake adquiriu conhecimento dos gnósticos ("conhecedores"), a resistência esotérica e teosófica ao cristianismo ortodoxo primitivo, cujos pensamentos e mitos literários dividiam opiniões na Igreja Cristã dos séculos II e III.

Johnson publicou o novo livro do pregador unitarista Joseph Priestley, *Uma História sobre as Corrupções da Cristandade,* em dois volumes, impresso em Birmingham. A página 9 de sua obra usa a palavra "emanação", provavelmente lida pela primeira vez por Blake. O contexto era que a alma de Cristo seria uma emanação da mente divina. A palavra "emanação" seria caracterizada nas figuras arquetípicas do sistema filoteosófico análogo. Isso significa uma espécie de "nascimento pelo pensamento": o ser criado espiritual e psicologicamente, ligado intrinsecamente à fonte. Nos sistemas gnósticos, as emanações geralmente ocorrem em pares: "e Ele criou o homem e a mulher".

O livro de Priestley tem citações da obra francesa de Beausobre sobre a história do Maniqueísmo (uma religião gnóstica do século III, baseada no Irã), da obra *Ópera,* de Irenaeus (uma coleção antignóstica escrita pelo Padre Irenaeus, no ano 180 d.C.), do sexto volume de *Ecclesiastical History Ancient & Modern,* de J.L. Mosheim, traduzido pelo presbiteriano Archibald Maclaine (Londres, T. Cadell, 1782) e de *A História dos Heréticos dos Dois Primeiros Séculos Depois de Cristo,* do ministro presbiteriano Nathaniel Lardner (publicado em 1780; Lardner, 1684-1768).

Houve uma grande procura sobre gnosticismo nas livrarias, no início da década de 1780. Portanto Blake não teve de ler o Codex dos manuscritos gnósticos de James Bruce, sob o cuidado de Woide, no Museu Britânico, para aprender sobre os sistemas gnósticos. Já era um material em evidência.

O livro de Priestley sobre "Corrupções da Cristandade", tinha a intenção de ser a quarta parte de seu *Institutos de Religião Natural e Revelada*. A primeira obra filosófica importante de Blake foi *Não Existe Religião Natural* (1788): em flagrante contradição a Priestley e um bando de "religionários naturais" voltando para o século anterior.

O *Institutes* de Priestly foi muito considerado pelo próprio Thomas Jefferson, que alegou ser "a base de minha própria fé". Seu princípio era: as únicas verdades religiosas reveladas que podem ser aceitas são aquelas que estão conformes com o mundo natural. Para Blake, isso era um erro diabólico. Para Jefferson, essa era sua religião. Jefferson escreveu a Priestley, em 1803, quando estava compilando a versão deísta do Novo Testamento. Jefferson fez isso eliminando todas as referências a milagres e ao sobrenatural.

Intitulando a obra de *A Filosofia de Jesus de Nazaré*, Jefferson pediu a Priestley para completá-la (Priestley tinha saído de Birmingham em 1791, antes de migrar para a Pensilvânia).

Não é necessário dizer que, de certa forma, a visão controversa de Priestley era de que a Igreja Cristã primitiva fosse unitarista: se você seguisse Jesus, você estaria seguindo Priestley. E para mostrar quão fechados eram todos esses círculos, considere isto: o retrato de Priestley, comissionado por Joseph Johnson, foi pintado por Henry Fuseli.

Em 19 de outubro de 1782, um representante do general Cornwallis rendeu-se ao representante do general Washington, em Yorktown, Virgínia. Era o fim efetivo da guerra. O rei George lamentou: "A América está *perdida*!". Todas as suas belas montanhas, e rios, e planícies, e vales, e fazendas, florestas, e grandes propriedades, tudo PERDIDO! Thomas Jefferson regojizou-se prematuramente, escrevendo em *Notas na Virgínia a Respeito do Império Britânico*: "O Sol de sua [Britânica] glória está calando rapidamente no horizonte". Ele não foi o último a subestimar "Old Blighty" (apelido para a Grã-Bretanha). A Grã-Bretanha tinha

174 navios de linha e 294 embarcações menores à sua disposição. E ela ainda tinha William Blake. Ainda não estava acabada.

Havia outras conquistas a ser feitas. Frederick William Herschel foi nomeado astrônomo do rei, tendo descoberto o planeta Urano (chamado originalmente de "a estrela georgiana" que a França não aceitou por referir-se a George III). Uma "geração maldosa" olha para o céu à procura de um sinal, advertiu Jesus. Havia sinais de coisas por acontecer muito mais perto de casa. Em novembro, as tropas dos Estados Unidos devastaram os índios Shawnee que apoiaram os britânicos. Mil rifles Kentucky dispararam sem cessar sobre os índios e destruíram todos os seus mantimentos. Onde foi que eles enterraram seus corações?

Capítulo 8

Uma Passagem para a Ascenção – 1783-1785

O famoso autorretrato de John Flaxman, feito em giz vermelho, representa um jovem sério e até mesmo solene, em 1779.[60] Ele tem grandes olhos penetrantes, um rosto precocemente maduro, lábios cheios e bochechas profundas, ladeadas por um cabelo escuro, longo e ondulado. É a face de um crítico, bem como de um artista, a face simpática de um homem sensível, que leva tudo a sério. Uma alma mais do mundo, Stothard foi quem primeiro apresentou Flaxman a Blake. Flaxman, por sua vez, realizaria muitos serviços para um homem que ele nunca deixou de admirar; foi sem dúvida Flaxman quem apresentou Blake na estimada sala de estar do reverendo A. S. Mathew e de sua esposa Harriet, no número 27 de Rathbone Place. Flaxman também apresentaria John Thomas Smith (autor de *Nollekens e Seu Tempo*) no círculo de Mathew, em 1784.

Smith descreve como, nesse local, ele escutou Blake, de 26 anos, cantando e lendo seus poemas. Suas melodias eram "singularmente lindas", escreveu Smith. O "original e extraordinário mérito" de Blake foi reconhecido. Os professores de música admiravam as melodias de Blake e as divulgavam – algo que, para nosso grande pesar, Blake mesmo era incapaz de fazer.

Possivelmente ampliando a anedota de Smith, Cunningham escreveu sobre a maneira pela qual Blake "compunha músicas e letras" e até descreveu o processo:

---
60. Instituto de Arte, Chicago.

À medida que desenhava a figura, ele meditava sobre a canção que a acompanharia, assim como o verso que viria a ser cantado. Não existe nenhum exemplar de suas músicas – ele não gostava de escrevê-las – e se elas se equiparavam aos seus desenhos e às suas canções, então perdemos melodias de verdadeiro valor.[61]

De fato, a ideia de combinar verso, imagem e melodia era uma característica dos melhores livros de emblemas, como o extraordinário *Atalanta Fugiens*, do conde Michael Maier (Johann Theodor de Bry, 1617). *Canções da Inocência* poderia ter conseguido uma venda maior se Blake tivesse recuperado suas melodias dos professores de música anônimos e os incluísse – e somente é possível imaginar se o próprio Blake tivesse uma melodia para os versos que sobreviveram até hoje através do hino "Jerusalém".

Foi a invenção do cinema que integrou a ideia interna de Blake, especialmente naquilo que Michael Powell viria a chamar de "o filme composto", onde a imagem, a música e o desenvolvimento dramático eram poeticamente integrados.[62]

Por volta de abril de 1783, Blake gravou o frontispício "conforme Dunker", para a tradução de Thomas Henry de *Memórias de Albert de Haller*, publicada por Joseph Johnson para uma série de botânica e química. O retrato circular de Blake do filósofo natural suíço De Haller carrega o simples nome "Blake" em sua borda.

Executado no estilo pontilhado de Basire, era de caráter morno, antiquado, fora de moda e sem refinamento em comparação ao trabalho anterior. Johnson encomendou outras nove gravuras de Blake.

As coisas pareciam estar indo bem para Blake. Em 18 de junho de 1783, Flaxman escreveu para sua esposa Nancy que tinha sido convocado pelo viajante, colecionador, geólogo e diletante John Hawkins (?1748-1841), filho do membro da Câmara para Grampound, Cornwall, Thomas Hawkins, membro da Sociedade Real. Talvez a conversa entre Hawkins e Flaxman envolvesse a própria introdução de De

---

61. BR, p. 633.
62. Ver *The Red Shoes* – sequência de balé (1948) e a sequência "insana" em *Black Narcissus* (1949), idealizada pelo produtor e diretor Michael Powell (1905-1990); e Emeric Pressburger (1902-1988) e seu grupo.

Haller na Sociedade Real e, portanto, a gravura do retrato de Blake. Como Blake, Hawkins gostava dos mestres flamengos. Flaxman sugeriu que Blake fizesse um "desenho capital" para John Hawkins, que Hawkins encomendou. Ouvindo as notícias, Nancy respondeu: "Eu fico feliz por Blake".[63]

Determinado a ajudar Blake, Flaxman discutiu uma combinação de recursos com os Mathews para imprimir uma seleção de poesias, prosas e dramas de Blake, para promover o prodígio. Enquanto Mozart completava sua *Sinfonia em C Maior*, na Áustria, Blake, em Londres, compilava seus trabalhos dos 12 aos 20 anos para produzir *Esboços Poéticos* (1783), sua primeira coleção de poesias impressas. Impressas, sim, mas publicadas, não. A intenção era dar a Blake algo que ele pudesse distribuir aos amigos, colegas e possíveis editores.

Esboços poéticos

A coleção, razoavelmente fina, permite releituras, e, logo, sua aparência modesta é colocada de lado para revelar a ambição assombrada que aparece em suas páginas, onde é declarado: "Olhem para Mim! Eu posso escrever!". É possível pensar que, se os jovens Wordsworth ou Coleridge tivessem criado versos para ser impressos, eles teriam recebido plena admiração (e até mesmo feito algumas vendas) das livrarias de Bristol, bem como a censura que fareja o gênio e automaticamente o abate.

Abrindo "gentilmente", para usar as palavras em seu sentido contemporâneo, com odes a todas as estações, para a Estrela Vespertina e para a "Manhã" – tudo impregnado de versos em inglês do século XVII, de um ordem elevada, com toques mais modernos e despreocupados, e traços sobrepostos – somos introduzidos em um mundo de "Canções" (oito no total) que anseia tranquilamente pela expressão das palavras das *Canções da Inocência*. Infelizmente, nenhuma melodia aparece para que as apreciemos como canções, mas como poemas na forma como pensamos que sejam. Imprimir as letras das músicas em cada álbum era uma boa forma de publicidade artística nos anos 1960 e 1970, mas, sem a música para acompanhá-las, para quem Sargent Pepper cantaria?

---

63. BR, p. 28.

A maioria das letras revela suas fontes e influências. Este autor gostava muito da "Canção" que começa "Quão suavemente eu andava de um campo a outro,/ E saboreava todo o orgulho do verão", até que descobri, mais tarde, que aquele maravilhoso "orgulho do verão" havia sido "saboreado" anteriormente: no 15º soneto de Shakespeare:

> Para mim, bela amiga, não podes jamais envelhecer,
> Pois tal como eras quando primeiro te conheci,
> Assim ainda é tua beleza. O frio de três invernos
> Das florestas sacudiu o orgulho de três verões.

O subjacente sentimento é um sentimento de melancolia, amor perdido e pura nostalgia inglesa, e, algumas vezes, parece que a alma inglesa é feita de folhas caídas.

A tristeza acomete o poeta quando ele vai para a cama e o frio externo é refletido em sua cabeça, e ele dorme e sonha com as belas damas e com os momentos perdidos em tênue ar, até ele dormir o sono que quase nunca termina, e ele, em tempo, deve encontrar-se com seus amigos ausentes. *Esse tipo de coisa...*

> Ah!, se ela provasse ser falsa, seus membros eu arrancaria,
> E jogaria toda a compaixão no ar ardente;
> Amaldiçoaria o claro fado de minha confusa condição,
> Então, eu morreria em paz para ser esquecido.
> ("Canção")

Ainda temos presságios de mistérios neoplatônicos por vir. A "Louca canção" revela "um demônio em uma nuvem": uma chama do céu envolta em carne. Temos uma tendência à lenda nórdica em "Gwin, rei da Noruega", e um amor por Spenser exibido em uma honesta "Imitação" de si mesmo.

A curta peça de Blake *Rei Eduardo III* é uma clara homenagem a Henrique V, com Creçy substituindo Agincourt. Comparem o "Prólogo" de Blake do inacabado *Rei Eduardo IV* com as palavras de abertura do coro no prólogo de Henrique V, de Shakespeare. Este é de Blake:

> Oh, por uma voz como trovão, e uma língua
> Para afogar a garganta de guerra! – quando os sentidos
> Estão sacudidos e a alma é orientada para a loucura,

> Quem pode aguentar? Quando as almas dos oprimidos
> Lutam no ar conturbado que enfurece, quem pode aguentar?

O de Shakespeare:

> Oh! Por uma musa de fogo que ascendesse
> O mais rutilante céu da invenção!
> Um reino por um palco, príncipes para atuar
> E monarcas para a cena admirável contemplarem!
> Então deverá o belicoso Henrique, ele próprio, assumir o porto de Marte...

Bem, Blake tinha a "musa de fogo" e o intelecto entre os dentes, e tudo poderia estar bem se o reverendo Anthony Stephen Mathew não antecipasse estranhamente a ubíqua crítica hostil ao imprimir a seguinte "Advertência" à nova audiência de Blake:

> Os esboços seguintes foram a produção de um jovem inculto, realizada em seu 12º ano de vida e ocasionalmente resumida por seu autor em seu 20º aniversário; a partir de então, seus talentos foram totalmente direcionados para o alcance da excelência em sua profissão de maneira que ele não teve tempo livre necessário para a revisão dessas páginas, o que pode tê-las tornado menos impróprias para o olhar público.
>
> Consciente das irregularidades e defeitos encontrados em quase todas as páginas, seus críticos ainda acreditaram que possuíssem uma originalidade poética, o que mereceu algum alívio do olvido. Entretanto, essas suas opiniões devem ser agora reprovadas ou confirmadas por um público menos parcial.[64]

Com amigos assim, quem precisa de críticos hostis? Talvez não surpreendentemente, o próprio Blake parece ter feito pouco ou nada com as 11 páginas *in-quarto* de *Esboços Poéticos* apresentadas a ele como encorajamento. Ele nunca pareceu estar interessado nelas, possivelmente porque ele mesmo percebeu defeitos e preferiu "fazer melhor

---

64. BR, p. 29.

da próxima vez" ou, provavelmente, porque as palavras depreciativas de Mathew o aborreceram e deprimiram: o que aconteceria com a maioria dos poetas na imoderada determinação da juventude.

A eterna pedra no caminho dos jovens, em todas as idades, é que o sentimento de genialidade sente e conhece a força plena do *potencial*, combinada com um pressentimento do "porvir de coisas", sem a percepção e a realização desse potencial em obras *realizadas*. Até os grandes artistas passam anos reagindo aos primeiros golpes, curvando suas virtudes ao peso das amarguras.

Em 26 de abril de 1784, Flaxman informava o poeta estabelecido William Hayley, que então vivia em Eartham Hall, Sussex, que ele deixara o *Esboços Poéticos* de Blake, a ele destinado, junto a um amigo mútuo para ser-lhe entregue.

Tendo falado sobre Blake anteriormente, Flaxman queria que Hayley promovesse a causa de Blake. Entretanto, Flaxman praticamente repetiu as advertências censoras do reverendo Mathew, de um modo provável para desfazer qualquer interesse inicial: "sua educação [a de Blake] pleiteará desculpas suficientes para sua mente liberal [a de Hayley] para os defeitos de seu trabalho para os quais poucos têm a capacidade de distinguir e estabelecer um valor correto sobre a beleza quanto você mesmo".

Consciente de sua *própria* reputação, Flaxman não estava fazendo nenhum grande favor a Blake, quando adicionou isso ao que Hayley teria de ler na "Advertência" dos poemas. Na solicitação de um defeito ser perdoado, é difícil evitar de procurá-lo.

Entretanto, Flaxman fez seu melhor para "elogiar" Blake, ao informar para Hayley que seu admirado pintor, George Romney, equiparou os desenhos históricos de Blake aos de Michelangelo, enquanto "um cavalheiro da Cornualha demonstrou seu gosto e a liberalidade de encomendar vários desenhos; esse cavalheiro está tão convicto de seus talentos incomuns a ponto de empenhar esforços para levantar recursos a fim de enviá-lo a Roma para terminar seus estudos; a possibilidade de isso realmente acontecer será determinada antes de 10 de maio, quando o sr. Hawkins estará saindo da Inglaterra – sua generosidade é tal que ele patrocinaria todas as despesas das viagens de Blake – mas ele é apenas um irmão menor e, portanto, ele arcaria com apenas uma parte da despesa".⁶⁵

Flaxman insinuou claramente que Hayley consideraria proporcionar a diferença antes de 10 de maio: um prazo bastante curto. Presumidamente incapaz de conseguir toda a quantia, Hawkins partiu da Inglaterra sem lançar Blake que, caso contrário, o teria tornado um promotor de carreira.

E, novamente, não teria sido de ajuda, no caso de Blake, quando Flaxman informou a Hayley que Blake estava "atualmente empregado como gravurista, o que não lhe proporcionava incentivo, local onde seu esforço não era bem explorado". Então, ele tampouco era um gravurista bem-sucedido! Hayley deve ter ficado um pouco confuso: afinal, o que era realmente esse homem mal-educado: poeta, artista de esboços ou gravurista? – por que Hayley deveria desembolsar dinheiro por um homem no qual até seu amigo encontrou defeitos? Hayley não iria dar a mão ao gravurista por mais 16 anos.

A sra. Mathew e Flaxman continuaram a promover Blake no salão de Rathbone Place, onde, de acordo com Smith, "a maioria das pessoas talentosas e literatas da época" regularmente se encontrava. Smith é nossa única fonte que indica por que as visitas de Blake se tornaram "não tão frequentes". De acordo com Smith, era o "comportamento inflexível" de Blake ou "a firmeza de opinião" que "nem sempre agradava a todos". Smith não queria qualquer crítica feita a Blake em decorrência dessa informação; a fraqueza dos outros era uma falha, e lidar com suas sensibilidades não era um dom do jovem Blake – como nunca seria. Blake era ele mesmo, você podia amá-lo ou deixá-lo; e esse último era preferível.

Blake queixava-se da Academia Real dizendo que ela sofria com os vícios da sociedade. Era mais importante ser considerado como um bom companheiro, de boas maneiras, uma companhia sempre tolerante e de opinião notável, do que um gênio inspirador de verdadeiro valor para um mundo cuja educação cobria o que São Paulo chamaria de um "sepulcro branqueado". Os profetas não eram bem-vindos, a menos que eles fossem estrangeiros e trouxessem novidades e, mesmo assim...

---

65. *LETTERS*, p. 3; de John Flaxman para William Hayley, 26 de abril de 1784.

Não havia nenhuma profecia nas primeiras poesias de Blake; portanto, não devemos esperar que ela esteja na sala de visitas. Pode ter sido simplesmente o fato de Blake ser franco demais para as normas estabelecidas do discurso educado.

Com a decepção de não ter sido financiado para estudar na Itália, o que o próprio Flaxman iria reparar no devido tempo, Blake teve de contentar-se novamente com os descartes de Joseph Johnson e as migalhas que Flaxman conseguia juntar para ele.

Em 5 de fevereiro de 1784, Flaxman escreveu para Josiah Wedgwood, o Velho, que estava decorando o Etruria Hall, perto de Stoke-on-Trent, próximo à sua cerâmica.

Wedgwood era membro da informal "Sociedade Lunar" de Birmingham, cujos "lunáticos", durante seu apogeu, em 1780, reuniam-se na Soho House de Matthew Boulton. Os membros incluíam Joseph Priestley e Erasmus Darwin, ambos estreitamente ligados a Joseph Johnson.

Tentando talvez levar Blake à percepção de outras pessoas além de Londres, Flaxman procurou lançá-lo enquanto desenhava as cabeças das divindades clássicas para enfeitar o teto do salão de Wedgwood, em Etrúria. Referências do livro de contabilidade do salão mostram "Blake" como pintor dos desenhos de Flaxman.

A resposta de 20 de fevereiro, de Wedgwood para Flaxman, não era encorajadora: "Olhei rapidamente para elas [duas cabeças de deuses e uma alegoria para o centro], mas sou obrigado a deixá-las de lado, nesse momento".[66]

A ciência experimental, encorajada pelos "Lunáticos", estava indo de "vento em popa", ao passo que Blake reclamava de um enfraquecimento correspondente da poesia. A tecnologia fazia pouco uso da Arte e a Arte fazia pouco uso tanto da tecnologia quanto de William Blake.

Enquanto a Academia Francesa de Ciências descartava o "Magnetismo Animal" de Mesmer como sendo imaginação – o que era algo a favor do ponto de vista de Blake –, o inglês Henry Cort, inventor do processo da "pudlagem" para refinar ferro fundido com carvão, perdeu o controle de suas patentes, deixando a indústria

---
66. BR, p. 40-41.

caminhar a passos largos na sequência do fim formal da guerra americana, selado pelo Tratado de Paris (3 de setembro de 1783).

Em 18 de maio, William Pitt, o Novo, de 24 anos (primeiro-ministro desde dezembro de 1783), retornou com uma maioria aumentada depois de ter dissolvido o parlamento, em março, em virtude de seu projeto de lei, que visava colocar a Companhia das Índias Orientais – e com ela, grande parte da Índia – sob o controle do governo. O governador-geral Warren Hastings foi reconvocado da Índia com a aprovação da Lei das Índias. Naquele mesmo mês, Blake expôs duas pinturas na Academia Real: "Guerra libertada por um Anjo – Fogo, Peste e Fome na Sequência" e "Uma Brecha na Cidade – A Manhã Depois da Batalha". Talvez Blake, esperando que o filho promovesse a paz, refletia a preocupação com o fato de que o pai de Pitt tinha sido muito bem-sucedido como líder da guerra. Em 27 de maio, *The Morning Chronicle* depreciou a obra de Blake: "a obra ["Uma Brecha na Cidade", etc.] ultrapassa a maioria dos voos estranhos em nossa memória". Seu crítico anônimo declarava que era "parecida com Fuseli, mas com o agravamento adicional de uma sinistra curva irritante".[67] O crítico fazia objeção à individualidade de estilo de Blake; ele poderia também fazer objeção à sua maneira de andar.

Ao final de junho, o pai de Blake morreu. Ele foi enterrado em Bunhill Fields, em 4 de julho, por 13 *shillings* e seis *pence*. O irmão mais velho de Blake assumiu o negócio, enquanto o outro irmão, John, atravessou a rua para Broad Street, 29, onde trabalhara como padeiro e talvez comerciante de carvão até 1793, ano em que fugiu, provavelmente para alistar-se no exército.

Nessa época, Blake cometeu o que a retrospectiva mostra ter sido mais uma de suas singulares e péssimas decisões. Ele se mudou ao lado do negócio de tecidos da família e estabeleceu-se em Broad Street, 27, em parceria com seu antigo colega aprendiz, James Parker, onde passaram a vender gravuras. Anteriormente, naquele mesmo ano, Blake fornecera uma gravura "Depois de Stothard" para *The Wits Magazine*. Em dezembro de 1784, "Parker & Blake, em Broad St. Golden Square, 27" gravou, imprimiu e coloriu "Callisto", "Zephyrus and Flora" e "Depois de Stothard".

---

67. BR, p. 32.

Efetivamente, Blake estava se humilhando de novo, mas, como não estava sendo "aclamado" nem tivesse o mínimo de sucesso, é de se perguntar o que ele poderia ter feito? Algum dinheiro provavelmente originava-se de uma herança recebida de seu pai. O relato de Smith sugere que a sra. Harriet Mathew deve ter contribuído para recolocar Blake com os pés no chão.

Dez anos depois, uma loja de gravuras talvez fizesse negócios melhores, mas não era uma boa época para gravuras e a loja não era situada em um local propício para o comércio. Eles poderiam ter feito sucesso no Strand ou em Piccadilly, ou até mesmo em Golden Square, mas Broad Street não era uma meca artística e Blake não era um homem de negócios.

Tal como muitos nessa época, a imaginação de Blake foi levada rumo ao céu. Uma tradução de *Heaven and Hell* (Paraíso e Inferno), de Emanuel Swedenborg, foi publicada em Londres, em 1784, embora não se saiba se Blake a leu pela primeira vez nesse mesmo ano. Sua cópia pessoal mostra algumas anotações, mas nada que nos indique seu primeiro contato com o livro. Diferentemente de outros críticos, Blake não considerou as visões dos mundos celestial e infernal de Swedenborg como sendo irreais por eles serem imaginativos. O relato de Swedenborg do cenário dos infernos como sendo "convexidades" induz a uma anotação apropriada para alguém versado na teosofia de Jacob Boehme: "Embaixo de todo Bem existe um inferno, ou seja, o inferno é o exterior ou a parte externa do céu, e faz parte do corpo do Senhor, pois nada é destruído".

Em 15 de setembro, os londrinos aproximaram-se mais das regiões externas celestiais quando o príncipe de Gales e uma multidão de 150 mil espectadores contemplaram a subida de Vincent Lunardi, o primeiro balonista de ar quente da Inglaterra, com seu gato, seu cachorro e uma cesta de piquenique. Em Paris, os irmãos Montgolfier haviam desempenhado um feito semelhante em junho, o que não inibiu o espanto de Londres, conforme a população observava estupefata à ascensão de um globo de lona preenchido com gás inflamável derivado da queima de palha. Dez minutos no ar, o balão subiu a uma altura de 950 metros. Em seguida, foi exposto no Panteão, em Oxford Street, logo depois da esquina da casa de Blake, e isso atraiu a atenção tanto na direção da terra quanto sua trajetória para o céu.

Blake a tudo assistiu e perguntou-se onde o céu poderia ser melhor encontrado e por quais meios. Tal como ele escreveu, *Embaixo de todo Bem existe um inferno*.

A atenção do autor foi atraída pelo curioso fato de o voo do balão ocorrer no mesmo ano em que o astrônomo inglês John Michell descobriu matematicamente que uma estrela tão densa quanto o sol, mas de um raio 500 vezes maior, poderia exercer gravidade suficiente para parar as partículas de luz que viajam pelo espaço. Isso quer dizer que Michell havia hipotetizado a existência de buracos negros, ou estrelas. Sem deixar a terra (salvo em imaginação), Michell e Blake, separadamente, chegaram a conclusões análogas sobre a inibição da "luz" no universo.

Para Blake, a verdadeira iluminação não procedia do mundo dos sentidos, mas é o mundo dos sentidos que foi iluminado pela luz da imaginação. A matéria densa restringe a luz. Quando cegos ao espírito, os sentidos não assistidos registraram quantidades de matéria densa, gerando uma visão que era literalmente "sem iluminação". Blake estava operando em uma cultura que considerava a "iluminação" um fruto exclusivo da Razão.

Em 27 de abril, abria-se a exposição da Academia Real. Com 27 anos, Blake exibiu quatro aquarelas. Até onde sabemos, *Os Irmãos de José curvando-se diante dele*, *José revelando-se aos seus Irmãos* e *José ordenando que Simeão fosse amarrado* atraíram poucos comentários. *O Bardo, de Gray*, no entanto, provocou a seguinte crítica anônima, em 23 de março, no *Daily Universal Register:* "W. Blake aparece como um lunático que acabou de fugir da incurável cela de Bedlam; em relação aos seus trabalhos, afirmamos a esse desenhista que a graça não consiste em espalhar pernas e braços".[68] Os comentários eram caluniadores.

Os desenhos de José são graciosos e modestos, e *O Bardo, de Gray*, é um desenho exigente o qual, comparado com a obra mais famosa de Blake, dificilmente mereceria o insulto dado ao seu criador.

G. E. Bentley Jr. era da opinião que o relato de Gilchrist, sobre uma reprovação dada a Blake por Joshua Reynolds, devia datar do primeiro ou segundo ano de Blake na Academia, mas pode ter

---

68. BR, p. 39-40.

surgido no jantar de abertura para a exposição de 1785. A fonte de Gilchrist disse que Reynolds avisou Blake para desenhar com "menos extravagância e mais simplicidade". Blake ficou "muito indignado ao falar sobre o assunto". Não sendo a "extravagância" idêntica à loucura, as palavras devem, a nós, parecer uma crítica moderada; mas para Blake, o comentário constituiu um ataque direto, indiretamente expressado, à autenticidade da criação imaginativa. Para Blake, o pecado de Reynolds era impor regras ao sentido da visão.

As anotações de Blake sobre um trabalho publicado em Dublin, em 1785, mostra onde sua cabeça estava nessa época. *Uma Tradução do Inferno na Versão Inglesa... Notas Históricas sobre Dante.* UMA VISÃO COMPARATIVA DO INFERNO. *Junto com alguns outros* POEMAS *relacionados aos* PRINCÍPIOS ORIGINAIS DA NATUREZA HUMANA, por Henry Boyd, provocou vários comentários que revelavam o jovem Blake como um romântico. Na literatura, por exemplo, o sentimento e a paixão são mais importantes; a virtude moral é maçante. Os "personagens perfeitos" são vilões. Blake acreditava que "a mais grandiosa poesia é imoral e que os mais grandiosos personagens são malvados. Muito Satã. Capanius. Otelo, um assassino. Prometeus. Júpiter. Jeová. Jesus, um bebedor de vinho. Astúcia e Moralidade não são Poesia, mas Filosofia, o Poeta é Independente e Mau, o Filósofo é Dependente e Bom". Dentre outros comentários: "A Poesia serve para desculpar o Vício e comprovar sua razão e a necessária purgação"; "A Natureza nada ensina da Vida Espiritual: ela apenas ensina sobre a Vida Natural"; "O que é liberdade sem Tolerância Universal?".[69]

Restringir Blake seria cortar as asas de uma criança antes que decolasse.

Não sabemos precisamente por que, no outono de 1785, Blake mudou de Broad Street para Poland Street, 28, virando a esquina para Oxford Street, o que indica que a loja de gravuras estava evidentemente falida; talvez morar a uma curta distância de seu irmão mais velho e mais irritante pusesse à prova a paciência do casal Blake.

Deixando James Parker e sua esposa próximos à porta de James Blake, eles se encontraram em uma casa estreita com um jardim de

---

69. CPP, p. 633.

fundo, atrás do qual havia um depósito de madeira; o cemitério da Enfermaria de St. James, ficava atrás, em Broad Street. O *pub* Kings Arms ocupou o número 22. Vinte anos mais tarde, esse era um local de encontro de artistas e de pessoas de muitas nacionalidades; talvez assim fosse em 1785.

No aniversário de Blake – 28 de novembro de 1781 –, a Ordem Antiga dos Druidas tinha sido revivida no Kings Arms. O Druidismo teria um papel significativo na concepção imaginativa de Blake da Antiga História Britânica (o rei Eduardo III, em seu *Esboços Poéticos,* incluiu um relato na canção de chegada de *Trojan Brutus,* ou "Brut", às praias da Grã-Bretanha, a suposta origem da "Bretanha", na história medieval de Geoffrey de Monmouth).

A "Escola da Indústria" e o Asilo de St. James também estavam em Poland Street. As "Escolas" ou "Casas" da Indústria eram instituições do Estado onde um grande número de pessoas muito pobres e de todas as idades viviam em casas imundas, recebiam roupa de trabalho e comida; essas pessoas eram encarregadas de fazer alguns trabalhos e uma pequena porcentagem do lucro da venda desses produtos lhes era destinada. Recursos de saúde deveriam, supostamente, ser-lhes proporcionados.

As condições nas mal administradas Casas da Indústria tornaram-se um escândalo nacional em virtude do alto índice de mortalidade infantil nessas instalações mal ventiladas. Na verdade, a mortalidade infantil era igualmente alta, ou maior ainda, fora das casas, mas as estatísticas oficiais faziam com que as condições dentro das casas parecessem especialmente alarmantes porque as concentrações de pessoas eram contadas juntas, enquanto fora das casas, os números dos mais miseráveis, espalhados entre a população geral, tornaram-se estatisticamente obscuros.

Finalmente, a Paróquia de St. James tomou medidas responsáveis. Em setembro de 1782, uma "Escola Paroquial da Indústria" era inaugurada em King Street, Golden Square, para recolher crianças de 6 a 14 anos a fim de tirá-las do vício e da promiscuidade do Asilo e treiná-las para ser empregadas domésticas e aprendizes.

King Street localizava-se duas ruas a oeste da extremidade ocidental de Broad Street, paralela à Carnaby Street. James Blake, pai e filho, supriram muito da retrosaria dessa escola durante a década de 1780.

O governo estava constantemente sob pressão para lidar com a pobreza e o crime à medida que as revoluções industriais e culturais, exacerbadas pelo conflito com a França, transformavam o país: o vapor, o carvão e o ferro eram todos grandes negócios. Novos canais deslocavam o carvão e novos produtos do Norte para as Regiões Centrais e destas para o Sul. Os moinhos de vento estavam desaparecendo. O maior moinho de vento podia gerar 30 cavalos de potência, enquanto um motor a vapor podia gerar 300.

Quanto à mão de obra, havia nessa época um excedente angustiante. Com as prisões cheias e as condições frequentemente atrozes, o governo procurou rapidamente capitalizar as descobertas do capitão Cook. Em setembro de 1786, mediante ordem do ministro da Administração Interna, lorde Sydney, o oficial naval inglês, capitão Arthur Philip, foi nomeado comodoro de uma frota de navios que partiu, em maio de 1787, com mais de 700 presidiários para Botany Bay a fim de estabelecer uma colônia penal na Austrália. A isca para convencer o capitão Philip: a garantia da governança de New South Wales, um estado que ainda não existia de fato na Austrália. Era a mesma coisa que mandá-lo para a Lua.

Capítulo 9

Uma Ilha na Lua –1786-1787

A liberdade deverá ser fincada nos penhascos de Albion
Lançando seus olhos azuis sobre o verde oceano;
Ou dominando, elevada, o murmulho das ondas,
Estendendo sua poderosa lança sobre distantes terras/
Enquanto, com suas asas de águia, ela protege
A linda costa de a Albion, e todas as suas famílias.
(da "Canção dos Guerreiros", *Rei Eduardo III*, cena 6)

A fama de Blake começava a crescer. Já fazia seis anos desde que o presidente da Academia Real, Joshua Reynolds, tinha assinado sua permissão de entrada como estudante. O amigo de Blake, George Cumberland, que frequentou as escolas da A. R. na década de 1770, tinha concorrido às eleições como membro associado em 1784; decepcionado, ele criticava a Academia em seus ensaios. Ao completar seu período escolar, em fins de 1785, Blake também não foi eleito associado, embora tivesse a liberdade de inscrever suas pinturas na exposição anual. Não é difícil imaginar por que Blake foi preterido.

Em janeiro de 1786, Blake tinha 28 anos. Ele não tinha produzido nenhuma obra-prima; sua única boa resenha tinha vindo da pena de Cumberland. Ele estava em direta discordância com Reynolds e, provavelmente, este sabia. É bem comum o fato de os grandes artistas demonstrarem feitos prodigiosos, embora não refinados, aos 20 anos, e até mesmo antes.

A poesia e a canção de Blake tinham recebido prestígio em alguns círculos, mas ele permaneceu inédito, e ainda não se firmara como *designer* de artes visuais. Na verdade, é surpreendente verificar quão pouco Blake havia realizado como artista, à medida que ele se aproximava do fim de seus 20 anos. Na venda de gravuras, ele fracassou; como gravurista, recebeu somente migalhas. É difícil vislumbrar com quais recursos ele sobrevivia.

Uma pintura de Pietro Martini, segundo Ramber, de certa forma diz tudo. Ela retrata o príncipe de Gales, acompanhado de *sir* Joshua Reynolds, na Academia Real de Somerset House, em 1787. A sala de exposição estava cheia de aristocratas e de suas esposas. Um clérigo sênior dominava o círculo real. As paredes, do chão ao teto, estavam cobertas de pinturas de tamanho substancial. A maioria apresentava um e, onde não, tratava-se de uma paisagem clássica. Blake não pintou nenhum deles. O príncipe era conhecedor da pintura holandesa e um entusiástico colecionador e apoiador da A. R., mas ele amplamente aceitava as regras do gosto de *sir* Joshua. William Blake, com seu rosto inteligente, determinado e desafiador, não era alguém que *sir* Joshua se arriscaria a apresentar para sua Alteza Real. Blake tinha desafiado Moser e o próprio Reynolds, mas nada tinha produzido para deslumbrar os acadêmicos. Ele nem sequer tinha viajado para a Itália.

Blake nem podia apoiar-se em Cumberland para suporte moral. Cumberland viajara para a Itália em busca de uma herança, em 1785, e permaneceria no continente durante cinco anos. Em 1787, parcialmente patrocinado por Josiah Wedgwood, Flaxman também partiu para a Itália. Blake estava por conta própria e é difícil estabelecer com alguma precisão o que ele fez no período entre 1786 e 1787; a datação dos desenhos e das aquarelas em torno desse período – tal como *Oberon, Titânia e Puck com Fadas Dançando*, de c. 1785, realizado em pena, tinta e aquarela e os primeiros rascunhos de Jó, Ezequiel, Daniel e outros, principalmente temas bíblicos – é extremamente especulativa.[70] Francamente, o ano de 1786 é um verdadeiro mistério. Pode ser que Blake viajara para uma Lua particularmente sua.

Blake e o "Pagão Inglês"

A mistura satírica ou burlesca de Blake chamada *Uma Ilha na Lua* pode ou não ter sido iniciada em 1786. Ele obviamente se baseou

---

70. Martin Butlin, *The Paintings and Drawings of William Blake*, Text, Yale University Press, 1981, p. 57-65.

na experiência e não na própria Lua, diferentemente de Swedenborg, que tinha pressuposto a vida nos planetas, mas, em vez disso, em pessoas para as quais a Lua era uma fonte de especulação. Blake deve ter pensado na associação de Flaxman com Josiah Wedgwood e os "lunáticos", cuja sociedade reunia-se em Birmingham na Lua Cheia e cujos membros pertenciam ao círculo crítico de Joseph Johnson. Entretanto, não posso deixar de pensar que Blake, nessa época, tinha suas próprias especulações lunáticas.

Alexander Dyce (1798-1869), amigo de longa data do "Pagão Inglês" Thomas Taylor, também conhecido como "Thomas Taylor, o Platonista" (1758-1835), reportou uma anedota em sua obra *Memórias* (c.1867-1869) a respeito de Blake e Taylor:

> Taylor, tão absurdo em muitos aspectos, estava sempre pronto para rir das estranhas fantasias alheias – por exemplo, daquelas semelhantes à de Blake, um homem de gênio artístico, mas meio louco. – "Diga-me, sr. Taylor", disse Blake, "você já se sentiu, por assim dizer, estando presente junto à vasta e luminosa orbe da Lua? – Não que eu me lembre, sr. Blake, e você? – Sim, frequentemente, e, nesses momentos, senti um desejo quase irresistível de atirar-me nela de cabeça. – Eu acho, sr. Blake, que é melhor você nunca ter se atirado, do contrário, é possível que você nunca mais conseguisse sair de lá".[71]

A poetisa e especialista em Blake, Kathleen Raine, escreveu em seu clássico *Blake e a Antiguidade* (1979) que, enquanto Blake escrevia *Uma Ilha na Lua*, em 1787, Taylor publicava sua primeira tradução *Sobre a Beleza*, de Plotino, seguida de sua tradução de *Hinos de Orfeu*. Não era apenas a filosofia neoplatônica que unia a mente dos dois homens: Taylor também era secretário assistente da Sociedade para Encorajamento das Artes, Manufaturas e Comércio (precursor da Sociedade Real das Artes) fundada por Shipley.

Talvez Blake estivesse tentando obter seu apoio – como professor de desenho, por exemplo – ou talvez o reconhecimento por seus

---

71. BR, p. 500; a partir de *The Reminiscences of Alexander Dyce*, ed. Prof. R.J. Schrader, 1972, p. 134-135.

experimentos em gravação e nos de Cumberland, o que logo levaria Blake a um novo método, reproduzindo textos iluminados.

Interesses técnicos devem ter dominado seus encontros, a julgar por uma entrada no livro de registro de William George Meredith (1804-1831), cujo tio, de mesmo nome, era benfeitor de Taylor:

> T. Taylor deu a Blake, o artista, algumas lições de matemática e ele chegou até a 5ª Proposição, q[u]e comprova que quaisquer dois ângulos na base de um triângulo isóscele devem ser iguais. Taylor estava concentrado na demonstração, mas foi interrompido por Blake, que exclamou: "Ah, não importa – para que comprovar, já que posso ver com meus olhos que é assim mesmo e isso não requer qualquer comprovação para que se torne mais claro?".[72]

E Blake gesticulava, certamente a título de efeito, sem dúvida, embora ele tivesse, é claro, lido profundamente as obras de Taylor. Taylor traduziu para o inglês vários clássicos gregos sobre neoplatonismo, como os de Jâmblico, Plotino, Proclo, Porfírio, Olimpiodoro e Apuleio de Madaura. Blake sentia-se à vontade no universo neoplatônico, pois ele partia do ponto de vista que o espírito é a realidade primária, e é a partir de uma devolução – como também de uma expressão – do espírito que o universo físico é concebido. Seguindo Platão, os neoplatônicos afirmavam que a verdadeira pátria da alma era ideal e espiritual.

A vida é o mergulho em uma reflexão inferior de formas eternas no fluxo da matéria cuja fonte pode ser vista pelo espírito (mente), mas não pela própria matéria. A natureza é cega para sua própria fonte e potencial; ela tateia no escuro metafórico. O mundo material existe na medida em que o mundo é percebido pelos sentidos, mas os sentidos, apesar de constituírem uma avenida da alma, transmitem, no entanto, uma visão da realidade "restrita" ou fatalmente limitada.

A essência da filosofia é transmitida em uma série de mitos, como o mito do Cupido e de Psique, do segundo século, ou *O Asno de Ouro* (ou *Metamorfoses*), de Apuleio. Visto que esta é fundamentalmente uma filosofia espiritual, embora nada falte em racionalidade de expressão ou de sequência lógica, entendendo que ela, na verdade, constitui

---

72. BR, p. 500; entrada em um livro de anotações em uma quarta-feira, 30 de dezembro de 1829.

experiência espiritual, porque a compreensão requer percepção espiritual. O espírito enxerga mais do que a Razão; ele conhece o que a razão desconhece.

A fim de manter e promover a consciência espiritual, os filósofos neoplatônicos favoreceram ritos sagrados e magia purificada para elevar a mente a um nível espiritual de receptividade. O Cristianismo recomenda atos de amor desinteressado para o mesmo fim, embora os rituais possam ajudar.

Vistas da mais alta perspectiva, as coisas naturais podem ter um valor sacramental, isto é, objetos naturais particulares podem ser tornados sagrados, quando "ligados" e elevados em visão em um nível espiritual – como o "pão" e "vinho" da eucaristia cristã. O amor humano também pode ser um sacramento desde que ele não se torne um "culto ao corpo" – isto é, desde que não se confunda o "veículo" (a carne) com o ser espiritual.

O problema da vida para as almas é que a vida material induz ao "sono" ou ao inconsciente, pelo qual a alma é atraída para o aperto viciante das forças naturais. As ideias tomadas emprestadas de Taylor influenciariam diretamente o livro de Blake, o *Livro de Thel*, que, de acordo com Kathleen Raine, ele começaria a escrever ao redor de 1787.

O paganismo espiritual de Taylor era apenas uma das ideias que atuavam no ambiente de Blake.

Nessa sátira, *Uma Ilha na Lua*, podemos ver uma gama de falastrões competindo pela dominação vangloriosa da mente em uma espécie de neblina embriagada e obscena, reminiscente de um desenho de Hogarth.

As personagens no burlesco de Blake podem ser especulativamente identificadas. Portanto, Taylor tinha sido visto, premeditadamente, como "Sipsop, o Pitagórico". "Gás Inflamável" deve representar o pintor Philip James de Loutherbourg (1740-1812).

Loutherbourg não era apenas famoso por fazer paisagens dramáticas – sua pintura dos fornos de Coalbrookdale (1801) tornou-se a própria imagem dos chamados "moinhos satânicos escuros" da Revolução Industrial – ele também inventou o *Eidophusikon*, uma "imagem mecânica da natureza" de seis por oito pés, que usava vidros coloridos e projetava a imagem para fascinar os olhos. Empregado por David Garrick, Loutherbourg era um *cenógrafo* de muito sucesso que se tornou membro da Academia Real em 1781. Em 1789, ele abraçou a alquimia e a mágica "Maçonaria Egípcia" de Cagliostro, campos que iriam também fascinar George Cumberland.

Por outro lado, "Gás Inflamável" – que fez o balão de Lunardi ascender – poderia ser o descobridor de gases, Joseph Priestley. Um travesti chamado "Sr. Femality" poderia ser Mademoiselle La Chevalière d'Eon Beaumont, que chegou a Londres em uma missão de Luís XVI, em novembro de 1785, causando um reboliço na área de Golden Square em seus trajes franceses que o rei francês ordenou que ele/ela vestisse. "Quid, o Cínico" provavelmente seja o próprio Blake. O cinismo, no entanto, não lhe era próprio: mais próprio seria representá-lo como "amargo".

O manuscrito *Uma Ilha na Lua*, começa bem auspiciosamente nos moldes estabelecidos por Jonathan Swift em *O Conto de uma Banheira*, *Viagens de Gulliver* e *A Proposta Mais Modesta*, no início do século:

> Na Lua, havia certa Ilha perto de um grande continente, cuja pequena ilha parecia ter alguma afinidade com a Inglaterra. & o mais extraordinário é que as pessoas de ambos os lugares são tão parecidas & sua linguagem tão semelhante a ponto de você imaginar estar entre seus amigos.[73]

Depois da introdução terrivelmente pontuda e farpada, estamos nos dirigindo rapidamente morro abaixo até onde o pensamento ocorre: "Você quer ser satírico, sr. Blake? Não desista do dia de trabalho". Um satírico é geralmente uma criatura que se esmera na sátira e vai além. O texto evidencia uma mente confusa. Blake até inclui no manuscrito, nas bocas de seus absurdos não personagens, três canções que somente encontrariam um lar decente em *Canções da Inocência e de Experiência*: "Quinta-feira Santa", "O Pequeno Garoto Perdido" e "Canções das Enfermeiras" (certamente um caso de pérolas antes dos porcos!), bem como um poema charmoso e sem título de W. B. Yeats batizado de "Antiga Hospitalidade Inglesa", que fala sobre o melhor da convivência na taverna inglesa, que deve ser um tributo às Armas do Rei na Poland Street, ou um lamento em relação a uma taverna visitada por Blake em sua juventude.

---

73. CCP, p. 449.

Talvez, na época, Blake tenha lamentado que seu poema verdadeiro nunca encontraria outro lar. Para ser gentil, podemos dizer que a amargura do autor é realmente um verniz de autoproteção, mas sentimos que Blake havia sido perturbado por um mundo que parece não ter lugar para ele, mas tão somente para expressões insensatas de mal amadurecida ciência e de insinceridade.

Blake estava esperando que algo acontecesse; tratava-se de algo a ver com a Lua, mas ele não sabia o que era. Em 1793, ele retomaria o tema da "Lua" em uma gravura extraordinária (nº 9) em seu *Para Crianças: os Portões do Paraíso*. Lá, vemos alguém a ponto de subir uma escada nos limites da Terra, cercado por estrelas brilhantes na noite, que iluminam todo o caminho que leva à Lua Crescente. A legenda diz, de modo aforístico: "Eu quero! Eu quero!".

Fôssemos nós ignorantes do tema Desejo, evidente nos livros de emblemas com os quais, sem dúvida, Blake estava familiarizado desde criança, seria impossível começarmos a entender o que Blake pensava que ele estivesse conseguindo por meio de um texto ostensivamente dedicado às crianças. Talvez a imagem não precise de nenhuma racionalização e apele diretamente para a imaginação, como de fato acontece.

A imagem de Blake e, especialmente, a legenda foram precedidos, conforme Marsha Keith Schuchard observou astutamente, por frases no livro de emblemas de Blake, *Não Existe Religião Natural* (1788): "Mais! Mais! É o choro de uma alma enganada, menos do que Tudo não pode satisfazer o Homem".[74] A imagem de Van Bolsvert de um anjo ou "Alma" acorrentada à Terra, incapaz de "ascender para Aquele Desejado, em *Pia Desideria* de Herman Hugo (1634), aparece para ser evocada no pequeno emblema de Blake em *Não Existe Religião Natural*. Nele, podemos ver um homem acorrentado. O texto de Blake que o acompanha é o seguinte: "Se alguém puder desejar o que ele é incapaz de possuir, o desespero será seu destino eterno".

A mística francesa Madame Jeanne-Marie Bouvier de la Motte Guyon (1648-1717) era uma escritora muito apreciada por Blake

---

74. Marsha Keith Schuchard, *William Blake's Sexual Path to Spiritual Vision*, Inner Traditions, Vermont, 2008, p. 128-131.

e pelo conde Zinzendorf. A edição de Madame Guyon dos emblemas de Hugo, *LÂme Amante de son Dieu, representée dans les Emblèmes de Hermannus Hugo* (1717; Paris, 1790), foi dedicada ao "interior cristão": "Senhor, todo o meu desejo é exposto aos seus olhos". A menos que os fiéis primeiramente se tornem como crianças pequenas diante de Deus, seus desejos ardentes da união com Jesus, "Le Désiré" (o Desejado), será em vão. Blake se referiria à Madame Guyon no poema *Jerusalém* como uma das "almas gentis que guiam o grande lagar do Amor". Essa era uma direção mais saudável para Blake tomar do que a ensaiada sátira "sagaz, sagaz" de *Uma Ilha na Lua*. Dessa forma, é realmente possível alcançar aquela "orbe luminosa". Acredito poder ver Blake lutando por seu mecanismo interno de sobrevivência, tentando encontrar um caminho através do desespero da rejeição. Aquele zero vazio por volta dos anos 1786-1787 começa a parecer cheio de possibilidades.

Um evento que marcou Blake por toda a vida foi a morte de seu amado irmão Robert, em fevereiro de 1787. Robert tinha apenas 25 anos quando foi acometido pela tuberculose. Blake ficou 15 dias cuidando desse seu irmão que ele ensinara a desenhar e cuja companhia ele adorava. De acordo com a sra. Blake, que confirmou a história para John Linnell, quando Robert morreu, Blake viu seu espírito liberado erguer-se, batendo palmas de alegria. Blake então dormiu por três dias e três noites. Ele disse que manteria a comunicação espiritual com seu irmão que partiu e viu em imaginação, e quem, notavelmente, o inspirou no segredo da impressão iluminada a qual mudaria sua arte (de Blake) para sempre. A perda de seu querido irmão levava a mente de Blake a um poderoso desejo de união com Deus, um intenso desejo de compreender os caminhos do espírito e a natureza de sua vida.

Parece ter sido por volta dessa época que Blake começou a ler as obras de Emanuel Swedenborg, cuja visão de um mundo celeste finalmente aberto à percepção humana significava muito para quem ansiava por uma clareza espiritual e alívio para um luto profundo.

Swedenborg, ele próprio, havia trilhado o caminho do cientista e procurara vida na Lua. Graduado na Uppsala University, ele foi para a Inglaterra em 1710, onde se interessou particularmente pelos trabalhos do fundador da Academia Real, Rt. Rev. John Wilkins (1614-1672).

O bibliotecário de Uppsala, Eric Benzelius, havia apresentado Swedenborg à Kabbalah. Swedenborg ficou contente por descobrir que o polímato Wilkins também apreciava a Kabbalah, considerando essa tradição interpretativa como o conhecimento relativo ao que "Adão teve em sua Inocência" – isto é, no Paraíso. Isso Swedenborg encontrou em *Obras Filosóficas e Matemáticas de Wilkins,* do próprio, publicado em 1708, uma coleção que também incluía a *Magia Matemática,* de Wilkins (que mostrava as maravilhas que poderiam ser realizadas com a matemática e a geometria), inicialmente publicada em 1648, e *A DESCOBERTA DE DE UM MUNDO NA LUA, OU UM DISCURSO Tendendo a PROVAR que é provável que deva ter havido outro Mundo habitável naquele Planeta,*[75] publicado em 1638.

Depois de uma série de impressionantes visões que começaram no final de semana da Páscoa de 1744, Swedenborg percebeu que ele podia deixar seus espetáculos científicos à parte e voar para a Lua na carruagem de seu espírito.

Suspeito fortemente que não era apenas Swedenborg que lia os pensamentos de Wilkins, conforme citado. Não há dúvida de que Blake também leu a obra tanto do conceito do título de sua sátira privada sobre vacuidades científicas quanto do fato de que Wilkins era também autor de outra obra, uma que Blake sem dúvida teria odiado, mesmo que estivesse compelido a lê-la: *Princípios e Deveres da Religião Natural,* de Wilkins (1722, 2 volumes, 8ª edição).

Na página 208 da primeira edição de *A Descoberta de um Mundo na Lua,* Wilkins escreve:

> Kepler não duvida, mas, assim que a arte de voar for descoberta, alguns de sua nação construirão uma das primeiras colônias que habitarão esse outro mundo [Blake havia recentemente testemunhado o primeiro voo do balão de ar quente na Inglaterra]. Mas deixo isso e as conjecturas para a interpretação do leitor. Desejando agora encerrar este Discurso pelo qual, de certa forma, já comprovei o que logo no começo da obra eu prometi, um mundo na Lua.

---

75. London, editado por EG para Michael Sparke e Edward Forrest, 1638.

Wilkins acrescentou uma série de propostas para apoiar seu caso: "Prop. 2. Que uma pluralidade de mundos não contradiz qualquer princípio da razão ou da fé..."; "Prop. 6. Que existe um mundo na Lua, tem sido a opinião direta de muitas autoridades antigas ..."; "Prop. 3. Que os céus não consistem de uma matéria pura qualquer que possa privilegiá-los quanto à mudança e à corrupção aos quais esses corpos inferiores estão sujeitos"; "Prop. 11. Assim com esse mundo deles é nossa Lua, assim também nosso mundo é a Lua deles"; "Prop. 13. É provável que haja habitantes nesse outro Mundo, mas de que tipo eles são, é incerto".

A sátira de Blake tende a resolver a questão da Proposição 13. A incerteza é característica dos habitantes de *Uma Ilha na Lua*, de Blake. Contra sua incerteza científica perene, Blake recorre às suas "setas do desejo" e descobre que pode diretamente atirar para a Lua.

Esse *Desejo leva à fruição*, se a meta se mantiver estável e inquebrantável, a um princípio chave da obra filosófica mais importante de Blake, *O Casamento do Céu e do Inferno*, possivelmente iniciada em 1790. *O que pode ser concebido torna-se realidade*. Isso é *Imaginação*, não Razão, a primeira Causa Prática da vontade essencial do homem. A razão sabe apenas o que já foi concebido e está sempre pronta para negar o que é "apenas imaginado". Portanto, a Razão inibe o Desejo. O Desejo não nasce da Razão, mas de uma união preexistente que foi ocultada ou cortada. É por isso que a inscrição que está abaixo na gravura nº 9, *For Children: The Gates of Paradise* (Para Crianças: Os Portais do Paraíso) diz: "Eu quero! Eu quero!", com a presença de uma escada para a Lua.

A vida está no Pensamento e não na demonstração. A ciência foi mutilada até estar preparada para abrir seus olhos aos mundos interiores do pensamento, da eternidade. E isso é o que Blake sabia que a Arte podia fazer, enquanto *sir* Joshua e o conjunto de pessoas espertas queriam retratos de si mesmos e de seus jardins arrumados para enfeitar seus matematicamente restritos túmulos.

O Livro de Thel

Os acadêmicos não têm certeza quanto à data da composição do *Livro de Thel*. O texto, completamente iluminado, é geralmente datado entre 1789 e 1791, data estimada com base em sua aparência mais sofisticada do que a primeira experiência de Blake com um novo método de gravação, que ele começou a aperfeiçoar algum tempo depois da morte de Robert Blake, em 1787. Kathleen Raine datou a composição em versos do *Livro de Thel* naquele ano, o ano que parece ser o mais provável em que Blake pensou ter se encantado, e talvez desafiado, pela exposição às traduções de Thomas Talor de *Sobre a Beleza*, de Plotino, e o primeiro *Hino de Orfeu*. Será que encontraremos o que estamos procurando fora do espaço planetário? Veremos. O *Livro de Thel* é uma fantasia branda, aguada e Spenceriana que, por meio de uma linda lamentação, explora a pergunta: "Por que descer na experiência terrestre de miséria, anseio, sono, prazeres fantasmas e decadência, quando a alma está mais à vontade nos mundos de eternidade?"

O que é a natureza do desejo da alma?

Thel é sobre desejo e vontade. O nome "Thel" é a raiz do grego "Thelema", que significa "Vontade", bem como de outras palavras que dizem respeito ao desejo, encanto, encantamento. O infinitivo "Desejar" é o substantivo de "o desejo" transformado em um verbo, isto é, em ação: a energia de agir é Desejo. Mas, à medida que a história de Blake se desenrola, podemos ver o conflito espiritual dentro do próprio Desejo: o papel do corpo tornar-se-á a grande questão do trabalho de Blake que o levará próximo à insanidade.

Fortes influências no poema parecem ser as do *Rainha das Fadas*, de Spenser, e da narrativa de Porfírio da *Caverna das Ninfas* que, no terceiro século, o neoplatônico encontrou na narrativa de Homero, a *Odisseia*. Em Spenser, as almas esperam pelo nascimento no Jardim de Adônis; em Blake, pelo rio de Adona. Adônis era o belo rapaz da mitologia grega que deveria ser sacrificado. Thel é uma alma linda; e, se ela se mantém no mundo de baixo, ela deve morrer. A água está em toda parte no poema de Blake. Isso porque, no neoplatonismo, a água é o símbolo da matéria, sempre em fluxo, nunca verdadeiramente sólida. Para "atravessar o rio", deve-se estar preso em cativeiro para o "mar do tempo e do espaço", um grande deserto para a alma, onde, paradoxalmente, falta a "água da vida", da qual a alma precisa para viver. O mundo material é, do ponto de vista espiritual, sem sabor, e é, ele mesmo, incapaz de saborear a verdade.

Na Parte IV, o "formidável porteiro" abre o bar do norte para Thel, que, entrando, vê os "leitos da morte" da "terra desconhecida" – desconhecida para ela, muito conhecida por nós. Ela é uma estranha para o mundo gerado, uma estranha para "uma terra de dor e lágrimas", uma "terra de nuvens através de vales escuros". Esse homem-portal para a vida mortal aproveita o mesmo "portão norte" que permite a entrada das almas na "Caverna das Ninfas", na narrativa de Porfírio, as ninfas sendo tecelãs de carne: a cortina que esconde e, então, sufoca a alma.

Em *Thel*, uma voz vinda da cova, ou da sepultura, pergunta: "Por que essa suave restrição sobre o jovem menino incinerado! Por que uma pequena cortina de carne na cama de nosso desejo?". As perguntas parecem ser lamentos de alguma inocência sexual perdida, o que elas realmente são. Mas foi o corpo que roubou os amantes de seu verdadeiro Desejo, separou-os da mais alta e feliz união celeste. Parece-nos uma doutrina rígida ou impossível que está sendo sugerida: que os objetos de nosso desejo possam ser mortais, destruindo tudo o que prometem.

O mundo material é um de deterioração e a umidade acelera a decomposição, que reduz o corpo, uma vez feliz, para uma borra dentro de um caixão de chumbo.

Antes de Thel ser confrontada com a cova, ela faz perguntas sobre coisas vivas que parecem tão bonitas, até mesmo humildes, nesse mundo. Ela pergunta ao Lírio do Vale, a uma nuvem, a uma larva, a um humilde "Torrão de Argila". A providência oferece ao torrão de argila e à larva tudo o que eles precisam na cova e eles são gratos. Eles tentam persuadir Thel a juntar-se ali com eles, mas, ao ouvir um terrível lamento – a voz da cova –, a Virgem Thel levanta-se assustada e, "com um grito", volta para sua casa nos "vales de Har". Ou, como Plotino teria recomendado fazer, Thel volta para a "deleitosa terra" do Pai, de onde tinha vindo para esse mundo de decadência, anseio e tristeza.

E aí podemos pensar que Blake possa ter então contemplado o suicídio. Talvez ele o tenha contemplado, mas ele sabia que ainda não havia esgotado o tema e que as perguntas feitas sobre Thel não foram realmente respondidas, sendo excessivamente terríveis para ser contempladas sozinhas. Além disso, a poesia de Thel era verdadeiramente bonita, bem melhor do que qualquer outra em *Esboços Poéticos,* e por acaso não haveria outras mais por vir? Render-se-ia Blake antes mesmo que sua vida tivesse realmente começado? E, além disso, Thel estava apenas contemplando a entrada em uma vida geradora; Blake e sua esposa estavam se sentindo bem na metade de suas vidas. Encontrar um caminho *através dessa vida é que* era o real problema.

"O Pequeno Garoto Negro"

Algum tempo depois de 1784, Blake escreveu o notável poema "O Pequeno Garoto Negro", para ser unido às *Canções da Inocência,* por volta de 1789. Por conta de sua combinação ousada de temas a respeito do véu que é carne e o comércio de escravos, para mim, pareceria ser um produto de contemplação sobre os eventos históricos de 1787.

> Assim minha mãe disse e me beijou,
> E assim eu digo ao pequeno menino inglês.
> Quando eu da negra e ele da branca nuvem livre,
> E em volta da tenda de Deus, como cordeiros, nos alegramos:
>
> Protegê-lo-ei do calor até ele poder suportar,
> Para repousar, alegre, sobre os joelhos de nosso pai.
> E então levantarei e acariciarei seu cabelo prateado,
> E serei como ele, e ele então me amará.

A "nuvem" é uma imagem gnóstica do corpo. Não era uma "nuvem" que teria removido Jesus da visão dos apóstolos quando Ele ascendeu aos céus? (Atos, 1:9) O que é que inibe o dono do escravo de enxergar *O Pequeno Menino Negro* como um filho de Deus, tal como ele?

Em Londres, em 1787, inspirado pela campanha pioneira de antiescravidão de Granville Sharp, o reverendo Thomas Clarkson formou o Comitê para Abolição do Comércio Escravo, com William Wilberforce como representante parlamentar.

Um dos negros pobres que se associaram à causa de Clarkson era o antigo escravo Ottobah Cugoana que, em 1787, publicou suas memórias. Levado para a América quando criança, ele foi libertado como servidor na Inglaterra. Cugoana aconselhou a Grã-Bretanha a enviar um navio para as Índias para pôr um fim à escravidão. No oeste da África, no entanto, o inglês James Weaver, fundador da "Província da Liberdade", no Estuário de Serra Leoa, adotou a constituição de Granville Sharp, sendo eleito governador dos colonos escravos livres.

Se Blake tivesse terminado seu poema em 1787, ele teria vencido o brilhante poeta William Cowper por um ano, o qual, recuperando-se de uma doença mental, em 1788, foi contratado pelo Comitê para a Abolição do Comércio Escravo para escrever o altamente efetivo "A Reivindicação dos Negros", que permite uma comparação com a obra (então completamente desconhecida) de Blake:

> Ainda em pensamento, tão livre como nunca,
> O que são os direitos ingleses, eu pergunto,
> Eu, dos meus prazeres a cortar,
> Eu a torturar, eu a trabalhar?
> Cachos espessos e tez negra
> Impossível é fugir à reclamação da natureza;
> As peles podem diferir, mas a afeição
> Reside igual no preto e no branco.

O poema de Blake é mais inspirador, e realmente atinge "a flor da pele". Poderia parecer que tenha sido uma distração da parte de Joseph Johnson por não ter recomendado a poesia de Blake ao Comitê para a Abolição do Comércio Escravo. Era, afinal de contas, Johnson que tinha publicado o extraordinário poema de versos brancos na obra de seis volumes *The Task* (1785), de Cowper, seguido logo pela segunda edição de *Poemas*, de Cowper, em dois volumes. Blake veria mais coisas de Johnson em 1787, uma vez que Flaxman tinha partido para a Itália, para quem Blake escreveria um poema em setembro de 1800: "Quando Flaxman foi levado para a Itália, Fuseli foi-me dado por uma temporada".[76] E Fuseli, como notamos, era um bom amigo de Johnson e um membro do círculo que incluía Priestley, Tom Paine, Godwin, Wollstonecraft e o dr. Erasmus Darwin. Sendo de certa forma mais capaz de ganhar a atenção de Fuseli em 1787 e depois, isso marcaria uma mudança definitiva no destino de Blake, assim como uma forte energização de seu senso de liberdade espiritual e

---

76. *LETTERS*, p. 19-20; de Blake para John Flaxman, 12 de setembro de 1800.

criativa. Fuseli não viu nenhuma razão por que um artista não deveria trabalhar inteiramente da imaginação, já que a pintura era tão dramática quanto a arte imitativa.

Na frente política europeia, as sementes foram plantadas para o que iria eclodir em dois anos sob o nome de Revolução Francesa. Em 20 de agosto de 1786, o general Alexandre de Calonne anunciou um *deficit* estimado em 800 millhões de libras (grande parte usada para apoiar a Guerra da Independência Americana), o que iria logo levar a França à falência. De Calonne propôs um imposto territorial universal – rejeitado pelos Estados Gerais em 30 de julho de 1787. Um mês depois, Luís XVI decretava o fechamento do parlamento. A Grã-Bretanha, a Prússia e os Países Baixos aliaram-se contra a França e a Áustria. Forçado a chamar novamente o parlamento em setembro, Luís XVI concedeu *status* civil aos protestantes. Porém, as novas libertações não eram concedidas a todos.

Ao mesmo tempo em que a Convenção da Filadélfia publicava uma Constituição para os Estados Unidos, o Congresso planejava a colonização das Índias e o "Decreto Noroeste" previa até cinco novos estados ao longo do Rio Ohio.

No dia antes da Véspera do Natal, em 1787, o comandante lugar-tenente William Bligh, de 33 anos, ordenou o navio britânico H.M.S. Bounty que ancorasse no Taiti. Teriam eles encontrado ali o Paraíso?

Capítulo 10

Rumo à Nova Jerusalém – 1788

Dizem, às vezes, que as principais ideias de William Blake eram muito peculiares, um erro evidente que vinha da relação passada de Blake com Emanuel Swedenborg. Para poder entender esse relacionamento, precisamos ver um quadro maior. O que estava acontecendo ao redor de Blake em 1788-1789, quando seu entusiasmo por Swedenborg alcançou níveis altíssimos?

Em 6 de junho de 1788, enquanto Blake morava em Poland Street, absorto com os escritos e na criação da região iluminada e cheia de energia do livro *Todas as Religiões São Uma*, o reverendo Ralph Churton recebia a nomeação de bispo de Londres e era encarregado de pregar um sermão em novembro, na Capela Real de Sua Majestade, Whitehall.

Membro da Faculdade de Brasenose, Oxford, Churton conhecia o dr. Richard Chandler desde as primeiras contribuições para suas pesquisas em c. 1774. Chandler chefiava a turnê Grécia-Jônia de 1764-1766 acompanhado por William Pars e Nicholas Revett "Dilettanti". O próprio Churton era agora um membro respeitado do estabelecimento antiquário britânico. Em 1795, ele publicaria *Uma Breve Defesa da Igreja da Inglaterra*,[77] um trabalho que inspirou o amigo de Chandler, Richard Gough, a escrever para Churton: "Eu olho para você como um capaz Campeão da Causa Protestante que, com Candura e Serenidade, detecta todos os artifícios e tramoias

---
[77]. Editado por Fletcher & Hanwell, Oxford, 1795.

empregadas por seus antagonistas".⁷⁸ Gough, então, pediu a Churton para aplicar seus estudos sobre Profecia para "ver o que podia ser conseguido das correntes aparências a fim de descobrir eventos futuros ou em progresso". Nesse período, todos os pensadores estavam interessados em profecias. Richard Gough era, é claro, o antiquário responsável pelos desenhos de Blake na abadia de Westminster, uma missão fecunda para a obra-prima ainda em progresso de Gough, *Monumentos Sepulcrais*.

Foi a reputação de Churton como um defensor erudito da Igreja da Inglaterra que provocou a seguinte carta, enviada a ele, em 15 de maio de 1799, por Charles Baldwyn, um vendedor de livros de Manchester:

> Eu agora lhe escrevo a respeito do sr. Clowes, reitor da igreja de St. John, Manchester [...] ele foi reitor de uma das nossas igrejas durante 29 anos e pregador: um seguidor das opiniões do sr. Law, em concordância com Jacob Behmen [William Law publicou os trabalhos de Jacob Boehme, em quatro volumes, em 1764, incluindo as gravuras de Dionysius Freher, muito admiradas por William Blake]: e desde então e até o presente momento, do barão Swedenborg; O sr. Law está, nesse exato momento, publicando as *Obras* de Swedenborg; e que os quatro supracitados sermões do sr. Bower⁷⁹ (em Timóteo I 3:9 [contra a pregação enganosa]) foram pregados em sua Igreja contra ele, em sua ausência. Eu agora estou fazendo do sr. Clowes um exemplo público – por essa razão seguindo.

> A cidade de Manchester tinha sido perturbada com sua falsa doutrina antes do verão de 1783. Que alguém, embora fosse eu mesmo, tinha enviado para Beilby Porteus, o bispo de Chester, uma carta manuscrita, e panfletos impressos acusando Clowes do mesmo: em consequência disso, Porteus sentiu-se forçado, a contragosto, a

---

78. *LETTERS*: de Richard Gough para Ralph Churton, 8 de março de 1797, *Churton Papers*, cartas B33 a D79.
79. Colega de Ralph Churton: George Buckly Bower entrou na Faculdade Brasenose em 1764; Companheiro, 1769; Reitor de Great Billing, Northamptonshire, 1787; morto em 1800.

convocar Clowes para aparecer diante dele: ele realmente apareceu diante dele: e o bispo o enviou de volta com uma carta, em que havia estas, ou algumas palavras parecidas: "Dê meus cumprimentos a Baldwyn e diga a ele que o sr. Clowes se compareceu diante de mim com tal modéstia, gentileza, e condescendência; e prometeu que ele não irá no futuro ofender ninguém". Essa carta foi lida para mim em 12 de novembro de 1783: além disso, também, diz o bispo Porteus, eu tenho certeza de que Baldwyn deve ser o autor do que eu recebi a respeito de Clowes. – o bispo, então, definiu Clowes como um exemplo para o resto de nosso clero, 20 em número total. Agora, sob a sanção do bispo Porteus; Clowes tem publicado nesses 15,5 anos e meio: tem sido o chefe e o instrumento, ao dar uma palestra quinta-feira, aqui, e pregou por 80 minutos a Introdução número um: e a imprimiu: ultimamente, ele a imprimiu novamente em uma segunda edição: e várias outras coisas além disso...[80]

A resposta de Churton não foi preservada. Suas mãos, de qualquer modo, estavam atadas, do mesmo modo como estava o mesmo bispo Beilby Porteus, que exonerou Clowes e que nomeou Churton Whitehall como pregador em 1788! Para Churton, a satisfação do bispo era suficiente até na obediência. No entanto, Churton iria sinceramente lamentar qualquer movimento que colocasse os membros da Igreja da Inglaterra em campos opostos; ele constantemente orava por aqueles que "se enganavam" em seitas, para retornar ao que eles acreditavam ser a organização mais pura da religião de Cristo no mundo. E, em 1788, apesar da influência de Clowes frequentando as palestras swedenborguianas em direção a uma "Nova Igreja" distinta, ou "Igreja da Nova Jerusalém", ela progredia a todo vapor naquele ano.

Esse era o contexto confuso em que o anglicano William Blake, "inflamado" pelas visões de Swedenborg, encontrou para si mesmo.

Na época em que o entusiasmo de Blake para com o cientista e visionário sueco alcançava as alturas, o reverendo John Clowes

---

80. *Churton Papers*; transcrições 1799-1801.

(1743-1831) era provavelmente o swedenborguiano mais importante da Grã-Bretanha, tendo seguido o caminho literário-espiritual comum a um bom número de pensadores intelectuais espirituais que experimentaram as tensões com a Igreja estabelecida. Profundamente estimulado, como John Wesley e Samuel Johnson tinham sido, pela Perfeição Cristã, de William Law, e outros místicos ingleses, alemães e franceses – incluindo o onipresente Boehme –, Clowes foi até Swedenborg, com 30 anos, por meio de sua amizade com reverendo Thomas Hartley, reitor de Winwick, Northamptonshire, o primeiro tradutor para o inglês de Swedenborg.

Apoiado no fundamento de Hartley, Clowes traduziu *A Verdadeira Religião Cristã,* de Swedenborg ("True Christian Religion", 2 volumes, 1781), depois o *Arcana Coelestia* ("Heavenly Mysteries", 12 volumes, 1782-1806), *De Telluribus in Mundo Nostro Solari...* ("Concerning the Earths in our Solar System that are called Planets", 1787), *Amor Conjugalis* ("Conjugal Love", 1792) e *Doctrina Vitae pro Nova Hierosolyma* ("Doctrines of Life for the New Jerusalem").

O próprio Blake referiu-se a uma tradução de Clowes quando, em 1787, anotou *Um Tratado sobre o Céu e o Inferno, e as Suas Coisas Maravilhosas,* um panfleto de Swedenborg traduzido por Hartley e William Cookworthy (R. Hindmarsh, Londres, 1784). Blake tomou nota para si mesmo: "Veja N73, Palavras no Universo. Para o relato dos Espíritos Instrutores". Isto é, uma nota para comparar o texto em consideração com o relato de Swedenborg dos Espíritos-Instrutores sobre o sistema solar, no panfleto nº 73.

O Panfleto nº 73 era a tradução de Clowes de *Das Terras no Universo e de Seus Habitantes* (Manchester, 1787), um trabalho que mostrava claramente que Swedenborg tinha sido inspirado por *A Descoberta de um Mundo na Lua* (1638; veja Capítulo Nove, p. 177).

A obra de Clowes também causou um forte impacto sobre o amigo de Blake, John Flaxman.

Para marcar o 50º aniversário da indução de Clowes em St. John, Manchester (1818), uma placa comemorativa em baixo-relevo foi encomendada para a igreja; Flaxman foi o escultor.

Perguntar o que Blake tirou de lição de sua imersão nas visões interiores e viagens fantásticas extraterrstres (embora igualmente interiores) de Swedenborg é uma questão difícil de se responder. Blake, sendo Blake, considerar-se-ia uma companhia espiritual de Swedenborg, não como um seu aluno.

Em primeiro lugar, Blake experimentou aquela sensação agradável de confirmação de suas convicções interiores que os próprios companheiros comuns raramente forneceriam – uma necessidade que seria preenchida mais provavelmente por meio de páginas impressas do que dentro de uma taverna. Blake tinha encontrado um amigo espiritual. No entanto, ele teria de lidar com algum desconforto ao descobrir não estar sozinho em sua admiração. Inevitavelmente, ele divergiria de qualquer outro sistema construído em torno do pensamento de Swedenborg. Interiormente, Blake foi um solitário, e ele poderia ser profundamente cínico também. Essa mesma solidão certamente incentivava Blake a encontrar diferenças entre seus próprios pontos de vista e os de Swedenborg, bem como motivos para críticas sobre os fundamentos das crenças deste último. No futuro, ele viria a saber que haveria tempos em que ele teria Swedenborg em alta estima e outros momentos em que ele o repudiaria por estar também vinculado a doutrinas protestantes convencionais e à vontade de racionalizar o que, por si só, ele não conseguia compreender ou expressar. Mas acredito que Blake reconhecia um companheiro de viagem quando via um.

Swedenborg ficou famoso por uma doutrina de "correspondências". Ele via o mundo físico como um escoamento das causas espirituais. As leis da natureza refletiam as leis espirituais. Tudo o que se vê no mundo é a imagem de uma contraparte ou princípio celestial. O céu e a terra estão intimamente ligados. Correspondências semelhantes aplicam-se às ações. A felicidade sexual de um casal devoto também é registrada no céu. É como Blake se expressaria: "Deus está tanto nos menores efeitos quanto nas maiores causas".

Blake costumava ver os eventos ou imagens de pelo menos *duas maneiras* diferentes: a imagem "vegetal", que ele via *com* os olhos, e o significado espiritual – também expresso por uma imagem – que ele via *através* dos olhos. O olho físico vê algo concreto e perceptível, com base nos dados dos sentidos que foram condicionados pelo tempo e pelo espaço. O olho espiritual percebe um sinal. E o sinal nos obriga a ver um objeto através de seu significado. O trabalho do poeta, como Coleridge afirmaria, era o de "separar a alma do fato". Assim, qualquer coisa que obstruísse o caminho de Blake poderia ser tanto uma plantinha quanto uma horda de inimigos espirituais ali enviados para testá-lo. Então, graças aos seus poderes imaginativos, por serem muito desenvolvidos, ele poderia ver seus inimigos espirituais como imagens. Sendo de origem espiritual, o sinal garantiria a realidade da visão. Por outro lado, um camponês dizendo casualmente "A porta está aberta" poderia configurar um anúncio feliz de um anjo, encorajando Blake para uma nova fase da vida que tinha iniciado. E há, é claro, a famosa conversa de Blake com um interlocutor iluminado, que lhe perguntou: "Por que, sr. Blake, quando você vê o sol nascer, você não vê um disco vermelho, como um guinéu de ouro, no céu?". Ao que Blake respondeu: "Oh!, não, oh!, não! Eu vejo o Senhor Deus Todo-Poderoso e toda as hostes do céu clamando 'Santo, santo, santo é o Senhor Deus Todo-Poderoso'".

Além disso, essa não foi uma doutrina exclusiva de Blake, tanto a história quanto os acontecimentos históricos estavam abertos para ser interpretados como sinais. Portanto, Blake achou que poderia escrever um relato poético sobre as Revoluções Americana ou Francesa, por exemplo, e chamá-las de "profecias": arautos da experiência divina de visão. Esse uso da palavra "profecia" por Blake é muitas vezes incompreendido. Por exemplo, "América: uma Profecia" não significa uma coleção de profecias sobre o tema América, ou profecias sobre a América. Aqueles que buscam esse significado, procurarão em vão. Blake queria transmitir que aquilo que vira acontecendo na América era em si mesmo um sinal e dizer isso era profetizar. O estado da "América" por si só já era uma profecia flagrante para aqueles que pudessem enxergar. O que aconteceu ali iria ocorrer em outros lugares, como se fosse um princípio espiritual anunciado. A América liberta era o sinal de uma Nova Era, mais uma pedra no edifício da Jerusalém celeste que iria transformar a natureza em espírito – ao contrário do materialismo, que prometia exatamente o contrário. Como os iluministas franceses que se reuniram em torno das obras de Martinès de Pasqually, Antoine-Joseph Pernety e Louis-Claude de St. Martin pensaram, a "mera" história era uma massa confusa de eventos externos; a história real, por outro lado, era o movimento do espírito, expressando-se no tempo e no espaço. O mesmo pode ser dito sobre como Blake tratou a "Revolução Francesa". Sua versão da história é *sub specie aeternitatis* (a partir de uma visão eterna). A partir dessa perspectiva, os produtos da mídia do jornalismo são praticamente sem sentido.

Agora, devemos dizer que Swedenborg não inventou a teoria das correspondências, nem tampouco foi Blake. Essa ideia remonta, no mínimo, às tradições mágicas e astrológicas medievais inspiradas nos trabalhos atribuídos a Hermes Trismegisto (*Corpus Hermeticum*). Note, por exemplo, a máxima *mundus imago dei*, atribuída ao sábio Hermes, em *Asclépio* em latim: "o mundo é a imagem de Deus". Aí está a correspondência. O pecado hermético, *par excellence*, é a devoção ao corpo (ou a identificação com o falso *eu* encarnado, ou "ego").

A devoção ao corpo implica ser enganado na visão corpórea, o olho vegetal ou, apaixonar-se pelo Homem Natural, que é apenas uma imagem do real – o que Blake chama de "Gênio Poético – refletida nas águas da Natureza. Blake acreditava que a visão corporal levava a uma guerra corpórea. É por isso que, nos versos agora famosos, ele defendeu o compromisso incessante com a "Luta Mental" e não com a guerra corpórea. Lutas corpóreas só mudam as aparências, deixando sem solução os conflitos espirituais fundamentais e causais.

Ignorar os dons do espírito é ignorar a voz de Deus; o resultado é tornar-se um escravo da história, um ator passivo cujos atos não passam de poeira: um tolo vazio que deposita sua riqueza em um castelo de cartas construído sobre areia. Nossa cultura atual está justamente nessa posição. É por isso que precisamos prestar atenção em nosso Blake e chegar a compreendê-lo bem.

Além disso, a doutrina da correspondência é fundamental para a filosofia alquímica de Paracelso que tanto influenciou Jacob Boehme. O conhecimento de Paracelso e de Boehme levaria Blake a declarar, quando ele emergiu do entusiasmo inicial em relação a Swedenborg, que qualquer um poderia construir um sistema de conhecimento como o de Swedenborg a partir desses dois sábios citados acima e da Bíblia. Bem, provavelmente, foi mais ou menos neles que Swedenborg se baseou. E assim também fez Blake. Ele havia encontrado os gigantes Paracelso e Boehme antes da Guerra Americana, o que citou em um poema para Flaxman em 1800.

Havia também uma espécie de comichão no ego de Swedenborg. Ele havia declarado que a abertura do mundo celestial para o Homem, como prefácio à espiritualização do Cosmos, profetizado no livro do Apocalipse, tinha de fato ocorrido, em termos terrestres, no ano de 1757: o ano do nascimento de Blake que, portanto, poderia ser considerado um sinal. Blake era, literalmente, uma Criança da Nova Era, e ele estava consciente, bem mais, acredito, depois de seu 30º aniversário, de que ele tinha um papel, ordenado por Deus, a desempenhar como artista, poeta e profeta nessa Nova Era, de tal forma que o fato de zombar do seu dom mental era zombar de Doador de *todos* os dons espirituais. A rejeição a Blake seria então considerada um sinal, um juízo, enquanto ele próprio, apesar de todas as aparências, ficou com sua raiz e âncora na eternidade, inabalável.

Havia ainda outra dimensão ao dualismo visionário de Swedenborg que poderia causar em Blake uma boa dose de conflito interno e de dificuldade conjugal.

Assim como acontece na história, assim também acontece nas Escrituras: de acordo com Swedenborg, por trás das declarações literais da Bíblia, há um significado espiritual que pode brotar em um espírito receptivo para servir como intérprete do "mero" texto. A Bíblia contém a verdade oculta: "que, vendo, eles vejam e não percebam; e ouvindo, ouçam, e não compreendam" (Marcos 4:12). A graça para penetrar os mistérios do reino dos céus era o dom exclusivo d'Aquele que enviou Jesus. Essa foi a abordagem de Swedenborg sobre a Bíblia e podemos dizer que também foi a de Blake, embora a capacidade visionária inata e desenvolvida de Blake tenha sido sempre propensa a ver a Bíblia de forma diferente daquelas das mentes mais literais, sem imaginação, excessivamente acadêmicas e não espirituais. Blake foi especialmente contrário às pessoas que pensavam que a Bíblia precisasse conformar-se à razão, a fim de ser confiável. Essa foi a suposição que levou Thomas Jefferson a cortar o Novo Testamento em pedaços para satisfazer seus interesses e fez Joseph Priestley imaginar-se um padre de verdade.

Blake entendia que a Bíblia é uma obra que apela à imaginação em primeiro lugar e é, portanto, acessível às crianças e aos ignorantes em seu significado essencial. Infelizmente, como veremos, o grupo daqueles que se reuniram em torno da bandeira de Swedenborg, que surgiu em Londres ao final dos anos 1780-1790, incluía pessoas de diferentes níveis de percepção, e Blake sabia que essa diversidade de capacidades era o que tornava as seitas tão sectárias e o que o manteria na ampla Igreja Inglesa até o fim.

Blake estava ciente de que os acontecimentos que se desenrolavam na França em 1788 eram sinais, com mensagens transcendentes para a Nova Era. E ele as seguiu da melhor maneira possível, como veremos. Nesse meio-tempo, o ano de 1788 presenciou o surgimento mudo de uma obra extraordinária impressa a partir de uma série de placas de cobre requintados de apenas 2 x 2 ½ polegadas de tamanho. Ela foi chamada TODAS AS RELIGIÕES são UMA/NÃO há NENHUMA RELIGIÃO NATURAL, e isso é positivamente brilhante.

O texto e os emblemas foram produzidos por decapagem – ou seja, o desenho principal é feito por cima do cobre com uma substância resistente ao ácido; depois, a placa recebe um banho de um líquido ácido (*aqua fortis*) que queima uma camada do cobre, deixando as letras "gravadas" e os desenhos em relevo, e sobre eles a tinta é então aplicada e as impressões retiradas das placas.

Aliás, esse processo deu a Blake uma metáfora sobre como teria sido o método pelo qual ele tinha lido a Bíblia. Ele disse que a leu no "sentido infernal", pelo qual, dizia, a superfície do materialismo foi queimada pelo "inferno" de fogo do ácido, para revelar a substância essencial. A visão positiva do "inferno", expressando indignação paternal, ele tomou emprestada da teosofia cristã radical de Jacob Boehme, que Blake entendia e usava com grande efeito e, não raro, alguma consternação. Frederick Tatham não foi o primeiro nem o último a ver a palavra "infernal" e pensar no "Demônio e todas as suas obras", no sentido convencional ou não iniciado.

Em 24 parágrafos concisos e muito curtos, a maioria com não mais do que uma única frase, William Blake demoliu o sistema materialista de seus fantasmas, "Bacon, Newton e Locke", e a tradição de 150 anos de uma "religião natural" em conformidade com a razão comum. As críticas positivas de Blake são secas, mas extremamente precisas; além disso há um grande humor nas entrelinhas. Se forem lidas rápido demais, perde-se seu brilho, suas sutilezas e seu significado devastador. Infelizmente, quase ninguém parece tê-lo lido na época, e muito poucos hoje em dia.

Atribuída a "A Voz de alguém que chora no deserto", a primeira seção tem o título TODAS AS RELIGIÕES são UMA, uma ideia que se tornou comum atualmente, mas não era assim em 1788. Blake inicia de acordo com o chamado princípio científico "Baconiano", que dizia: "o verdadeiro método de conhecimento é o experimento". Até aí, tudo bem, mas ele desenvolve a tese logicamente: "Como o verdadeiro método de conhecimento é a experimentação, a verdadeira faculdade de conhecer deve ser a faculdade *que experimenta*. É dessa faculdade que eu trato". Ele, então, apresenta sua concepção daquilo que está no homem e que pode experimentar o conhecimento. Ele chama isso de "O Gênio Poético", que é o "homem verdadeiro". A forma exterior, ou o corpo do homem, é derivada do Gênio Poético. Ele diz que essa ideia está de acordo com a filosofia clássica pela qual todas as formas exteriores derivam do "gênio", o princípio da transmissão familiar (como com os "genes").

Os Antigos, dizia ele, chamaram esse Gênio de "Anjo e Espírito e Demônio". De uma só vez, vemos como Blake combina a arte com a filosofia espiritual em sua raiz. O Gênio é "poético", porque a palavra grega "*poiein*" (que deu origem à "poesia") significa fazer; a criatividade é o sinal essencial da presença do Gênio, e o Gênio é o pai do homem. É por isso que Blake declara: "O Cristianismo é Arte". A manifestação da pessoa em contato com o Gênio Poético é a atividade criativa no mais alto nível; bloqueie o gênio e veja o que acontece! A verdadeira religião significa abrir-se ao verdadeiro homem interior. No princípio, Deus criou os céus e a terra. Assim, o "Gênio Poético" é Deus em nós, ou *Deus-como-nós*, de acordo com a capacidade de cada um. Você tem a mesma ideia na Magia moderna, que usa a expressão arcaica "do Santo Anjo da Guarda" cujo "conhecimento e conversação" é o primeiro passo para a concretização do Gênio divino ou "consciência cósmica". O "Santo Anjo da Guarda" é aquela Pessoa da natureza de ser absoluto e que tem a ver com a gente desse mundo pessoal e impessoalmente: a luz além da razão que é o objetivo da Kabbalah e da autêntica Maçonaria e, de fato, como Blake mostra, de toda religião madura.

Blake então diz que *todos* têm em si esse gênio, mas, como nossas formas exteriores são geralmente as mesmas, porém, especificamente, de variedade infinita, assim acontece também com o acesso ao Gênio Poético. Alguns "entendem o conceito"; alguns querem esse acesso, mas é preciso que a luz seja trazida de dentro para fora; outros o negam porque estão obcecados com o *eu*, a falsa autoimagem que obstrui seus próprios caminhos, como também o caminho de outros.

Qualquer pessoa que fala e escreve com o coração, tem a intenção de ser verdadeiro, diz Blake. Na medida em que as filosofias buscam a verdade, todas são do Gênio Poético, mas "adaptados às fraquezas de cada indivíduo". Um tamanho não serve para todos. Blake teria abominado totalmente os currículos escolares controlados pelo Estado e dirigidos por professores educados pelo Estado; ele via a educação formal coletiva como perniciosa. *Esse homem não frequentou a escola*, como Flaxman foi rápido demais em passar a informação para Hayley!

Seu "PRINCÍPIO 4" apresenta a essência de seu desafio à Razão: "Ninguém que viaja em terras conhecidas pode descobrir o desconhecido. Por isso, a partir do conhecimento já adquirido, o Homem não poderia conseguir mais. Por conseguinte, existe um Gênio Poético universal". A razão baseia-se em fatos conhecidos, mas o desconhecido está ao nosso redor e, apenas pela razão não poderemos realizar isso. Quão confiante é aquele que "pensa que sabe tudo"; quão próximo ele está da queda! Blake então salta para o princípio de que as diferentes religiões das nações surgem a partir de sua "diferente receptividade" do Gênio Poético: em todos os lugares, o Gênio Poético é chamado de "Espírito de Profecia". Todas as religiões dependem de profecias; o "Espírito de Profecia" é o Gênio Poético. Aqueles que estão em contato com o Gênio Poético falam a "palavra divina".

Blake mostra uma compreensão da relatividade cultural à frente de seu tempo, mas ele não obscurece as diferenças. É a fonte da profecia que é "Única", "Uma". O "PRINCÍPIO 6" "levanta esse outro ponto: "Os Testamentos judeus e cristãos são uma original derivação do Gênio Poético". Ele acrescenta: "Isso é necessário a partir da natureza restrita da sensação corporal". Em outras palavras, o texto bíblico manifesta-se em formas adequadas ao estado de ignorância ou de conhecimento e experiência de cada receptor. As próprias palavras foram mediadas em razão das limitações do "encarnado" e são recebidas novamente de acordo com essas mesmas limitações". A capacidade de captar a essência baseia-se no acesso do indivíduo ao mesmo "Gênio Poético", de onde a escritura finalmente deriva.

Blake está lidando aqui com um problema que dominaria a teologia europeia do século XIX: que tipo de credibilidade poderia ser dada à Bíblia, uma vez que seus trabalhos constituintes foram escritos por homens diferentes, em diferentes momentos da história, quando o conhecimento histórico e científico era relativamente restrito? Blake descarta aqueles que negam o valor da Bíblia com esses argumentos, uma vez que – quando o texto não foi corrompido artificialmente – o significado espiritual é absoluto e inesgotável para todos os tempos, já que é derivado do "Gênio Poético".

Cultivar o Gênio Poético é tão essencial para a compreensão da Bíblia, como também para o progresso científico ("Buscai e achareis"). Samuel Taylor Coleridge ganharia muitos elogios por dizer mais ou menos a mesma coisa, mais de uma geração mais tarde! (*Biographia Literaria*, 1817). Blake então resume: "O verdadeiro Homem é a fonte do Gênio Poético".

Blake foi rápido em aplicar sua concepção do "Gênio Poético" ao comentar outro panfleto de Swedenborg, *A Sabedoria dos Anjos, Relativa ao Divino Amor e à Divina Sabedoria*, publicado em Londres, em 1788. Onde Swedenborg (traduzido por N. Tucker) havia escrito, no "item 12", "que a negação de Deus constitui o Inferno, e no Mundo Cristão a negação da Divindade do Senhor", Blake acrescentou: "a negação do Gênio Poético", o que iguala a "Divindade" de Jesus ao Gênio Poético.

O título da segunda parte do próprio tratado de Blake de 1788 é uma negação direta: NÃO EXISTE NENHUMA RELIGIÃO NATURAL. Mas o que Blake estava negando? Foi suposto que o artigo sobre Religião, em *Constituições dos Maçons* (1723), aconselhando que os maçons adiram a "essa Religião com a qual todos os homens concordam" se refira ao que ficou sendo conhecido como "Religião Natural", uma religião em sintonia com a natureza, não com a supernatureza e não dependente da revelação histórica ou bíblica. Os princípios da Religião Natural foram recapitulados da seguinte forma, em 1730, em *O Cristianismo tão Antigo quanto a Criação* ou o *Evangelho, uma Republicação da religião da Natureza*, de Matthew Tindal:

I) a crença em Deus;
II) adoração a Deus;
III) fazer aquilo que é para nosso próprio bem ou felicidade;
IV) promover a felicidade comum.

A Religião Natural é transparente para a razão humana; nada pode ser verdade para a religião natural se for misterioso ou não demonstrável. *Cristianismo sem Mistério*, de John Toland (1696), removeu qualquer coisa que fosse misterioso na essência do Cristianismo – isto é, qualquer coisa que fosse além da razão humana. A "Palavra" de Deus era racional. O filósofo inglês John Locke rejeitou o mistério, uma vez que ele não tinha base "empírica" – ou seja, nenhum conhecimento derivado dos cinco sentidos. De acordo com *A Razoabilidade do Cristianismo* (1695), de Locke, os problemas decorrentes da diversidade religiosa poderiam ser resolvidos por meio da confiança na razão. Locke resumiu algumas "noções comuns" da religião que podiam soar familiares para nós: a crença em um Deus supremo; a necessidade de adorá-lo; uma lembrança sobre os direitos humanos fundamentais; a necessidade de arrependimento; e a doutrina da vida após a morte.

Não surpreendentemente, Blake pula na jugular, nada menos do que na jugular de John Locke. Ele habilmente começa tomando a própria visão de Locke como "argumento" preliminar de que não há nenhuma religião natural: "O homem não tem noção de adequação moral, mas de Educação. Naturalmente, ele é apenas um organismo natural sujeito aos Sentidos". Essa é a visão fundamental de muitos dos atuais "behavioristas" e teóricos biológicos ateus. Munido desse pensamento, eles acabaram por isolar a evidência em apoio à sua visão; tudo isso passa por "ciência" em muitos locais de estabelecimento da cultura ocidental; para muitos, constitui um sistema de crença que implica em um rótulo e na condenação dos opositores como "hereges" eficazes da ciência ortodoxa.

A partir da premissa de Locke, Blake deduz, com boa lógica, que o Homem só pode perceber por meio dos órgãos físicos. Usando a razão, ele só pode comparar e julgar o que já percebeu. Então, se o homem fosse limitado a três sentidos, ele não poderia deduzir um quarto ou quinto. Se, como Locke mantinha, o homem possuísse apenas "percepções orgânicas", então o homem, de acordo com Blake, só poderia ter "pensamentos orgânicos". Portanto, a razão dita o que os desejos do homem querem, e ele deve naturalmente ser limitado às suas percepções, porque ninguém, de acordo com o argumento de Locke, poderia desejar o que não foi percebido. Finalmente, já que ele é dependente dos órgãos dos sentidos, os desejos e as percepções do homem devem, necessariamente, ser limitados a objetos sensoriais.

Havendo repassado minuciosamente e invalidado o argumento do filósofo materialista, Blake propôs *seu* Argumento, baseado na experimentação (experimento) e na observação.

As percepções do "Homem" não são limitadas aos órgãos da percepção. "O homem percebe mais do que os sentidos (por mais aguçados que sejam) podem descobrir. A razão, que é a "proporção de tudo o que já conhecemos", não é "a mesma de quando sabemos mais". Limitada pelo passado e pelas percepções atuais do conhecimento, a razão fica atada e cega diante daquilo que ela desconhece. Acho que Blake estava, na época, vislumbrando os diagramas da obra *Principia*, de Newton, e a visão, amplamente usada por pessoas que não leem muito profundamente, de que Newton tinha, de alguma forma, "explicado tudo" e mostrado o universo *in toto* como um sistema racional reduzível a fórmulas matemáticas, de acordo com a razão. "O limitado", escreve Blake, "é odiado por seu possuidor". O contínuo e monótono girar, mesmo de um universo, "logo se tornaria somente um moinho com engrenagens complicadas". Blake declara que o universo newtoniano, após a primeira emoção, é MAÇANTE. Intrinsecamente vazio, ele tritura e aprisiona. Não nos deixemos empolgar com a música cósmica e as observações triviais a respeito da "fronteira final": o universo da ciência (em seu estado bruto) é esteticamente atraente, principalmente para as pessoas cuja renda deriva ou, espera-se que derive, de seu estudo ou de sua promoção. Isso também inclui os produtores de documentários de TV e seus apresentadores – fornecedores de toda a panóplia onde a música e uma pitada de retórica sobre a "paixão" pessoal, a "maravilha", a "emoção" e os gráficos deslumbrantes combinam-se com um mínimo de hipótese matemática, para fazer programas de "ciência" moderna, de modo a convencer as pessoas de que a física é sempre uma arte "positiva" que pode nos redimir gloriosamente da ignorância.

Se Blake estivesse vivo hoje, tenho a impressão de que ele poderia pensaria que a ciência teve de "ser enfeitada" para ocupar nossa curiosidade, enquanto as estrelas brilham ou parem de brilhar, independentemente de como calculamos suas características mensuráveis. Blake não estava romanticamente mesmerizado pela perspectiva das estrelas, especialmente quando as viu na tela mental do universo de Newton. Nele, os caminhos planetários constituíam, para Blake, "moinhos satânicos escuros". Os moinhos satânicos escuros de Blake não eram aqueles das cidades ou das chaminés de fumaça preta industrial cheios de "massas" à beira da salvação socialista. Ele estava pensando nos ciclos e nas elipses que podia ver nos livros de ciência de Joseph Johnson: linhas geométricas girando, reproduzidas como máquinas com mecanismos semelhantes aos dos relógios que forneceriam, elas mesmas, os modelos para o maquinário industrial destinado a triturar homens e mulheres em sua "máquina infernal". Ele viu as "engrenagens" do universo traduzidas na filosofia do mecanismo que, combinada com a prática técnica da mecânica, dominaria o mundo industrial, a teoria científica e a filosofia social do século XIX. Mas esses moinhos estão na mente; eles limitam e amarram o universo da razão, com o que resulta em desespero: exportamos a doença do Ocidente. Pensemos nas rodas do moinho: são grandes, pedras pesadas que giram, esmagando o grão e fazendo dele farinha volátil, hora após hora, os dentes rangendo lentamente à medida que o grão se submete e é reduzido a pó. Primeiro, o pensamento – então, a realidade. É amplamente mantido hoje como uma panaceia de aprendizagem que, sem a obra de Newton, a Revolução Industrial (as rodas de novo) não teria ocorrido.

A Razão, diz Blake, reduz tudo e todos. Se o Homem devesse viver em um mundo onde somente a razão regesse, então gritar "Mais! Mais!" seria o grito de uma "alma equivocada", pois "nada menos que Tudo pode satisfazer o Homem". Blake sabia que o "desejo" supera em muito a capacidade da razão para satisfazê-lo. A Razão, vinculada ao sentido de experiência, só pode declarar que o "desejo" é incapaz de possuir o que quer. A Razão, limitada pelos sentidos, a experiência, apenas pode dizer que o "desejo" é incapaz de possuir o que ele quer. A razão promete desespero "Se alguém desejasse o que é incapaz de possuir, o desespero deverá ser seu destino eterno". Blake, concordando com Madame Guyon, sabe em seu íntimo que o verdadeiro desejo do coração pode ser satisfeito; ele não aprendeu isso através do sentido da percepção, e não o deduziu pela Razão; o objeto do desejo procede do Gênio Poético que transcende a Razão e não está sujeito ao sentido da percepção; de fato, o sentido da percepção atinge seu apogeu somente quando está a serviço do Gênio Poético. Em termos prosaicos, se aplicássemos o pensamento de Blake à nossa experiência do que ele considerava a cegueira do mundo, a sociedade consumista nos consumiria e não poderia satisfazer o verdadeiro desejo, mas apenas tentaria sufocá-la.

Os bens finitos não satisfarão o Homem verdadeiro: "Sendo o desejo do homem infinito, a posse é Infinita e ele mesmo será Infinito". Nós não somos números a serem digitados para a conveniência do governo.

Blake conclui que os projetos filosóficos e experimentais precisam absolutamente do "caráter Poético ou Profético", do contrário, eles estarão logo na razão de todas as coisas e ficarão parados, incapazes de fazer nada além de percorrer o mesmo círculo monótono repetidamente".

Havendo devidamente exposto seus postulados, argumentos e conclusões como um bom docente, Blake expressa a "Aplicação" que deve causar surpresa: "Aquele que vê o Infinito em todas as coisas, vê o próprio Deus. Aquele que vê a Razão, somente vê a si mesmo. Por isso, Deus torna-se como nós para que possamos ser como ele é". Blake agora estava engajado na "Luta Mental" contra a cultura intelectual emergente do materialismo, tendo apenas as ferramentas de seu ofício com que lutar.

Capítulo 11

A Sabedoria dos Anjos
– 1788-1790

Em janeiro de 1788, o comandante Arthur Phillip, tendo encontrado Botany Bay, na Austrália, inabitável, liderou um comboio britânico em direção a "Sydney Cove", transportando mais de 700 presos, dos quais 160 eram mulheres. A lista original incluía a vendedora de trapos de 88 anos, Dorothy Handland, e o limpador de chaminés de 9 anos de idade, John Hudson. Phillip relatou depois que o futuro Port Jackson era o melhor porto do mundo, mas os aborígines não eram da mesma opinião ou não quiseram entender o que ele queria dizer, gritando com os oficiais, marinheiros e prisioneiros: "*Warra! Warra!*", ou "Vão embora!". Mas os britânicos ali haviam chegado para ficar.

Enquanto isso, os relatórios vindos da Embaixada da Grã-Bretanha em Paris advertiam que a crise da pobreza na França fez da revolta algo inevitável. E a revolta cresceria para se tornar uma revolução. Em Londres, Blake, ansioso por trabalho, continuou a "sair" com o amigo de Joseph Johnson, Fuseli. Johnson e Fuseli ficavam contentes quando conseguiam algo para ele, sempre que a oportunidade surgisse.

Essa oportunidade apareceu na primavera de 1788, quando Fuseli entregou a Johnson sua própria tradução de uma curta obra de um colega suíço, o reverendo Johann Caspar Lavater (1741-1801), *Aforismos do Homem*, concebido como "aperitivo" para seu *Ensaios sobre a Fisionomia*, em quatro volumes (primeiro volume em 1789). Essa obra viria a ser um enorme sucesso e estabeleceria a reputação de Lavater em toda a Europa. Blake executou uma fina gravura de Lavater, de um desenho do próprio Lavater, para Johnson, que a vendeu como uma impressão. Para o *Ensaios sobre a Fisionomia*, Blake gravou um retrato de página inteira de Demócrito, segundo Rubens – uma tarefa difícil! –, e três gravuras menores, segundo Fuseli.

A rubrica grega de *Aforismos*, de Lavater, foi muito apreciada por Blake. Lembrava muito *Gnothi seauton*: "Conhece a ti mesmo", uma instrução associada com o Oráculo de Delfos e um lugar comum de tradições do tipo gnóstico. No frontispício gravado por Blake, segundo Fuseli, os dizeres em grego são inscritos em uma tábua sustentada por um querubim. Olhando para cima ao querubim, um jovem sentado, com livros e uma ampulheta. Blake achou o conhecimento de Lavater sobre fisionomia bastante instrutivo (Blake ficou convencido de que a larga fronte acima de seus olhos fazia dele um inevitável "republicano"!); ele estava mais animado com o *Aforismos*. Muitas anotações esclarecedoras adicionadas por Blake sugerem que foi o trabalho de Lavater a inspirá-lo a montar uma linha de raciocínio de sua própria e penetrante sabedoria aforística em seu tratado surpreendente, *O Casamento do Céu e do Inferno* (1790-1793).

Quando Blake leu a declaração de Lavater: "O objeto de seu amor é seu Deus", ele observou: "Isso deve ser escrito em letras de ouro à frente de nossos templos". Caracteristicamente, Blake enfatizava o encorajamento de Lavater: "Aquele que, na mesma quantidade de tempo, pode produzir mais do que qualquer outro, tem VIGOR; o que pode produzir mais e melhor, tem TALENTO; *aquele que pode produzir o que ninguém mais pode, tem GÊNIO.*

"Blake conhecia muito bem a si mesmo. Ele qualificou o aforismo de "Excelente" e afirmou: "Aquele que, sob pressionantes tentações para mentir adere à verdade e não trai um dever sagrado, está próximo ao auge da sabedoria e da virtude". Esta era uma resposta à convicção de Lavater que dizia: "Quem procura aqueles que são superiores a si mesmos, usufrui de sua grandeza e esquece suas melhores qualidades diante de outras maiores já é verdadeiramente grande", e Blake acrescentou: "Espero não me autolisonjear ao dizer que isso é por mim apreciado".

Lavater: "Evite, como a uma serpente, aquele que escreve de modo impertinente e ainda fala educadamente". Blake: "Um cão pega para si um pedaço de pau". Lavater: "Aquele que é o mestre do momento mais apto para esmagar seu inimigo e magnanimamente não o realiza, nasceu para ser um conquistador". Blake: "Este era o velho George, o Segundo" (o que mostra que Blake tinha coisas boas a dizer sobre os reis, tanto os bons quanto os maus, pois deve haver reis tanto bons quanto maus, igualmente populares).

O espaço inibe minha inclusão das muitas pérolas de sabedoria que são encontradas no silêncio de Blake, mas não sem críticas, vindas do diálogo de Blake com Lavater, apesar da exceção que deve ser feita para alguns dos comentários imediatos de Blake, uma vez que revelam muito sobre sua filosofia, coragem e caráter: "Eu odeio poucos e raros sorrisos, mas adoro rir"; "Malditos Escarnecedores!"; "Odeio pessoas rastejantes"; "Por que deveria a honestidade temer um malfeitor?; "Não posso amar meu inimigo porque meu inimigo não é um homem, mas um animal e demônio, se eu tiver algum. Posso amá-lo como animal e querer bater nele"; "Jamais um homem foi verdadeiramente supersticioso que não fosse verdadeiramente religioso, até onde ele soubesse [...]A verdadeira superstição é honestidade ignorante, amada por Deus e pelo homem"; "E considere que *amor é vida*"; "Tenha pena do ciumento"; "Odeie o escarnecedor"; "Verdadeira filosofia Cristã"; "Mas observe, o Mal Ativo é melhor do que o Bem Passivo"; "Oh, que os homens procurem momentos imortais. Oh, que os homens conversem com Deus"; "Grandes fins nunca olham para os meios, mas produzem-nos espontaneamente"; "A superstição tem sido um pesadelo por ela estar ligada à hipocrisia, mas deixem-nas bem separadas e então a superstição será um sentimento honesto e Deus que ama todos os homens honestos conduzirá o pobre entusiasta pelos caminhos da santidade"; "É o Deus de *Tudo* que é nosso companheiro e amigo, pois Deus, Ele mesmo, diz, você é meu irmão, minha irmã e minha mãe; e São João, que habita no amor, habita em Deus e Deus habita nele [I João 4:16], e esse tal somente poderá julgar em amor e seus sentimentos serão atrações ou rejeições [...] Deus está nos mais inferiores efeitos e nas mais superiores causas, pois Ele se tornou um verme para que possa alimentar os fracos. Pois que seja lembrado que a criação é Deus descendo de acordo com a fraqueza do homem, pois nosso Senhor é a palavra de Deus e todas as coisas na Terra são a palavra de Deus e em sua essência são Deus".

Em 12 de maio, o vendedor de impressos John Raphael Smith encomendou duas placas a Blake: "O Aldeão Laborioso" e "A lavadeira Indolente", segundo o bem popular, dissoluto, camponês, pintor de porcos e de aves, George Morland; eles eram vendidos a seis *shillings* cada.

Três semanas mais tarde, os parlamentares provinciais da França revoltaram-se contra as reformas judiciais impostas em 1º de maio pelo lorde chanceler Guillaume Chrétien de Lamoignon. A transferência que Lamoignon fez dos poderes legislativos do Parlamento de dois novos órgãos incendiou uma burguesia que já estava inquieta. A luta nas ruas eclodiu em Grenoble, em 7 de junho, quando tropas reais tentaram dispersar uma reunião de magistrados que se opunham às reformas.

Uma legislação inovadora foi melhor recebida em 21 de junho, quando uma nova Constituição dos Estados Unidos recebeu a ratificação de nove estados. Os Estados Unidos, em tempo devido, colocaram o poder executivo na pessoa de um presidente eleito. Luís XVI pagaria caro por apoiar uma revolução que havia se livrado de um monarca de um território rebelde. Blake estava certo: a América manteve-se como uma "profecia" para o destino da França.

Em 6 de julho, nos bairros mais pobres de Paris, a agitação irrompeu e só foi reprimida quando 10 mil soldados foram mobilizados. Em 19 de julho, os preços da Bolsa de Paris despencaram. Para acalmar a crise, Luís XVI ordenou a convocação dos Estados Gerais para 1º de maio de 1789 e, em 25 de agosto, foi nomeado um banqueiro protestante, nascido em Genebra, Jacques Necker, desonrado em 1783, para substituir o ministro das Finanças, Loménie de Brienne. Tumultos seguiram o anúncio e oito pessoas morreram. Em 23 de setembro, o rei abandonou as reformas judiciais; papéis parlamentares tradicionais foram restaurados. No dia seguinte, um parlamento triunfante foi reaberto para trabalhar e mudar o país.

Do outro lado do canal inglês, enquanto o teórico utilitariano Jeremy Bentham tinha preparado seu *Introdução para os Princípios da Moral e da Legislação*, inspirado em Priestley, para sua publicação em 1789, a irmã de Catherine Blake, Sarah Boutcher, mudou-se de Battersea para a paróquia St. Brides, na cidade, onde o reverendo John Pridden a casou com Henry Banes, em 16 de dezembro. Banes alugaria aos Blakes sua última casa, em Fountain Court.

A Igreja da Nova Jerusalém

Em 7 de dezembro de 1788, 500 cartas de ativistas swedenborguianos foram distribuídas em Londres, conclamando todos "aqueles que desejam rejeitar e separar-se da velha Igreja ou das atuais Igrejas estabelecidas [...] e abraçar totalmente as Doutrinas Celestes da Nova Jerusalém" para participar de uma conferência a ser realizada em Eastcheap, entre 13 e 17 de abril de 1789.[81] Apenas cerca de 20 leitores de Swedenborg responderam.

Enquanto esse tumulto tinha chamado a atenção de William e Catherine Blake, o governo do país sofreu um abalo por causa do rei que, durante três meses, sofreu ataques de loucura, para os quais nenhum médico, dentre os consultados, tinha uma cura (hoje é aceita a versão de que ele estava sofrendo dos sintomas de porfiria cerebral). Um decreto legislativo para a regência do príncipe de Gales foi estruturado, com o primeiro-ministro Pitt fazendo manobras políticas contra os Foxites, e vice-versa, e com isso a Câmara dos Comuns agitou-se por antecipação; a maioria do país sabia, com certeza, que o rei estava apenas indisposto. Porém, alguns queriam saber se a loucura do rei era contagiosa.

Em 13 de janeiro de 1789, o dr. Richard Chandler escreveu aoreverendo Ralph Churton, de Rolle, na Suíça, perto do Lago de Genebra, onde ele reuniu, na época, um enclave de intelectuais liberais para acolher o príncipe de Gales.

> O pobre rei [George III] é, entretanto, lamentado sincera e universalmente; e a conduta de seu Filho, *aqui*, pela insensibilidade que ele demonstra pela infelicidade de um pai tão digno, é em todos os lugares mencionada com indignação. Eu apenas posso reportar que, enquanto a neve caía ao chão, ele [o príncipe de Gales] foi de Genebra para Lausanne e voltou em um trenó, acompanhado por uma série de varões ingleses, em um só dia, matando cinco cavalos nessa viagem por uma aposta de 20 libras. Por aqui, nós esperamos uma regência com

---

81. "Minutas de uma Conferência Geral dos Membros da Nova Igreja da Nova Nova Jerusalém, por Revelação [de São João, o Divino]", 13-17 de abril de 1789; BR, p. 50 (nota de rodapé).

muitas limitações. Que os céus preservem e bendigam meu país, é o que eu digo.[82]

Nesse momento, a orientação do céu foi solicitada por Blake a partir de um panfleto de Swedenborg: *Divino Amor e Divina Sabedoria* (1788). Ao tirar dele conclusões em conformidade com sua própria visão, Blake percebeu que a dívida de Swedenborg para com Jacob Boehme equiparava-se à sua própria, especialmente no que dizia respeito à linguagem mística que usava a geometria simbólica do "centro e circunferência" em relação ao coração. No "ponto 69", Swedenborg confirmou a crença de Blake na capacidade da mente para transcender a esfera da razão.

> Mas aquele que sabe como elevar sua Mente acima das Ideias do Pensamento que são derivadas do Espaço e do Tempo, esse homem passa das Trevas para a Luz, e torna-se sábio nas coisas Espirituais e Divinas [...] e, em seguida, por Virtude dessa Luz, ele remove a Escuridão da Luz natural assim como suas Falácias do Centro para a Circunferência.

A resposta de Blake para esse tema referir-se-ia ao seu famoso desenho *O Ancião dos Dias*, que limita o universo com um compasso em sua mão. Blake aparentemente ignorava as classificações de Swedenborg para expressar a relação do homem com a iluminação espiritual além da razão, além da compreensão do "Homem Natural", quase certamente derivadas da passagem de encargos para o "Terceiro Grau" da Maçonaria. Isso se torna explícito no Tópico 237 de Swedenborg:

> Estes três Graus de Eminência são chamados Natural, Espiritual e Celestial [...] O Homem, em seu nascimento, passa primeiramente pelo Grau Natural ["Aprendiz"], e isso aumenta nele, por Continuidade, de acordo com as Ciências e de acordo com o Entendimento por eles adquirido ["Companheiro", ou 2º Grau], até a Cúpula do Entendimento, chamada de Racional [Mestre Maçom]...

---

82. Prospecto "Letters of Richard Heber and Richard Chandler to Ralph Churton"; *Churton Papers*.

Blake não enxerga ou prefere ignorar a implícita convenção Maçônica, e sua anotação fulmina com fervor zinzendorfiano a razão insensível:

> Estude Ciências até estar cego.
> Estude os intelectuais até estar frio.
> Entretanto, a ciência não pode ensinar o intelecto.
> Muito menos pode o intelecto ensinar Afeto.
> Que tolice é então afirmar que o homem é nascido em apenas um Grau, quando esse Grau deve ser a recepção dos três Graus, dois dos quais ele deve destruir ou fechá-los, ou eles descerão. Se ele fechar os dois superiores, então ele não está no terceiro, mas sai dele para a mera Natureza ou o Inferno.

O Encargo Maçônico de Terceiro Grau Maçônico aparentemente está por trás do ponto de Swedenborg, que diz o seguinte:

> Eu imploro que vocês observem que a Luz de um Mestre Maçom é Escuridão visível, servindo apenas para expressar essas trevas que repousam sobre a perspectiva da futuridade. É aquele misterioso véu que o olho da razão humana não pode penetrar, a menos que seja assistido por essa Luz que vem do alto. Mesmo assim, até mesmo por meio desse raio que brilha, pode perceber que está no fundo da sepultura para a qual você figurativamente desceu, e o qual, quando essa vida transitória tiver passado, o receberá novamente em seu seio frio.[83]

A paridade de ideias aqui poderia servir para provar que Blake era, ou não era, um maçom; certamente, como leitor de Swedenborg, ele teria se encontrado na companhia de maçons, alguns dos quais de uma categoria altamente "iluminista". Blake aparentemente igualava

---

83. Ritual de Emulação para o Terceiro Grau, p. 183. Ver *Freemasonry: The Reality*, de Tobias Churton, p. 39, 2ª ed., Lewis Masonic, Hersham, 2009. Não temos nenhum manuscrito para este encargo, como ele está descrito, antes do século XIX. Pode-se argumentar que a sua composição não foi influenciada por maçons swedenborguianos, que produziram um "Rito de Swedenborg" distinto, que caiu em desuso em Avignon em 1773, mas foi temporariamente revivido na década de 1870, e mais recentemente na Itália, como o "Antigo Rito Noaquita". Veja também R.A. Gilbert, *Chaos out of Order: The Rise and Fall of the Swedenborgian Rite*, Grand Lodge of British Columbia and Yukon AF & AM, 1995.

a "descida" para "a mera Natureza ou Inferno" com o que o "túmulo" simbólico do Terceiro Grau poderia sugerir, seja o conhecimento da Maçonaria, seja a coincidência de ideias (há aqui uma sutil referência a Thel entrar em uma sepultura até que, percebendo seu estado de perigo, ela grita e foge para o Vale de Har. Ver p. 181).

As anotações de Blake certamente mostram que ele não era um acólito acrítico de Swedenborg. Os maçons aprendem que "No centro do Círculo, um Mestre Maçom não pode errar". Quando o "Centro" se refere ao Coração, como em Boehme, Blake teria, sem dúvida, concordado com a ideia básica e, é provável, inteiramente com a imagem simplista, geométrica. Ele sabia que, a partir da edição de William Law das obras de Boehme, a questão da comunicação de Deus com o coração era muito mais sofisticada, como o gráfico de Dionísio Freher, ilustrações teosóficas indicadas para o deleite de Blake (*The Works of Jacob Behmen*, 4 vols, 1764-1781).

Blake aproveita os pontos essenciais de Swedenborg quando eles estão de acordo com seus próprios pensamentos. Ele particularmente gosta da firmação de que "o Homem natural pode elevar seu Entendimento à Luz superior, tanto quanto ele desejar, mas aquele que se baseia nos Males e, portanto, nas Coisas falsas não o eleva além da Região superior de sua Mente natural...". Aqui temos a doutrina do mais alto *Desejo* combinada com uma clara distinção entre a mente do homem natural e a mente do homem espiritual. Essa distinção crítica é familiar para os cabalistas, que é a distinção entre *ruach*, ou a mente da razão das coisas carnais, e *neschamah*, a mente que recebe os raios *de cima*, os contrários inerentes da Natureza. Resumindo: Blake distingue, de acordo com as tradições "gnósticas", a mente racional imersa em seu próprio conhecimento e a mente espiritual, regada com Gênio Poético: o Neoplatônico e o Hermético, o "*nôus*".

Quando Swedenborg declara que "O Todo da Caridade e da Fé está no Trabalho", chega à conclusão de que "o Todo da Nova Igreja está na Vida Ativa e absolutamente não em Cerimônias". Essa conclusão é vital para entender a relação de Blake com o crescente clamor para uma Igreja Swedenborguiana da Nova Jerusalém. Ele não quer uma seita com cerimônias. Ele quer um corpo dinâmico, espiritual, que se realiza através da forma pela qual vivemos, levando a Luz à frente no mundo mediante a expiação e a sintonia criativas até níveis divinos de consciência: uma ideia semelhante à Igreja Schwenckfeldiana do Espírito – não de madeira ou de pedra – e à "Fraternidade Invisível" Rosa-cruz, que opera sem ser vista pelo mundo, na medida em que seu ponto de encontro é "a Casa do Espírito Santo" (isto é, o próprio Espírito), que a mente carnal do mundo não pode ver.

No que diz respeito às formas externas, Blake foi sobretudo indiferente. Para ele, melhor era a Igreja da Inglaterra que, pelo menos, tinha começado nos primórdios com Jesus e fora moldada em nossas praias e sua história, do que seitas cheias de diferenças. Blake não abandonaria sua Luta Mental até que Jerusalém fosse construída na terra verde e agradável da Inglaterra. Isso é o que o "hino" na verdade expressa: construir uma civilização espiritual, um corpo espiritual, uma cidade "que também é uma Mulher", a Noiva de Albion, em sintonia com a Luz segregada no Cosmos e aberta para a Luz além dela, e então Deus seria nós e nós seríamos Deus, encarnando e desencarnando o coração e a mente do Gênio Poético.

E pode-se pensar que tudo estaria bem. No entanto, os Blake envolveram-se com a Conferência de Eastcheap, de abril de 1789. Essa dificilmente teria sido sua primeira participação em uma reunião de Swedenborg. O casal decreto tinha conhecimento de um círculo formado por Swedenborg, sediado na casa do reverendo Jacob Duché.

Duché tinha deixado a América em 1777, quando se demitiu da capelania do Congresso Continental depois de sugerir a Washington que a "Independência" tinha se tornado um ídolo pelo qual ele (Washington) estava preparado até mesmo a matar. O bispo de Londres nomeou Duché capelão do Asilo de Órfãos Femininos, em Lambeth. Durante 14 anos, Duché formou um grupo de estudo de Swedenborg, em Lambeth, reunindo-se nas noites de domingo, incentivando a ideia ou a experiência de um "Milênio Interno"[84] visível ao olho interno, iluminado pelo alto. Essa concepção explica a crença de Blake de que, quando alguém se abstém do erro e escolhe a verdade, o "juízo final" passa longe do penitente: o julgamento verdadeiro era o perdão.

---

84. Jacob Duché para M. Hopkinson, 5 de maio de 1785, relatado em Clarke Garrett, "Swedenborg and the Mystical Enlightenment in Late Eighteenth-Century England", *Journal of the History of Ideas*, janeiro de 1984, p. 72-73.

O círculo de Duché incluía o impressor de panfletos swedenborguianos Robert Hindmarsh, o gravurista William Sharp, os pintores Philip de Loutherbourg e Richard Cosway, o dr. Bento Chastanier – ex-iluminista de Dom Pernety e maçom de Alto Grau da "Sociedade de Avignon" – e o escultor John Flaxman. O pai de Hindmarsh, James, foi escolhido por muitos para ser o primeiro-ministro dos swedenborguianos. Pode ter sido Sharp, gravurista colega de Blake, que o apresentou ao círculo.

Desse círculo surgiu uma "Sociedade Teosófica", em 1783, e, cinco anos mais tarde, a primeira capela da Nova Igreja, em Grand Eastcheap, Londres, cuja primeira Conferência Geral teve lugar em uma casa pública, em abril de 1789, com a participação de cerca de 70 pessoas, incluindo William e Catherine Blake.

O que Blake poderia ter sabido a respeito do abade de Pernety e do grupo dos "Iluministas de Avignon" é por nós desconhecido. Não há dúvida, porém, de que o pensamento de Blake foi tocado por um milenar e revolucionário fervor espiritual, semelhante, em alguns aspectos, ao que floresceu em Avignon após Pernety ter traduzido, para o francês, *O Céu e o Inferno*, de Swedenborg, em 1782. Enquanto os iluministas de Avignon foram considerados como extremistas por membros do círculo de Duché – em parte por conta de ritos mágicos iluministas e um potencial revolucionário –, a posição pessoal de Blake a seu respeito é desconhecida. Um homem que tinha acesso ao grupo – ele tinha fornecido detalhes biográficos sobre Swedenborg para Pernety – poderia ter causado um efeito sobre as eventuais atitudes de Blake para com o swedenborguianismo.

Augustus Nordenskjöld (1754-1792), membro da Academia Sueca de Ciências e um assíduo leitor e especialista em Swedenborg, investigou os manuscritos sobreviventes a respeito da morte de Swedenborg, em 1772, para a Academia Sueca, em particular o *Diário Espiritual* de Swedenborg, e seus escritos sobre o "amor conjugal" ou o sexo no casamento. O irmão de Augustus, Carl, levou amostras das cópias de seu irmão dos manuscritos de Swedenborg a Bento Chastanier, em Londres, em 1783. Mais material chegou a Londres em 1788, pelas mãos de Carl Wadström, que naquele ano seria batizado na Nova Igreja.

Wadström e Augustus Nordenskjöld planejaram uma comunidade livre em Serra Leoa nos moldes swedenborguianos, enquanto Wadström colaborou com Thomas Clarkson, William Wilberforce e Granville Sharp na luta contra a escravidão. Um defensor da sociedade de Grand Eastcheap, Augustus Nordenskjöld seria batizado na Nova Igreja em 1789.

John Augustus Tulk (1756-1845), primeiro presidente da Sociedade Teosófica, apoiou a ideia de um documento a ser assinado por todos os que quisessem fazer parte da grande Conferência de Eastcheap como pré-requisito para participar, em 13 de abril de 1789. Como resultado, William e Catherine Blake colocaram seus nomes na declaração:

> Nós, cujos nomes estão assinados abaixo, aprovamos os Escritos Teológicos de Emanuel Swedenborg, acreditando que as doutrinas neles contidas são verdadeiras e genuínas, e revelações do céu, e que a Nova Igreja de Jerusalém deve ser estabelecida, distinta e separada da Velha Igreja.[85]

O texto não indica necessariamente uma ruptura com as Igrejas preexistentes nem condenação a elas, mas pode ser um presságio de uma tal ruptura. Trinta e duas resoluções, alegadamente passadas na Conferência, foram copiadas em um "Livro de Registros", preservado no New Church College, Woodford Green, Essex. Se a cópia for fiel, as resoluções aparentemente foram aceitas por unanimidade, inclusive as posições radicais.

De acordo com as resoluções: nº 4, "A Velha Igreja, ou seja, todas as outras Igrejas, está morta"; nº 7: "Enquanto a Igreja Velha perdurar, o céu não poderá chegar ao homem"; nº 9: "A ideia de uma Trindade é perigosa"; nº 12: "os swedenborguianos devem separar-se da Igreja Velha"; nº 13: "Eles não devem ter nenhuma ligação com outras Igrejas"; nº 26: "o verdadeiro Cristianismo só existe na Nova Igreja"; nº 29: "os swedenborguianos devem mostrar caridade para com a Igreja Velha". Essas declarações são bastante diferentes do manifesto de admissão inicial.

---

85. BR, p. 50.

Não podemos ter certeza se essas e as demais foram as resoluções específicas adotadas em abril de 1789 por todos; em segundo lugar, não sabemos se Blake aderiu a nenhuma delas, mesmo naquela época. De fato, no mês seguinte, houve uma grave cisão dentro do novo corpo de swedenborguianos. Em maio, retiraram-se da sociedade Robert Hindmarsh, Carl Wadström, Augustus Nordenskjöld e três outros membros. As páginas do Livro de Registros que tratavam dos eventos foram arrancadas. Hindmarsh manteve o silêncio sobre o assunto em seu *Surgimento e Progresso da Igreja da Nova Jerusalém, na Inglaterra, Estados Unidos e outras partes*, escrito na década de 1820.

O problema maior parece ter sido principalmente com o desejo de Nordenskjöld de promover e estabelecer as doutrinas de Swedenborg em relação ao "amor conjugal" e ao concubinato, encontradas em manuscritos trazidos da Suécia. O que parecia bastante aceitável para alguns progressistas é que os maçons escandinavos não se inscreveram na Irmandade Tradicional Inglesa – especialmente entre os metodistas. A situação iria chegar a um clímax com a publicação de passagens controversas, em 1790, depois da qual Blake se tornou hostil com relação a Swedenborg.

Dois dias depois, amotinados assumiram o comando do navio HMS *Bounty* destituindo o capitão Bligh, em 28 de abril de 1789, e, nessa data, George Washington tornava-se o primeiro presidente dos Estados Unidos, depois de ter aceito a Constituição de setembro anterior. Em 5 de maio, Luís XVI abriu formalmente os Estados Gerais. No dia 17 de junho, os Estados Gerais mudaram seu nome para Assembleia Nacional. O rei Luís fechou a Câmara no dia 20 de junho, mas cedeu uma semana depois e a reabriu.

Em 11 de julho, o ministro das Finanças, recentemente empossado, Jacques Necker, foi demitido por não comparecer ao discurso do rei endereçado aos Estados Gerais. A demissão de Necker deixou os franceses irritados em todos os lugares porque eles esperavam que ele fosse reformar o governo. Três dias depois, uma multidão invadiu a prisão da Bastilha, ao pensar que Luís estivesse prestes a invadir Paris com um exército. No dia seguinte, os eleitores de Paris estabeleceram uma "Comuna", liderada por Bailly, o prefeito eleito de Paris, e o liberal marquês de Lafayette, o "Herói de Dois Mundos" (o outro mundo é a América). Como chefe da Guarda Nacional, Lafayette elaborou a "Declaração dos Direitos do Homem e do Cidadão".

Necker foi readmitido por Luís em 16 de julho, mas não cooperaria com Lafayette, que tentava manter a ordem. Lentamente, Necker perdeu o controle da situação. Em 18 de julho, Camille Desmoulins publicou o manifesto republicano da Revolução: *La France Libre* (A França Livre).

Blake teria se referido diretamente a esses eventos em seu poema "A Revolução Francesa" (provavelmente escrito em 1791). No vigor de seus 31 anos, Blake ocupava-se escrevendo algumas de suas melhores poesias. Sua *Canções da Inocência* sairia em versão impressa em 1789, embora, aparentemente, as cópias das impressões iluminadas fossem disponibilizadas somente em 1794.

O poema manuscrito de Blake chamado "Tiriel" também aparece como um produto do ano de 1789. Blake realizou uma dúzia de desenhos para ilustrar a história de um rei cruel e cego, parecido com Urizen, que perde sua esposa e amaldiçoa seus filhos (pode até ser uma sátira dissimulada da doença do rei George e de suas más relações com os filhos). Como nas notas de Blake para *Dante*, de Boyd, de 1785, o vilão é o personagem mais interessante. Tiriel tem uma "voz prateada" e é mutável até certo grau. O fato de as ilustrações e o texto permanecerem separados sugere que Blake poderia ter colocado o projeto de lado quando desenvolveu seu novo processo de gravação iluminada para ser usado em *Canções da Inocência* e em seus poemas e profecias posteriores.

É notável que, em suas andanças pela escuridão, Tiriel foi levado para os "vales de Har", para onde também fugiu a própria Thel, gritando na sepultura de terra (ver p. 181). Os vales de Har parecem ser uma espécie de Éden, um paraíso antes da queda. Aparentemente sem idade, Har e Heva são versões infantis de Adão e Eva. Seu tempo é absorvido pelas deliciosas brincadeiras e eles acham Tiriel assustador.

Como Thel, Tiriel é levado para uma série de reuniões com vários personagens cujo intercâmbio esclarece aspectos de seu caráter fatal. Há algo de parecido com o ritual maçônico pelo qual os candidatos de vários graus são guiados para pontos específicos na disposição da sala da Loja onde perguntas são colocadas e as respostas determinantes são dadas – uma jornada a caminho do autoconhecimento.

Blake parece estar envolvido em uma guerra particular com as imagens patriarcais:

O pai usa um chicote para despertar os sentidos lentos para a ação e com chicotadas despoja todos os desejos juvenis do homem recém-nascido. Então, a criança frágil caminha na tristeza, impelida a contar os passos sobre a areia. &c.

O "&c" indica que o poema ficou inacabado ou o conteúdo desse trecho foi ofensivo, ou ambos.

Ao final, "o equivocado pai de uma raça sem lei", cuja "voz é do passado", "morre" de uma morte horrível "aos pés de Har e de Heva". O nome Tiriel sugere tirania e um deus tirânico (do hebraico, "el" = "deus" ou "senhor").

Em *Três Livros de Filosofia Oculta*, de Agripa, Tiriel é o nome dado à "inteligência" de Mercúrio, tradicionalmente associado com objetos de prata, frios e escorregadios. Blake parece estar antecipando o fim da tirania. Seu pecado: egocentrismo e crueldade. Os eventos atuais podem muito bem ter estimulado essa expectativa. Nos desenhos abrasadores e cruéis de Gillray, o ministro das Finanças francês Necker foi identificado com a liberdade; o primeiro-ministro britânico Pitt com a escravidão.

Em 14 de junho de 1789, colocados à deriva pelos rebeldes amotinados de Fletcher Christian, que estavam cansados do paraíso taitiano e desejosos de regressar às paixões livres, o "tirano" capitão Bligh, do HMS *Bounty*, alcançou o Timor, perto de Java, depois de uma incrível viagem pelo mar aberto de 3.500 milhas. Deus ainda podia atender aos chamados de "tiranos".

Em 27 de julho, em Nova York, Thomas Jefferson tornou-se chefe do departamento de Relações Exteriores, a primeira agência executiva dos Estados Unidos e, ao mesmo tempo, uma semana depois, a Assembleia Constituinte francesa (outro novo poder executivo) aboliu os privilégios da nobreza. Esse ato foi um golpe súbito na estrutura social do *Ancien Régime* (Antigo Regime). Em 26 de agosto, inspirada na Declaração de Independência dos Estados Unidos e nas obras de Rousseau, a Assembleia aprovou a Declaração dos Direitos do Homem.

Os Direitos do Homem não seriam alcançados sem privar milhares de pessoas de seus direitos. Em 10 de outubro, o deputado de Paris Joseph Guillotin anunciou que o modo mais humano de execução seria um único golpe de uma lâmina para a decapitação; ela era racional, mas sangrenta. Em 2 de novembro, todos os bens da Igreja foram estatizados ou roubados, dependendo de que lado da lâmina eles estavam.

Em Serra Leoa, a "Província da Liberdade", apoiada por ativistas antiescravagistas de Londres e alguns líderes swedenborguianos, foi destruída pelo líder tribal de Koya Temne, "King Jimmy", descontente com o acordo firmado por seu antecessor com os colonos idealistas.

Na onda do entusiasmo revolucionário, alimentada pelo milenarismo espiritual, William Blake começou a usar o boné vermelho "frígio" dos revolucionários franceses pelas ruas.

Seus novos poemas pareciam versos para crianças, mas eles eram, com efeito, dirigidos para uma mentalidade aparentemente infantil que aceita de todo o coração o vento da mudança, a abertura da gaiola, o livre fluxo de energias de perto e de longe, a irmandade de todos os seres em Deus. "Como pode o pássaro, que nasce para a alegria, ficar em uma gaiola e cantar?", perguntou o poeta inocente. O Universo sem limites era a Igreja de Blake, e havia perdão para todos.

A *Dissertação sobre os Mistérios de Elêusis e Baco*, de Thomas Taylor, estava disponível para Blake em 1790. Kathleen Raine acreditava que ele consultara o relato de Taylor sobre os mistérios de Elêusis por causa de dois poemas escritos ao redor dessa época, reunidos em 1794 em seu *Canções da Experiência*: "A Garotinha Perdida" e "A Garotinha Encontrada".

Segundo a mitologia grega, os Mistérios de Elêusis são derivados do rapto de Perséfone, filha de Ceres, a deusa do milho, por Plutão. A história relata que Perséfone estava colhendo flores (como "Har e Heva" em "Tiriel"), quando Plutão a sequestra e leva para uma caverna além do mar, um local onde ficam os espíritos dos mortos. Depois de vagar pelo mundo em busca de sua filha, Ceres a encontra finalmente em Elêusis. Em Elêusis, Ceres ensina os mistérios do milho. Taylor escreveu em sua tese: "Os Mistérios Menores foram criados pelos teólogos antigos, seus fundadores, e significam ocultamente a condição da alma impura investida com um corpo de barro e envolta na natureza material e física". Plutão é o vilão escuro. Ele pertence ao mundo – o mundo da geração no qual a menina de Blake, Lyca, está perdida. Entrando nesse mundo, Ceres carrega duas tochas para iluminar seu caminho: uma representa a razão, a outra, a intuição.

Há diversos níveis entrelaçados no poema. Por um lado, há uma profecia de um mundo que desperta:

No futuro
Eu vejo profeticamente
Que a terra do sono
(A sepultura, a sentença profunda)

Vai se levantar e procurará
Por seu manso criador:
E o deserto selvagem
Tornar-se-á um jardim suave.

Assim abre-se "A Garotinha Perdida", e veremos o trocadilho entre o sono e a "Sepultura", que é profunda como uma "sentença" de prisão (da sepultura da qual o maçom é erguido no Terceiro Grau). O intelecto superior (a mãe) deve seguir a alma em sua "vestimenta fina" (a carne) na descida para o mundo, porque a mente deve experimentar o mundo tangível para descobrir o mistério essencial que Hermes revelou como sendo "Aquilo que está acima é igual àquilo que está embaixo, para operar o milagre do Um (Unidade)". Blake sabe, a partir de Boehme, que o Céu e o Inferno nascem juntos, de um único Deus.

Se você ler os poemas, logo encontrará elementos que não fazem sentido sem a percepção de que a coisa fatal para Lyca fazer, aos olhos de seus pais, é "dormir": tornar-se inconsciente de sua alma e perdida no corpo reflexivo. O leão, que guarda a caverna sagrada dos templos de Mitra, é mostrado na função de proteger Lyca em sua permanência triste na Terra – e o salvador Mitra, aliás, também usava o barrete frígio.

Quando o mundo desperta do sono material, ele perceberá que o universo vazio da razão, o "deserto selvagem", se tornará "um jardim suave". Blake esperava por uma mudança revolucionária na consciência como também devia esperar que o processo fosse acelerado por eventos na Terra que, em um primeiro momento, pareceriam selvagens, mas que, acreditava ele, revelariam a verdadeira liberdade espiritual do homem, à medida que o fruto do casamento do céu e do inferno se tornasse manifesto. A Nova Era estava evoluindo.

Assim como surge a crise, assim também surge o homem. Em 21 de fevereiro 1790, o dr. Guillotin deu um passo adiante com suas ideias de morte suave. Sua máquina de decapitação tão indolor quanto possível foi apresentada em detalhes. Com essa máquina, ele pensava que ainda fosse possível acreditar na fraternidade entre os homens, enquanto matava aqueles que atrapalhavam: e isso não era nada pessoal. Registros sobreviventes mostram que mais de 13 mil pessoas foram guilhotinadas durante a Revolução, ao passo que as vítimas executadas por aquele dispositivo "humano" foram estimadas entre 20 mil e 40 mil. Daqueles que escaparam de seu horror racional, cerca de 32 mil, emigraram para a Inglaterra, e cerca de 130 mil foram para outros lugares.

Depois da guilhotina: *zyklon B.*

Sexo e Deus

Por sua vez, em Londres, entre os swedenborguianos havia um poderoso argumento sobre sexo.

Em fevereiro de 1790, a segunda edição da Revista *The New Jerusalem* apareceu, financiada por John Augustus Tulk. Ela incluía uma primeira parte publicada mensalmente da obra de Swedenborg *De Conjugio*. Aqui estão alguns dos pontos citados por Swedenborg:

> Amar o consorte é fazer o bem diante do Senhor, porque essa é a própria castidade; e a própria Igreja é chamada virgem e filha, como a filha e a virgem de Sião e Jerusalém. Passagens [da Bíblia] podem ser citadas.
>
> O amor conjugal tem comunicação com o céu e os órgãos de geração têm correspondência com o terceiro céu; especialmente o útero...
>
> Até a relação sexual do amor conjugal estabelece uma comunicação.
>
> O amor surge do influxo do Senhor através do terceiro céu. O terceiro céu é o céu conjugal; assim, os casamentos são considerados como a coisa mais sagrada do céu; os adultérios são profanos.

O amor conjugal aumenta em potência e efeito para a eternidade, de modo que o amor é todo poder e efeito; a partir daí, ele é a vida de suas almas; mas com os adultérios, o amor diminui de poder e efeito, até que se torne impotente e tolo, e vazio de qualquer vida. Isso é o suficiente para saber que o amor verdadeiramente conjugal tem uma comunicação imediata com o terceiro céu, e também que o próprio amor, com seu prazer celestial, ali está preservado em toda a sua variedade, bem como seus atos, como beijos, abraços, e muitas outras coisas que deliciam esse céu, porque o céu está em comunicação com os bons afetos, pois o céu espiritual está em comunicação com os pensamentos de verdade; portanto, é evidente que as afeições e os pensamentos sujos fecham completamente os dois céus.

Protestos surgiram dizendo que a publicação completa poderia abrir as comportas da imoralidade, especialmente quando as pessoas perceberam que, quando Swedenborg referiu-se ao "consorte", ele não dizia necessariamente o marido ou esposa. Sobre o relato de Abraão no livro de Gênesis, quando ele tomou Hagar como concubina, porque sua esposa Sara era estéril, Swedenborg afirmou que um homem poderia, em tais casos, tomar uma concubina com a condição de que, a partir de então, ele se abstivesse de ter relações com sua esposa (um homem não deveria ter seu bolo e comê-lo). A sugestão de que as mulheres poderiam ser usadas em comum para as necessidades dos homens violava a santidade e a segurança do casamento.

Mas talvez o mais chocante foi simplesmente a ideia de que o céu mantinha um olhar atento e próximo sobre a vida sexual dos crentes. Isso não teria surpreendido tanto os morávios, mas certamente aborreceu os anglicanos e os metodistas, ou quaisquer cristãos tradicionalmente estabelecidos. A doutrina de Swedenborg das correspondências permitia a ideia de que, no contexto do amor conjugal, a atividade sexual, como *atividade espiritual*, podia ser sentida no céu. A maioria dos cristãos havia sido criada para acreditar que a sexualidade era uma condição da vida na Terra, e sua ocorrência no casamento era a única coisa que salvou o sexo da mancha do pecado;

e, mesmo assim, a real intenção era importante. O que o céu tinha a ver com essas coisas?

Uma crise parece ter colocado Blake e sua esposa em um dilema. Catherine era aparentemente estéril. Eles estavam casados havia dez anos e não tinham filhos.

Havia outras implicações. Extratos do "Diário Espiritual" de Swedenborg sugeriam que o vidente sueco tinha absorvido ideias de círculos judaicos esotéricos pelos quais os estados visionários eram relacionados com a "potência viril". Isso queria dizer que, na correspondência dos órgãos sexuais com o terceiro céu, havia a implicação de que as conjunções sagradas entre os parceiros devotos poderia tornar-se uma comunicação espiritual com possíveis visões celestiais.

Talvez a "potência viril" fosse, na verdade, vital para as experiências visionárias ou um seu complemento inevitável. Deve-se dizer que, embora Swedenborg possa ter visto a excitação sexual relacionada a poderes visionários que poderiam culminar em um "casamento dentro da mente" em êxtase, para ele essas coisas pertenciam estritamente a Estados Celestiais de bem-aventurança, não aos terrenos. No entanto, é difícil imaginar que essa ideia não tenha atingido a imaginação inocente de Blake, pelo menos por um período, e, possivelmente, o tenha confundido também. Na verdade, em seu seguinte trabalho importante, *O Casamento do Céu e do Inferno*, que ele começara a escrever em 1790, lê-se partes do testemunho de uma pessoa que acabava de descobrir o sexo depois de uma vida toda gasta ou desperdiçada em uma camisa de força fechada com cadeado. Será que Blake começou a pensar que a prática do "sexo cósmico" ajudaria a libertar sua mente do tempo e do espaço? E ele duvidasse de que sua esposa serviria "para isso"? Essa foi a ideia perseguida por Marsha Keith Schuchard em um livro intitulado originalmente *Por que a Senhora Blake Chorava*.[86]

A hipótese básica de Schuchard, que diz respeito ao suposto "caminho sexual e a visão espiritual" de Blake, é que ele absorvia, a partir de influências contraculturais contemporâneas, uma teoria de que a energia sexual poderia ser empregada para meios espirituais,

---

86. Marsha Keith Schuchard, *Why Mrs Blake Cried: William Blake and the Sexual Basis of Spiritual Vision*, Century, London, 2006.

a fim de acessar elevados estados visionários pelos quais os céus se abririam para a mente consciente e a comunicação com os "espíritos" poderia acontecer, dando poderes de vidente profético e uma visão transtemporal. Impulsionar essa teoria era a suposta "permissão" oferecida para Swedenborg envolver-se em tais atividades legalmente, a partir de um ponto de vista cristão.

Outros incentivos contemporâneos já estavam disponíveis, como no excêntrico trabalho do reverendo Martin Madan chamado *Thelyphthora: ou um Tratado sobre a Ruína Feminina*[87] (1780), que aconselhava a poligamia como paliativo contra as doenças venéreas e a prostituição, um pouco como o argumento do dr. James Graham para justificar sua cama celestial. Madan justificou suas ideias ao apelar para o Antigo Testamento: o concubinato era lícito entre os patriarcas se a mulher fosse estéril. William Cowper – primo do reverendo – já havia escrito um poema, *Anti-Thelyphthora*, que parodiava Madan como uma criatura enlouquecida e má. Não temos nenhuma evidência de que Blake apoiava seja Madan ou Cowper.

O problema com a teoria aparece de imediato. Temos duas questões separadas que foram unidas artificialmente. Primeiro, a esterilidade aparente de Catherine; segundo, a experimentação visionária, se tal fato realmente ocorreu. A experimentação visionária não é uma cura para a esterilidade, nem tampouco, acredito eu, um substituto para a ausência de descendência ou para satisfazer um apetite sexual frustrado. No entanto, vamos examinar a principal "prova" oferecida em apoio à teoria.

O ponto fulcral da teoria é um relatório de Gilchrist. Após relatar episódios de J. T. Smith sobre a perfeição do relacionamento do sr. e sra. Blake, de como Kate era "rígida, pontual, firme, precisa", de como "ela compartilhou o destino de Blake e o suavizou, administrando suas necessidades diárias", Gilchrist mostra um pouco de discórdia, cuja fonte desconhecemos:

> Essa harmonia realmente existia, mas, como vimos, nem tudo foi tão sereno. *Houve* momentos tempestuosos no

---

87. Martin Madan, *Thelypthora*, J. Dodsley, London, 1780-1781, II, 336; III, 273-9. Marsha Keith Schuchard sugeriu que Blake tinha tirado o nome da alma caída "Thel" do título da obra de Madan (*phthora* em grego quer dizer "corrupção").

> passado, quando ambos eram jovens; a discórdia não era tão *insignificante* enquanto durava. Mas com a causa (o ciúme da parte dela, não totalmente isento de provocação), a discórdia também parou. Com a idade e a aflição, cada um agarrou a sábia recompensa da reconciliação, em um estado calmo de mútuo companheirismo e felicidade.[88]

E Gilchrist acrescentaria outra história de semelhante teor:

> Ele [Blake] disse uma vez em uma conversa familiar e no espírito de controvérsia: "Você acha que, se eu chegasse em casa e descobrisse minha esposa sendo infiel, eu seria tão tolo a ponto de ficar doente?". A sra. Blake era a esposa mais exemplar e ainda tinha tanto o hábito de ouvir atentamente e pensar direito sobre o que ele dizia que, tivesse ela estado presente, acrescenta meu informante, ele tem certeza de que ela teria inocentemente respondido: "É claro que não!". "Mas", continua o amigo de Blake: "Sou inclinado a pensar que (apesar da jactância filosófica) ela teria reagido contra o ofensor".[89]

Por mais que esse episódio seja ou não verdadeiro, ele não se refere ao misticismo sexual ou uma resposta à esterilidade. A citação poderia facilmente ser usada para provar que Blake e sua esposa tinham absorvido totalmente as ideias de Mary Wollstonecraft sobre a igualdade das mulheres e o direito de escolher os amantes de acordo com consentimento mútuo.

O passo crucial necessário para o cenário hipotético "Por que a Senhora Blake chorou" veio depois de uma década da primeira edição de Gilchrist de sua biografia sobre Blake. O poeta Algernon Charles Swinburne acusou Gilchrist de passar por cima de alguns detalhes da vida de Blake. Swinburne, sem nenhuma autoridade direta, pediu que os leitores de seu ensaio perspicaz sobre Blake acreditassem que o artista, certa vez, tentou introduzir uma

---

88. Alexander Gilchrist, *The Life of William Blake*, Dent, Everyman Paperback, London, 1982, ch. XXXIV, p. 314-15.
89. *Ibid.*, p. 327.

concubina no grupo familiar, mas, por causa de um protesto choroso da sra. Blake, ele abandonara a ideia.⁹⁰ Esta história foi repetida por W. B. Yeats e Edwin John Ellis na coleção sobre a obra de Blake publicada em 1893.⁹¹ Ellis continuou com seu próprio tratamento biográfico sobre Blake para sugerir que tudo aquilo fazia parte da tentativa de Blake em "educar" sua esposa, uma ideia com a qual a hipótese de Schuchard concorda.

Mais uma vez, temos boatos e especulações sem qualquer referência ao misticismo sexual, apenas em relação ao apetite sexual. O mais provável é que Swinburne simplesmente adicionou à história de ciúme de Gilchrist algumas provocações e comentários obscenos em represália aos comentários que Blake dirigiu ao crítico Henry Crabb Robinson, em 1826. Gilchrist teve acesso e usou o manuscrito de Robinson, *Reminiscências* (publicado em 1869), mas optou por não incluir a seguinte referência, sem dúvida observando o aviso de Robinson de que a divulgação prejudicaria a reputação de Blake.⁹² Esses comentários valem ser mostrados na íntegra; o próprio Robinson tinha noção do quanto isso poderia ser chocante (é por isso que ele os colocou em alemão):

> 13 de junho de 1826
>
> Visitei Blake hoje cedo. Como sempre, ele estava irado, mas isso não é novidade, salvo que ele confessou uma noção *prática* que muito o prejudicaria como nenhuma outra que já ouvi dele. Ele disse que havia descoberto na Bíblia que *Eine Gemeinschaft der Frauen statt finden sollte* [deve haver uma confraria ou uma comunidade das esposas; ou seja, as esposas devem ser compartilhadas em comum]. Quando objetei que *Ehestand* [o matrimônio] parecia ser uma instituição divina, ele se referiu à Bíblia dizendo "que desde o início não era assim".⁹³

---

90. Algernon Charles Swinburne, *William Blake: A Critical Essay*, London, 1868.
91. Edwin John Ellis e William Butler Yeats, *The Works of William Blake*, I, London, 1893.
92. Gilchrist, *Life of William Blake*, p. 332.
93. *Blake, Coleridge, Wordsworth, Lamb, ETC. Being Selections from the Remains of Henry Crabb Robinson*, ed. Edith J. Morley, Manchester University Press, 1922; "Reminiscences of Blake", p. 13.

Mais uma vez, a abordagem de Blake parece ser a de invocar uma espécie de inocência sexual. Em outra ocasião, Blake declarou a Robinson que poderia haver sofrimento no céu, como também poderia haver prazer. Blake considerava o prazer sexual algo de celestial. Ele disse a Robinson que o poeta John Milton tinha lhe aparecido para pedir que corrigisse uma noção de seu *Paradise Lost* (Paraíso Perdido) porque o prazer da relação sexual surgiu a partir da queda. Então Blake lhe perguntou: "como poderia algo bom derivar de algo ruim?".

Em outra ocasião, Blake disse a Robinson que a androginia teria sido o estado celeste do homem e a ideia de que a divisão dos sexos resultara da Queda do Homem. Portanto, é difícil formar uma ideia sobre o que "acontecia" no céu. No entanto, seu ponto de vista é de que o prazer do sexo é inocente em si mesmo, e que é o egoísmo humano que perverte as suas alegrias, o que é consistente em todo o seu trabalho. Seria justo dizer que Blake acreditava que o ato sexual era, essencialmente, uma experiência espiritual e, mais ainda, que essa experiência era para as pessoas espiritualmente conscientes. Mas isso está longe de fazer de Blake uma espécie de mago sexual, manipulando as energias sexuais para específicos e desejados propósitos, tal como seus encontros com espíritos. De qualquer forma, ele considerava os encontros com espíritos como aspectos personificados da *mente,* ou o Gênio Poético.

Além disso, os comentários que Blake transmitia a Robinson sobre Swedenborg revelam a profundidade da consideração, e talvez a angústia, exercida por Blake em resposta a problemas dentro do material sexualmente orientado de Swedenborg e, realmente, de muitas outras coisas que Swedenborg tinha para dizer:

> 10 de dezembro de 1825
>
> No entanto, ele [Blake] também disse que *Swedenborg* estava errado em seu esforço para explicar à faculdade *racional* o que a razão não pode compreender. Ele [Swedenborg] deveria ter deixado isso de lado.[94]

Epecífica e notavelmente, Blake destacou o que ele chamou de "religião sexual" de Swedenborg a censurar.

---

94. *Ibid.,* p. 5.

Crabb Robinson anotou os comentários feitos por Blake em 10 de dezembro de 1825 na casa de Aders: "*Swedenborg*. Partes de seu esquema [de Swedenborg] são perigosas. Sua religião sexual é perigosa".[95] Talvez seja uma pena o fato de não haver nenhuma elucidação a respeito desse ponto, mas a palavra "perigosa" é forte e sugere uma proibição.

Tudo isso coloca a reação de Blake, em relação aos acontecimentos de maio 1790 – quando a sociedade Swedenborg dividiu-se por causa da questão do "amor conjugal" – em um padrão mais complexo e perturbador.

A hipótese de Schuchard considera a educação de Blake de influência morávia como propícia para a ligação espiritualidade e sexualidade ("espiritualidade sexualizada"), Cristo e a carne. Poderíamos dizer que Blake foi "legal" sobre as visões e acerca de uma natureza sexual divinamente definida, dentro do casamento.

Entretanto, considera-se que sua esposa havia sido educada tradicionalmente, o que pode ter feito com que ela desse ouvido aos opositores do "amor conjugal" e tivesse sentido culpada por participar de qualquer coisa como "amor livre" dentro do casamento ou qualquer coisa que a fizesse sentir-se desconfortavelmente desonesta. Supõe-se que ela deva ter se revoltado com o mínimo pensamento – quanto mais prática – de tornar-se uma espécie de parceira de sexo tântrico para o benefício visionário de seu marido que, alegadamente, abraçava uma apoteose de priapismo à maneira de Richard Payne Knight.

Vale a pena olhar com atenção o desenho a pincel de Catherine Blake sentada diante de uma lareira, executado ao redor de 1785 por George Cumberland.[96] Ela está impertigada e ligeiramente inclinada à frente em sua poltrona Windsor, com um vestido abotoado até o pescoço e um xale, o rosto com traços marcantes fortemente definidos e o nariz aquilino emoldurados por um gorro puxado e amarrado em volta do queixo bem-formado. Suas mãos estão entrelaçadas no colo. Seus lábios são cheios, sensuais, mas o rosto está tenso. Seus olhos escuros olham fixa, séria e intensamente, não para o fogo diante

---

95. *Ibid.*, p. 6.
96. *LETTERS*, Plate III.

dela, mas para suas próprias preocupações e sonhos, talvez. Essa é uma mulher focada, intensa, cheia de energia e dedicada. *Intensa* é a palavra. Ela é disciplinada, interna e fisicamente forte. Essa não é uma mulher de muita brincadeira; ela conhece sua própria mente e é autossuficiente. Nada há de volúvel nessa senhora, nada de quem se poderia tirar vantagem. Imagina-se que ela fosse o tipo de pessoa de grande resistência e que diria muito sem quase nada dizer, mas que, levada a certo limite, explodiria de uma forma que um homem decente nunca esqueceria ou quisesse provocar novamente.

No cenário de Schuchard, grande parte da angústia pessoal de Blake, durante a década de 1790 e na primeira década do século XIX, foi causada por uma profunda frustração espiritual e sexual em relação à sua esposa que resistiu ao seu desejo de usar o sexo para romper as barreiras do tempo e do espaço em uma viagem ao "paraíso", de onde ele retornaria com um depósito de visões revolucionárias para o esclarecimento da humanidade. Essa angústia é considerada evidente a partir de alguns poemas inéditos que podem ser interpretados como evidências das tensões no casamento e, especificamente, no manuscrito gigantesco de um poema, *Vala*, cuja imaginação fálica e vaginal tem sido ocultada, quanto mais "apagada" ou suavizada.

De acordo com esse cenário, um pouco depois da década de 1790, Catherine finalmente concordou em tornar-se a parceira sexual-espiritual e deu a seu marido o que ele queria, o que resultou em harmonia espiritual e em muitos versos visionários. Isso soa um pouco como um conto sobre um casamento sexualmente orientado, um guia de aconselhamento com uma mescla de tantrismo doméstico californiano pós-década de 1960. Ou seja, o cenário possui um toque anacrônico, não porque eu pense que o século XVIII foi pudico e escondeu seu verdadeiro eu, mas porque a narrativa imposta turva categorias e distinções que significaram muito para o próprio Blake.

Voltando ao ponto focal, se não tivéssemos ouvido essas hipóteses, será que as únicas evidências as teriam sugerido? As "evidências" apresentadas teriam muitas outras possíveis interpretações e as distinções da época eram muito mais sutis do que o tipo de ampla "revolução sexual" contra o conflito dos "hipócritas religiosos vitorianos" em relação à hipótese em questão.

Em primeiro lugar, não temos nenhuma evidência convincente de que a "sra. Blake chorou" ou que o concubinato foi um problema para os Blake, especificamente, mas apenas que ele foi um problema para os swedenborguianos. A estranha história original de Gilchrist simplesmente diz que não tinha sido uma questão de ciúme e que, quando Blake removeu a causa, a harmonia voltou a reinar. Atrevo-me a dizer que esse é o caso de muitos casamentos. Não há nenhuma evidência de que Blake estivesse com frequência envolvido sexualmente com outra mulher depois de seu casamento ou que ele particularmente o quisesse, apesar de que seria extraordinário se seu olhar nunca tivesse demonstrado ou sua fantasia não tivesse especulado a respeito da eterna dúvida: "E se...?". Afinal, ele tinha conhecido Catherine Boutcher "no rebote" de uma paixão frustrada, e ele pode ter levado muitos anos para ver a esposa como o único objeto de veneração romântica em sua vida interior; na verdade, é bem possível que ele nunca tenha sido espiritualmente monogâmico ou até mesmo "apaixonado" por sua esposa no sentido sentimental, embora ele certamente a amasse e respeitasse: eles eram parceiros leais, acima de tudo. Se Blake verdadeiramente "vangloriou-se" de que não ficaria arrasado se descobrisse que sua esposa teria sido infiel, isso sugere que eles tinham um relacionamento com portas imaginárias abertos e que essa era a maneira pela qual se amassem ou, talvez, fossem tão fundamentalmente inseguros ou sábios um para com o outro ou, ainda, tudo isso pode nunca ter ocorrido com eles, embora a ideia possa ocasionalmente ter chamado sua atenção. Blake odiava a repressão.

> Seu colo está cheio de sementes
> E este é um bom país
> Por que você não semeou sua semente
> Para nela viver alegremente?
> Devo lançá-la na areia
> E transformá-la em terra fértil
> Pois em nenhum outro terreno
> Posso plantar minha semente
> Sem arrancar
> Algumas ervas daninhas malcheirosas
> *Eternidade*

Aquele que se une a uma alegria
Será destruído pela vida alada
Mas aquele que abraça a alegria em pleno voo
Vive no Sol nascente da eternidade[97]

Neve Macia

Eu andei lá fora em um dia de neve
Pedi à neve fofa que brincasse comigo
Ela brincou & derreteu em toda a sua glória
E o inverno chamou isso de crime terrível
[linha excluída: "Ah, que esse doce amor deva ser considerado um crime"][98]

Um ou dois poemas poderiam sugerir que a vida sexual de Blake não era tudo o que ele queria que fosse, mas há outros, igualmente válidos, que interpretam significados dos poemas. Seus poemas frequentemente comentam as consequências escuras que surgem da castidade praticada por *outros*, não de sua própria – mesmo que venha ser a causa de guerras.

O casamento de Blake e Catherine poderia ter sofrido os habituais altos e baixos habituais como também podem não tê-los sofridos. Em virtude da escassez de provas concretas, não estou convencido de que estejamos muito à vontade para especular a respeito. É inegável que Blake tinha opiniões revolucionárias sobre a liberdade e a energia sexuais, mas isso é bastante diferente da visão com a qual *O Casamento do Céu e do Inferno*, de Blake, foi composto primeiramente como uma "furiosa sátira" do puritanismo da Nova Igreja, que não podiam lidar com as concepções do "amor conjugal" de Swedenborg.

É bem provável que o próprio Blake tenha achado o "novo" material de Swedenborg perturbador em um nível pessoal profundo. Seria ele tão desconfortavelmente invasivo quanto foram os conselhos morávios a respeito do novo casamento de sua mãe? E se ele próprio não achasse, então sua esposa quase que certamente assim o teria considerado. Ela tinha mais a perder em aceitar como instrução

---

97. CPP, p. 469-70 (Blake's Notebook, Rossetti Ms. British Library; sem data).
98. CPP, p. 473 (Blake's Notebook, Rossetti Ms. British Library; sem data).

divinamente definida que uma mulher estéril pudesse ser posta de lado por não conseguir ter filhos. Blake pode ter brincado com essa noção, ou até mesmo, *in extremis*, provocado sua esposa com isso, mas ele tinha coisas mais importantes com que se preocupar, como *O Casamento do Céu e do Inferno* deixa bem claro.

O fato é que não sabemos nada da vida sexual de Blake, além do fato de que ele não teve filhos. Todo o resto sugere que eles estavam muito felizes juntos e que viveram em grande intimidade durante muitos anos sem separação, até onde nos foi dado saber. Os comentários de Blake sobre Swedenborg começaram a ter uma linguagem mais virulenta a partir de 1790. Aqui estão apenas alguns deles (e eles são emblemáticos), vindos de suas anotações sobre o manuscrito de Swedenborg *A Sabedoria dos Anjos*, relativo à Divina Providência (Londres, 1790): "Mentiras e Sacerdócio"; "Insensatez Maldita!"; "Falar de Predestinação após esta Vida é mais Abominável do que chamar os Calvinistas e os seguidores of Swedenborg de Predestinados Espirituais – testemunhe este número [de Notas] e muitos outros"; "Ler nota 185 onde é possível ver como Swedenborg se contradiz, assim como a nota 69".

Blake conclui que Swedenborg é, fundamentalmente, um calvinista com uma crença subjacente tão repressiva na condenação predestinada quanto encontramos em qualquer outro protestante não liberal. Acredito ser óbvio que Blake precisasse encontrar uma maneira de livrar-se de Swedenborg e de seu grupo: ele estava farto de tudo que dissesse respeito a eles. Na verdade, é provável que tenham sido *precisamente* os eventos em Eastcheap, de abril e maio de 1790, que selaram a questão para Blake. Ele não se uniu à Nova Igreja e nunca, até onde sabemos, participou de suas atividades. Ele não estava interessado em uma Igreja swedenborguiana e, com certeza, ele não precisava de Swedenborg como profeta ou vidente pessoal: ele era autossuficiente como também era bastante óbvio que ele logo produziria seu *Casamento do Céu e do Inferno*, que era uma negação, não simplesmente ao puritanismo entre os leitores da Nova Igreja ou a quaisquer outros repressores da "Energia Eterna", mas também em relação à abordagem geral feita por Swedenborg, como Blake a via naquele momento. Isso quer dizer que, mesmo tendo encontrado algumas de suas próprias ideias confirmadas por Swedenborg, Blake destruiu o swedenborguianismo como algo completamente diferente delas. Ele começou a desenvolver seu próprio sistema, usando uma mitologia que procedia de sua experiência espiritual. Swedenborg era o João Batista de Blake e, tendo atuado como arauto deste, o trabalho de Swedenborg já tinha sido feito. Na verdade, Blake já via as sementes do fracasso na tentativa de os swedenborguianos transformarem a revelação em uma organização. Isso, ele tinha certeza, nunca tinha sido a intenção de Swedenborg, o que não era diferente do que Wesley quis ao instituir uma Igreja Metodista, separada da Igreja da Inglaterra. O problema é que os seguidores fazem as seitas, e não os verdadeiros mestres.

Capítulo 12

A Luxúria do Bode é a Recompensa de Deus –1790

De acordo com o dicionário de Samuel Johnson, a palavra "graça" (*bounty*) vem do francês *bonté*, que significa generosidade, munificência ou liberalidade; não caridade. A "graça" Real é um dom gratuito que vem a partir de um caráter de liberalidade.

Pouco antes da grande Conferência de Eastcheap, o capitão Bligh relatou os acontecimentos sobre o motim do navio *Bounty* para o almirantado: o HMS *Bounty* tinha sido sequestrado por companheiros do Mestre Fletcher Christian e redirecionado para uma ilha chamada "Otaheite" (agora Taiti), um local onde algo parecido com a inocência sexual reinava. O incidente foi relatado em detalhe no *Oxford Journal* de 20 de março de 1790. Teria sido esse um sinal dos tempos?

Em 31 de março, Maximilien de Robespierre foi eleito presidente do radical Clube Jacobino, em Paris. Em 15 de junho, a milícia protestante massacrou cerca de 300 aristocratas católicos em Nîmes. Quatro dias mais tarde, a nobreza hereditária foi abolida na França. A questão na Inglaterra era: *você é a favor ou contra a revolução na França?*

Os Whigs (liberais) Foxites ainda olhavam com bons olhos a maré de eventos em todo o canal, mas, em outubro, o estadista irlandês e conservador Whig Edmund Burke (1729-1797), um apoiador da rebelião americana, publicou suas *Reflexões sobre a Revolução na França*, afirmando, em oposição a Rousseau, que o homem não tinha direitos naturais em um estado de natureza. Os direitos civis eram aplicados nas sociedades civis apenas sob jugo da lei. O Estado não era um acordo de parceria ("contrato social"), para ser dissolvido pelos partidos segundo suas conveniências. A sociedade humana evolui por um processo lento e a ordem social não é para ser, de repente, derrubada, nem fundamentalmente assaltada ao calor da paixão ou do entusiasmo político.

Profeticamente, Burke previa o derramamento de sangue que inevitavelmente aconteceria pela ação de "algum general popular" que poderia "estabelecer uma ditadura militar no lugar da anarquia". Ele estava certo, é claro. Burke também olhou para seus próprios compatriotas e atacou os simpatizantes dos revolucionários que não conheciam limites e que mal interpretavam os sinais dos tempos.

Um ano depois, o incentivador da revolução, Tom Paine, amigo de Joseph Johnson, escreveu a segunda parte dos seus inflamados *Direitos do Homem*. Dedicando-o a George Washington, Paine atacou as *Reflexões* de Burke. Para Paine, a revolução foi simplesmente a "justiça" que respondia aos séculos de injustiça. Os "direitos" do homem deram "ao povo" o direito de julgar o que era bom para eles. Os tempos tinham mudado e não havia como voltar atrás. Blake expressou naquele momento o que ele acreditava ser a essência da transformação:

> Como um novo céu ele surgiu e agora faz 33 anos desde seu advento: o Inferno Eterno revive. E olhem! Swedenborg é o anjo sentado no túmulo; seus escritos são os dobrados trajes de linho. Agora é Edom que domina e Adão volta ao Paraíso; *Vide* Isaías, capítulos XXXIV e XXXV: Sem os Contrários não há progresso. Atração e repulsão. Razão e Energia, Amor e Ódio são necessários para a existência humana. A partir desses contrários impulsiona-se aquilo que os religiosos chamam de Bem e Mal. O Bem é o passivo que obedece à Razão. O mal é a impulsão ativa da Energia. O Bem é o Céu. O Mal é o Inferno.

E, com isso, Blake anunciou sua solução para todos os tempos: um paradoxo que é *O Casamento do Céu e do Inferno*. A Energia é o que importa: "A energia é o Deleite Eterno". Entusiasmo, paixão, essas são as formas de energia dinâmica, sem as quais nada pode mudar: a luxúria do bode é a glória de Deus. *O Casamento do Céu e do Inferno* é o prelúdio ardente para a energia, mostrando que os mundos físico e espiritual são realmente mundos de movimento dinâmico, energético. Você pode perceber isso em um comentário sobre a Revolução Francesa ou em um comentário sobre o swedenborguianismo. Ou você pode tomá-lo como uma filosofia de vida universal: muitos o fizeram.

O "Casamento" chegou sob a forma de uma gravura, com algumas partes coloridas, outras não. Ilustrações abundavam; figuras voavam sobre as palavras e homens e mulheres, desenhados de forma incisiva e monumental, espalhavam-se em todas as suas páginas, expressando estados mentais e físicos extremos. Um dos tópicos do *Casamento*, "Provérbios do Inferno", anuncia de forma expressa: "O caminho do Excesso conduz ao palácio da Sabedoria". Ele parece ser um tratado básico sobre a revolução espiritual. O que ali é arte, e o que é filosofia? Na verdade, *O Casamento do Céu e do Inferno* adequadamente combina os dois, do mesmo modo como a narrativa combina os contrários da criação divina. É uma profecia, uma profecia teosófica, se for necessário chamá-la de alguma coisa. É um produto do que Blake chamava de Gênio Divino: libertado! Teria existido alguma vez algo parecido? É claro que sim. Ele apresenta semelhanças notáveis com os livros da Bíblia.

Primeiramente vamos analisar aquela poderosa e feroz declaração com a qual começamos. Segue-se a ela um "argumento" poético, uma espécie de comentário sobre os tempos: "Rintrah ruge e sacode seus fogos no ar sobrecarregado; nuvens famintas revolvem as profundezas". Há fogos no céu e tumulto abaixo: não confie nas aparências. O vilão pode parecer um indivíduo dócil e razoável:

Agora, a serpente rasteja
Em mansa humildade.
E o homem justo ruge na selva
Onde os leões perambulam.

Esses leões podem dilacerar a carne, e "Rintrah" de Blake significa a energia enfurecida, a justa ira do profeta; Rintrah está do lado dos rebeldes na medida em que a rebelião expressa a liberdade espiritual que se liberta da repressão.

É difícil saber o que *Os Tempos*, agora com quase três anos, fariam da obra de Blake vista como uma espécie de profecia a respeito dos eventos do mundo atual. Esses não eram sinais que *Os Tempos* poderiam facilmente decifrar. As referências de Blake podiam relacionar-se a eventos históricos e pessoas, mas quase todos os seus símbolos são esotéricos.

Diz Blake: faz 33 anos desde o "advento" do "novo céu": 1757, ano do nascimento de Blake, foi a data que Swedenborg deu para a criação do novo céu. Acreditava-se amplamente que Jesus foi crucificado aos 33 anos. Portanto, temos uma cena definida da abertura em uma nova caverna-túmulo da ressurreição (Lucas 24:1-12; João 20:1-12), e podemos presumir que agora Blake tem 33 anos e é um participante da nova ressurreição. Swedenborg é um dos anjos sentados no túmulo. Quem é o outro?, podemos perguntar para os Evangelhos, onde há dois anjos no túmulo. Um deles coloca a questão: "Por que buscais o vivente entre os mortos?". Será Blake dizendo: "Não esperem demais de Swedenborg"?

Usando a terminologia de Jacob Boehme, o "Inferno Eterno" (a Natureza) revive. Swedenborg, o "Anjo", só pode anunciar às mulheres no sepulcro que quem elas procuram está em outro lugar e que os escritos de Swedenborg são o lençol de linho que cobria o corpo de Jesus, dobrado no túmulo. O lençol de linho havia envolvido o corpo do crucificado – ele está manchado de sangue com o qual foram feitos os escritos: e o salvador saiu do túmulo. "Agora", Blake nos diz, "é o domínio de Edom", quando Adão retorna ao Paraíso. Somos instruídos a ler Isaías, capítulos 34 e 35, que rezam: "Pois é o dia da vingança do Senhor, e o ano das recompensas pela controvérsia de Sião [Jerusalém]", anuncia Isaías, 34:8.

E vejam isso! A abolição da nobreza foi prevista: "Eles chamarão seus nobres para o reino, mas nenhum haverá, e todos os seus príncipes não serão nada" (Isaías 34:12). E com a queda da nobreza e da monarquia, a Grã-Bretanha (a "ilha") será o lugar onde se reúnem as "feras selvagens": "E crescerão espinhos nos seus palácios, urtigas e cardos em suas fortalezas e será uma habitação de chacais, um sítio para as corujas. As feras do deserto se encontrarão com as feras da ilha, e o sátiro clamará aos seus companheiros; os animais noturnos lá ficarão, e encontrarão para si um lugar de descanso" (Isaías 34:13-14). A ilha da Grã-Bretanha é o lugar onde a Nova Jerusalém será construída: "E os resgatados do SENHOR voltarão; e virão a Sião com júbilo, e alegria eterna haverá sobre suas cabeças; gozo e alegria alcançarão, e deles fugirá a tristeza e o gemido". (Isaías 35:10).

A ideia que estamos recebendo aqui é poderosa, mas o significado pretendido por Blake para "Agora é o domínio de Edom" parece difícil de ser identificado com precisão.

Isaías 34 anuncia a decisão de chacina que está para cair sobre Idumeia, outro nome para a bíblica "Edom" (que significa "Vermelho"), nomeada depois que o filho de Isaac, Esaú, o qual nasceu todo vermelho e, por causa disso, Isaac trocou sua herança por um prato de "sopa vermelha" e passou a viver em Edom (de onde procedeu o rei Herodes): "Porque, nos céus, está inebriada [de cólera] a espada do Senhor. Ela vai precipitar-se sobre Edom, sobre o povo que ele destinou ao castigo". (Isaías 34:5).

A visão negativa das escrituras judaicas a respeito de "Edom" levou os críticos judaicos a identificar Edom com a Babilônia (que mantinha judeus como prisioneiros), com Roma (que impôs a monarquia sobre Israel), e, posteriormente, com o Cristianismo, que, depois de Constantino, foi imposto à Palestina.

À primeira vista, isso pode confundir uma interpretação precisa do anúncio profético de Blake, anúncio que ressoou mais pela percepção de que o nome "Adão" (que vai entrar no Paraíso) deriva tanto do hebraico "*adamah*" ("terra") e de "*adam*", que significa "ser vermelho". Adão foi feito da "terra vermelha – o barro". No "argumento" anterior, Blake refere-se à "argila vermelha apresentada" "sobre ossos secos branqueados", uma clara referência à ressurreição dos homens prevista pelo profeta Ezequiel (Ezequiel 37:1-14).

Então, "Edom" é o mundo gentio; "Edom" é um "Adão" que está retornando ao Paraíso, e "Edom" é um lugar onde o primeiro julgamento sangrento será encenado e, posteriormente, será transformado de um deserto em um lugar onde as "águas brotarão". Onde antes havia dragões, Edom será recoberta de "grama, com canas e juncos".

Uma terra verde e agradável...

Há mais sobre o "domínio de Edom". Consideremos Jacob Frank (1726-1791) o autoproclamado sucessor judaico e pseudomessias Sabbatai Zvi (1626-c.1676). Frank surpreendeu os líderes católicos poloneses na década de 1750 e, mesmo depois, com sua declaração de que ele reconhecia o texto cabalístico *Zohar* (ou o "Livro do Esplendor") que, na visão de Frank, admitia uma Trindade acima do Talmude, procurando, ao mesmo tempo, uma completa *reaproximação* de seus muitos seguidores judeus com a Igreja.

No crítico ano de 1757, o bispo de Kamenetz-Podolsk presidiu um debate entre talmudistas e antitalmudistas ou "zoharistas". O bispo decidiu que os antitalmudistas foram os vencedores do debate e, nesse momento, Jacob Frank apareceu em Iwana alegando ser o sucessor de Zvi como o homem que receberia as mensagens diretas do céu. Ocorreram negociações para reconciliar Frank e seus seguidores com o Catolicismo. As Igrejas Protestantes também competiram para receber esses judeus convertidos; alguns dos seguidores de Frank entraram para a Igreja Morávia. Círculos morávios de Londres tinham tomado conhecimento desses fatos curiosos ocorridos na distante Polônia.

Em 1790, cerca de 26 mil judeus foram batizados na Polônia. Além disso, Frank, em meio a todas as suas mensagens místicas, pediu a seus seguidores para que adotassem o que ele chamou de "religião de Edom" (o Cristianismo), como um passo em direção a uma religião futura que ele chamou de "*das*", que significa "conhecimento" – isto é, a *gnose*. Os seguidores de Frank consideravam-se pessoas que haviam sido libertadas da lei do Judaísmo Rabínico para abraçar a jornada pelo caminho estabelecido na redimida Edom de Isaías, capítulo 35: "o caminho da santidade" (Isaías 35:8-9). Esse "caminho" seria caracterizado pelo amor, pela canção, "alegria e felicidade", e uma atitude não repressiva para com o corpo humano, quando este é dirigido para uma ascensão celeste.

Trata-se da Edom transformada, banhada pura pela espada do céu ("e minha espada não dormirá em minha mão"), que Blake celebra em *O Casamento do Céu e do Inferno*, um casamento possível por unir os opostos, algo que só possível por meios divinos, pois o ser derradeiro de Deus é infinito:

> A antiga tradição de que o mundo será consumido pelo fogo ao final de 6 mil anos é verdade, tal como eu ouvi do Inferno.
>
> Para o querubim, com sua espada flamejante, fica a ordem para deixar sua guarda na árvore da vida e quando o fizer, toda a criação será consumida e aparecerá infinita e santa, ao passo que agora parece finita e corrupta.

Isso virá a passar mediante o aprimoramento do prazer sensual.

Mas, primeiro, a noção de que o homem tem um corpo distinto de sua alma deve ser eliminada; isso farei, imprimindo o método infernal dos corrosivos que, no inferno, são salutares e medicinais, ao derreter as superfícies aparentes e exibindo o infinito que estava oculto.

Se as portas da percepção fossem limpas, tudo apareceria ao homem como ela realmente é, infinita.

O homem fechou-se em si mesmo, e ele vê todas as coisas através de fendas estreitas a partir de sua caverna.

Um bom livro poderia ser escrito somente sobre essas passagens radiantes. Podemos perguntar: de onde veio a hipervisão de Blake? O Gênio Poético?

Blake não ficará divagando em torno da questão do sexo: esse novo céu e nova terra serão o resultado de um desenvolvimento e melhoria do prazer sensual. Houve certamente necessidade de melhorias. O assunto por inteiro estava atolado no meio de mitos e mistérios. Blake parece ter feito uma descoberta, possivelmente como resultado de seu conflito com o pensamento de Swedenborg.

A recuperação completa do homem requer que a relação entre corpo e alma seja purificada e compreendida: "O homem não tem nenhum Corpo distinto de sua alma porque o chamado Corpo nada mais é que uma parte da Alma discernida através dos cinco Sentidos, principais entradas da Alma nesta era". Que ideia impressionante! O que chamamos de corpo é uma parte da alma discernida por meio dos cinco sentidos. Os sentidos são físicos ou psicológicos?

É a mente que cria a sensação de existência material. A existência sensual pode ser expandida até que os próprios sentidos transcendam, quando então "veremos as coisas como elas são: Infinitas".

Incrível. Inspirador. Mas o que isso significa? Os leitores e futuros leitores de Blake são frequentemente confundidos por suas ideias sobre a união dos "contrários", enquanto em outros lugares esses valores permanecem distintos. Isso pode ser porque as ideias distintas não eram dele, para início de conversa. O contraste que Blake faz entre "Inferno" e "Céu", juntamente com o uso idiossincrático das palavras "Mal", "Demônios", "Anjos" e "Fogo", e com expressões como "Natureza Eterna", "Inferno Eterno" e "Deleite Eterno" podem ser atribuídos ao emprego, às vezes irônico, e às vezes direto, por parte de Blake, de categorias teosóficas derivadas de seu mestre espiritual e, em sua maturidade, irmão espiritual, Jacob Boehme (1575-1624). Quem foi esse homem e o que fez Blake inspirar-se nele?

Blake e Boehme

Jacob Boehme tinha duas coisas em comum com Blake: ele era artesão (sapateiro) e era também um visionário. Vindo de uma fazenda pecuária próspera, Boehme passou a maior parte de sua vida em Görlitz, a leste de Dresden, na Alta Lusácia da Saxônia, perto da fronteira com a Polônia.

Aos 25 anos, Boehme passou por uma grande experiência espiritual. Mais tarde, ele escreveu sobre como se sentia penetrado pela "Luz de Deus" e que "tinha visto e aprendido" muito mais em um quarto de hora do que se tivesse estado "muitos anos em uma universidade [...] Eu vi e conheci o Ser de Seres, Byss e Abyss, a geração eterna da Trindade, a origem e a queda do mundo e de todas as criaturas por meio da sabedoria divina".[99]

Abraham von Frankenberg (1593-1652), um de seus seguidores, acreditava que a experiência-chave espiritual de Boehme ocorreu em 1610, quando, olhando para o reflexo do sol em um prato de estanho, Boehme, na época com 35 anos de idade, percebeu que o brilho só era visível por conta da escuridão da superfície na qual ele foi refletido. A partir daí ele pegou visualmente a ideia do caráter paradoxal da luz e da escuridão: os contrários, os opostos. Von Frankenberg escreveu como aquela experiência introduziu Boehme "no âmago mais íntimo ou no centro mais interno e oculto da natureza".[100]

Boehme divulgou sua experiência em seu manuscrito *Aurora or Morning Redness (A Aurora ou o Vermelho da Manhã)* cuja circulação foi interrompida pelo pastor de Görlitz, Gregory Richter. Desprezando a ideia de um comerciante com pretensões à ciência teológica, Richter fez os magistrados da cidade expulsarem Boehme,

---

99. Citado em Rufus M. Jones, *Spiritual Reformers in the 16th and 17th Centuries*, Beacon Press, Boston, 1959, p. 159.
100. De Vita et Scriptis, para. 11, citado em Désirée Hirst, *Hidden Riches, Traditional Symbolism from the Renaissance to Blake*, Eyre & Spottiswoode, 1964.

mas eles permitiram sua volta em 1613, desde que ele não publicasse mais nada pelo resto de sua vida.

Boehme passou o resto da década em silêncio, sem fazer nenhuma publicação, mas a claridade já havia se introduzido em sua mente: nela, uma estrutura metafísica tinha surgido e acomodado ambos os esquemas renascentistas da interação planetária e da oposição, como também o tema alquímico da transformação da matéria base. O "casamento alquímico dos contrários", simbolizado no *rebis*, a figura andrógina que simbolizava enxofre e mercúrio e que continha uma oposição polar mútua, fez coro com os *insights* de Boehme para a *necessidade* da oposição interna na projeção do ser divino. Imediatamente pensamos no *Casamento do Céu e do Inferno*, de Blake: "Sem os Contrários não há progresso".

A influência do médico suíço e teólogo autônomo Paracelso (1493-1541) se agiganta em Boehme, da mesma maneira como faz com Blake. O título de Boehme *Mysterium Magnum* (1623), por exemplo, é um termo de Paracelso para designar a grande matriz da natureza – o mistério, a *prima materia* (matéria-prima) de todas as coisas, cujo oposto masculino é o "Archeus" ou o "Separador".

O *Archeus* é o aspecto diferenciador da mente divina dentro da *massa confusa* indiferenciada que se estende indefinidamente por toda a criação, como as raízes entrelaçadas e os ramos de uma infinita, até mesmo sinistra, floresta.

O sistema triádico de Paracelso, composto de sal (matéria), enxofre (alma) e mercúrio (espírito), está profundamente enraizado no sistema de Boehme: a tríade interpretada por Boehme como um processo espiritual dinâmico de purgação, iluminação e transformação (ou união). Na verdade, Boehme vê o Cosmos como uma expressão dinâmica contínua desses princípios. Blake viu todo o processo em uma palavra: *perdão*.

A influência cabalística também está presente em dois dos símbolos básicos de Boehme transmitidos para o pensamento de Blake: o "ungrund" ou o abismo primordial e o Homem arquetípico ou Adão original. Eles se assemelham a – *Ain Sof* – luz ilimitada incognoscível – da Divindade suprema da Kabbalah e da imagem tradicional de "Adão Kadmon", cujo corpo contém o universo. Vamos vê-lo na imagem de Blake, "Albion", o Homem Ancião.

Pode-se ver em tudo isso a concepção de Paracelso de que o universo é um enigma divino, codificado com segredos profundos que aguardam o inspirado e puro decodificador. Não é de se admirar que o próprio Boehme viesse a ser tão intimamente associado com a irmandade ficcional Rosa-cruz a ponto de ser visto como uma espécie de sócio honorário. Para os seguidores mais devotos de Boehme, ele aparentemente tinha tinha sido bem-sucedido.

As obras de Boehme prometiam uma verdadeira "ciência de Deus" e, sendo assim, alguns de seus seguidores sentiam que o mundo já não podia negar o fruto da inspiração de Boehme. No dia do Ano-Novo de 1624, eles publicaram vários trechos de seus textos sob o título *Der Weg zur Christo* ("O Caminho de Cristo"). Esse acontecimento precipitou as perseguições eclesiásticas que causariam problemas à vida do místico até sua partida deste mundo.

No dia de sua morte, ouviu-se de Boehme a observação de que ele podia ouvir os acordes de uma música doce – assim como foi relatado a respeito de William Blake que, em seu leito de morte, 200 anos mais tarde, também teve a mesma sensação. Boehme abençoou sua família e murmurou baixinho: "Agora, eu vou daqui para o Paraíso".[101]

O que Boehme tinha deixado para trás iria, fundamentalmente, moldar o pensamento de Blake. A passagem a seguir vem da obra de Boehme *O Céu e o Inferno* (o que deve soar familiar). Nele, podemos vislumbrar o grande tema de Boehme sobre os mundos opostos da "Ira" e do "Fogo" em relação dinâmica com o "Amor" e a "Luz". Note-se também a expressão "Deleite Eterno", que soa tão blakeana, mas que na verdade é de Boehme; Blake disse que "Energia é o Deleite Eterno" em seu casamento entre a ordem inferior e a superior.

> E como a Luz tem outra propriedade completamente diferente daquela do Fogo, por Ela fornecer e ceder de Si mesma, enquanto o fogo se retrai e se consome; assim também a santa Vida da Humildade surge através da morte da Vontade PRÓPRIA e, então, somente a Vontade do Amor de Deus reina e cria TUDO em TUDO. Pois é assim que o UM Eterno alcançou o Sentimento e a Separabilidade, e

---

101. Relato do dr. Tobias Kober, citado por J. Stoudt, *Sunrise to Eternity*, p. 191.

apresentou-se novamente junto com o Sentimento, por meio da Morte, em grande Alegria; para que haja um Eterno Deleite na Infinita Unidade e uma causa eterna de Alegria e, por conseguinte, o que antes era Sofrimento, agora deve ser a Base e a causa desse Movimento ou agitação para a Manifestação de todas as Coisas. E é aqui reside o Mistério da Sabedoria Oculta de Deus.[102]

Os dois mundos contrários da teosofia de Boehme surgem a partir do que Désirée Hirst considerava "a mais surpreendente doutrina que Boehme desenvolveu",[103] a da "Natureza Eterna". O "Mal" não entrou no mundo por causa do pecado de Adão, mas ele estava lá desde o início, *in potentia* (em potencial). A Natureza Eterna existe desde *antes* da criação; ela surgiu do "Abismo", do "Ungrund", o Deus Incognoscível, pela misteriosa vontade de Deus de conhecer a si mesmo.

A Natureza Eterna é expressa em três princípios. Os dois primeiros são definidos assim: "... com o austero Mundo de Fogo, de acordo com a Propriedade do Pai assim como o mundo de Luz e de Amor é a Propriedade do Filho; e, no entanto, é apenas Uma substância indivisível, mas Um só Deus; assim como o Fogo e a Luz é apenas Um".[104] O que Boehme está dizendo é que para o "Ungrund" ou o "Abismo" (isto é, a *profundidade infinita*) conhecer a si mesmo, é necessária uma manifestação reflexiva dos opostos: Pai/Fogo e Filho/Luz. Por analogia, não posso "conhecer a mim mesmo" sem criar, no pensamento, um "eu" para conhecer e um "mim mesmo eu" a ser conhecido: duas fases de embora *eu* e *mim mesmo* são apenas um.

Uma vez que os dois princípios opostos de Boehme são manifestados, seu *contrarium* (contrário) produz uma reação, um *"flash"*, como uma centelha causada pela força do atrito, a partir do qual um terceiro princípio é produzido: um *"parto"*, um nascimento explosivo, com uma dinâmica própria. É a partir desse *"parto"* que nosso Universo foi derivado.

---

102. Último parágrafo: Of Heaven and Hell; A Dialogue between Junius, a Scholar, and Theophorus, His Master, de *The Works of Jacob Behmen*, 4 vols., ed. G. Ward e T. Langcake, trans. William Law, London, 1764-1781.
103. Désirée Hirst, *Hidden Riches*, p. 89.
104. *An Apology and Reply upon Esaiah Stiefel*, traduzido para o inglês por John Sparrow, London, 1651, nº 16, p. 90.

Note, no entanto, que tanto "a Luz quanto a Escuridão estão contidas no Um".[105] Em sua manifestação, Deus "enxerga" o que não podemos ver, pois somos criaturas da dualidade ou, pelo menos, é a partir dessa dualidade que derivamos nossos sentidos.

Para ilustrar este padrão, Boehme escolheu globos dinâmicos e círculos imaginários. Ele desenhou um círculo escuro que tocava outro iluminado, com um terceiro círculo debaixo de ambos. O "relâmpago" ou centelha criativa marca o contato entre a luz e os princípios escuros. Essa chama acesa de vitalidade é semelhante à crença em um fogo alquímico oculto, mas presente em todas as coisas, latente desde o primeiro nascimento da criação. O universo deriva de uma combustão metafísica. *O Casamento do Céu e do Inferno*, de Blake, está cheio de criaturas cercadas pelas chamas: energia eterna, deleite eterno. A Lâmina Três, que anuncia o "Domínio de Edom", por exemplo, mostra uma mulher de cujos órgãos genitais emanam fluxos de fogo: como uma salamandra, ela parece viver no fogo. O fogo queima, mas ao mesmo tempo o fogo é vida; o amor está no fogo. O mesmo fogo está na luxúria do bode, do homem e da mulher. A energia sexual é fundamentalmente criativa e não vergonhosa: *o amor arde em chamas!*

Como Boehme afirmava, os primeiros dois "mundos" são, na realidade, um só, da mesma forma que "fogo" e "luz" são um. Portanto, Deus existe como "Pai" na medida em que a Vontade é a Senhora do Fogo e do Poder; Deus é "Filho" na medida em que a Vontade é portadora do princípio da luz.

> O Ser dos Seres é um ser único, mas, ao dar à luz a Si mesmo, ele se divide em dois princípios, em luz e escuridão, em prazer e dor, em mal e bem, em amor e ira, em fogo e luz e, desses, dois eternos princípios em um terceiro princípio, na própria Criação seu próprio jogo de amor entre as qualidades dos dois desejos eternos.[106]

A imagem de um "Big-Bang", atualmente preferida por muitos cosmólogos como uma teoria válida para a origem do Universo, não é totalmente alheia a essa visualização – a centelha arquetípica

---

105. Forty Questions of the Soul, London, 1655, nº 11, p. 12.
106. Boehme, Sämtliche Schriften, vol. 16, ed. W.E. Peuckert, Frommann, Stuttgart, 1957, p. 233.

da ignição está lá. A essência da ideia é antiga. Como Abraham von Frankenberg tinha observado, o sistema de Boehme era muito parecido, em princípio, àquele dos gnósticos valentinianos, como foi expresso por seu oponentes, Santo Irineu, em seu livro *Contra as Heresias* (c.180 d.C).

Onde o homem se enquadra em tudo isso? Pois no esquema de Blake, o Homem reconstruído deve ser o herói de qualquer casamento do céu e do inferno. De acordo com Boehme, o Homem foi, originalmente, um ser espiritual andrógino, no qual os dois sexos eram um só.

Esse ser caiu na matéria, uma catástrofe que envolveu uma divisão em sexos separados, seguida pelo pecado e pela desobediência mitificados na história do Éden, ou seja, Adão deu origem à Natureza. Antes disso: "Adão era homem e mulher e, ao mesmo tempo, nenhum deles (ser distinto), mas um ser Virgem cheio de modéstia e Pureza, *viz.* A Imagem de Deus: Ele tinha tanto as Tinturas de fogo e de luz em Si; e na Conjunção dos quais, o próprio Amor, *viz.* O Centro Virginal sendo o lindo Jardim Paradisíaco do Prazer onde ele se amava, tal como nós na Ressurreição dos Mortos...".

Adão era um homem, e também uma mulher. Blake irá descrever a consorte perdida de Albion, "Jerusalém", como "uma cidade, mas também uma mulher", dando-nos a ideia de que a reconstrução de "Jerusalém" é a reconstituição, a redenção e o renascimento do *Homem*: é o que Blake entendeu a partir da ideia cristã de que "todos nós fomos batizados em um Espírito, formando um corpo" (1 Coríntios, 12:13).

Outra ideia behmenista "contrária" pertinente ao destino do Homem é a da Vontade e do Desejo (na Inglaterra, Boehme era conhecido como "Jacob Behman"). Nenhum dos dois é, em si mesmo, mau. No *Casamento*, Blake escreve: "Aqueles que restringem o desejo, assim agem porque o deles é fraco o suficiente para ser reprimido; e a restrição ou a razão usurpa seu lugar e governa os que não têm Vontade. E, ao serem contidos, eles gradativamente tornam-se passivos até que sejam apenas a sombra do desejo". Ou seja, os viris são detestados pelos impotentes. O "desejo do coração" era na essência da criação religiosa de Blake e nada, senão o mais alto, podia satisfazê-lo.

Onde o desejo realmente participa do mal é quando seu foco é tão limitado em si mesmo que ele rompe com Pai e Filho. O homem deve morrer para o ego para renascer em Deus; e Deus deve renascer no homem.[107]

A vontade divina avança no autoconhecimento à medida que ela se manifesta na autoconsciência humana. Em última análise, a vontade humana, ela própria, é uma manifestação da Vontade Divina e é transformada na Vontade Divina por meio de um processo dialético em curso. Deus torna-se a humanidade assim como a humanidade torna-se Deus: "O Filho de Deus, o Verbo Eterno no Pai, que é o vislumbre ou o brilho, e o poder da eternidade da luz deve tornar-se homem e nascer em você, se você vier a conhecer Deus: caso contrário, você estará tateando em um estábulo escuro".[108]

Para que esse processo mágico seja encenado, os homens devem abandonar o egocentrismo, parar de reclamar e permitir que Deus seja ouvido no íntimo do coração.

A redenção é realizada por meio do Homem Novo, à imagem do tipo original. O Novo Homem é o Cristo, em quem não há confusão de Vontade humana e divina. Por meio d'Ele, o homem é levado de volta – redimido – para a felicidade que tinha na origem. No Último Dia, o Homem levantar-se-á como Adão foi criado originalmente.

Quando Blake escreveu *O Casamento*, ele parece ter pensado que esse desfecho fosse iminente.

O erro essencial de Adão foi ceder essa parte de si mesmo que se refletiu na Natureza: "... pois as propriedades da Criação, que estavam todas em Adão, despertaram e levantaram-se por si mesmas, atraindo nele o livre-arbítrio, sendo necessário que ele fosse manifestado".[109]

Havendo "caído" uma primeira vez do céu, e uma segunda vez do Éden, a "Dupla Queda" do Homem envolveu-o em um sono, na inconsciência e no esquecimento.

Enquanto o Homem "estava no céu, sua essência ficava no Paraíso; seu corpo era indestrutível... os elementos o reverenciavam. Infelizmente, "cansado da unidade, Adão dormiu e sua imaginação afastou-se de Deus.... Ele transformou a vontade e o desejo de Deus

---

107. *Mysterium Magnum*, London, 1654, ch. 18, nº 2.
108. Citado por Evelyn Underhill, *Mysticism: A Study in the Nature and Development of Man's Spiritual Consciousness*, 2 ed., London, 1912, p. 142.
109. *Of the Election of Grace*, tradução para o inglês de John Sparrow, London, 1655, ch. VI, nº 29.

em individualidade e vaidade; e ele rompeu com Deus, e com sua harmonia divina... O sono sucumbiu aos poderes do mundo e Adão tornou-se um escravo daqueles poderes que, antes, o haviam servido. Agora eram os elementos que o governavam".[110]

Em Adão, Blake imaginou um processo de despertar doloroso, de tornar-se livre dos elementos inferiores que haviam mantido cativo o Homem desde tempos imemoriais, elementos manifestados no governo e distorção tirânicos da religião.

Boehme armou Blake com sua crítica ao sentido comumente entendido da Bíblia, bem como com a lâmina para dissecar os erros de Milton, tal como Blake os percebeu. Assim, Blake pôde escrever em *O Casamento do Céu e do Inferno*, sob a rubrica "A voz do Diabo", sobre o Jeová da Bíblia como "Nenhum outro além daquele que habita no fogo chamejante":

> Esta história consta do Paraíso Perdido e o Regente ou a Razão é chamado Messias.
>
> E o Arcanjo original ou em comando das hostes celestes é chamado Diabo ou Satanás, e seus filhos são chamados de Pecado e Morte.
>
> Mas no Livro de Jó, o Messias de Milton é chamado de Satanás.
>
> Essa história tem sido adotada por ambas as partes.
>
> De fato, para a Razão pareceu como se o desejo tivesse sido expulso, mas para o Diabo foi o Messias quem caiu e formou um céu com o que ele roubou do Abismo [Boehme novamente].
>
> Isto é mostrado no Evangelho, quando ele pede ao Pai para enviar o consolador ou o Desejo para que a Razão pudesse ter ideias com as quais poder edificar, o Jeová da Bíblia que é nada menos do que aquele que habita no fogo chamejante. Saibam que, depois de sua morte, Cristo tornou-se Jeová.

---

110. Dr. Stoudt, *Sunrise to Eternity*, p. 264-266, em *Mysterium Magnum*.

Mas em Milton, o Pai é o Destino, o Filho, a Relação dos cinco sentidos e o Espírito Santo, o Vácuo!

Nota. O motivo pelo qual Milton escreveu em grilhões, quando escreveu sobre Anjos e Deus, e em liberdade, quando escreveu sobre Demônios e Inferno, é porque ele era um verdadeiro Poeta e um partidário do Diabo sem sabê-lo.

O fogo chamejante é o primeiro princípio de Boehme sobre a essência divina expressa. Da forma como Blake se expressou, é "Energia, chamada de Mal". Nesses fogos habitam demônios como "espíritos vivos que vivem nas essências do Original Eterno". Os anjos vivem no princípio da luz e cada espírito deve ser confinado ao seu princípio. Blake sempre mostrava alguma simpatia para com os demônios.

Não podemos deixar de apreciar uma piada à custa de Boehme em sua primeira (de três) "Memoráveis Fantasias", em *O Casamento do Céu e do Inferno*: "Eu [Blake] estava andando entre os fogos do inferno [ele estava andando pelo país, de certa forma no mundo natural], encantado com os prazeres do Gênio que, para os anjos, parecem tormento e insanidade". Os anjos podem ver apenas seu lado do *contrarium*; Blake sente-se livre para "andar" na energia do desejo: o princípio do fogo. E para Blake, é claro, a "Energia é a Delícia Eterna".

A maioria dos leitores de Blake deve estar familiarizada com a forma pela qual o poema "O Tigre" (de *Canções da Experiência*, 1794) descreve vividamente a criação da "atemorizante simetria" do tigre. A questão não resolvida assombra o crente: "Será que aquele que fez o cordeiro também fez você?".

Em sua *Aurora* (1612), Boehme escreveu que animais ferozes nunca foram destinados ao plano divino, mas foram criações de Lúcifer e da corrupção de seus anjos caídos. Sem a queda desses anjos, não teriam existido cobras, sapos nem tampouco insetos peçonhentos. Mas Lúcifer focou sua admiração em sua própria individualidade, exaltando-se e assim envenenando as fontes da criação. O princípio da vida tomou as formas do mal, "como uma serpente ígnea, ou Dragão, emoldurada em todos os tipos de formas e imagens ardentes e venenosas, como os animais ferozes, cruéis e malignos". De acordo com Boehme, Lúcifer "corrompeu e destruiu a fonte da vida, deixando-a quase morta"; de modo que o animal, que tinha uma parte maior da qualidade do fogo ou mais amarga, ou ácida, tornou-se também uma fera ardente, amarga e feroz. "Tigre, Tigre, que queima brilhante,/ Nas florestas da noite;/A que olho ou mão imortal,/foi possível plasmar tua terrível simetria?" E o que são essas "florestas da noite"?

Adão, que poderia ter vivido dos "frutos da vida" (a frase é de Boehme, usada por Blake), escolheu a natureza terrena da árvore. Em "A Árvore Envenenada" (*Canções da Experiência*, 1794), encontramos as palavras "ira", "veneno" e "raiva", que são certamente reminiscências de Boehme quando trata da "Queda Dupla". Boehme pergunta: "Por que Deus fez essa árvore crescer [no Éden], sabendo que o Homem dela comeria? Será que ele não a fez para a proposital queda do Homem? E não seria essa a causa da destruição do Homem?".

Kathleen Raine observou: "A partir dessa fonte mortal' de veneno e de ira, o Mistério [a Natureza] ramifica-se e estende-se infinitamente".[111] Esses ramos estendidos, com suas raízes infinitamente retorcidas, são as florestas escuras da Natureza caída à nossa volta (o Inferno Eterno de Blake).

Na segunda história de Blake em *O Casamento*, sob o título de "Uma Fantasia Memorável", ele descreve uma jornada assustadora na qual um anjo o leva por uma igreja e, para baixo, em uma câmara e depois para um moinho ao final da câmara; em seguida, ele é levado para uma caverna tortuosa até se depararem com um vazio sem limites, abaixo deles. Eles agarram as raízes das árvores acima deles e ficam suspensos em cima do vazio. Blake diz que quer cair no vazio e descobrir se ali existe a providência. O Anjo alerta-o sobre a presunção e diz que ele verá seu "destino que aparecerá assim que a escuridão se afastar":

> Então eu fiquei com ele sentado na raiz torcida de um carvalho e ele ficou suspenso em um fungo que estava pendurado com a cabeça para baixo em direção do abismo:
> Gradativamente, passamos a contemplar o abismo infinito e, aos poucos, vimos o infinito abismo, enfumaçado

---

111. Kathleen Raine, Blake and Antiquity, Routledge & Kegan Paul, London, 1979, p. 75.

como uma cidade em chamas; abaixo de nós, a uma imensa distância, estava o Sol, negro, mas brilhante, ao redor do qual havia trilhas ardentes pelas quais rastejavam grandes aranhas atrás de suas presas que voavam, ou melhor, nadavam na profundeza infinita em formas dos mais terríveis animais criados pela corrupção.

De que maneira termina essa incrível história de Blake? Simples, resolvi deixar que o próprio leitor descubra, embora tenhamos visto o suficiente para perceber que Blake formava suas ideias a partir daquelas de Boehme sobre a corrupção da natureza e como Boehme as usou de modo criativo. Como o emblemático "Tigre" de Blake, "Sim!", Blake parece perguntar: "Vocês não acham o Tigre inspirador, assustador, magnífico? E ele não faz vocês pensarem?".

Kathleen Raine relaciona o "Tigre" com o que Boehme escreveu sobre os "fogos irascíveis" do Pai, em um dos brilhantes e vertiginosos "Provérbios do Inferno", de Blake, em *O Casamento*: "Os tigres da ira são mais sábios que os cavalos de instrução". Acredito que esse aforismo apareceu nas paredes da Sorbonne como pichações de estudantes durante os eventos rebeldes de "maio de 68", em Paris. Blake teria desejado que ele tivesse aparecido nas mesmas paredes de Paris em 1790, pois nesse ano ele percebeu seu sentido em todos os lugares.

Blake transformou a teosofia de Boehme como munição para a Guerra Mental contra a Razão abstrata e a repressão sexual, o militarismo, a estatização, o corporativismo e a industrialização. Mas sua maior luta era contra o materialismo, o culto à mera Natureza, em seu aspecto exterior, o universo quantificável e mensurável, o mundo externo visto pelo olho frio da ciência abstrata: o que ele chamava de "sono de Newton". E, como sua guerra era contra a visão externa, Blake sabia que a luta que importava não era principalmente por meio da política externa e das leis, mas pela transformação espiritual e pela energia libertada.

Blake percebeu muito bem a energia que estava escondida, as vastas eternidades no que era aparentemente microscópico: "Para ver um céu em um grão de areia/e um céu em uma flor selvagem/segurar o infinito na palma da sua mão/e a eternidade em uma hora"(do *Caderno de Anotações*, de Blake, sem data). Agora vamos ouvir Boehme, embora de maneira não tão sucinta: "Se você concebeu um pequeno, diminuto círculo, tão pequeno quanto um grão de semente de mostarda, mesmo assim todo o Coração de Deus estará completa e perfeitamente contido nele e se você nasceu em Deus, então há em você (no círculo de sua vida), todo e completo, o Coração de Deus."[112]

Blake parece ter apreendido quase toda a sua noção de movimento, velocidade, força, mudança e a teosofia dinâmica de Boehme. Tudo é forçado a uma mudança e transformação. A Moralidade e a Física saltam e mergulham, cavam e cortam juntas.

No poema "A Árvore Envenenada", a árvore do veneno cresce alimentada pela ira e pela "maçã vermelha" da raiva. Para Boehme, essa árvore é também a Natureza: "ela cresceu da Terra e tem nela a total natureza da Terra. Totalmente nela". A Terra é corruptível e, assim, a Natureza "desaparecerá ao final, quando tudo será envolvido em seu Éter". Comentando sobre esse paralelo, Kathleen Raine exclamou como "Ele [Boehme] pode ter parafraseado Paracelso". Das duas árvores da lenda – a Árvore da Vida e a Árvore do Bem e do Mal – Boehme sustenta que elas são uma mesma árvore, mas manifestada em dois princípios diferentes: a luz do céu (o Filho) e o fogo do Inferno ("a fúria da ira de Deus", o Pai).

A ambivalência da "fúria" divina preocupava Blake. A questão a respeito desse assunto ardente e, decididamente, não liberal atinge seu ápice na famosa pergunta provocada pela contemplação do "Tigre": "Será que aquele que fez o Cordeiro também fez você?".

Kathleen Raine pergunta se devemos considerar uma resposta através do prisma das palavras de Boehme: "O Deus do Mundo Santo e o Deus do Mundo Escuro não são dois deuses; não há senão um só Deus. Ele Mesmo é tudo o que existe. Ele é o Bem e o Mal; Céu e Inferno; Luz e Trevas; Eternidade e Tempo. Onde seu Amor estiver escondido, ali também estará sua Ira manifesta".

Raine chegou à seguinte conclusão: "Este é o deus dos Alquimistas, além dos contrários". "Grande demais", Blake acrescentaria, "para o olho do homem".

---

112. Citado em Evelyn Underhill, *Mysticism: A Study in the Nature and Development of Man's Spiritual Consciousness*, 2 ed., London, 1912.

O rugido dos leões, o uivo dos lobos, o furor do mar tempestuoso e a espada destruidora são fragmentos de eternidade grandes demais para o olho da homem.[113]

O Casamento do Céu e do Inferno, de onde esse aforismo deriva, é um tesouro de sabedoria no qual estão muitos dos mais memoráveis *insights* de Blake que, simplesmente, deve ser lido em sua totalidade. Do ponto de vista biográfico, ele revela o diálogo tácito em curso entre Blake e Swedenborg. Sob o título "Oposição é Amizade Verdadeira", ele vai além, e faz irrestritas críticas a Swedenborg:

> Sempre achei que os anjos têm a vaidade de falar de si mesmos como se fossem os únicos sábios; eles fazem isso com uma insolência confiante que brota do raciocínio sistemático. Assim Swedenborg gaba-se alegando que seus escritos falam de coisas novas, mas é apenas o Conteúdo ou o Índice de livros já publicados. Um homem carregava um macaco para se mostrar &, como ele era um pouco mais sábio do que o macaco, ele ficou vaidoso e considerou-se muito mais sábio do que sete homens. O mesmo acontece com Swedenborg: ele exibe a loucura das igrejas & expõe os hipócritas, imaginando até que todos são religiosos, sendo ele o único no mundo que nunca "quebrou um ovo".
> Agora ouçam um fato simples: Swedenborg não escreveu nenhuma verdade nova. Agora ouçam outra: ele escreveu sobre todas as velhas falsidades. E agora ouçam o motivo. Ele conversou com os Anjos, que são todos religiosos, mas não conversou com os Demônios, que odeiam todos a religião, por ele ser incapaz em razão de suas orgulhosas noções. Assim, os escritos de Swedenborg são uma recapitulação de todas as opiniões superficiais, e uma análise do que é mais sublime, mas nada mais. Agora outro fato simples. Qualquer homem de talentos mecânicos pode, a partir dos escritos de Paracelso ou de Jacob Behmen [Boehme], produzir 10 mil

---

113. De "The Proverbs of Hell" (*Marriage of Heaven and Hell*).

volumes de igual valor aos de Swedenborg, de Dante ou de Shakespeare em um número infinito. Mas, isso feito, que não diga ser melhor do que seu mestre, pois ele é apenas a chama de uma vela comparada à luz do Sol.

Isso não teria absolutamente agradado a Flaxman, que havia viajado para Roma.

Blake fechou o tratado extraordinário com "Uma Canção de Liberdade", um preparo para seus poemas "A Revolução Francesa" e "América: A Profecia". "Uma Canção de Liberdade" começa com o que pode ser o texto para a ilustração da mulher com as mãos na cintura, chamas fluindo de seus órgãos genitais, um texto baseado nos escritos de São Paulo: "Pois sabemos que toda a criação geme e sofre como que dores de parto até o presente dia, para a revelação do filhos de Deus" (Romanos 8:18-23):

1. O Eterno Gemido Feminino! Ele foi ouvido sobre toda a terra;
2. Toda a costa de Albion está em um silêncio doentio; os prados americanos esvanecem!
3. Sombras da Profecia tremem ao longo dos lagos e dos rios, e murmuram do outro lado do oceano: França, ponha abaixo tua masmorra;
4. A Dourada Espanha rompe as barreiras da velha Roma;
5. Lança tuas chaves, ó Roma, para que caiam nas profundezas e que continuem caindo até a eternidade;
6. E chorem!
7. Em suas mãos trêmulas ela tomou, gritando apavorada, o recém-nascido terror;
8. Nas montanhas infinitas de luz, ora barrada pelo oceano atlântico, ali estava o recém-criado fogo diante do rei estrelado!

A identidade do "recém-nascido terror" ou do "recém-criado fogo", que desafiará o "Ciúmes Estrelado", a "Estrelada Inveja" ou o senhor do universo limitado, é guardada para outra obra.

O pequeno terror emergirá como "Orc", a criança da liberdade e da revolta que se manifesta quando o sentimento espiritual é reprimido: certamente, uma criança selvagem. E por que não identificá-la afinal com a figura retratada na famosa aquarela conhecida como *Dia Feliz*, mencionado no capítulo 7? Pois ali está ela, nas montanhas infinitas de luz, finalmente livre!

Os versos terminam com um grito que ecoará, devolvendo palavra por palavra, em "América": "América: O Império não existe mais! E agora, o leão e o lobo cessarão". E como se isso não bastasse, há um coro final que aparece para atacar tanto a irmandade da Igreja, vestida de preto, que condena a natureza sexual do homem como algo vergonhoso quanto, com palavras veladas, a Maçonaria ("Irmãos aceitos" chamados "livres": uma altamente poderosa referência à "Grande Loja" de Londres, há muito tempo despercebida) que está colocando um teto sobre a Loja, anteriormente infinita, em contato com os céus por venerar o Grande Geômetra que é a Razão, aquela que restringe.[114]

> Não deixe mais os Sacerdotes do Corvo da aurora em completa escuridão e, com voz rouca amaldiçoe os filhos da felicidade. Nem tampouco seus irmãos aceitos, os quais, tiranos, eles chamam de livres: não os deixem estabelecer o limite ou construir o telhado. Nem também a luxúria pálida e religiosa ser chamada de virgindade, que deseja, mas não age!

---

114. O catecismo mais antigo conhecido da Maçonaria Inglesa é Sloane Ms.3329 (Biblioteca Britânica). Ele foi datado de c.1700 ou um pouco mais cedo. Há todos os motivos para pensarmos que ele estivesse em uso pelo menos até a criação de um corpo, ou corpos, da Maçonaria Aceita, por um Whig e admirador da "Grande Loja" de Newton, um processo que durou de c.1716 a 1723. O questionador pergunta no catecismo: "Qual o tamanho da sua Loja?". E a resposta é dada: "Sem pés, metros ou centímetros, ela chega ao céu". Uma referência de Blake para "ligado" e "teto", para "aceitar os Irmãos" chamados "livres", sugere que essa primeira, ilimitada e celestial concepção de Loja foi atacada. Da mesma forma, a concepção de uma "Estrela de Fogo", uma concepção bíblica, sofreu uma reinterpretação como se fosse uma glorificação da Geometria no sistema da Grande Loja. Blake teria reconhecido a imagem do "Grande Arquiteto" como "Urizen", "ou" o "Velho Nobodaddy". A pergunta e a resposta com relação à altura da Loja desapareceram nos catecismos maçônicos conhecidos, após a união da Grande Loja e os Antigos, em 1813, e após esse tempo sabemos do conteúdo das cerimônias maçônicas inglesas. É possível que Blake tenha simpatizado com os sistemas da Continental High Grade Masonic, que eram baseados em parte nos escritos de Boehme, bem como os de Paracelso, Pasqually, Dom Pernety e Swedenborg.

Pois tudo o que vive é Santo.
Tudo o que vive é Santo! Se na Grã-Bretanha houvesse uma Inquisição, Blake e seus "filhos da felicidade" teriam sido queimados na fogueira.
Houve providência no vazio.

Toda essa apoteose visionária do "Homem" pode levar-nos a esquecer quem, particularmente, tinha a lucrar com o casamento do céu e do inferno de Blake. Grande parte do que estava na mente de Blake, nesse período, dizia respeito aos pequenos homens e mulheres vistos em toda parte nas "ruas calçadas" de Londres. "E as crianças?", perguntou a sra. Banks, a esposa do banqueiro, em *Mary Poppins*, antes de a dança dos limpadores de chaminés demonstrar aos Banks algumas das coisas que lhes faltavam na vida. Haveria uma esperança apocalíptica para as crianças? Sim, no coração de Blake, havia, pois foi nesse período que ele escreveu "O Limpador de Chaminés", incluído, não sem alguma ironia negra, em *Canções da Inocência*.

As condições entre os pequenos meninos limpadores eram terríveis. Muitos morreram, antes de amadurecerem, de doenças respiratórias; muitos foram mortos em decorrência do trabalho incessante, por desmoronamento das chaminés que eram estreitas demais, até mesmo para seus frios e famintos corpos. Na história angustiante de Blake, "O Limpador de Chaminés", na qual é apresentado um menino cuja mãe morreu quando ainda muito criança e seu pai o vendeu ao comércio: "Na fuligem eu durmo". Ele descreve um pouco o menino Tom Dacre que chorou quando seu cabelo encaracolado foi raspado para o trabalho, fazendo desse caso uma piada: pelo menos a fuligem não o estragará.

E assim ele ficou calado e, nessa mesma noite,
Enquanto dormia, Tom teve uma visão:
Ele viu milhares de limpadores, Dick, Joe, Ned & Jack
sendo fechados em caixões pretos,

E veio um Anjo que, com uma chave brilhante,
abriu os caixões e deu liberdade a todos.
Em seguida, eles desceram uma planície verde pulando e rindo
Eles corriam e tomavam banho em um rio, e brilhavam ao Sol.

Essa foi realmente uma visão. Em 21 de dezembro de 1790, foi inaugurada, em Rhode Island, Estados Unidos, a primeira fábrica de algodão operando com uma nova tecnologia. Seu proprietário, Sam Slater, tinha sido aprendiz do inventor inglês do tear movido a água, Richard Arkwright. Slater usou água e crianças para operar seu engenho.

Na Inglaterra, a reação à nova tecnologia foi muitas vezes violenta. Robert Peel (1750-1830), filho do dono de uma fábrica de Lancashire, usava o inovador dispositivo de tecer de James Hargreaves, "girando Jenny". A máquina foi quebrada pelos tecelões manuais que viram seu meio de vida desaparecer.

Peel mudou-se para Burton upon Trent, Staffordshire, onde construiu três tecelagens e um canal (4 mil quilômetros de vias navegáveis foram construídos desde 1760). Ele teve a ideia de recrutar crianças abandonadas das ruas de Londres e empregá-las para trabalhar como "aprendizes" nas fábricas. Assim que enriqueceu, Peel decidiu entrar na carreira política, e comprou, nas proximidades, a vila de Tamworth. Seu filho Robert se tornariria primeiro-ministro em 1834.

Capítulo 13

O que Agora Está Comprovado, Antes Era Apenas Imaginado – 1791

Nenhum pássaro voa alto demais, se voar com suas próprias asas. [...]
O que agora está comprovado, antes era apenas imaginado.

(*O Casamento do Céu e do Inferno*, 1790-1793)

O sr. e a sra. Blake começaram muito bem o ano de 1791. Eles tinham uma casa nova, porque se mudaram para o sul, no outono anterior, da Polônia Street, em frente à ponte de Westminster, para Hercules Buildings, Lambeth. A mãe e as tias de Catherine Blake eram de Lambeth, então pode ser que ela tenha encontrado ali sua família e amigos.

Naqueles dias não havia muito coisa em Lambeth; além do palácio do arcebispo da Cantuária, havia, em meio a alamedas, campos e pântanos, algumas casas bastante novas, construídas havia 20 anos, das quais Blake foi um dos moradores. O banco Thames ocupava um antigo depósito de madeira. Do outro lado da estrada, estava o Asilo Real de Órfãos Femininos, onde o swedenborguiano Jacob Duché havia servido como capelão até 1789. Em 1774, as orações extemporâneas de Duché no primeiro Congresso Continental dos rebeldes americanos tinham tocado profundamente John Adams e a assembleia histórica. O irmão de Elizabeth, esposa de Duché, Francis Hopkinson, havia sido, de fato, um dos signatários da Declaração de Independência. Era quase certo que Blake conhecia Duché e que Duché mantinha grupos de discussão com os swedenborguianos moderados e radicais, até ele voltar para os Estados Unidos, em 1793.

O número 13 da Rua Hercules era uma construção de três andares, com um porão, e cada andar tinha dois cômodos bem-proporcionados, com três pés de painéis, armários bonitos e uma cornija feita de mármore. Blake podia olhar para o pequeno jardim da casa da janela de seu escritório; todo o lugar, a julgar pela sua prolífica energia, era de seu gosto e conveniência.

De acordo com a cunhada de Flaxman, Maria Denman, Blake plantou ali uma figueira e uma parreira, mas recusou-se a podar a vinha porque acreditava que podar era errado. Os Blake ali ficaram no verão, com Flaxman, cercados por cascatas de frutas, deleitando-se com as delícias do sul de Londres e cantando canções. Não é de surpreender, talvez, uma história que circulou entre os alunos da Academia em anos posteriores, de que, em certa ocasião, os Blake ali estavam sentados totalmente nus. Surpreendidos por um visitante, Will e Kate supostamente mostraram sua inocência, declarando que eles eram Adão e Eva! Samuel Palmer repudiou veementemente essa história, declarando-a apócrifa e completamente fora da realidade dos personagens. Entretanto, não podemos deixar de imaginar o suposto ocorrido. Possivelmente, Blake, o sonhador, no meio de uma vinha, evocava a imagem de um desejado pensamento.

No fundo do jardim havia um pessegueiro junto ao qual fora construída uma casa de veraneio com um local recluso embaixo de duas grandes árvores. Nas proximidades, havia dois importantes edifícios: o Hospital Bethlehem para Dementes Mentais (à sua presença soma-se o mito da loucura de Blake, que se desenvolveria na década de 1790) e o Anfiteatro Astley, de propriedade de John Conway Philip Astley, que morava em uma casa com jardim em Hercules Buildings.

Astley era uma pessoa estranha. Em 1799, ele participou da fundação da Sociedade Beneficente Maçônica (agora o RMBI), frequentada pelo Grão-Mestre George, príncipe de Gales, e preocupou-se em elevar sua renda extra em meio às incertezas da guerra. A Sociedade contou com o apoio das duas "Grandes Lojas" rivais: a Grande Loja da Inglaterra (1716-1723), e a "Antiga" Grande Loja (1751). Um maçom "Antigo" (como o pai de Blake pode ter sido),

Astley era, em 1787, membro da Loja da Temperança nº 22 (agora nº 169). Astley fundou outra Loja, a Royal Grove, nº 240, tornando-se seu Mestre em 1788 (o que durou até 1836).

Astley era proprietário do Astley Royal Grove Circus, em Dublin, e do anfiteatro de Astley, em Lambeth. O Circo era especializado em números equestres e humoristas, e tinha uma banda. Um cavaleiro chamado Sansão tocava flauta, em pé, sobre dois cavalos, simultaneamente e sem rédeas. Havia também Billy, uma miniatura de cavalo amestrado que contava números, desmontava sua própria sela, pegava chaleiras de água fervente do fogo e podia atuar como garçom em reuniões que, na Inglaterra, se chamam *Tea Party* (reunião para tomar um chá em vez do *cafezinho* à brasileira).

Na época dizia-se que Billy havia sido acusado de feitiçaria; as acusações foram rejeitadas: afinal, a razão prevaleceu! Talvez a atração mais estranha tenha sido o Porco Cientista, que podia ler pensamentos (ele lia os pensamentos das senhoras, com sua permissão apenas). O porco também podia ler e soletrar, e adivinhar a hora no relógio de uma pessoa na plateia – ele era, em suma, mais bem preparado do que muitas crianças que abandonaram os estudos. A morte do porco perturbou tanto seu dono, que o pobre homem foi internado no Manicômio de Edimburgo.[115]

O manuscrito "Vida", de Tatham, sobre Blake (1832), relata que, certo dia, olhando por uma janela para as instalações de Astley, o artista, de pé, um dia, em uma de suas janelas "que olhavam para as instalações de Astley", ficou impressionado com a visão de um menino que mancava, com uma tora de madeira atada à sua perna, do tipo utilizado para evitar a fuga de cavalos. Ele pediu à esposa de Astley uma explicação para aquilo; ela lhe disse que devia ter sido uma punição por alguma "inadvertência" cometida pelo garoto. Imediatamente, o sangue de Blake ferveu de indignação, porque um cidadão inglês nunca deveria ser submetido a esse tipo de castigo, um ato que era destinado apenas a escravos. Furioso, ele exigiu a imediata libertação do menino. Astley, com a mesma veemência, aproximou-se de Blake alegando que não cabia a ele discutir a punição infligida ao

---

115. Informação sobre o circo de Astley de Trevor Harris, "The Masonic Benefit Society", *Freemasonry Today*, verão de 2000.

garoto. A discussão, de acordo com Tatham, quase chegou às vias de fato, tal era a fúria de Blake e a indignação correspondente de Astley. No entanto, quando Blake explicou melhor o assunto, Astley concordou: a punição tinha sido muito humilhante. Os dois homens se separaram com o perdão e o respeito mútuo; Astley aparentemente admirou a sensibilidade e a humanidade de Blake.

Esse confronto é uma ilustração pura deste verso sábio e próprio de Blake: "Eu estava irritado com meu amigo. Falei para ele de minha ira, e minha ira sumiu".

Confortavelmente instalado em Lambeth, parece que uma nova técnica de gravação de Blake foi aperfeiçoada em algum momento, em 1791. Ele atribuiu sua invenção ao espírito de seu irmão falecido, Robert. Ela foi baseada em uma técnica chamada gravura em relevo, descrita em um trabalho anônimo: *Segredos Valiosos a Respeito das Artes e Ofícios* (reproduzido muitas vezes depois de 1758).

O objetivo era gravar com a ajuda de *aquafortis (água forte)* para fazer um trabalho que se assemelhava ao *basso relievo* (baixo relevo). Blake acrescentou-lhe sua própria inovação: um líquido imune ao ácido, usado para gravar sobre o cobre. John Jackson (1801-1848) fez um estudo sobre o método de Blake.[116]

O motivo é desenhado sobre a placa de cobre em um tom borgonha (resina de abeto) ou qualquer substância adequada que resista à *aquafortis* (ácido nítrico). Quando a substância na qual foi feito o desenho torna-se rígida, a placa é cercada por uma espécie de "parede" e a água forte é derramada sobre a placa. As partes não protegidas são corroídas, deixando o desenho em relevo. A principal vantagem deste método objetivada por Blake era permitir que ele escrevesse nela uma grande quantidade de suas iluminadas poesias. enquanto a incisão das palavras no cobre teria sido um trabalho insano. Assim mesmo, a escrita tinha de ser feita ao revés, por meio de um espelho, de modo que as letras ficassem legíveis quando o cobre recebesse a impressão de papel. A paciência de Blake com esse processo foi admirável.

---

116. John Jackson, *A Treatise on Wood Engraving, Historical and Practical*, Charles Knight, London, 1839.

Houve outros problemas. Blake usou uma prensa de rolo ou uma chapa de cobre para suas gravuras metálicas de relevo, a impressão sendo conseguida a partir das linhas, como em uma xilogravura. Foi difícil corroer as partes brancas em uma profundidade suficiente para evitar que fossem tocadas pelo trocador de tinta no processo de entintagem. Para evitar o estrago da gravura, Blake e sua esposa tinham de retirar o excesso de tinta das cavidades. Isso demorava mais do que entintar a placa, de modo que a impressão era lenta.

As iluminações completas exigiam pintar à mão. Blake e sua esposa moíam as aquarelas sobre uma pedra de mármore usando cola de carpinteiro comum como liga. Os primeiros pintores italianos faziam o mesmo. Blake atribuiu o "segredo" a uma revelação do santo carpinteiro, São José.

As cores usadas eram índigo, cobalto, amarelo profundo, vermelho alaranjado, preto e, ocasionalmente, azul ultramarino, aplicadas com pincel de pelo de camelo. Cada livro iluminado realizado dessa forma tornava-se uma obra de arte única que, por si mesma, chamava a atenção. Da mesma forma, quando ele fazia gravuras, ele tinha prazer nas transformações acidentais que podiam ser operadas em um projeto básico, variando apenas a mistura das aquarelas.

Até onde sabemos, Blake somente divulgou a existência de seu trabalho iluminado a partir de outubro de 1793, quando concluiu seis obras "em Impressão Iluminada" que ele disponibilizou ao público.

Obviamente, Blake ainda esperava conseguir, em 1791, que sua poesia fosse publicada de forma convencional. Um conjunto de provas ainda sobrevive, datado de 1791: *A REVOLUÇÃO FRANCESA. UM POEMA, EM SETE LIVROS. PRIMEIRO LIVRO. LONDRES: Impresso por J. Johnson, Pátio da Igreja St. Paul, nº 72. MDCCXCI. (Preço, Um Shilling).* O "Anúncio" no cabeçalho das provas declara que os outros livros do poema estavam prontos e que seriam publicados em sequência. Se realmente foram escritos, eles não sobreviveram.

"A Revolução Francesa" não foi absolutamente a melhor obra de Blake. A forma é um pouco como a voz de um "Coro" introduzindo e comentando uma peça de Shakespeare. Infelizmente, a peça em questão era bem real, e prosseguia a narração com violência crescente do outro lado do Canal – em um país que o autor nunca tinha visitado, e nunca iria visitar. A imaginação sem a experiência direta tem suas limitações, quando se trata de temas históricos. Existe, portanto, uma qualidade anêmica na obra. Não vale a pena especular muito sobre por que Johnson não a publicou. Talvez porque politicamente era algo muito perigoso: os espiões de William Pitt saíam à procura de qualquer um que considerasse a Grã-Bretanha pronta para uma revolução.

Talvez Johnson simplesmente não pudesse vislumbrar um mercado para ela – é difícil dizer e impossível saber. A publicação não teria proporcionado qualquer benefício a Blake que, orgulhoso como era, precisava de toda a ajuda que podia conseguir.

É possível que, à sua maneira, Blake estivesse tentando ser popular por meio de um trabalho de acesso imediato. O Gênio e o mercado popular raramente se misturam. Blake parece ter confundido Luís XVI com seu próprio tirano poético, Tiriel, com um toque de Shakespeare e apoiado em Ricardo III a título de garantia. O trabalho empenha-se demais, penso eu, para mostrar as manifestações físicas como sendo a expressão chocantes e arrogantes dos movimentos espirituais: o resultado da tela verbal exibe uma maneira rústica de tornar o axioma hermético "Assim como é em cima; assim também é embaixo" um lugar-comum satírico. Ninguém pensaria que Jacques Necker, o então ministro das Finanças, viesse a ler Blake, salvo como uma efusão profética.

> Perturbado e apoiado em Necker, desce o Rei para a sua câmara do conselho; montanhas nebulosas
> Vozes de trovão murmuram atemorizadas; os bosques da França absorvem o som;
> Nuvens de sabedoria profética respondem, e passam pesadamente sobre o teto do palácio.

Se podemos citar *O Casamento do Céu e do Inferno*: "Chega! Ou, isso é demais".

Na França de carne e sangue, o dia 16 de janeiro de 1791 presenciou a formação de uma nova força policial nacional, a *gendarmerie*. Enquanto isso, a polícia secreta estendia seus tentáculos em reinos até então privados. Estados revolucionários nunca confiam em ninguém.

Tal como os jacobinos enxergavam a situação, a Igreja Católica Romana ainda exercia uma influência contrarrevolucionária, e mantinha a França presa ao seu passado. Em 20 de janeiro, Talleyrand teve de renunciar ao bispado de Autun, por ter jurado fidelidade à nova constituição civil imposta à Igreja pelo Estado. Pouco podia fazer o papado senão atacar seus próprios representantes. Tom Paine exultava: "Há um alvorecer da razão em ascensão no mundo", escreveu Paine na segunda parte de seus *Direitos do Homem*. Em 13 de abril, o papa Pio VI ofereceu aos sacerdotes que haviam jurado fidelidade à constituição civil 40 dias para se retratarem. A não revogação das obrigações estatais seria punida com a excomunhão.

Cinco dias depois, a Guarda Nacional impediu Luís XVI e sua família de deixar Paris. Outra corajosa tentativa de escapar da capital foi frustrada em 25 de junho, em Varennes. Os poderes de Luís foram temporariamente suspensos, como se ele fosse um menino travesso. Louis-Antoine de Saint Juste, de 23 anos, foi exaltado como sendo uma maravilha do momento, por seu exagerado livro *O Espírito da Revolução*. "Foi uma bênção estar vivo nessa aurora, mas ser jovem é como estar no céu", como Wordsworth iria escreveria em seu *The Prelude* a respeito de sua permanência na França em 1791. Jovem ou não, o revolucionário entusiasta St. Juste seria guilhotinado três anos mais tarde.

Em Londres, o editor radical Joseph Johnson não tinha esquecido as habilidades de gravação de Blake. Johnson estava publicando um grande trabalho feito pelo maçom dr. Erasmus Darwin que, em 1781, havia se mudado de Lichfield, Staffordshire, para Derby. O *Jardim Botânico* (primeira parte) seria devidamente elogiado por Samuel Taylor Coleridge, por sua combinação de ciência e poesia – algo que não se via muito naqueles dias. Verificou-se que Blake tinha uma ligação com o motivo que Johnson queria que ele gravasse.

Foi *sir* William Hamilton que trouxe pela primeira vez o romano "Barberini Vase" (Vaso de Barberini) para a Inglaterra, depois de comprá-lo em 1778. Margaret, duquesa herdeira de Portland, comprou a peça em 1784, e depois a doou para seu filho, o duque de Portland.

Flaxman foi convidado a ver o "Vaso de Portland" e ficou impressionado com a maravilha da clássica do camafeu feito de vidro, que parecia representar o renascimento espiritual após o descarte do veículo corpóreo. Kathleen Raine pensou que as imagens da

Antiguidade possam ter inspirado o poema de Blake "A Garotinha Perdida".[117] Flaxman, que desenhava para Josiah Wedgwood, escreveu para seu empregador, exaltando o vaso como o ápice da perfeição que Wedgwood procurava; Flaxman sugeriu que Etruria produzisse uma réplica. Em abril e maio de 1790, a réplica do vaso, em jaspe, foi exibida em Greek Street. Blake provavelmente foi vê-lo. Mais tarde, cópias começaram a ser vendidas em *showrooms* de Londres. Foi um sucesso instantâneo. A publicidade não fez nenhum mal a Flaxman.

Erasmus Darwin (avô de Charles Darwin) queria incluir uma gravura do vaso original em *O Jardim Botânico*. Em 9 de julho de 1791, Darwin escreveu a Josiah Wedgwood: "gravurista do sr. Johnson agora gostaria muito ver as placas do vaso de Bartolozzi e as regravará novamente, se necessário, [...] o nome do gravurista, eu desconheço [Blake], mas Johnson disse que ele é capaz de fazer um bom trabalho...".[118]

Em 27 de julho, Johnson escreveu a Darwin referindo-se a Blake: "As placas de Bartolozzi não podem ser copiadas sem o consentimento de Hamilton".[119] Johnson disse que seria melhor se Blake tivesse acesso ao vaso. Seja qual for o acesso que ele possa ter conseguido, a transcrição do vaso de Blake foi perfeita, o que o colocou no fluxo principal na publicação dos artistas de alta qualidade. *A Segunda Parte do Jardim do Botânico, Os Amores das Plantas* tem sido chamado de "a vida sexual das plantas", e a poesia foi adequadamente romântica com alguns elementos eróticos: o todo dividido de acordo com o que Darwin chamou de "quatro elementos dos rosa-cruzes". O livro evidencia uma postura antiescravagista –, o próprio Wedgwood escreveu contra a escravidão para o livro –, o apoio à Revolução Francesa e algumas especulações a respeito da evolução que seriam tomadas pouco tempo depois pelo neto de Erasmus, Charles Darwin.

Blake também realizou outra gravura notável para *O Jardim Botânico*. Sua "Fertilização do Egito", segundo Fuseli, foi assinada Blake sc. (de *sculpere*, que significa esculpir, gravar), para o direito de crédito do desenho de Fuseli. Ela retrata o deus com cabeça de chacal,

---

117. Kathleen Raine, *Blake and Antiquity*, Routledge & Kegan Paul, London, 1979, p. 34ff.
118. A carta original pertence a *sir* Geoffrey Keynes, mas ela desapareceu, segundo G.E. Bentley Jr. (BR).
119. BR, p. 59-60.

Anúbis, "a cavalo" no Rio Nilo, tal como o Colosso de Rodes. Além das pirâmides, uma divindade com raios nas mãos lança chuva sobre o país de solo rico. Gravado com uma sensação impressionante de perspectiva e drama, o deus com barba parece muito com as imagens posteriores de Blake para sua figura de Urizen, dificilmente distinguível do "Deus deste mundo", que ele chamou de "Old Nobodaddy".

Enquanto Darwin estava ocupado com a publicação de seu livro mais recente, em Derby, mais ao sul, em Birmingham, um banquete do dia 14 de julho, para marcar a Queda da Bastilha, causou um tumulto quando uma multidão incitada por um clérigo anglicano atacou a casa do anfitrião, Joseph Priestley. Priestley foi para Londres e, dali, para os Estados Unidos.

Em 12 de agosto, depois de ter sido promulgado o direito ao voto em Paris, mas, como o mesmo foi negado aos fazendeiros e aos escravos negros de Santo Domingo (hoje capital da República Dominicana), esses se levantaram em revolta. Esse evento e outros semelhantes podem ter inspirado as estrofes de agitação que apareceriam em 1793 em *América: A Profecia,* de Blake:

> Deixe o escravo que mói no moinho correr no campo:
> Deixe-o olhar para o céu e rir no ar brilhante;
> Deixe que a alma acorrentada se cale nas trevas e suspire,
> Cujo rosto nunca viu um sorriso em trinta fatigantes anos; Levante-se e olhe para fora, suas correntes estão soltas, as portas de sua masmorra estão abertas.
> E deixe que sua esposa e filhos retornem do flagelo dos opressores;
> Eles olham para trás a cada passo, & acreditam ser um sonho.
> Cantar. O Sol deixou sua escuridão, & deparou-se com uma manhã de frescor.
> E a linda Lua regozija-se com a noite clara & sem nuvens;
> Pois Império não há mais, e agora o Leão & o Lobo cessarão.

Além da repetição do último verso que teria agraciado *O Casamento do Céu e do Inferno,* autopublicado em 1793, devemos observar que estes versos provavelmente não se referem aos trabalhadores das fábricas britânicas, como é fácil supor, especialmente por aqueles que mal interpretaram os "moinhos escuros satânicos", mas aos verdadeiros escravos que trabalham nas usinas de açúcar das Antilhas e da Louisiana Francesa, onde a cana de açúcar era moída em rolos de madeira ou de metal com engrenagens e rodas, e os resíduos eram queimados em fornos.

Mary Wollstonecraft

Mary Wollstonecraft (1759-1797), escritora, filósofa e feminista, esteve envolvida com o círculo de Joseph Johnson desde 1787, quando Johnson publicou seu *Pensamentos sobre a Educação das Filhas*. Ela se tornou a tradutora, leitora e assistente editorial de Johnson que, em 1788, publicou seu livro infantil, *Histórias Originais da Vida Real*, bem como a sua tradução de *Da importância das Opiniões Religiosas*, de Jacques Necker. Por meio das relações de Johnson, ela conheceu vários radicais políticos de renome, incluindo John Horne Took e o amigo de Blake, o pintor Henry Fuseli, com quem a srta. Wollstonecraft iria embarcar em um caso de adultério em 1789. Nesse ano, Blake foi chamado para realizar gravuras assinadas para a tradução que ela fez da obra de Christian de Gotthilf Salzmann, *Elementos da Moralidade para Uso das Crianças* – Blake, pouco depois, publicou ele mesmo um livro "alternativo" chamado *Para crianças: os Portões do Paraíso*, em 1793.

Duas edições de *Defesa dos Direitos dos Homens*, de Mary Wollstonecraft, apareceram em 1790, publicados por Johnson, com seu nome na página do título.

Wollstonecraft começou a escrever o clássico feminista *Uma Defesa dos Direitos da Mulher* em setembro de 1791, no mesmo mês em que apareceu a segunda edição do livro para crianças *Histórias Originais da Vida Real: com Conversações, Calculado para Regular os Afetos e Formar na Mente a Verdade e a Bondade*, dessa vez com seis gravuras de Blake. Dez esboços feitos a pena e aquarela, dos quais foram feitas cinco gravuras que, hoje, estão na Biblioteca do Congresso, em Washington, DC; anteriormente, elas tinham pertencido à família Gilchrist.[120]

---

[120]. Martin Butlin, *The Paintings and Drawings of William Blake*, Plates, Yale University Press, 1981, lâminas 284-91.

Para aqueles que acham a pintura mítica de Blake assustadora, esses esboços podem fornecer uma maneira de apreciar suas habilidades em toda a perspectiva. É de imaginar sua utilidade para os figurinistas nas pródigas produções da BBC, tão charmosas são as representações de Blake da professora, a sra. Mason, e de suas duas alunas, muito graciosas, vestidas na "moda do império". A sra. Mason usa um chapéu escuro tipo touca com uma coroa muito ampla e alta feita de brim; as meninas, com cabelos cacheados, portam chapéus de verão, ovais feitos de palha. Entretanto, nem tudo é frescor infantil. Uma série de esboços oferecem a Blake a oportunidade de expressar seu cinismo humano. A obra intitulada "Economia e Abnegação São Necessárias" é ilustrada pela sra. Mason das duas alunas que entram no interior sem recursos de uma casa de campo, onde uma família com fome e desesperada está reunida ao redor de uma grelha vazia, chorando por falta de alimento e de calor. O rosto de "Uma Mulher Faminta com Dois Filhos" é uma reminiscência do rosto horrorizado de alguma figura de espírito atormentado no projeto de Blake para *Pensamentos Noturnos dos Jovens* (1797). A figura da "sra. Mason" provavelmente reflete a participação permitida das mulheres de Wollstonecraft nas Lojas "adotadas" da Maçonaria na França, dedicadas ao trabalho social, filantrópico e filosófico. A revolução estava empurrando as Lojas maçônicas, inclusive as mulheres "adotadas" maçons, para uma espécie de torpor.

Enquanto na Inglaterra, a imaginária "sra. Mason" criou um conceito de responsabilidade social a seus jovens alunos, em Paris, a dramaturga e ativista da igualdade de gênero, Olympe de Gouges, de 43 anos de idade, associada da *Loge des Neuf Soeurs* (Loja das Nove Irmãs), derrotou Mary Wollstonecraft para um cargo de cinco meses ao publicar sua *Declaração dos Direitos da Mulher e da Cidadã*, em setembro de 1791. A corajosa Olympe seria guilhotinada na Place de la Révolution (Praça da Revolução) em 3 de novembro de 1793. Seu crime: aliança com uma facção revolucionária diferente (os girondinos) em relação à reinante na época (os jacobinos). A guilhotina exerce sua função sem discriminação de sexo.

Em novembro de 1791, Mary Wollstonecraft conheceu William Godwin pela primeira vez em um dos jantares literários de Johnson. Ela não gostava dele; na verdade, Wollstonecraft tornou-se mais obcecada por Fuseli do que nunca, uma paixão incontrolável que, no outono de 1792 transbordou, quando ela ligou para a casa de Fuseli com uma proposta para ele e sua esposa Sophia: que, como seu amor era inocente, todos eles deviam viver juntos, como em um *ménage à trois*. Somente podemos imaginar a reação de Blake ao saber do escândalo envolvendo seu amigo e benfeitor ocasional. Poderia a disposição de Wollstonecraft em fazer o papel de concubina ter inspirado a observação de Blake de anos depois, para Crabb Robinson, de que a "religião sexual" de Swedenborg "era perigosa"? Mary Wollstonecraft se casaria com o jornalista, filósofo e romancista Godwin em 1797. Sua filha, a futura Mary Shelley, foi a autora de *Frankenstein* (1818): um aviso e um apelo para a necessidade de uma união estável, de uma família amorosa, para evitar o Homem monstro que se torna um pesadelo vivo.

Aqueles eram tempos loucos e hoje dificilmente podemos imaginar a emoção, a sensação de frêmito social que pairava no ar, o ranger e as rachaduras de um mundo velho que desmoronava e perdia sua casca para revelar as impressionantes, revigorantes e temerosas visões de liberdade desenfreada e apocalíptica que agitou as cabeças e os corações na época do *avant garde* (vanguarda). No vertiginoso calor disso tudo, descobre-se, quase como um alívio refrescante, que a primeira carta conhecida de William Blake endereçada a qualquer um e em qualquer lugar dizia respeito ao comissionamento de uma gravura para uma obra exclusivamente antiquária erudita, embora fosse uma das maiores obras do século.

Em 18 de outubro de 1791, um mês antes de seu 34º aniversário, Blake recebeu os cumprimentos do editor Willey Reveley que indagou se o sr. Blake estaria disposto a "gravar qualquer um dos desenhos de Mr. Pars para as *Antiguidades de Atenas*". Caso ele estivesse em condições de realizar o trabalho até o final do mês de janeiro de 1792, o sr. Reveley ficaria feliz em enviar "alguns desenhos para ele".[121]

Blake tinha motivos para ficar encantado, pois havia sido o seu mestre, James Basire, que executara a maior parte das gravações para o primeiro volume de *Antiguidades de Atenas*, por volta de 1762.

---
121. *LETTERS*, p. 4.

William Pars era, é claro, o irmão mais novo de Henry Pars, mestre de desenho do jovem Blake. Em 1764, Pars tinha ido com o dr. Richard Chandler e Nicholas Revett para a Ásia.

Reveley estava no momento editando o volume 3 da série de James Stuart e de Nicholas Revett. William Pars contribuiria com algumas das gravuras.

Blake respondeu a Reveley que, "embora estivesse cheio de trabalho", estava "feliz por abraçar a oferta de gravar obras tão belas" e que faria todo o possível para cumprir o prazo. Na verdade, suas gravuras só ficaram prontas no início de abril. Blake tinha pouca noção de tempo.

Em novembro, Nancy Flaxman escreveu de Roma para sua cunhada, Maria Denman, para "pedir ao sr. Blake e implorando que ele respondesse diretamente à carta de seu irmão". Bentley duvida que Blake tenha respondido.[122]

John Gabriel Stedman era um rico militar aposentado de origem escocesa e holandesa, poeta e pintor. Em 1º de dezembro de 1791, ele confidenciou em seu diário que tinha recebido, por meio dos escritórios da editora Joseph Johnson, cerca de 40 gravuras de seu projeto de obra chamada *Narrativa de uma Expedição de Cinco Anos contra a Revolta dos Negros do Suriname, na Guiana, na Costa Selvagem da América do Sul*. Stedman, ao mesmo tempo em que se colocava contra as revoltas de escravos, tinha adquirido um grande respeito por sua expressão *"meu irmão, o negro"* e queria que o mundo soubesse sobre o abuso hediondo dos escravos por causa dos ciúmes de velhas mulheres brancas, cujos maridos e parentes se exauriam com as desinibidas mulheres negras. O relato de Stedman das muitas torturas injustamente infligidas aos escravos deu munição ao movimento antiescravagista, embora Stedman não escrevesse contra o próprio sistema de escravidão. Ele se contentou em relatar o que viu como sendo abusos desumanos. Stedman era franco e sustentava que o controle das ilhas dos escravos somente poderia ser conseguido por meio das admiráveis habilidades de luta de "escravos em casacas vermelhas" – ou seja, os negros recrutados para serviços de segurança.

---

122. G. E. Bentley Jr., BR, p. 61.

Apesar de Stedman ter escrito para Blake a fim de parabenizá-lo por suas – agora famosas – contribuições para o livro, Stedman não iria encontrar-se com Blake por alguns anos. Seu caótico *Jornal* é, no entanto, pontuado com várias referências ao artista.[123]

Naquele mês de dezembro, as chamas da revolução explodiram perto de casa quando, em Dublin, o advogado protestante Tom Wolfe fundou a Sociedade Irlandeses Unidos de Dublin, pedindo sua total independência da União, enquanto procuravam o apoio militar de Paris.

Em 5 de dezembro, em Viena, Wolfgang Amadeus Mozart morreu de febre com a idade de 35 anos: um gênio a menos e o mundo prosseguiu, independentemente desse triste fato.

---

123. *The Journal of John Gabriel Stedman 1744-1797*, ed. Stanbury Thompson, London, 1962.

Capítulo 14

"Obras de Talento e Imaginação Extraordinários" – 1792-1793

Foi frequentemente reportado que Blake, sem falta de coragem, usava o gorro de lã vermelho dos revolucionários nas ruas, e que ele foi um "garoto da liberdade" e republicano ao longo da vida. Mas que tipo de "radical" Blake realmente foi? Era ele um radical romântico, como Wordsworth, em sua juventude quente, pouco se importando com os detalhes ideológicos, mas arrastado por uma euforia de "igualdade, fraternidade, liberdade" para todos? Ou será que ele havia escolhido mais liberdade e menos igualdade? Não deísta, mas espiritual. Será que ele quis "armar as barricadas" ou era Blake, fundamentalmente, um milenar, enxergando a revolução como sinal de uma epifania espiritual em progresso e suas manifestações materiais como incidentais?

O que essa palavra "radical" significa?

O instruído e divino dr. Thomas Townson, arquidiácono de Richmond, amigo e benfeitor do reverendo Ralph Churton, morreu aos 77 anos, em 15 de abril de 1792. De acordo com o manuscrito de Churton, *Reminiscências*:

> Um homem que o visitou (dr. Townson), solicitando assinaturas para a publicação de algum projeto, ao ser convidado para tomar um drinque, propôs: "Façamos um brinde!". "Eu beberei à Igreja e ao rei", disse o dr.

Townson. "Um brinde muito especial", disse o visitante, e bebeu com a aparência de ter sido de todo o coração; e, em seguida, disse: "Agora, Senhor, vou fazer um brinde, um brinde ao vereador Trecothick; Aqui está, à Velha Inglaterra livre da tirania de sacerdotes e de reis!".[124]

Barlow Trecothick (?1718-1775) foi um comerciante rico, educado em Boston, Massachusetts. Ele serviu como vereador de Londres (1764-1774), depois como prefeito, em 1770, e, finalmente, como Membro da Câmara para a cidade de Londres. Trecothick assistiu à revogação dos odiados Atos do Selo, esteve em contato com interesses comerciais da cidade e advertiu os sucessivos governos, em meados da década de 1760, que uma política de conciliação, não de pressão dura, iria aliviar as tensões com os comerciantes americanos. Depois do "Massacre de Boston", Trecothick falou na Câmara dos Comuns, acusando os representantes da Grã-Bretanha de se comportarem "como valentões" que se apoiavam em uma "honra fantasma" em vez da razão. Certamente, a opinião de Trecothick era que o Estado devesse renunciar aos impostos para o maior benefício de um monopólio comercial.

O alegado "brinde" a Trecothick mostra a "Velha Inglaterra" libertada da regra arbitrária. E isso e as posturas "radicais" tinham muito em comum. Eles tendiam a ser críticos, pelo menos, à dominação da Igreja, e intolerantes para com as prerrogativas monárquicas. Posições mais radicais incluíam a extensão da franquia (o pobre não tinha voz para melhorar sua miséria) e a melhoria das condições dos trabalhadores. Uma minoria sonhou com uma derrubada do Estado pela vontade popular. Alguns eram racionalistas, alguns eram idealistas e alguns eram ambos. Mas os radicais discordavam entre si, tanto quanto com seus "inimigos", fossem eles reais ou imaginários. Trecothick, por exemplo, estava em condições hostis com os "colegas radicais" John Wilkes e John Horne Tooke, um amigo de um amigo de Blake, George Cumberland. Tooke e Wilkes também sentiam o mesmo. A questão do radicalismo resumia-se em saber até onde o indivíduo estava preparado para desafiar a lei e em que medida o Estado estava preparado para suprimir as opiniões

---

124. Rev. Ralph Churton (1754-1831), *Reminiscences*, folder; *Churton Papers*.

divergentes. A maioria dos radicais era favorecida pela retórica e pela escrita, mas, como a revolução na França tornou-se mais sangrenta, esses métodos caíram sob o escrutínio mais próximo do governo, e a intolerância à dissidência política cresceu.

Em 25 de janeiro de 1792, foi estabelecida a London Corresponding Society segundo o modelo do Clube dos Jacobinos, em Paris, à qual Blake, nessa época com 34 anos, naquele momento, não se associou; Johnson e Cumberland, ao contrário, associaram-se. Em Paris, a revolução havia se dividido abertamente. Em 29 de junho, Lafayette tentou, mas não conseguiu convencer a guarda nacional a acabar com o Clube dos Jacobinos. Os relativamente moderados perderam o controle. Em 10 de agosto, uma multidão de "sans-culottes" (revolucionários) tomaram o palácio das Tulherias e o rei foi aprisionado. No dia seguinte, uma comuna revolucionária foi formada. O primeiro jornalista a ser guilhotinado foi Du Rozoy, diretor da *Gazette de Paris*, em 24 de agosto. Seu crime? Captação de recursos para os *émigrés* (emigrantes). Nas costas de Sussex, o príncipe de Gales chorou ao ver a nobreza francesa, o clero e a aristocracia desembarcando dos barcos para fugir ao Terror galopante. Alguns deles ele reconheceu como ex-hóspedes nobres de bailes e jantares, e não como um grupo de "Pimpinela Escarlate" diante dele.

Algumas semanas mais tarde, em Londres, uma reunião pública acalorada encantou-se com a notícia de que o departamento de Calais tinha eleito o "cidadão" Paine para a Convenção Nacional, e Tom Paine deu ao jantar literário regular de Johnson um último sabor de sua força retórica. Segundo Gilchrist, Blake ofereceu a Paine alguns conselhos oportunos para sair rapidamente, logo após seu discurso. Mas foi Tatham, muitos anos mais tarde, quem contou as palavras que Blake transmitiu a Paine: "Se você não estiver sendo procurado agora, tenho certeza de que logo o será" (um desenho no *Caderno de Notas* de Blake, indiscutivelmente de Paine, é a única evidência de que alguma vez ele e Blake se comunicaram). Na verdade, já é bem sabido que o governo procedeu a um libelo sedicioso contra Paine por causa de seu último *Direitos do Homem*, e convocou a presença de Paine no tribunal, em setembro. Quando a ordem chegou, convenientemente tarde para deter Paine que, depois de uma recepção hostil, embarcara em um navio para a França. Muito provavelmente, o governo queria

Paine fora do país, em vez de dar a ele a oportunidade de ganhar o apoio popular como um mártir no tribunal. Paine nunca mais voltou à Inglaterra.

Uma loucura generalizada eclodiu na França em 4 de setembro. Paranoicos com a ideia de um exército prussiano estar marchando sobre Paris (uma ameaça do duque de Brunswick, no caso de o rei de França ser ferido), partidários revolucionários arrastaram os presos de suas celas e os cortaram até a morte, enquanto um abrigo para pobres cheio de prostitutas e jovens órfãs foi violado e seus ocupantes, grotescamente abatidos. Em todo o país, a vida tornou-se mais barata do que o pão.

Três dias depois, a mãe de Blake, Catherine, faleceu, a três semanas de seu 69º aniversário. Catherine Blake, a menina de Nottinghamshire, não foi enterrada no cemitério moraviano de Chelsea, mas com seu marido, em Bunhill Fields. Não temos nenhum registro da reação de Blake em relação a essa perda.

Em 19 de setembro, Paris recepcionou Tom Paine como um renegado da "tirania". Ele jantou na noite seguinte com a notícia de que o exército revolucionário de Kellerman tinha derrotado os homens de Brunswick, em Valmy. No dia seguinte, a monarquia foi abolida na França.

Posicionado militarmente na fronteira norte da França, contra uma coalizão austro-prussiana, Lafayette, defensor do rei e da rainha contra os extremistas Danton e Robespierre, observava suas costas. Perdendo rapidamente a confiança de seus soldados e, certo de que ele viesse a ser o próximo a passar pela guilhotina, Lafayette tentou escapar através da Áustria para um porto holandês como cidadão americano (que ele era). Considerado pelo imperador da Áustria como um antimonarquista perigoso, ele foi encarcerado pelos austríacos em Wezel. Esses eventos estimularam versos em grande parte incoerentes de Blake, confidenciados em seu *Caderno de Anotações*. Eles revelam que Blake, pelo menos nesse momento, poderia perfeitamente ter brindado Trecothick:

> Deixe os bordéis de Paris serem abertos
> Com muitas danças sedutoras
> Para despertar os médicos pela cidade
> Disse a bela rainha da França

Então, o velho Nobodaddy, em cima,
Peidou, arrotou e tossiu
E disse: eu amo enforcar & desenhar & aquartelar
Tudo como na guerra e no abate
Em seguida, ele fez um grande & solene juramento
De matar o povo que eu odeio
Mas se eles se rebelarem eles devem ir para o inferno
Eles terão um Padre & um sino de passagem
O rei acordou em seu sofá de ouro
Assim que ele ouviu essas notícias, disse
Levantem & tragam pífano e tambor
E a ["Carestia" eliminada] deverá comer tanto a casca
quanto o miolo
A rainha da França apenas tocou esse Globo
E a peste lançou-se a partir de seu vestido
Mas nossa boa rainha quase caiu ao chão
E um grande número de otários cresce ao seu redor

Os versos adicionais sugerem que Blake pensou que Lafayette havia desperdiçado suas lágrimas pelo rei e pela rainha: instrumentos de uma concepção tirânica de Deus.

Fayette Fayette você foi comprado e vendido & vendido
está o seu feliz amanhã
Você entregou suas lágrimas de piedade
Em troca de lágrimas de tristeza

Uma "canção a inocência"? Em 1798, *ENSAIOS MORAIS, ECONÔMICOS E POLÍTICOS, por FRANCIS BACON, BARÃO DE VERULAM E VISCONDE DE ST. ALBANS,* foi publicado em Londres.[125] Blake, avidamente, anotou e apontou em seu exemplar as inúmeras contradições de Bacon e que Blake considerou como covardes e sofismas tolos na argumentação e exposição de Bacon. Quem tem Bacon em alta consideração deveria ler a crítica perturbadora de Blake.

---

125. Impresso por T. Bensley, para J Edwards, Pall Mall, e T. Payne, Mews Gate, 1798.

As páginas 38 e 39 do livro original tratam de questões críticas de sedição. A opinião de Bacon sobre sedição era que ela procede da raiz da inveja: "Essa inveja, em latim *invidia*, nas línguas modernas é sinônimo de descontentamento, a respeito do qual falaremos em manipulação da sedição. É uma doença em estado parecido ao de infecção...". Bacon continua dizendo que a "inveja pública" é principalmente dirigida a "principais executivos ou ministros, em vez de recair sobre os próprios reis e Estados". A observação de Blake para isso é direta: "Em *Uma Mentira Que Todos Odeiam Um Rei*, Bacon tinha medo de dizer que a Inveja estava sobre um rei, mas essa seria Inveja ou Indignação [?]".

Blake queria dizer que, provavelmente, Bacon havia associado a sedição a uma simples indignação voltada diretamente aos reis, porque o rei carrega a responsabilidade final do governo. Ora, Blake sabia que o rei não é odiado por todos. Quando o rei é associado a coisas que o público gosta, ele é aclamado, mas, do contrário, ele é vaiado. Muitas vezes, o rei toma medidas para evitar o contato do público com as afrontas à dignidade. "Todos odeiam um rei" foi tomado como evidência de que Blake realmente odiava os reis, mas não devemos esquecer que Blake adorava pintar as ações dos reis do passado histórico, mesmo que estivesse ciente das coisas terríveis que esses monarcas haviam cometido e das coisas terríveis feitas por eles ou em nome deles no passado, autênticas abominações em sua própria época.

Provavelmente é verdade que todo mundo, em algum momento, chegou a odiar um rei. Suspeito que o rei George III tinha ressentimentos, para dizer o mínimo, contra Luís XVI, quando este deu apoio à rebelião na América; George IV não suportava o czar Alexandre I. Blake odiava a tirania de todos os tipos, seja exercida por um rei, seja pelo dono do circo de Astley para com um menino travesso. Ele também sabia que havia clérigos que faziam de sua vocação um grande crédito com sua santidade, embora nunca tenha visto presente um representante da Igreja orando por um criminoso condenado à forca, em Tyburn.

De modo geral, Blake era simpático às causas radicais, mas só até certo ponto. Ele teria dito que os reis colhem o que semeiam; se fossem modelos de serviço cristão, eles teriam crédito; se eles colocassem seus interesses à frente do que era certo, então eram tiranos, e deveriam ser afogados na água. Ele leu a Bíblia. Os dois livros de Reis mostraram que o próprio Deus favorecia o rei que fizesse Sua vontade; os outros tiveram finais horríveis. Blake não era idealista acerca de cada homem e mulher no planeta; ele sabia que havia aqueles cujas tendências seriam a ruína de qualquer sistema de liberdade: "Você não pode ter liberdade neste mundo sem o que vocês chamam de virtude moral, e você não pode ter a virtude moral sem a escravidão de metade da raça humana que odeia o que você chama de virtude moral".[126]

Blake era um entusiasta de várias causas radicais, mas não estava totalmente convencido de que os radicais tinham todas as soluções. As falhas eram muitas; a cura dos males era algo raro. Aqueles que consideram Blake como um rebelde comum que odeia a autoridade só porque ela existe devem levar em conta que ele chocou Samuel Palmer, é certo que isso foi em sua velhice, ao dizer que, provavelmente, havia mais liberdade prática em um estado papal do que em um estado secular, pela principal virtude do Catolicismo, que ele entendia como sendo *perdão*, pois para Blake era a cardeal virtude cristã da qual derivava um entendimento das realidades da natureza humana e o predicamento dos que são tentados. Por outro lado, a lei secular é indiferente, ou alheia, ao estado espiritual do ofensor. Para Blake, a liberdade de um cidadão inglês era o direito de o indivíduo ser individual, mas ele reconheceu que raramente era esperado que uma maioria absoluta apoiasse o melhor caminho: "Uma mesma lei para o leão e para o boi é repressão".

Em novembro de 1792, a London Corresponding Society, liderada pelo sapateiro Thomas Hardy, tinha crescido de nove para 650 sócios. Os membros produziram panfletos a favor da extensão do sufrágio masculino (então restrito a donos de propriedades de certo valor), da justiça na terra e na lei, parlamentos regulares, e, patrocinada pelo Estado, a provisão para os pobres e os idosos.

---

126. CPP, p. 554, Notas de "A Vision of the Last Judgement"; "For the Year 1810 Additions to Blake's Catalogue of Pictures &c." Segundo o Caderno de Anotações de Blake, notas para uma exposição que nunca aconteceu. Mas repare na data: 1810. A visão de Blake sobre as possibilidades de uma sociedade utópica deve ter se transformado radicalmente no período de 1792-1810, com sua experiência mais amarga do Terror e da guerra, e o amadurecimento de seu pensamento.

Nesse mesmo ano, a Convenção Nacional Francesa estendeu o voto a todos os homens com mais de 25 anos. Em novembro, a sociedade de Hardy enviou uma delegação para a Convenção de Paris, um passo que alertou o governo para os perigos internos da revolução, o qual, depois dos Massacres de Setembro, ocorridos em toda a França, convenceu-se da ameaça do contágio.

Em 13 de dezembro, o Parlamento Britânico votou o apoio para os preparativos da guerra de Pitt, enquanto o exército revolucionário da França assumia o controle de um número maior de cidades francesas mediante um grande derramamento de sangue, cuja violência era especialmente dirigida contra a Igreja. Dois dias depois, Luís XVI compareceu diante da Convenção Nacional para ouvir as acusações contra sua pessoa. Nada podia ser mais claro para os Tories, na Grã-Bretanha, que a remoção da autoridade do rei significava anarquia, selvageria e miséria geral.

Em 21 de janeiro de 1793, um dia nublado e frio, Luís XVI foi guilhotinado na Place de la Révolution. Para evitar um choque reacionário, em 1º de fevereiro, a França declarou guerra à Inglaterra e à Holanda. Agora, a anarquia, a selvageria e a miséria eram generalizadas. Foi quando muitos radicais conscientizaram-se de que o sonho tinha acabado.

Um dia depois, foi anunciada em Londres "Uma Edição Esplêndida das 'Fábulas de Ésopo'", de Barlow, a ser impressa por John Stockdale, Piccadilly. Gravuristas foram nomeados, mas um terço dos indicados, incluindo Blake, não assinou o trabalho realizado. Durante o restante dessa década, Blake recusou-se a colocar seu nome em obras artesanais, investindo sua identidade em uma carteira crescente de elaborados projetos individuais.

Possivelmente, o primeiro dos 1.793 projetos foi, *Os Portões do Paraíso*, cuja abertura apresenta um extraordinário, mas um pouco perturbador, emblema. Uma lagarta em uma folha parece estar vigiando um rosto humano, que dorme envolto em uma crisálida. A legenda é: "O que é o Homem!", datada de 17 de maio de 1793. A página seguinte é intitulada *Os Portões do Paraíso para Crianças*, publicado por W. Blake, Hercules Buildings, nº 13, Lambeth, e de J. Johnson, Pátio da Igreja St. Paul. O *design* é elegante, determinadamente caseiro, apresentando apenas uma figura que voa livre isenta de gravidade. No entanto, há muita gravidade no conteúdo.

As "Crianças", para quem o trabalho é ostensivamente dedicado, são apresentadas em 17 gravuras de caráter bem peculiar. Autorizados a entrar diretamente na imaginação, elas são inesquecíveis. A rápida tentativa para uma explicação racional repele, imediatamente, os observadores. Desviando sua mente da maré de acontecimentos terríveis, Blake entra em um mundo de sonhos pessoais e, como acontece em muitos sonhos, os elementos são claramente delineados, repletos de um significado ilusório. Não fosse por alguns títulos complementares no *Caderno de Anotações* de Blake, provavelmente não conseguiríamos entender o significado pretendido por ele.

Prosseguindo com a estranha ligação de figuras humanas com os elementos inferiores da ordem natural, a segunda gravura descreve uma mulher recolhendo uma criança do chão pela cabeça, como seria feito com uma mandrágora (planta). A legenda, "Encontrei-a debaixo de uma árvore" soa como uma confissão. O Caderno de Anotações de Blake oferece um pouco mais a respeito: "Encontrei-a debaixo de uma árvore no jardim".[127] Alguns pensam no Éden, na culpa, na repreensão e na salvação. É essa a árvore do bem e do mal – isto é, o mundo dos contrários: a Natureza, uma árvore envenenada?

Segue, então, uma gravura para cada um dos quatro elementos da Natureza, quatro desenhos marcantes de grande originalidade e talento que descrevem uma figura masculina aflita, inundada pela água; recoberta de terra escura; isolada em uma nuvem no ar, ao sabor das estrelas; e, finalmente, sob o sabor das estrelas; e, por fim, parecendo um pouco mais alerta, surgindo em fogo com escudo e lança, a lança apontando para baixo (flechas de desejo lançadas para cima). A página 91 do *Caderno de Anotações* mostra que existe uma referência ao *Paraíso Perdido*, de Milton (Livro Um): "ele se elevou a partir das águas/sua poderosa estatura": uma premonição do guerreiro de fogo de Blake e o sempre presente encrenqueiro, "Orc".

A sétima imagem tem essa característica azulada e sonhadora da placa do *pub* "Eagle & Child", do final do século XVIII, apesar de ser monocromática. Podemos ver uma criança alada libertando-se de uma concha: "Finalmente, amadurecido pela incubação, ele quebra a concha" (as palavras de *Palamon e Arcite*, de Dryden).

---

127. 801 CPP, *Notebook*, p. 63.

Também podemos pensar no irmão espiritual de Blake, o místico e poeta alemão Angelus Silesius (1624-1677): "Meu corpo é uma concha na qual um pintinho está encerrado/enraizado pelo espírito de eternidade, ele aguarda sua eclosão" (de *O Peregrino Querubínico*).

Segue uma série de projetos emblemáticos, todos eles poderosos e, poder-se-ia pensar, bastante inadequados para crianças. Mas as crianças abordadas são os filhos da natureza, aqueles que estão sujeitos a um patriarca cuja presença assombra as potentes e misteriosas imagens. A implicação é a chave de Jesus com seu ensinamento: "A menos que sejais como essas criancinhas, não podereis entrar no reino dos céus".

A principal chave para os "portões do paraíso" encontra-se na primeira e última imagens. O "título " da imagem é tomada do livro de Jó, em que Jó argumenta com o Homem sobre os fatos existenciais da corrupção, perda, doença e morte – na verdade, todas as experiências que fazem os homens amaldiçoarem Deus ou negar sua existência. Jó exerceu um grande fascínio sobre Blake, inspirando uma série de pinturas do homem aflito e, é claro, as gravuras incomparáveis que proporcionaram a valorização e algum lucro em seus últimos anos de vida. Portanto, aqui está o primeiro subtítulo: "O que é o Homem!?" (pergunta ou afirmação?), é tirado de Jó 7:17: "Que é o homem, para que lhe dês importância e atenção?".

Por que o funesto e danado "verme de 60 invernos" (frase de Blake para o Homem avaliado pela Razão) atrai a atenção do Todo-Poderoso? Blake parece ter uma resposta. De acordo com o entendimento dos mistérios de Elêusis, em *O Jardim Botânico*, do qual o vaso de Portland foi considerado uma ilustração alegórica de Erasmus Darwin, a *borboleta* é um símbolo da alma. Percebendo isso, podemos agora olhar novamente para a primeira imagem, subintitulada "O que é o homem!". O rosto humano na crisálida, fechado, dormindo, é o Deus oculto.

A imagem final tem a seguinte legenda: "À corrupção clamo: Tu és meu pai; e aos vermes: Vós sois minha mãe e minha irmã" (Jó 17:14). O *design* é surpreendente. Na sombra das raízes de árvores (o mundo de fogo do *Natureza-Inferno* de Boehme), uma figura está sentada no chão. Ela usa um capuz, como uma donzela ou uma sacerdotisa. O rosto é de uma desafortunada inocência, nem aflito nem apaixonado. Ela possui um simples bastão na posição vertical, talvez representando a "regra de ouro". Envolvendo seus pés, um verme em espiral, que pode até mesmo estar ligado à figura andrógina como se fosse uma cauda; então ela seria o "verme" que é a mãe e a irmã do Homem. Para entrar nos portões do Paraíso, é preciso primeiro entrar no mundo da Natureza, compreender sua fonte e, finalmente aprender através de "Porta da Morte" (a penúltima imagem), cuja luz é segregada no "fogo". Blake casou seu céu e inferno.

Visões das Filhas de Albion

E depois houve a cor. Como se fosse para anunciar sua descoberta de um desenho iluminado, Blake traça um arco-íris através da página de título de seu trabalho seguinte, de 1793, *Visões das Filhas de Albion*. Apesar da explosão de cores, a dicotomia subjacente ao poema é duramente exibida em grande contraste. Há o "Pai da Inveja", o Urizen de Blake, taciturno, em meio a incêndios vermelhos e brilhantes, olhando de modo taciturno para um atento espírito livre, dançando em direção do observador, para fora da página, observando suas costas vulneráveis enquanto o comandante da lei paira acima dele como se fosse uma nave espacial hostil.

Toda a produção é lavada em cores de água-marinha de beira-mar, tonalidades marrons cor de rocha, e algas verdes, bem como faixas cor-de-rosa e roxas riscam os céus. Mas essa beira-mar não é o lugar de passeios de férias. Trata-se do tempestuoso mar do tempo e espaço onde as figuras encontram-se confinadas.

O vilão, embora não seja o único, é "Urizen", cujo nome combina "Razão" ou "Sua Razão" e "*ourizein*", do grego, que significa "para definir limites", "limitar" ou "cercar". O universo da imaginação é ilimitado e infinito, mas Urizen o limita e faz um inferno finito do céu infinito.

O tema da *Visões* é a ligação dos órgãos genitais, a supressão do amor e o estupro da integridade. Urizen é a ideia de Blake do Deus de Boehme, que habita nas chamas de fogo: a ira do Pai.

As Filhas de Albion não são apenas as filhas de Albion dentro da mitológica fuga de Psique, de quem "Oothoon" (estuprada pelo patriarca "Bromion") é a principal, mas também são as meninas e as mulheres da Grã-Bretanha, cujos direitos, embora invisíveis para a Igreja e o Estado, recentemente foram assim declarados por Mary Wollstonecraft. As lutas sociais da moderna Inglaterra de Blake estão prefiguradas em *Visões*. O que os eventos na terra significam?

Visões é iniciado com uma confissão: "Eu amava Theotormon/ E eu não tinha vergonha". Mas as filhas de Albion são "escravizadas". Para começo de conversa, "Theotormon", o objeto de desejo, parece ser "a alma suave da América", pelo qual as filhas anseiam. As filhas querem a fraternidade e a irmandade com um novo espírito de uma nova América, embora outro poder, "Bromion", pareça dominar as "suaves planícies americanas": "A voz dos escravos, embaixo do Sol, e crianças compradas com dinheiro/ Aquele arrepio em cavernas religiosas sob as chamas ardentes/ Da luxúria". A hipocrisia está em toda parte, até mesmo na "recém-libertada" América. Eles são obedientes, não reclamam e obedecem ao flagelo: suas filhas adoram os terrores e suportam a violência". O tema de amor da Grã-Bretanha e da América desaparece rapidamente, à medida que o poema se estende em um conto simbólico de amplo alcance e de múltiplos níveis de amor frustrado:

> Disseram-me que a noite & o dia era tudo o que eu podia ver;
> Disseram-me que eu tinha cinco sentidos para me limitar.
> E eles encerraram meu cérebro infinito em um círculo estreito.
> E meu coração afundou no abismo, um globo redondo vermelho
>   de tão quente...

As lamentações têm muitas facetas, uma gama que vai desde a nostalgia das "antigas alegrias" até as invectivas contra os capitalistas cegos, os "gatos gordos", um sistema desalmado que vive do suor dos pobres "para que lhes construam castelos e torres altas nos quais reis e sacerdotes possam habitar./ Até que ela, que arde de juventude e não conhece um ponto fixo, esteja restrita,/ Em regime de lei, a alguém que ela abomina. Os horrores de um casamento forçado, que obscurece "o céu claro de sua eterna primavera", são dolorosamente retratados, junto com os frutos amargos de crianças não desejadas, "que vivem na pestilência e morrem meteoricamente, e não existem mais".

Em algumas partes, o poema é altamente erótico, como também são as ilustrações. Os versos "Oothoon não chora: ela não pode chorar! Suas lágrimas estão trancadas;/ Mas ela pode gritar incessantemente, contorcendo seus membros macios e nevados/ E chamando as Águias de Theotormons para que passem a depredar sua carne" são graficamente retratados enquanto Oothoon está estendida sobre uma nuvem, com suas pernas recolhidas, recebendo bicadas de uma enorme águia, bicadas que mais parecem beijos – as águias significam aspiração espiritual.

Talvez a imagem mais marcante de *Visões* descreve dois amantes nus, acorrentados, dorso com dorso, em uma caverna perto do mar, incapazes de se abraçarem e amarrados em uma desunião assexuada pelo ciúme hipócrita.

Tão incrementada é a carga erótica que leva ao clímax do poema a ponto de suspeitarmos que ela seja o produto de uma enorme frustração sexual por parte do poeta. Ele lamenta a presença de um "esqueleto rastejante/ Com olhos como lanternas, ele observa a congelada cama conjugal". Seria a cama congelada o próprio Blake? É possível. Os versos seguem com um hino às alegrias secretas da masturbação nos homens e nas mulheres:

> O momento do desejo! O momento do desejo! A Virgem que
> anseia por um homem deverá despertar seu ventre para as enormes alegrias
> Nas sombras secretas de seu quarto, a jovem, impedida de usufruir da alegria lasciva,
> Deverá esquecer-se de gerar & de criar uma imagem amorosa
> Nas sombras de suas cortinas e nas dobras de seu silencioso travesseiro.
> Não é esse o propósito da religião? As recompensas da continência?
> O autoprazer e a autonegação? Por qual motivo você procura a religião?

No entanto, embora possamos especular que Blake tenha retratado os sentimentos de seu próprio casamento, universalizando seu significado para a humanidade em geral, o sentimento geral sugere que seu poema é o produto de uma ampla observação do mundo e de seus segredos e não apenas a expiação de um inferno particular no qual Catherine não dá ao poeta tudo o que ela sabe que ele deseja, e o que ele também sabe que ela quer. Isso não quer dizer, porém, que Blake não tenha também tentado educar sua esposa em uma concepção superior e espiritual do "leito conjugal".

Blake revisita o verme dos "portões do paraíso":

> A águia não desdenha a terra & despreza os seus tesouros subterrâneos?
> Mas a toupeira conhece o que há nela & o verme o transmitirá a você.
> Não é o verme que ergue um pilar no pátio mofado da igreja?
> E um palácio de eternidade nas mandíbulas da sepultura faminta?
> Em seu pórtico estão escritas estas palavras: Aproveita tua felicidade, ó Homem!
> E doce será o teu gosto, e renove tuas doces alegrias infantis!

O grito da natureza, em todos os lugares, fala de uma sabedoria que o homem não chegará a ver:

> E árvores. & aves. & animais. & homens, contemplem sua alegria eterna.
> Levantem suas asas brilhantes e cantem sua alegria infantil!
> Levantem-se e bebam de sua felicidade, porque tudo o que vive é santo!

E Blake grita: "Amor! Amor! Amor! Amor feliz, feliz! Livre como o vento das montanhas!". E é isso o que as Filhas de Albion querem ouvir. Theotormon não "entende" e é por isso que ele nada consegue.

Como se essa grande explosão não fosse suficiente para esse ano, Blake, em um frenesi de inspiração, produziu AMÉRICA/ uma/ PROFECIA/ LAMBETH/ *Impresso por William Blake, no ano de 1793.*

Apesar do título promissor, o texto de *América: Uma Profecia* raramente oferece os tipos de maravilhas que poderiam ser esperadas, agora que estamos tão acostumados aos filmes em que a palavra "América" ecoa em *basso profundo con mucho machismo*, por meio de imagens aéreas panorâmicas, de Manhattan até o Grand Canyon, e até o Golden Gate! Estamos ainda na fase dos 13 Estados e o Oeste ainda não tinha sido "conquistado".

A verdadeira alegria de *América* não está na linguagem, que é irregular na inspiração, mas no incrível poder das imagens, impressionantes até nas primeiras versões incolores da obra. A versão pintada no Museu Fitzwilliam, em Cambridge (datada de 1821), é uma maravilha de ser contemplada. Deve ter chocado muitas sensibilidades por sua originalidade olimpiana, pelo sentido revolucionário do espaço e do movimento, e pela ousadia do tema. Blake encontrou seu estilo, criou um gênero e deixou que eclodisse em *América*.

O frontispício apresenta um enorme anjo alado, acorrentado a um pedestal entre monumentos antigos. Pequenos, em comparação ao anjo, uma mãe e filho pranteiam a figura musculosa cuja cabeça está inclinada em desespero: a restrita energia titânica causa essa lamentação.

O objetivo principal do texto parece ser o de introduzir, em termos austeros, o menino de fogo, Orc – o "Orc vermelho" da profecia de Blake. Orc é Marte feito carne e, na placa 3, descobrimo-lo acorrentado na terra embaixo de uma árvore saliente. Os gritos de Orc são canalizados através das raízes da Natureza e ecoam nos infernos, masmorra abaixo. *América* na verdade é "Aventuras de Orc na América". Muito raramente vista, a placa 4 mostra Orc escalando livre a partir de um torrão na terra um morro, como um deus recém-nascido. É difícil resistir comparar essa imagem hipnótica cristalina com o surgimento do "Super-homem" de Nietzsche, na obra *Assim Falou Zaratustra*. Posicionado como um velocista dos Jogos Olímpicos, Orc olha para os céus e aguarda o sinal de partida.

O sinal é, naturalmente, o conflito entre os colonos e o "patriarca ímpio", o rei George III – "o mau", porque o rei não vê que Orc está realmente na raiz dessa rebelião e, portanto, o que ela representa. "Quando o pensamento está trancado em correntes, então o amor deverá mostrar suas raízes no mais profundo inferno".[128] Blake pinta a Guerra da Independência nas cores mais fortes possíveis, com abundância de referência a pessoas famosas (incluindo Tom Paine, Franklin e Washington, e seus colegas comandantes), mas com muito pouco interesse precioso na história como a conhecemos.

---

128. Da obra *Vala*, ou *The Four Zoas*, de Blake (começado em c.1797).

Ele apresenta o conflito em termos simbólicos, alegóricos e semiapocalípticos. Assim, os 13 estados têm 13 anjos, e eles se reúnem decisivamente na ilha imaginária de Atlântida, entre as margens de Londres e Boston. Os anjos dirigem o drama: a história a seguir é o resultado dos poderes espirituais que vêm de cima, que residem no peito humano. A história registra o *show*. A tese de Blake é mostrar o significado profético. E, para ele, é bastante simples. O que aconteceu nos Estados Unidos está agora acontecendo em todo o mundo. A América é ela mesma a profecia.

Em 29 de agosto de 1793, a escravidão foi abolida na colônia francesa de Santo Domingo. Esse é o tipo de evento que gera os melhores versos do poema, sobretudo os que foram citados anteriormente, começando desta forma: "Deixe o escravo que mói no moinho correr para o campo...". Washington, naturalmente, mantinha escravos, então *América* é uma profecia também para o futuro da América: "Livre, livre, finalmente!". Os escravos serão libertados e "o Leão e o Lobo" do Império cessarão. Essa é sua profecia. Para Blake, o movimento é o de ressurreição e não é a primeira vez que ele usa a imagem de Ezequiel do vale dos ossos secos em combinação com o relato do Evangelho sobre o renascimento de Cristo:

> Surge a manhã, a noite deteriora, os vigias deixam seus postos;
> O túmulo é estourado, as especiarias são derramadas, o lençol é dobrado;
> Os ossos da morte, a cobertura de argila, os tendões encolhidos & secos.
> O tremor vivificante, o movimento de inspiração, a respiração! O despertar!
> Surgem como cativos resgatados, quando suas amarras e barreiras são rompidas...

Como Orc agora foi solto sobre o mundo aprisionado, o texto e as imagens estão cheios de fogo vermelho. "Urthona", a Terra no poema, não conhecerá a paz até que o trabalho de Orc seja completado e as energias espirituais que o mantêm inflamado tenham realizado sua vontade sobre o mundo. Esse trabalho ainda estava sendo celebrado em 1968, quando a poética banda de rock americana *The Doors* cantou: "Criança Selvagem, cheia de graça, salvadora da raça humana".

Os ouvintes têm ficado muito confusos com o verso descartável de Jim Morrison ao final da canção: "Lembram de quando estávamos na África?". A referência serviu, quase certamente, de "Prelúdio" ao *América* de Blake. O "menino terrível", "o menino peludo" Orc, de 14 anos, foi distraído de seus afazeres por uma filha nua de Urthona (Terra) – nua, mas com nuvens em torno de seus quadris. Entusiasmado com a virgem, Orc livra-se das correntes e logo:

> Ao redor dos fantásticos quadris ele se agarra ao ansiante e ofegante ventre;
> Ele se regozija & ela coloca de lado suas nuvens & sorri seu sorriso primogênito;
> Como uma nuvem negra quando mostra seus relâmpagos ao silêncio profundo.
> Assim que ela viu o menino terrível, ela rendeu seu grito virginal/
> Conheço-te, encontrei-te & não te deixarei;
> Tu és a imagem de Deus que habita as trevas da África;
> E então caístes para dar-me vida em regiões de morte escura.

Para Blake, Orc é a primeira e a mais antiga imagem de Deus, percebida na África por homens movidos por um longo sofrimento para a luta. "Lembram de quando estávamos na África?" Era a isso que o falecido e lamentado Jim se referia.

Os benefícios da revolta americana foram sentidos não apenas entre os "ferozes americanos". Na Grã-Bretanha, "sacerdotes com um ranger de escamas" correm para os "abrigos dos répteis, escondendo-se dos fogos de Orc,/ Como um jogo de luzes ao redor dos telhados dourados em labaredas de desejo feroz,/ Deixando as mulheres nuas e brilhando com os desejos da juventude [...] Eles sentem que os nervos das jovens renovam os desejos dos tempos antigos,/ Em seus membros pálidos como a videira quando os primeiros grãos de uvas aparecem".

A composição dessas linhas pode ter levado Will e Kate a um excesso amoroso entre as uvas e as vinhas do Hercules Buildings, Lambeth, em 1793. Talvez os vizinhos tenham se acostumado com isso.

Orgulhoso das obras realizadas durante aquele ano, em 10 de outubro e com 35 anos, Blake emitiu um prospecto em uma placa gravada, impresso em azul, em uma folha de cerca de 11 x 7 ½ polegadas.

Ao público.

Os Labores do Artista, do Poeta e do Músico foram proverbialmente atingidos pela pobreza e obscuridade; isso nunca foi por culpa do público, mas foi por causa de uma falta de meios para propagar essas obras, o que tem inteiramente absorvido o Homem de Gênio. Até Milton e Shakespeare não puderam publicar suas próprias obras.

Essa dificuldade foi superada pelo Autor das seguintes produções, ora apresentadas ao público; ao inventar um método tanto de Impressão tipográfica quanto de estampagem em um estilo mais ornamental, uniforme e grandioso do que qualquer outro método anteriormente descoberto, pois produz obras a menos de um quarto do custo atual.

Se um método de Impressão que combina o Pintor e o Poeta for um fenômeno digno da atenção do público, desde que exceda em elegância todos os métodos anteriores, o autor já terá recebido sua recompensa.

Os poderes de invenção do sr. Blake, desde muito cedo, têm chamado a atenção de muitas pessoas de eminência e fortuna; por cujos meios ele teve condições de, regularmente, apresentar ao Público (ele não tem medo de dizer) obras de igual magnitude e significado de qualquer idade ou país: entre elas, duas grandes gravuras finamente acabadas (e mais duas que estão quase prontas), e que darão início a uma série de temas bíblicos e outra de temas da história da Inglaterra. A seguir, os temas das várias obras publicadas e agora à venda, do sr. Blake, em Hercules Buildings, nº 13, Lambeth.

1. Jó, Uma Gravura Histórica. Tamanho: um pé e 7 ½ pol. por um pé e 2 pol.: preço: 12*s [shillings]*.
2. Edward e Elinor: Uma Gravura Histórica. Tamanho: um pé e 6 ½ pol. por 1 pé e 10 pol.: Preço: 6d [*pence*].
3. América, uma Profecia: Em Impressão Iluminada. *Folio* com 18 gravuras. Preço: 6d.
4. Visões das Filhas de Albion: Em Impressão Iluminada. *Folio* com oito gravuras. Preço: 7s. 6d.

5. O Livro de Thel, Um Poema: Em Impressão Iluminada. *Quarto* com seis gravuras. Preço: 3s.
6. O Casamento do Céu e do Inferno: Em Impressão Iluminada. *Quarto* com 14 gravuras. Preço: 7s. 6d.
7. Canções da Inocência: Em Impressão Iluminada. *Octavo* com 25 gravuras. Preço: 5s.
8. Canções da Experiência: Em Impressão Iluminada. *Octavo* com 25 gravuras. Preço: 5s.
9. A História da Inglaterra: Um pequeno livro de Gravuras. Preço: 3s.
10. Os Portões do Paraíso: Um pequeno livro de Gravuras. Preço: 3s.

Os Livros Iluminados são impressos a cores e na mais bela qualidade de papel que possa ser adquirida.

Nenhuma Reserva para as inúmeras grandes obras agora à disposição foi solicitada; Mas o autor produzirá suas obras e as colocará à venda por um preço justo.

O fato de Blake ter colocado o endereço da livraria de Joseph Johnson como o endereço do editor em *Os Portões do Paraíso* sugere que foi principalmente ali que o prospecto estava disponível. Pode ter havido cópias de inspeção de algumas das obras com Johnson, mas os que desejavam encomendar mais cópias deviam dirigir-se a Lambeth. Como esse foi um "prospecto", algumas das obras podem ter ficado inacabadas. Por exemplo, a obra *Canções da Experiência* pode ter ficado disponível somente em 1794.

Seis dias depois de o prospecto ter sido oficialmente emitido, Maria Antonieta foi guilhotinada em Paris. Uma "lei antissuspeito" foi aprovada pela Convenção, em 17 de setembro, pela qual todos os "inimigos da revolução" podiam ser presos até o final da guerra, o que permitiu a Robespierre aprisionar os militares superiores "suspeitos", assim como os girondinos moderados. Vinte e um girondinos seguiram Maria Antonieta para a guilhotina em 31 de outubro. Oito dias depois, a poetisa girondina, Mme. Roland, heroicamente ereta no andaime vermelho no qual em questão de momentos a guilhotina tiraria sua vida, olhou para a estátua da "Liberdade", que estava à sua frente, e declarou: "Ó, Liberdade! Quantos crimes se cometem em teu nome!".

Em 20 de novembro, Nancy Flaxman escreveu da Itália para sua cunhada Maria, em Londres: "Você sabe algo de Stothard ou de Blake?". Blake não vinha mantendo contato com seus velhos e queridos amigos. Ele estava, de fato, ocupado com as últimas dez placas para a obra de Stedman, *Narrativa*, sobre a revolta dos escravos no Suriname.

Durante os dois anos seguintes, Blake se tornaria o amigo mais confiável de Stedman, em Londres.

Stedman, que vivia em Tiverton, Devon, conheceu Blake pessoalmente em 21 de junho de 1794. Contatos foram mantidos até 1795, quando Stedman visitou Blake várias vezes, porque Johnson encontrou uma série de dificuldades técnicas na impressão da obra de Stedman. Graças a Stedman, sabemos que, em 1795, Blake foi "assaltado por uma turba e roubado", mas não sabemos o porquê. Foi por causa de associações radicais? A referência a uma "turba" sugere que foi.

Dois eventos notáveis ocorreram na França por volta do Natal de 1793. Em 19 de dezembro, um certo Napoleão Bonaparte, depois de ter sido forçado a abandonar sua Córsega nativa por causa do combatente da liberdade Pascale Paoli, distinguiu-se como capitão da artilharia na retomada de Toulon dos monarquistas britânicos e franceses. Em seguida, no dia de Natal, Robespierre declarou seu apoio à política do Terror, desencadeando, assim, toda a força das táticas extremas para arrasar a terra que, desde então, caracterizaram as profundezas desalmadas do fanatismo revolucionário.

Orc não tinha limites...

Capítulo 15

Formas Singulares e Combinações Estranhas – 1794

"Os franceses sempre foram desagradáveis quando não lhes são impostos limites. Eles nunca ficaram satisfeitos apenas com sua própria miséria e maldade domésticas. Nesses últimos dias, eles foram *relinchar* às constituições de seus vizinhos com ensandecida luxúria."[129] Assim escreveu o erudito e satírico Thomas James Mathias (c.1754-1835), cuja obra *A Busca da Literatura, um Poema Satírico* foi publicada pela primeira vez em 1794. Enquanto Mathias foi chamado de crítico reacionário da literatura radical inglesa, o comportamento revolucionário francês no período 1794-1798 recebeu sua crítica literária mais severa aos olhos da maioria de seus compatriotas.

A revolta em Vendée, em janeiro de 1794, provocou a ira do Terror: o assassinato em massa de homens, mulheres e crianças, camponeses na maioria, uniu-se à destruição indiscriminada e a uma política de "queimar" a terra. O Comitê de Segurança Pública, liderado por Robespierre, juntamente com seu Tribunal Revolucionário, ficaram no controle efetivo.

Em 4 de fevereiro, a Convenção aboliu a escravidão em todas as colônias. O líder revolucionário Georges Danton, que se esforçou

---

129. Thomas Mathias, *The Pursuits of Literature, A Satirical Poem in Four Dialogues*, 7 ed., revisada, impressa por T. Becket, Pall Mall, London, 1798 (primeira edição 1794), p. 6.

para moderar o Terror, acreditava que a abolição da escravatura fosse estimular levantes contra os britânicos. "Hoje", declarava Danton, "Pitt morreu".

Danton foi guilhotinado em 5 de abril; Pitt sobreviveu. Oito dias depois, Danton foi seguido ao cadafalso pelo fervoroso anticristão e flagelo dos girondinos, Pierre Gaspard Chaumette (1763-1794). Foi Chaumette que tinha organizado o "Festival da Razão" (10 de novembro de 1793), cujos enfeites berrantes pareciam representar uma atriz fantasiada como a Deusa Razão, em um palanque em Notre Dame. Robespierre fazia oposição ao Culto da Razão de Chaumette com seu Culto Deísta do Ser Supremo.

O que é pertinente para nossa história foi o fato de Chaumette cruzar espadas intelectuais com Louis-Claude de Saint Martin, em 1790. A criança lógica de Rousseau e Voltaire – dois dos principais incômodos de Blake –, Chaumette considerava os cristãos "inimigos da razão" e as ideias cristãs "ridículas" que levavam as pessoas para fora do "mundo real". Chaumette acreditava que a educação faria o que se quisesse que as pessoas se tornassem: governadas pela razão.

Tão afins são as ideias de Blake às de Louis Claude de St. Martin (1743-1803) que poder-se-ia considerar Blake como o representante inglês de St. Martin! Entretanto, parece que eles tinham fontes comuns, Boehme e Paracelso – fontes que levaram os espíritos afins às mesmas conclusões. A teoria filosófica de ideias de St. Martin, compartilhada por Blake, nos ajudam a entender melhor este último.

St. Martin surgiu a partir do estável "iluminismo" francês concebido por Martinès de Pasqually (c.1709-1744), fundador de uma Ordem ultramaçônica chamada de *A Ordem dos Cavaleiros Maçons, Sacerdotes Eleitos do Universo* (1766). St. Martin associou-se a eles em 1768. A Ordem praticava rituais teúrgicos em uma tentativa de recuperar as faculdades originais de Adão antes da Queda.[130] Em oposição direta ao reducionismo racionalista de Chaumette, St. Martin lançou uma ampla crítica à Razão (*L'HOMME DE DESIR*, Lyon, 1790; *Ecce Homo*, Paris, 1792).

Segundo St. Martin, a verdadeira iluminação não se conforma aos sentidos nem aos cálculos do cérebro: ela é um dom sobrenatural. A

---

130. Ver *Of Errors and of Truth, or Men Recalled to the Universal Principle of Science*, 1775.

Causa Verdadeira não está sujeita ao cérebro; ela é um Ser Inteligente ativo, capaz de coisas inimagináveis e incalculáveis para a razão por si só. St. Martin acreditava que a Queda poderia ser superada, apesar de seus efeitos terem sido objetivados para quebrar e espalhar as faculdades primordiais do Homem. Tal como em um espelho, as partes não poderiam refletir a luz até serem reunificadas e regeneradas. A "Retificação" foi possível por meio do ato de sacrifício do "Reparador", que pôde restaurar o "homem-Deus" (o *Reparador* é basicamente a ideia de Boehme do Cristo). Essa concepção dá sentido ao enorme e inacabado poema de Blake sobre a desintegração e reintegração psíquicas, *Vala* ou *Os Quatro Zoas*, que ele começaria em 1797.

Depois de ter descoberto Boehme em 1790, St. Martin saiu da Maçonaria. É a divina "Sofia" – a Sabedoria, como figura feminina – que permite voltar ao verdadeiro ser. Sofia é análoga à figura feminina de "Jerusalém", de Blake.

St. Martin desenvolveu ainda mais a ideia do homem-Deus: ele é o cooperador e ministro da vontade divina cuja missão é a salvação – um papel que Blake assumiria explicitamente, embora particularmente, no início de 1800 (é provável que o tenha feito antes e manteve-o sabiamente em segredo).

Introduzido aos trabalhos de Mme. Guyon, St. Martin talvez tenha tomado emprestado suas ideias sobre o "desejo" de escrever em louvor do que ele chamou de *"hommes de désir"*, "Homens do Desejo" – Blake, é preciso lembrar, teve seus *arroubos de desejo*. Os homens comuns tornam-se *Homens do Desejo* quando desejam ativamente salvar a vida divina da escravidão da condição de queda do Homem. Essas pessoas imitam o Cristo. Elas encarnam a consciência da palavra e da sabedoria divinas; eles expiam o mundo por meio de seu sofrimento sacrificatório, negando a "individualidade" – o egoísmo reflexivo. St. Martin conclamava as pessoas de desejo para participarem da Grande Obra de Reintegração. Quando o chamado fosse atendido, a humanidade seria inundada com os mistérios divinos, que os racionalistas, assim chamados "iluministas", rejeitavam de imediato.

St. Martin também previa a reintegração da "Natureza Eterna". Ele acreditava que a imaginação era a parte espiritual da humanidade: a imaginação possui a visão de todas as coisas. Por meio da imaginação, podemos entender a unidade espiritual do Universo. O "reino dos céus" é uma semelhança símile, uma metáfora para uma realidade espiritual; nossos olhos não revelam toda a verdade. St. Martin defendia uma nova língua, uma nova linguagem espiritual, uma ferramenta para a interpretação da história (será que os "livros proféticos" de Blake contribuíram para isso?). O valor da História estava nos sinais codificados dentro dela; os eventos históricos eram símbolos, não instrumentos, da reintegração da humanidade.

Quanto mais ou quão pouco de St. Martin havia atraído a atenção de Blake através dos swedenborguianos que conheciam pessoalmente os iluministas franceses, não sabemos. Mas as ligações eram evidentes. O filho de Jacob Duché, por exemplo, tinha visitado a base de Avignon do *illuminatus* dom Antoine-Joseph Pernety, inspirado por Swedenborg, em 1782, para escrever *As Maravilhas do Céu e do Inferno e os Territórios Planetários e Astrais*. Como Blake, os iluministas responderam à elevação do iluminismo da Razão ao reconhecer que, apesar de a razão constituir o olho interno da mente, sua função precisava ser esclarecida, ou iluminada, pela luz além do tempo e do espaço, além dos sentidos externos.

Tais pensamentos parecem ter inspirado o próprio trabalho iluminado de Blake, de 1794, *EUROPA, uma Profecia*, publicado por ele pouco antes do maior e mais flagrante ataque de Blake à Razão: *O Livro de Urizen*.

Poderíamos descrever *EUROPA, uma Profecia*[131] como 17 lâminas de um gênio não adulterado, sem ter lido nem mesmo uma palavra do mesmo. A extensão e explosão do imaginário por si sós nos convencem de que estamos na presença de um mestre visionário, um grande artista. A maioria das pessoas deve estar familiarizada com a primeira e inesquecível gravura, às vezes chamada de *O Ancião dos Dias*, uma figura atemporal de que Blake era muito orgulhoso e para a qual ele fez todos os esforços que podia para aperfeiçoar até a semana de sua morte.

Um presente aparente da memória eidética, a grande figura do deus de barba combina o respeito de Blake para com a grandeza e o

---

131. Yale Centre for British Art, Copy A, 1795.

terror do Criador com sua crítica espiritual da imagem do "ser limitador", que restringe e engloba o espírito infinito.

E essa é apenas a primeira página!

Europa inicia com um poema sobre os cinco sentidos: "Cinco janelas iluminam o Homem na caverna", escreve Blake, "pelas quais pode-se olhar/ e ver pequenas porções do mundo eterno que está em constante crescimento".

Estamos sendo levados rapidamente para um mundo que eu denominei de *patriarquétipos*. Os seres míticos de Blake apresentam-nos uma ideia de arquétipos inconscientes operando "por detrás" da história humana. A História, *tal como é vivida,* é uma manifestação da dinâmica espiritual; sua vida real opera "de cima", ou seja, *dentro* da psicologia de cada pessoa. Simultaneamente, esses seres também são "patriarcas" e "matriarcas", os pais e mães primordiais de nosso ser mental, as origens de nossos deuses e deusas: as faculdades; e, como uma família antagônica, eles interagem! Essa é a história da vida transcendente e psicológica, que flui em processos históricos e, depois, através e além do tempo, em símbolos meta-históricos. Essa combinação artística foi, para dizer o mínimo, ousada e original; e ela ainda é, enquanto muitos optaram por desconsiderar as "profecias" de Blake, por serem de difícil compreensão. Os que têm esse hábito, desconsideram com frequência um grande desafio.

Europa começa ao redor da época do nascimento de Cristo (na Terra), que Blake parece ter reconhecido que tenha sido em torno do ano 6 ou 7 a.C.: 1.800 anos terrestres antes de Blake escrever. Uma "fêmea sombria e desavergonhada" com "cabelos serpenteados" surge do peito de Orc. Ela chora por sua mãe, Enitharmon, uma espécie de Rainha do Céu, ou, como seu consorte Los, uma ligação entre a mente humana e o mundo do espírito: a inspiração, ou a deusa do "Gênio Poético".

Embora enraizados nos céus, os frutos da fêmea sombria já estão fluindo, espumando e furiosos, cheios de vida na Terra. É como se uma matriz de energia tivesse entrado em existência para retroceder novamente, como o obscuro e constante trânsito de partículas subatômicas. Algo nasceu na Terra: "O profundo inverno chegou;/ Quando foi que a acobertada criança,/ desceu através dos portões do oriente do dia eterno:/ A guerra cessou, & todas as tropas, como sombras, fugiram para suas moradas".

Talvez Blake tenha sido sábio ao usar uma sutil alegoria aqui (assim como uma alusão ao poema de Milton, *Na manhã do Natal de Cristo*) e em outros lugares, quando Blake dizia que Orc, cuja cabeça Enitharmon coroará "com guirlandas de videira", nascera no mundo como Jesus.

O que ele disse? Sim, Orc nasceu no mundo como Jesus.

Enitharmon aproveita o momento como o instante de exercer uma "vontade Feminina". Ela envia ao mundo seus filhos Rintrah e Palamabron (Profecia e Ciência), para que a "Mulher, linda Mulher" possa "ter o domínio":

> Vão! Digam à raça humana que o amor das Mulheres é Pecado!
> Que uma vida Eterna aguarda os vermes de sessenta invernos
> Em uma morada alegórica que a existência nunca alcançou:
> Proíbam toda a Alegria &, desde sua infância, devem as pequenas fêmeas
> Estender redes em cada caminho secreto.

Blake não era feminista no sentido contemporâneo: a fêmea não tem o monopólio da virtude em relações de poder. Blake poderia ser cuidadoso com os poderes femininos em geral. A utilização da energia sexual ou o mistério como armadilha, por exemplo, para Blake, era um horror.

Por não ter compreendido a mensagem demoníaca de Orc-Jesus, o mundo é preso na rede de uma religião pela qual o céu é remoto e onde o sentido sexual, assustador demais para ser enfrentado plenamente, é reprimido pela castidade hipócrita. Urizen governa por meio da leitura ortodoxa da Bíblia que mantém Jesus limitado aos Dez Mandamentos, trovões e matanças do Sinai.

Mil e oitocentos anos passaram sob o jugo da grande mensagem antissexual e antiespiritual da Igreja segundo a qual "o Homem foi um sonho! [...] Mil e oitocentos anos, um sonho feminino!".

A cortina é reaberta em uma Inglaterra sanando as feridas sofridas com a derrota contra os americanos. Os Anjos de Albion foram duramente atingidos com a perda e a Inglaterra procura erguer-se novamente entre "nuvens sobrecarregadas pelos horrores dos tempos de luta pela sobrevivência".

O problema, como Blake o enxerga, é que o "Rei de fogo" e seus ministros simplesmente não podem ver que estão se opondo a Orc, à sua própria salvação, e estão se exaurindo no processo, em vez de assumir um papel de liderança na transformação da Terra, de acordo com o céu.

Na medida em que o país se opõe à sua própria Vontade Verdadeira, problemas são acumulados, e Blake prevê o crescimento do que ele chama de "templo antigo em forma de serpente/ que se estende em seu comprimento ao longo da sombra da Ilha branca". Essa imagem de templo de serpente, Blake desenvolverá ainda mais como a religião dos druidas, que tomaram a religião dos patriarcas que habitavam em Albion e reduziram-na ao sacrifício humano. Blake vê esse sacrifício humano no envio de jovens para a guerra, contra seus próprios interesses, que são a religião e a ciência verdadeiras: a Ciência do Homem.

Blake emprega um trocadilho inteligente, que diz respeito à serpente. A imagem alquímica do infinito é uma cobra que engole o próprio rabo. Blake declara que, nos novos engenhos de Satanás, o círculo se fecha completamente, faz-se finito, limitado em circunferência e raio:

> É nesse momento que o templo da serpente foi formado,
> imagem do infinito
> Encerrada em revoluções finitas, e o homem tornou-se
> um Anjo;
> O Céu, um poderoso círculo girando; Deus, um tirano
> coroado.

Blake refere-se alegoricamente a ataques aos escritores radicais. Esses ataques negaram à juventude da Inglaterra os materiais necessários para alimentar a busca pelo conhecimento. Ensinam à juventude a olhar para um mundo finito por esperança e não para o mundo eterno, não visível dentro e ao redor deles mesmos:

> Pois Urizen soltou seu Livro: alimentando sua alma com
> piedade. A juventude da Inglaterra, escondida na escuridão, amaldiçoa os penalizados céus; impelidos na noite
> mortal...

A visão de Blake é consideravelmente mais escura do que as relativamente inofensivas "Sombras da Prisão" de Wordsworth, que fala sobre o "menino que cresce", em seu famoso poema "Intimações de Imortalidade" (publicado em 1807).

Em maio de 1793, 6 mil membros do público em geral assinaram uma petição declarando seu apoio à London Corresponding Society, liderada por Thomas Hardy, John Thelwall e John Horne Tooke. É claro que Blake a apoiou também.

Enitharmon acorda de seu sonho de 1.800 anos para encontrar Orc novamente ativo: "Levanta, ó Orc, e dá às nossas montanhas a alegria da tua luz vermelha". Aqui, certamente, está a "legenda que faltava" para a aquarela de Blake conhecida, sem qualquer motivo, como o *Dia Feliz* ou *A Rosa de Albion*. Por outro lado, devemos enxergar a imagem como uma epifania do jovem Orc, algo que, creio eu, é a imagem do *eu* idealizado de Blake – a criança não nasceu de James e Catherine Blake, mas da poesia e da inspiração: Los e Enitharmon. Se o século XVIII possuísse a tecnologia e a cultura visual que temos hoje, esta imagem teria criado uma camiseta transcontinental de efeito: uma do tipo de desafio público que expressasse "de que lado você está?".

> Mas o terrível Orc, quando contemplou a manhã ao leste,
> Explodiu nas alturas de Enitharmon;
> E nas vinhas da França, vermelha apareceu a luz de sua fúria.
>
> O Sol brilhou, vermelho de fogo!
> Os terrores furiosos voaram em volta,
> Raivosos, em carruagens douradas, com rodas vermelhas ensopadas de sangue;
> Os Leões chicoteiam suas caudas enervadas!
> Os Tigres deitam-se sobre a presa e sugam o fluxo vermelho: E Enitharmon geme e chora em angústia e desânimo.
>
> Então Los ergue sua cabeça que ele enfeitou com trovões serpentinos:
> E com um grito que abalou toda a natureza até o polo, extremo,
> Ele conclamou todos os seus filhos para a luta de sangue.

St. Martin também olhou para a "luta sangrenta", percebendo que, embora o objetivo principal da "Reintegração" fosse de outro mundo, o processo transformava o mundo dos sentidos por meio de um *parergon* ou por um subproduto do processo espiritual *(ergon)*. Os eventos mundiais tinham um significado real. Assim, para St. Martin, a Revolução Francesa era um hieróglifo terrestre da busca da humanidade pela ordem correta, de acordo com o desejo interior de reconciliação e reintegração com a vontade de Deus; sua violência, um sinal de punição pela indiferença passada para com a Causa Verdadeira. Embora se tratasse de uma profunda e dolorosa lição, um sacrifício, ele previu uma libertação muito maior da humanidade que ainda estava por vir.

Blake já estava nesse ponto, e ele podia escrever e pintar e esculpir bem como cantar e pensar, e foi brilhante ao lidar com as barreiras do desejo.

O próximo míssil de Blake foi dedicado ao vilão da peça. *O Primeiro Livro de Urizen* acabou sendo o único Livro de Urizen, mas poder-se-ia pensar que isso fosse suficiente, a menos que o segundo Livro fosse escrito com o sangue da história. Sem dúvida, por mais surpreendente que possa ser a imaginação (28 lâminas dinâmicas, na versão própria do Centro de Yale para a Arte Britânica), sua leitura torna-se estimulante e até mesmo sombria. Temos, nas lâminas, a criação dos universos interior e exterior sem a costumeira trilha sonora ou a voz otimista e maravilhada do comentarista moderno sobre "as maravilhas do Cosmos", como se uma viagem aos limites do conhecimento cosmológico fosse um agradável passeio à tarde pelos lindos planetas e pelas estrelas brilhantes.

Espero que os leitores fiquem incentivados a fazer uma viagem no *site* "blakearchive.org" e apreciem as palavras em seu próprio contexto visual, comparando as diferentes versões. Eles não serão decepcionados com o que encontrarão.

O livro inicia apresentando o fenômeno (sem nome) do universo de Newton, o que Blake chama de "vácuo arrepiante da alma" do espaço newtoniano. Esquematicamente, os ciclos e as elipses dos planetas parecem bastante graciosos, como se fossem um relógio, até frios e sem valor, mas Blake leva o observador além da clara geometria da página e mergulha-o de cabeça em um universo que mais parece um matadouro ou os fundos de um açougue, com apenas os fogos que consomem o invólucro cósmico, como também está presente o plâncton, que tudo devora.

O livro começa com a pergunta: "quem fez esse abominável vácuo?", à qual alguns respondem: "Foi Urizen".

Mas ninguém sabia ao certo.

Urizen permaneceu "desconhecido, abstraído/ o segredo incubado, o poder escuro escondido". Blake o expõe. E o que vemos? Vemos que esse Urizen, esse poder cego, tem muitas formas e é culpado de muitos pecados, parecido com a ideia comum do Deus Todo-Poderoso, o Grande Arquiteto, criador do céu e da Terra. Mas não foi Urizen que fez tudo; ele só *pensa* que fez, porque limitou tudo de acordo com sua natureza. E essa natureza, que é a faculdade da Razão, apreciada por Chaumette, adorada pelos radicais, transformou-se em Deus pelos teólogos e chamado de "Vida" pelos biólogos. Ele é o criador da Lei e o Acusador, e desconhece qualquer poder acima dele – cuja reivindicação o identifica muito próximo ao do "Demiurgo" dos gnósticos, o ego conglomerado e alardeado do universo material, assassino dos profetas e o fracassado matador de Jesus.

Quando Blake viu as tábuas dos Dez Mandamentos pairando em cima dos altares das igrejas inglesas, ele viu Urizen. Bastava apenas olhar da Lei para o condenado, o crucificado abaixo, para conseguir a Ideia. Bem, foi o que *ele* fez.

As imagens do Livro são verdadeiramente aterradoras. Blake parece ter-se aprofundado em si mesmo, talvez em demasia, e trouxe à tona das misérias de sua visão a formação de sóis e planetas, e matéria orgânica, e gases, e vácuos, um novo cenário psicológico. Os processos internos mentais são divididos em três dimensões às quais é dada uma vida fantasma e o horror do diminuto grito extraído da escala relativa e tornado cósmico é praticamente insuportável, mas esse é o próprio propósito. O universo interior de Blake está desnudado até o osso e, depois, é moído até a medula e triturado em um mar de bronze fundido do qual partes da vida emergem e no qual se afogam em um terror e "aflição sombria".

O que há de errado com Urizen? Ele é abstrato. Ele é isolado. Ele é frio. Ele não tem coração. Nenhum coração.

Nenhum coração!

O livro, é claro, é destinado aos que têm o coração leve, apenas os alegres entenderão a piada maravilhosa que atravessa o drama lancinante. Somente aqueles que têm suportado os pensamentos mais pesados conhecem a virtude de um coração leve, e somente os de coração leve terão condições de suportá-la.

Nunca antes houve qualquer coisa parecida com as imagens pintadas por Blake de Urizen, extraídas da forma berrante de Los, o Espírito do Tempo, o Grande Profeta: aquele que martela em um ritmo cadenciado os elos das cadeias do tempo, os dias, as semanas e as eras, passados e futuros.

A ferida de Urizen, depois de ter sido desmembrado por Los, não sarará. Podemos ver sangue e tecidos que saem do cérebro de Urizen, um horror fibroso, carnudo e sangrento, à medida que sua forma muda descontroladamente. Em uma imagem, Urizen aparece ao lado de um Los assustado, como um esqueleto que impele um tipo de clarão como o de um raio X:

> Das cavernas de sua Espinha articulada,
> Totalmente aterrorizado,
> Um globo vermelho que arde
> Nas profundezas do abismo.
> Arfando, Conglomerando, Tremendo,
> Lançando dez mil ramos ao redor de seus ossos sólidos.

Esse seria um motivo de um espetacular filme de terror. Mas também poderia ser um documentário de ciências, pois Blake nos mostra o "Big Bang", a redução dos "Eternos" em formas caóticas, rodando, girando como rodas: "Assim como óculos [telescópios] descobrem Mundos/ No Abismo infinito do espaço,/ Assim também os olhos expandidos dos Imortais/ contemplaram as visões escuras de Los,/ E o globo de sangue trêmulo de vida".

A primeira mulher aparece e Los é atraído. Provavelmente, Blake já tinha visto o último livro de Erasmus Darwin, *Zoonomia* (1794), no qual Darwin escreveu que as formas animais não são fixas, mas adaptam-se e evoluem – antecipando em meio século as teorias evolucionistas de adaptação de seu neto. A primeira "forma Infantil" somente aparece quando ela começa como um verme no ventre de Enitharmon e manifesta-se como uma serpente. A serpente, por sua vez, transforma-se em "muitas formas de peixes, aves e animais" antes de Enitharmon – a primeira mulher, chamada "Piedade" – "dar à luz uma Criança homem". Em chamas ferozes, os Eternos testemunham o "nascimento da sombra Humana". Los segura a criança e a banha "em fontes de tristeza", e eles a chamam de... ORC. "Embaixo da sombra de Urizen", Orc é levado para o topo de uma montanha, como Abraão fez com Isaque, e eles acorrentam "seus jovens membros na rocha/ com as correntes do Ciúme" (pois Urizen é um "Deus ciumento"). Urizen, então, cria um prumo e uma linha para dividir o Abismo.

O "Abismo" de Blake – ou melhor, de Boehme – para os antigos gnósticos corresponde a *Bythos* (isto é, à "profundeza"), o oceano insondável de Deus, do qual o "Primeiro Pensamento" de Deus é emanado no sistema de criação gnóstico valentiniano. Blake parece absorver outra ideia desse esquema teosófico do século II A.D.

Como Piloo Nanavutti observou em 1976, a história valentiniana da queda e da redenção de "Sofia"[132] (a Sabedoria) "elucida muitas passagens dos livros proféticos de Blake". No drama valentiniano, Sofia, independente de seu parceiro-oposto "Theletos" (*Vontade* de Deus, respeitando Sofia),[133] não pode realizar a criação perfeita, como seu "Incognoscível Pai" pôde. De seu anseio ingovernável de "conhecer o Pai", tudo o que a abstraída Sofia pode produzir é um "Ectroma" ou aborto – um universo fatal, desequilibrado e incompleto, cujas origens espirituais degeneraram e transformaram-se em matéria mortal e deficiente. Isolado do divino *Pleroma* ou "plenitude", o *pneuma*, ou o espírito divino de Sofia, é aprisionado de forma angustiante na deficiência que sua ignorância engendrou. Essa história de terror, sem dúvida, deu forma ao *Primeiro Livro de Urizen*, embora Blake não apenas a reproduza, mas molde-a aos seus propósitos.

---

132. Piloo Nanavutti, "Blake and the Gnostic Legends", *The Aligargh Journal of English Studies*, ed. Ansari, I, 2, Aligargh Muslim University, 1976, p. 174.
133. "Theletos", do grego Thelema = Desejo.

Assim, quando o isolado Urizen, separado de *sua* emanação ou de sua parceira, Ahania, entra no Abismo para compreender e dividir seus mistérios, ele também tenta, por suas próprias forças, um ato de criação. O resultado é um mundo perturbador, equiparado a apenas:

Porções de vida, semelhanças,
De um pé ou uma mão, ou uma cabeça
Ou um coração, ou um olho.

Nesse ainda inédito "Códice Askew", recuperado do Egito e trazido para o Museu Britânico em 1785, *Pistis Sophia* – a "Sabedoria da Fé" perdida no mundo – realiza, a partir de seus esforços criativos, apenas "frutos" sem forma. Em *Urizen*, os Eternos estão chocados com o trabalho da ciência pervertida de Urizen. Eles se movimentam para confiná-la: "Pois a Eternidade esteve bem afastada/Tão afastada quanto as estrelas estão da Terra".

O mito valentiniano está perfeitamente adaptado aos próprios fins próprios de Blake, porque podemos ver nele um modo dramático para expressar que a "Razão" não pode compreender o que está acima dela própria. As tentativas da Razão para usurpar os poderes do Gênio suprarracional, a santa luz espiritual de cima – poderes dos quais a Razão, na verdade, depende para a sua vida e função – só produzem horrores do tipo Frankenstein. O monstro de Mary Shelley, como podemos lembrar, foi criado a partir de partes humanas condenadas e "galvanizadas" pelo ambicioso racionalista Frankenstein, pretencioso em seu conhecimento científico.

Afinal, foi a aplicação fria da razão pela lógica cortante e pelos perigosos políticos aguçados, com seus igualitários sistemas "sabichões" que geraram as perspectivas do horror desumano, da destruição da natureza, da tecnologia deformada e da pseudociência, que fizeram com que os esforços supersticiosos dos piores opressores "medievais" ou "não iluminados" fossem vistos, comparativamente, como positivamente amadores. E tudo começou com o grande divisor, a guilhotina, que o próprio Chaumette defendia com tanta paixão junto a Luís XVI.

Nós vivemos à sombra das terríveis, radioativas e de negação da vida de Urizen. Entretanto, o ponto ainda não foi registrado, pois nossos professores persistem em sujeitar o conhecimento espiritual infinito às categorias racionais limitadas – ou seja, onde não há qualquer interesse no conhecimento espiritual. Blake viu todo esse desenvolvimento *através de* e não *com* seus olhos e contou-nos um mito para que pudéssemos compreender melhor a "parábola".

Separado de uma maior influência, autoacumulado e armado com regras de divisão, pesos maciços e um quadrante de bronze, Urizen, do puro ego, forma compassos dourados para limitar o infinito. Ele planta "um pomar" no qual se encontra a Árvore do Conhecimento do Bem e do Mal, cujo fruto, quando ingerido, condenará o Homem.

Em seguida, Urizen cria a "Rede da Religião" e todos os sistemas que amarrariam os antigos "Gigantes", fazendo com que se esquecessem "da vida eterna": "Não mais puderam eles subir à vontade/No vazio infinito, mas permaneceram amarrados embaixo./ Na Terra, por sua estreiteza". A referência é aos "Nefilins" do livro de Gênesis, 6; e, através deles, a ida para a pura condição humana, o reflexo da qual nos deu o legalismo religioso, o existencialismo e o niilismo:

> Eles viveram um período de anos
> Então deixaram o incômodo corpo
> Para as mandíbulas da escuridão devoradora
>
> E seus filhos choraram & construíram
> Túmulos em lugares ermos,
> E criaram as leis da prudência e as chamaram de
> As leis eternas de Deus

Aqui termina o *Primeiro Livro de Urizen*, uma parte da "Bíblia do Inferno", de Blake, em progresso.

Capítulo 16

A Canção de Los e Sedição – 1794-1795

O problema era o fato de Blake ser considerado radical demais para os conservadores e espiritual demais para os radicais: ele estava preocupado com a verdade. Seu espírito era inocente, virou um pouco cínico pela experiência, mas aberto à influência espiritual superior. Não é de se admirar que ele um dia tenha reclamado do seu destino: "Por que eu nasci com uma cara diferente/ Por que não nasci como o resto de minha raça?".[134]

Em 1794-1795, ele colocou esses sentimentos em uma série de desenhos e aquarelas sobre o tema da "Queixa de Jó": "O que é o homem para que lhe dês importância e atenção, para que o examines a cada manhã e o proves a cada instante? (Jó 7: 17-18). As provas em questão não podem ter sido meramente pessoais; o final do ano de 1794 o submeteria, nessa década, a provas mais significativas de radicais patrocinadas pelo Estado.

Seriamente alarmado com a virada dos acontecimentos em Paris e com o que os conservadores achavam que seria um reflexo nos círculos radicais ingleses, o governo resolveu agir. Os líderes Whigs testaram o vento, içaram suas velas e alijaram os entusiasmos revolucionários residuais. Desfrutando de um consenso suficiente na Câmara dos Comuns e com o apoio do rei, o governo tinha condições de agir; não devia ser permitido que a situação saísse fora de controle, tal como ocorreu na França.

---

134. *LETTERS*, p. 65; de Blake para Thomas Butts, 16 de agosto de 1803.

Em 7 de maio, Robespierre insistiu no decreto da Convenção Nacional sobre "a existência de um Ser Supremo e da imortalidade da alma". Se não fosse tão trágico, isso teria sido cômico: a existência do absoluto decretada por um corpo transitório de eleitores! De fato, tal era a preocupação repentina de Robespierre com a filosofia natural que, no dia seguinte àquele em que Lavoisier descobrira a composição química da água, o decreto foi promulgado. Um mês depois, a celebração do Ser Supremo foi realizada no Campo de Marte. Marte foi uma boa escolha para essas vaidades e, dois dias depois, apareceu uma nova lei: os tribunais revolucionários não mais tolerariam um interrogatório preliminar nem uma defesa: eles simplesmente optariam entre absolvição e morte.

Em 27 de julho, a Convenção, suspeitando que Robespierre havia se identificado com o Ser Supremo, ordenou sua prisão. Ele foi guilhotinado no dia seguinte, juntamente com 21 outros companheiros.

Nessas circunstâncias, a publicação, em Londres, de *As Perseguições da Literatura, um Poema Satírico* parece um pouco suspeito: talvez fosse alguma propaganda patrocinada pelo governo.

Com sete edições em 1798, esse trabalho inteligente realizado pelo Membro da Sociedade Real Thomas James Mathias (c.1754-1835) atacava os autores contemporâneos cujas obras, por uma razão ou outra, incomodavam, de forma conservadora ou com uma distinta opinião, obras que, particularmente, não agradavam aos Tories. Blake conhecia vários dos principais alvos, pessoalmente ou por ser a eles associado.

O primeiro poema de Mathias coloca os inspiradores revolucionários franceses em sua mira: Voltaire, d'Alembert e Condorcet são apontados por seus pensamentos irreverentes e subversivos. Na página 22,[135] a explosão de desaprovação aproxima-se mais perto de casa: a "blasfêmia vulgar e iliterata de Thomas Paine e os disparates desprezíveis de William Godwin. Eu sinto pela humanidade quando ela é insultada por esse tipo de autores".

Na página 29, chega a vez do radical John Horne Tooke: "O sr. Horne Tooke, por exemplo, está fora de alcance da arte" (mas não

---

135. Thomas James Mathias, *The Pursuits of Literature, A Satirical Poem in four Dialogues*, com Notas, 7ª ed., impressa por T. Becket, Pall Mall, London, 1798 (primeira edição em 1794).

do governo, como transpirou). Tooke, um ex-advogado e sacerdote, viveu em Wimbledon, onde um livreiro local vendia suas obras. Mathias recomenda a criação de um "bidental" na porta da livraria, para dar aos franceses um alvo "em sua primeira invasão". Na Roma antiga, "bidental" era um lugar atingido por um raio e escolhido para um *templum* onde sacerdotes especiais (*bidentales*) sacrificavam ovelhas de 2 anos de idade (*bidens* significa "com dentes em cada lado"). Paredes ou paliçadas separavam os *bidentais*; não era permitido pisar no local. Mathias quis dizer que Tooke era tanto traidor quanto ofuscador sacerdotal.

O próximo na linha de fogo (página 50) é Joseph Priestley: "Permitam-me dizer que Proteus Priestley escreve sobre todas as coisas, mas sobre nenhuma ele escreve bem". Curiosamente, Mathias lança o próximo golpe em William Hayley, o amigo liberal do poeta Cowper. Mathias descarta a poesia de Hayley, alegando ser "muito fraca, tediosa e insuportavelmente prolixa" (página 56). Seis anos mais tarde, Blake chega à mesma conclusão quando Hayley torna-se seu "patrão".

Na página 57, é a vez de Erasmus Darwin – e, novamente, as associações radicais: "O dr. Darwin é, certamente, um homem de grande fantasia, mas... boa escrita e boa poesia exigem algo mais". Mathias aconselha Darwin a olhar através da Natureza para a Natureza de Deus: uma visão contra a qual Blake certamente levantou-se em desafio.

Na página 68, a ira de Mathias está reservada para o autor anônimo de *O Culto a Príapo*, impresso pela Sociedade Dilettanti em 1786. O autor é anônimo porque Mathias se recusa a dar crédito a um livro "com numerosas e mais repugnantes gravuras". O livro, claro, falava sobre a energia sexual e os poderes da criação divina como tendo sido, em tempos clássicos, vistos como uma única e mesma coisa: adorar uma imagem fálica, sugere o livro, era adorar um símbolo divino. Isso caiu como uma bomba sobre os defensores da verdadeira religião, na Inglaterra. É bom lembrar que o entusiasmo priapista de Richard Payne Knight foi compartilhado pelo amigo de Blake, o artista e radical George Cumberland (amigo de Tooke), e pelo colecionador de arte clássica Charles Townley. Mathias refere-se a Townley pelo nome. Townley foi membro da Sociedade Real, como ele também era. No entanto, Mathias ridiculariza a própria Sociedade Dilettanti, apresentando-a como uma fonte de entusiasmos clássicos risíveis (quanto republicanismo) e, uma coisa absurda, que ela dirigia seus membros em misteriosos rituais privados, vestidos com togas! Mathias acreditava que existia um classicismo saudável (o seu) e outro pouco saudável (o dos radicais "antiquários priápicos", para usar a frase de Schuchard). Denunciando a poesia de Knight como sem esperança, a edição de 1796 atacaria o autor de *O Culto a Príapo* pelo nome ("RP Knight"), já que Knight tinha revelado que ele era o autor da impressão do livro de Príapo.

Enquanto esses eram os tipos de homens que Mathias acusava de crimes contra a arte, crimes maiores eram imputados a Tooke e a Paine. Seus pontos de vista são nada menos do que uma traição extrema de seu país para com os odiosos franceses. Eles não podiam ficar sem ser marcados; o governo, está implícito, deve olhar pela segurança da nação. Parece claro que Mathias não tinha feito o mesmo caminho de Lambeth para mergulhar nas obras de William Blake. Talvez a obra de Blake não tivesse circulado o suficiente para atrair a marca de oposição pública de Mathias. Seria fácil, caso tivesse chegado a fazê-lo, rejeitando-o como excêntrico, na melhor das hipóteses. Rumores sobre a "loucura" de Blake começaram nessa época.

No que diz respeito à circulação de Blake e o rumor de sua loucura, Joan K. Stemmler descobriu na Bodleian Library, em Oxford, uma correspondência fascinante entre o antiquário Richard Twiss e o bibliófilo Francis Douce, membro da Sociedade dos Antiquários, relativa a alguns livros ilustrados vistos recentemente.

Em 13 de setembro de 1794, Twiss informava Douce de como "uma senhora" lhe mostrara "duas obras curiosas de Blake" em Hercules Buildings, Lambeth. Uma delas era "Os Portões do Paraíso", com 16 gravuras, e a outra era "Canções da Inocência", impresso a cores. Suponho que o homem esteja louco; mas ele desenha muito bem. você tem alguma coisa feita por ele?[136]

Essa é a primeira referência, além do *Prospecto*, de 1793, sobre qualquer trabalho de Blake. Twiss presumia que Douce já estivesse familiarizado com o nome de Blake. Ele, Douce, viria a adquirir a Cópia I do *Livro de Thel* (1789) e, em 1821, *O Casamento do Céu e do Inferno*. Ao escrever para Douce novamente em 25 de setembro de 1794,

---

136. BR, p. 64-65.

Twiss informou-lhe que o "Paraíso de Blake" poderia ser visto no sábado seguinte (27 de setembro); ele, Twiss, teria livros prontos dele no Black Bull, Holborn, acrescentando: "Você vai ver vários outros livros de Blake no Johnsons, no Pátio da Igreja de Saint Paul". Então, sabemos que poderíamos ver ao menos algumas das produções de Blake na cidade. A "Dama" pode ter sido a sra. Bliss, um nome apropriado para a proprietária de uma das cinco cópias da obra *Para as Crianças: Os Portões do Paraíso*, e da cópia "P" de *Canções da Inocência e da Experiência* (o fato de Twiss não ter anteriormente mencionado "Experiência" ou "Inocência" teria sido um lapso comum).

É possível que esse curioso sopro de "loucura" tenha protegido Blake de suspeita em relação aos julgamentos que ocorreram imediatamente após a correspondência de Twiss e Douce. No entanto, uma troca de cartas entre George Cumberland e o companheiro radical John Horne Tooke indicam que Tooke provavelmente não conhecia o nome de Blake até fevereiro de 1798, apesar de uma carta deixar claro que Cumberland estava bem ciente das inclinações radicais de Blake. Blake, afinal de contas, havia incluído pensamentos sediciosos no *Primeiro Livro de Urizen* com este par de versos atrevidos, indiscutivelmente atribuído ao "vilão":

> Uma maldição, um peso, uma medida
> Um Rei, um Deus, uma Lei.

Cumberland escreveu a John Horne Tooke, em 19 de fevereiro de 1798, sobre uma suposta obscuridade, no frontispício recém-gravado de William Sharp para a obra de Tooke, *Divertimentos de Purley*. Cumberland enviou a Tooke um desenho alternativo e um lema:

> Se você os aprovar, tanto o desenho quanto o lema, eles ficarão honrados por aparecer, como você propõe, em seu segundo volume – em qual caso tomarei a liberdade de recomendar esse homem de gênio, negligenciado e filho verdadeiro da liberdade, o sr. William Blake, como seu gravurista, tanto pelo prazer que sei que ele terá na execução de um trabalho com seu retrato nele quanto pela moderação geral de seus preços.[137]

---

137. BR, p. 80.

"Filho da Liberdade" ou não, Tooke desconsiderou a sugestão de Cumberland.

A oferta de associação por parte da Convenção Nacional Francesa a revolucionários estrangeiros obrigou o governo britânico à promulgação da *Lei de Suspensão do Habeas Corpus*, em 7 de maio de 1794. O *Habeas Corpus* foi devidamente suspenso em 16 de maio, uma medida destinada a durar oito meses, o que permitia a detenção sem acusação de qualquer conspirador contra a pessoa de Sua Majestade ou contra o governo. As detenções de líderes radicais tiveram sequência: espiões do governo haviam penetrado na London Correspondence Society.

Em 2 de outubro, um auto de acusação foi encontrado no grande júri, em Session-House, Clerkenwell, contra Thomas Hardy, líder da London Correspondence Society, e contra John Horne Tooke, J. A. Bonney, Stewart Kydd, Jeremiah Joice, Thomas Wardell, Thomas Holcroft, John Richter, Matthew Moore, R. Hodson, John Baxter, John Martin e o líder e orador radical John Thelwall.

Enquanto o Parlamento debatia a suspensão do *Habeas Corpus* e da apreensão de membros de supostas sociedades sediciosas, os homens foram mantidos presos perto da Torre, até serem levados a julgamento solene perante uma comissão especial, no Old Bailey, em 25 de outubro.

Em 6 de novembro, Thomas Hardy e os outros supostos agitadores acusados de traição e conspiração em Londres foram absolvidos. Radicais escoceses não tiveram a mesma sorte. As declarações de Savage foram consideradas politicamente suspeitas pelo juiz escocês Lorde Braxfield. Com os receios de uma possível revolução, qualquer um que propusesse uma mudança da "perfeita" constituição era considerado um inimigo do Estado. O líder unitariano, Thomas Palmer, foi condenado a sete anos de deportação; ele havia escrito um panfleto condenando a guerra. O advogado Thomas Muir, fundador do Scottish Friends of the People e que tinha ligações com os republicanos irlandeses em Paris, foi condenado a 14 anos de deportação por sedição, enquanto uma convenção secreta, em Edimburgo, concluía seus vereditos com deportação punitiva e sentença de morte.

A calculada política de intimidação do governo funcionou. Haveria descontentamento e algumas explosões ocasionais de hostilidade contra o rei e seu governo, mas não haveria revolução na Grã-Bretanha. O governo estava se preparando para um dos maiores julgamentos da história da nação: as Guerras Napoleônicas. O partido revolucionário foi definitivamente extinto.

A Canção de Los

O ano de 1795 começou com uma canção, uma canção triste e estranha; começava assim: "Vou cantar uma canção de Los, o Eterno Profeta". Por que Los é o "Eterno Profeta" nos poemas proféticos de Blake? Porque ele é o princípio do Tempo: ele vê o passado, o presente e o futuro. Los é muitas vezes descrito como um poderoso ferreiro que carrega um grande martelo, fálico em vários sentidos, batendo em ritmo; pois o tempo é a essência da poesia, do metro, da medida e da música. Mas também, como Thomas Taylor mostrou a Blake, original de Platão: "O tempo é a imagem móvel da eternidade". O Infinito é uma sequência no tempo; a eternidade não é condicionada ao tempo e ao espaço. O que a eternidade é para o espírito, o tempo é para o mundo. Por essa razão, Los, a "imagem em movimento", manteve sua ligação com os Eternos e, através de "Los" – isto é, através do espírito da Poesia (o "Gênio Poético") que transcende o tempo, mesmo que ela tenha sido construída dentro do tempo –, o homem ainda pode conversar com o paraíso. Em certo sentido, Los é o guardião da imaginação divina.

Quando as coisas ficavam difíceis, Blake dirigia-se com Los para seu paraíso.

A *Canção de Los* começa com um dilema: de que forma poderia a linguagem poética ser usada por Urizen para vincular as pessoas por meio de "suas Leis às Nações"? Blake cria uma imagem engraçada: "Adão estremeceu! Noé desapareceu! o negro cresceu na ensolarada África/ Quando Rintrah deu a Filosofia Abstrata para Brama no Oriente". O problema não era a língua em si, mas a abstração. Rintrah representa a profecia. Blake parece estar dizendo que, na Ásia, a filosofia foi apresentada em forma de profecia nos livros sagrados. Ele menciona a origem hindu da criação, "Brama".

Em 1785, Charles Wilkins completou a primeira tradução em Inglês do *Bhagavad-Gita*. Blake pintou um quadro de Wilkins com seu texto, infelizmente agora perdido, e foi tomado por um interesse pela filosofia e religião hindus. O problema de Blake foi a forma de entender o "Gita" (que significa "Música"). Ele foi filosofia ou religião? Eram elas ideias abstratas transmitidas em forma de histórias e diálogos alegóricos ou um puro acesso ao espírito? O sânscrito *Brahman* ou a realidade subjacente a tudo, dentro e fora deste mundo, tem sido chamado, apesar de *Brahman* ser tecnicamente indefinível, "ser, consciência, bem-aventurança". O "Parabrahman" dos Vedantins (filósofos e intérpretes do *Bhagavad Gita*, dos *Upanishads* e dos *Sutras Bramânicos*) também foi identificado com o *Mysterium Magnum* ou o "Grande Mistério" de Paracelso, a fonte das formas de cuja essência tudo é derivado. O *Mysterium* de Paracelso fixou-se muito na mente de Blake; e ele surgiria com destaque no seguinte poema profético de Blake, *O Livro de Ahania*.

Embaixo do subtítulo de *A Música de Los*, "África", Blake considera o papel da abstração no desenvolvimento da religião. Ele toma a África como o lugar onde a religião apareceu pela primeira vez, acreditando que todo o continente já foi chamado de "Egito". Seu tratamento poético do tema é, no entanto, subitamente interrompido pelas atuais realidades políticas:

> (A Noite falou para a Nuvem
> Olhem para esses Humanos, espíritos formados em sorridente hipocrisia. Lutam
> Uns contra os outros; Então deixem deixem que continuem guerreando; escravos para os Elementos Eternos)

Do clamor contemporâneo, Blake volta-se para o curso principal de sua canção; o mundo exterior é apenas uma gota em um oceano. Será que estamos vendo o início de uma longa retirada de Blake do "paraíso" e dos "reinos do Dia"? A "Noite" é a ignorância e a "Nuvem" é o corpo: A política é a ignorância dirigida à "vestimenta", e não ao Homem Verdadeiro, que é o Gênio Poético.

Blake embarca em um tema que vai ganhar mais força em obras vindouras. Ele é contra a filosofia abstrata. Ele até mesmo contesta aspectos da filosofia orientada religiosamente como a *Hermética*, atribuída ao antigo sábio Hermes Trismegisto: "Para Trismegisto. Palamabron deu uma Lei abstrata:/ Para Pitágoras, Sócrates & Platão". A contestação de Blake não é contra o pensamento como um caminho para a verdade em si, mas o princípio de que as realidades espirituais podem ser entendidas pela própria razão e o que ela não pode compreender deve ser passado por cima. Deus não "explica" a si mesmo de um modo curto e seco para um entendimento racional. Acreditando que os hebreus fossem muito superiores aos gregos, Blake duvida de uma Inglaterra passando por cima de sua Bíblia, venerando sofistas clássicos e homens inteligentes; talvez ele tivesse encontrado aqui um ponto em comum com Mathias, pois essa é uma visão espiritual e conservadora.

Na *Canção de Los*, Orc é acorrentado ao Monte Atlas, e uiva. Jesus ouve a voz de Oothoon, separado do "Miserável Theotormon" (segundo *Visões das Filhas de Albion*). Então, Jesus recebe dele "um Evangelho", tornando-o, assim, o "Varão de Dores".

Na sequência da supressão da verdadeira voz de Jesus, a "raça humana começou a definhar". Blake refere-se ao movimento monástico, em si mesmo condenado por rechaçar o conhecimento sexual: "Para os fortes e saudáveis/ lugares reclusos, temendo as alegrias do amor/ Com apenas os doentes procriando". Blake sugere que a doação de "uma Bíblia perdida" "para Maomé" por "Antamon" (príncipe da "pérola orvalhada" ou a semente masculina) e "Leutha" (sexo sob o domínio da Razão) foi um esforço para restaurar alguma maturidade sexual para uma religião que nega o sexo.

Outra reação à emasculação do Cristianismo é citada quando o deus nórdico Odin recebe um "Código de Guerra": um meio para "recuperar sua alegria" depois de ter aparentemente suprimido "Diralada", outro nome para "Thiralatha", figura feminina de Blake de *América*. Ela está associada ao sonho erótico. Se o amor for inibido, os vikings fazem a guerra.

Blake então reapresenta sua amada época gótica em termos negativos, as mencionadas estruturas arquitetônicas possivelmente derivadas da história da Maçonaria nas *Constituições dos Maçons* (1723; 1738). Mais uma vez, o tema é emasculação, a sufocação do conhecimento instintivo da humanidade como um todo. Tudo combina com o clima de repressão política:

> Estas eram as Igrejas: os Hospitais: os Castelos: os Palácios
> Como redes & máquinas & armadilhas para capturar as alegrias da Eternidade
> E todo o resto um deserto;
> Até que, como em um sonho, a Eternidade foi obliterada & apagada.

Blake está dizendo: "Você pensa que conhece sua história e os limites da religião? Você não sabe nada. Você não sabe o que você perdeu!". Esta é a canção da Perda pessoal, de Blake.

> Assim, a terrível raça de Los & Enitharmon determinou
> Leis & Religiões para os filhos de Har, limitando-os cada vez mais
> À Terra, fechando e restringindo,
> Até uma Filosofia dos Cinco Sentidos estar completa
> Urizen chorou & entregou-a nas mãos de Newton & de Locke

Após ter completado uma primeira seção, sob o título "África", Blake chega à "Ásia". Primeiramente, a Ásia é despertada de sua "rede" pelos "fogos chamejantes e criadores dos pensamentos de Orc", na Europamas logo olha para trás, para um mundo onde sultões e pasás podem fazer o que quiserem, onde o poder arbitrário significa força; onde a crueldade é "machismo". A esperança está na Europa, enquanto os uivos de Orc puderem ser ouvidos.

Os desenhos de Blake e, podemos supor, as pinturas das gravuras de Catherine Blake são novamente fontes de alegria e surpresa. As crianças perdidas da inocência, Har e Heva, são mostradas em perigo comovente, órfãos da tempestade, com os elementos contra eles: "Desde aquele dia terrível, quando Har e Heva fugiram,/ porque seus irmãos e irmãs viviam em Guerra e Luxúria".

Há apenas uma cópia completa das seis placas do *Livro de Ahania*, de 1795; ela está na Biblioteca do Congresso. O livro também pode ser chamado de "Outras Aventuras de Urizen" e, embora ele leve o título da emanação ou da consorte separada, de Urizen, Ahania, é o filho de Urizen, Fuzon, que assume a maioria da ação em revolta contra seu pai. O desenho de página inteira que abre o curto trabalho mostra uma linda mulher à procura de um pouco de esperança distante, enquanto Urizen, atrás dela, esconde o rosto gigante em seu cabelo petrificado. Talvez Ahania tenha sido parcialmente inspirada em uma Catherine idealizada: há algo de muito quente e simpático sobre a figura nua, ajoelhada perto de um ser de punhos fechados, incapaz de expressar qualquer afeto. O *design* da página título, em um delicado tom de azul brilhante, antecipa as delícias da fantasia de Chagall em mais de um século. Não fosse por um Urizen desajeitado e obeso, literalmente deixado de lado pelas palavras ao final do "livro", essa é a única imagem que faz parte dessa obra. Estaria Blake exausto?

> Farto de seu pai, um Fuzon exasperado pergunta:
> Devemos adorar esse Demônio de fumaça,
> Disse Fuzon, essa não entidade abstrata
> Esse Deus nebuloso sentado sobre águas
> Ora visto, ora oculto; o Rei da Aflição?

Urizen modela um "Globo de ira" e o arremessa, através das imensidades, contra seu filho, indiferente à divisão em seu "frio quadril" e às necessidades de "sua alma apartada", chamada Ahania, a quem Urizen chama de "Pecado".

Fuzon é atingido por uma pedra envenenada desferida pelo "Arco Negro" de seu pai Urizen (negro pelas "nuvens do segredo") A "luz" de Fuzon é literalmente apagada; e a pedra cai sobre a Terra, sobre o Sinai; ela é, naturalmente, o Decálogo ou a Lei Mosaica.

Abaixo de Urizen, porque ele tinha "encolhido longe dos Eternos", sua raiz dolorida espalhou-se embaixo do assento petrificado sobre o qual ele se sentou e criou uma "grossa árvore", o "Mistério". Essa é uma imagem de Paracelso, transmitida dele para Boehme. É a "Natureza Eterna" expressa no mundo de ira do Pai, o mundo de fogo, mas separado do mundo do "Filho", o mundo de amor e luz.

O papel de Urizen na criação do "mistério" está em direto paralelismo com a concepção de "Yliaster", de Paracelso, ou matéria primordial, a partir da qual o universo foi formado no início dos tempos. O Yliaster é o construtor eterno do mundo, o carpinteiro e escultor das formas do universo. Franz Hartmann assim descreveu o papel do Yliaster na criação: "Quando a criação teve lugar, o Yliaster dividiu-se; ele, por assim dizer, derreteu e dissolveu, e desenvolveu a partir dele mesmo o Ideos ou Caos (*Mysterium Magnum, Idos, Limbus major,* ou Matéria Primordial)".[138] Blake dá a esse relato filosófico um toque sinistro para implicar Urizen, dividido, na maldade do Cosmos. Aqueles que tentarem sanar o mundo deverão envolver-se em uma luta espiritual.

---

138. Franz Hartmann, *Paracelsus, Life and Prophecies*, Kessinger Legacy Reprints, US, sem data, p. 41.

Pois, no torpor da abstração de Urizen
Nas infinitas eras da Eternidade:
Quando seus Nervos de Alegria derreteram & fluíram
Um Lago branco no ar azul-escuro
Em dor perturbadora e tormento lastimável
Ora estendendo-se, ora restringindo-se rapidamente.

Urizen pendura seu filho Fuzon em uma árvore: "O cadáver de seu primogênito/ na maldita Árvore do MISTÉRIO:/no ramo mais alto dessa árvore/ Urizen pregou o cadáver de Fuzon".

A referência é claramente dirigida aos escritos poéticos da Nórdica *Edda*, a Odin, deus da guerra, da sabedoria e da poesia, que durante nove pendurou-se em uma árvore, a título de sacrifício para si mesmo, trespassado por uma lança. A Árvore de Odin é geralmente identificada como o "mundo das Cinzas", Yggdrasil, cujas raízes mergulham nas profundezas e cujos ramos estendem-se até os céus. Entretanto, a árvore de Blake que sustenta Fuzon é mostrada em termos do Inferno de Boehme que, constantemente e cada vez mais, estende suas raízes dentro da natureza: "a Árvore ainda cresce sobre o Vazio/ Enraizando-se em si mesma/ Um labirinto interminável de consternação!". O fruto desta árvore é a peste.

A partir desse drama primordial, a Ásia, com sua semente de filosofia abstrata, emerge do "profundo pêndulo". Enquanto Fuzon geme na árvore, as mais recentes crianças de Urizen, doentes e deformadas, "rastejam sobre a Terra", aparentemente uma referência às descobertas de ossos de dinossauros, associados à prole deformada de Urizen: os "ossos" de seu "exército de aberrações".[139]

Esse conflito do tipo *círculo vicioso* continua com a "voz lamuriosa de Ahania". A leitura de seu lamento nos faz pensar imediatamente em Wagner e perguntar por que nenhum compositor ainda não abraçou

---

[139]. A descoberta de um fêmur de um megalossauro foi relatada e provavelmente foi gravada em História Natural de Oxfordshire, do Dr. Robert Plot (1676). Pensava-se que seria o osso de um animal ou, eventualmente, de um gigante, como referido em Gênesis, 6. Em 1763, R. Brookes, escrevendo sobre umas pedras estranhas, observava a sua semelhança com um par de testículos, e as chamou de "escroto humano". Blake talvez tenha juntado as duas ideias e tenha criado o conceito de "aberrações de Urizen" – homens reptilizados ou seres corrompidos, associados com os "gigantes" do livro de Gênesis.

totalmente o potencial de criar letras de ópera a partir dos épicos de Blake.

> Onde está meu palácio de ouro
> Onde está minha cama de marfim,
> Onde está a alegria de minhas horas da manhã
> Onde estão os filhos da eternidade, que cantam [...]
>
> Então tu, com teu colo cheio de sementes
> Com tua mão cheia do generoso fogo
> Andaste adiante nas nuvens da manhã
>
> Na virginal Alegria primaveril,
> Na alma humana, para lançar
> A semente da ciência eterna.

Os africanos de Blake

Segundo o diário caótico de João Gabriel Stedman, de 1795, sua *Narrativa* relativa à revolta dos escravos do Suriname (publicado em 1796) causou um grande conflito entre ele e Joseph Johnson. Stedman teve de fazer várias viagens de sua casa, em Tiverton, até Londres para tentar resolver os problemas das placas e da impressão. Ele jantou na casa de Blake várias vezes e, em uma dessas ocasiões, comprou para a sra. Blake um açucareiro azul.

Em 24 de junho, Stedman recebeu as provas do Volume 1, mas o texto foi danificado. Quando os Blake hospedaram Stedman por três dias, em agosto, Blake ofereceu-se para fazer a mediação entre Johnson e Stedman, quando este último voltou a Devon. No mês seguinte, o diário de Stedman registrava o fato de Blake ter sido "assaltado e roubado", uma história cuja intenção do injurioso Samuel Palmer era denunciar Blake como sendo um aficionado de J. C. Strange, na década de 1850, mas ele nunca foi.

Sem se impressionar com algumas das gravuras de Bartolozzi, Stedman só tinha elogios para o brilhantismo de Blake. Quem vê o esplêndido *Um Negro Coromanti Livre ou o Vigilante, Armado*, de Blake, por exemplo, entenderá o deleite de Stedman: as gravuras de Blake possuem uma força, definição e presença vivas demonstrando ter entendido, interiormente, algo do impacto das experiências do Suriname na psique de Stedman. Em cada gravura, Blake destaca a dignidade e a beleza dos africanos, escravos ou livres, assim como a tristeza e o sofrimento a eles infligidos. Uma das mais marcantes das 16 placas assinadas é uma alegoria da "Europa apoiada pela África e pela América". A Europa é apresentada como uma mulher branca nua, a África e a América por mulheres negras nuas. Elas se abraçam fraternalmente, com uma pitada de erotismo que é, ao mesmo tempo, sensual e fraternal, denotando harmonia à flor da pele. Enquanto os escravos sustentam os grilhões, é claro que a "Europa" precisa deles, e não apenas economicamente.

As impressões de 1795

Embora o estro poético de Blake possa ter sido pego no meio do fogo cruzado da política da época, ele tinha energia de sobra para realizar uma série poderosa de gravuras coloridas. Hoje, as 1.795 cópias constituem suas mais conhecidas e mais amplamente apreciadas obras de arte, a mais famosa delas sendo permanentemente exposta no Tate Britain. A maioria dos títulos deve ser familiar aos aficionados: *Elohim Criando Adão; Satanás Exultando Eva; Deus Julgando [ou falando com] Adão; Lameque e Suas Duas Esposas; Naomi Suplicando Rute e Orfa para Voltar à Terra de Moabe; Nabucodonosor; Newton; Piedade; Hécate; A Casa da Morte; O Anjo Bom e o Mau Brigando pela posse de uma Criança [ou O Anjo Bom e o Mau]; e Cristo Aparece aos Apóstolos Depois da Ressurreição.*

O desaparecimento de uma obra da série de impressões de 1795 é uma grande perda: *Wren*, uma representação de *sir* Christopher Wren e da catedral de St. Paul, e não há qualquer pista dela desde 1880. Um estudo de D. G. Rosetti, *Academy* (1863), sustentou que *Wren* compartilhava sua "harmonia geral" com a famosa impressão *Newton*, de Blake. "As mãos", de Wren, "tateiam ao longo do terreno". No verso, de acordo com Rossetti, "as mãos estão levantadas na altura do queixo, expressando grande tensão da mente, em uma posição forçada".

Assim como *Newton* expressa uma crítica pungente de Blake ao legado de Newton, uma crítica análoga foi dirigida ao honorável Grão-Mestre da Maçonaria, Christopher Wren, cuja clássica *St. Paul* havia substituído a Estrutura Gótica destruída no Grande Incêndio. Na visão de Blake, o formalismo clássico era muito abstrato para a "Casa do Senhor"; o Deus de Jesus não pertencia, segundo acreditava

Blake, a templos filosóficos – demasiadamente frios e insuficientemente vivos.

O que queremos dizer por uma "impressão"? Tatham, como de costume, estava errado quando informou Rossetti sobre como Blake fazia suas impressões, alegando que um esboço era elaborado de maneira intensa, com tinta espessa ou aquarela em grosso papelão comum, antes de derramar óleos em profusão para mesclar os efeitos acidentais; uma prensa era então empregada para fazer a impressão final. Blake não usava óleos, mas têmperas (misturas de cores e aglutinantes), que ele insistia em chamar de "*fresco*" (afresco). Sua versão do que ele acreditava ser um *fresco* autêntico consistia em uma mistura de cal e cola de carpinteiro, passada várias vezes em camadas finas. Ele moía suas próprias cores e as misturava com uma pequena quantidade da mesma cola. Foi o uso que Blake fazia da cola no lugar da têmpera verdadeira, feita com gema de ovo, o que provavelmente iniciou o escurecimento acidental, com o tempo, de alguns de seus quadros, embora ele também tenha confessado que escurecia algumas pinturas deliberadamente para atender o gosto das pessoas ou porque, em razão de um estado de espírito alterado, ele duvidasse de seu sentido original de claridade. Além disso, ao contrário de Tatham, Blake não repintava a "chapa" de papelão para fazer novas impressões. Como resultado, as "impressões" subsequentes perdiam intensidade, exigindo uma maior atenção para o acabamento em aquarela, pena e tinta. Em alguns casos, Blake fazia a impressão do contorno antes da impressão sobreposta com o tratamento do "*fresco*"; em outros casos, havia apenas a impressão a cores. A prioridade de Blake parece, por conseguinte, ter sido a *qualidade da textura* da impressão, em vez do limitado potencial de reprodução do método. Ele não fez muitas impressões dessas suas obras.

As muito comentadas impressões não têm muito a acrescentar sobre esse autor. Entretanto, alguns detalhes quanto aos significados codificados que poderiam, de outra forma, passar despercebidos, ou evitados, precisam ser mencionados. *Elohim Criando Adão*, por exemplo: enquanto o interminável debate sobre o uso da terminação do plural hebraico (-im) para "Deus" ("Elohim": literalmente "deuses"), em Gênesis 1, significa, ou significou alguma vez, "deuses", ou sempre foi, ou tornou-se uma palavra hebraica aceitável para o Deus singular apresentado a Moisés como Jahveh (Javé, Jeová), sabemos que Blake compartilhava a suposição gnóstica de uma confusão de fontes na criação do homem na Terra ("E Deus disse: *Façamos o homem à nossa imagem*, conforme *nossa semelhança*"; Gênesis 1:26). A manifestação do homem na matéria não foi, segundo Blake, ambígua e nem mesmo inocente.[140]

A concepção gnóstica era de que o criador do ser material era um anjo subordinado ao Pai. O anjo, às vezes chamado de "Saklas" ou "Tolo", era cego de origem e não aceitava qualquer coisa acima dele e era, portanto, "ciumento". A figura alada formava o rosto lastimável de Adão com uma mão enquanto, com a outra, abraçava uma substância sólida subterrânea ou subaquosa, que pode, em um sentido condescendente, ser interpretada como um "aspecto" de Deus, mas o olhar alienado e o rosto inconfundível do cego Urizen, tudo isso define a figura como um poder divino usurpador: ele é aquele que aplica as correntes do "ciúme" e envenena os sexos; aquele que fixa pensamento contra pensamento. Adão já tem seu corpo enrolado pela serpente – a serpente significando o plural dos poderes Satânicos ou poderes roubados ao Elohim – e podemos pesquisar no *Primeiro Livro de Urizen*, de Blake, para maiores esclarecimentos a respeito.

Da mesma forma, Eva, sobre a qual Satanás exulta, está envolta pela serpente cuja forma espiralada estende-se por toda a Natureza. A lança de Satanás aponta para a Terra, a poeira como poeira que é o domínio vazio de Satanás, pois, segundo o pensamento de Blake, o reino da Natureza de Satanás é ilusório; na realidade, em essência, nada disso é real – tudo é aparência, mediada pelos cinco sentidos.

Urizen também é visto em suas chamas enquanto "Deus" julga Adão na impressão desse título, embora "condena" – no sentido de "o

---

140. Cf. Blake, sobre a história da criação que aparece em Gênesis 1, no contexto de Wordsworth do "culto à natureza", relatado por Crabb Robinson, em uma reunião com Blake em 24 de janeiro de 1826: "a natureza é obra do Diabo. Quando obtive dele [de Blake] a declaração de que a Bíblia era a obra de Deus, eu [Robinson] me referi ao início de Gênesis: "No princípio Deus criou os céus e a terra". Mas não ganhei nada com isso, porque ouvi de volta triunfalmente que esse Deus não era Jeová ["Javé"], mas Elohim, e a doutrina dos gnósticos repetia isso com consistência suficiente para calar as pessoas tão incultas quanto eu mesmo era". Citado em *Blake, Coleridge, Wordsworth, Lamb, ETC. Being Selections from the Remains of Henry Crabb Robinson*, ed. Edith J Morley, Manchester University Press, 1922; "Reminiscences of Blake", p. 23.

Acusador condena o Homem" – fosse mais adequado do que "julga", pois a mão esquerda de Deus repousa em uma tábua da lei que ele próprio formou, a partir de sua condição.

Observemos também o véu que é misteriosamente lançado sobre o que poderia ser a Terra em *Lameque e Suas Duas Esposas;* esse véu é emanado, como uma onda, das duas mulheres. Provavelmente se trata do mesmo véu simbólico que vemos estender-se estranhamente da cabeça de *Newton* até o chão de seu diagrama geométrico: ele emana materialismo tal como o ectoplasma é emanado de um espírito. Esse é o "traje e não o homem", a "nuvem" ou corpo que oculta ou segrega o gênio divino durante a permanência do homem no tempo e no espaço, de acordo com Blake. Há certamente mais significados a ser descobertos em *Lameque e Suas Duas Esposas*. A história do primeiro polígamo, Lameque, está em Gênesis 4:18-24. Na história, Lameque mata um jovem que o feriu. Sua consternação reflete a de Caim, o qual Blake também pintou como o assassino de Abel, no trabalho notável à qual impressão Lameque está ligado, pois Lameque é um descendente da sexta geração de Caim. Blake escolhia seus assuntos com cuidado.

O Anjo Bom quase tridimensional, que salva a criança vulnerável do cego e acorrentado Anjo Mau, é comparável à impressão intitulada *Piedade*.

Um casal voando em um cavalo espiritual apieda-se de uma mãe que, aparentemente, morreu de parto. A mulher montada pega a criança recém-nascida que se ergue em sua direção. Para Blake, ela é, sem dúvida, a "primeira forma feminina, ora separada", que os Eternos chamaram "Piedade" antes de fugirem dela. E a criança, se olharmos bem para seu rosto, não é outra senão o homem William Blake! Parafraseando o Evangelho: "A menos que sejais como as criancinhas, não podereis entrar no reino dos céus".

Por outro lado, devemos observar o pobre, louco e parecendo uma fera *Nabucodonosor*, acompanhado visualmente (não sem razão) de *Newton*. Eles parecem ocupar um mesmo espaço. Mas que tipo de espaço é esse? É preciso olhar atentamente para as protuberâncias da rocha que formaram uma espécie de trono no qual Newton instalou-se. A "terra" é a maciez do fundo do mar; a vida é a dos moluscos e das anêmonas do mar e de outras coisas que se agarram à rocha e a sugam. Sim, esse *habitat* abstrato de Newton nada mais é do que o Mar do Tempo e Espaço, estando ele abaixo de suas ondas e respirando no reino fluente da matéria. Do traje de Newton, que jorra a partir de sua cabeça, emana um pergaminho, no qual Newton coloca seus grandes compassos. Os compassos são as ferramentas de Urizen, cuja aplicação, como é possível ver, é a delimitação do universo à abstração, medida, altura, peso, número, fração, profundidade; e a "ciência moderna" está satisfeita, ou melhor, alegra-se com essas categorias dos sentidos as quais, na visão de Blake, obliteram as infinidades e fecham as portas da percepção. Há um brilho satânico no olho de Newton, enquanto ele aponta para o seu diagrama de um triângulo e uma elipse, como se fosse a mensagem de Deus para a humanidade: "dividir e governar".

As impressões de Blake do período de 1795 invertem as premissas da civilização materialista. Ele declara, na contramão do pensamento de sua época, que o Homem é um ser espiritual em um universo vivo e espiritual, e que o homem contém infinitos mundos dentro de si. Quando a Igreja *prega* um Reino dos Céus dentro de nós, ela ainda nos nega o acesso a ele com a imposição da Lei. A Igreja fechou, na pior das hipóteses, ou tornou remoto, na melhor das hipóteses, o reino celestial, por causa de sua capitulação ao racionalismo, à abstração clássica e à sexofobia. Quanto ao mero governo, ele é criminoso e existe apenas para o poder.

As impressões de Blake reafirmam a mensagem de seus poemas proféticos.

Pode até ser o caso de que Blake tenha escolhido seu método de "impressão" específica e literalmente para "dar a impressão", por meio da analogia prática (mistura de tintas em pó, cola e água), de seus dramas que ocorrem no "mar do tempo e espaço": essa imagem tão familiar para Blake e Thomas Taylor, tomada do filósofo neoplatônico Porfírio, *De Antro Nympharum* ("A Caverna das Ninfas"), que Taylor traduziu na esperança de despertar a juventude para o que ele considerava ser a pura espiritualidade platônica, mas cuja essência, Blake acreditava, era anterior a Platão. Blake culpou Platão por tentar racionalizar a essência espiritual com conotações antissexuais, mas ele realizaria uma pintura notável do mito de Porfírio, cheia de simbolismo neoplatônico, em 1821. Descoberta em uma prateleira em meio a cacos de vidro e sucatas, em Arlington Court, Devon, em 1947, a têmpera de Blake é agora conhecida como "O Mar do Tempo e do Espaço".

Parece altamente provável que a série de impressões de 1795 seja uma verdadeira série cujo tema comum e método de produção estejam intrinsecamente relacionados a assunto principal codificado na aparentemente díspar sequência de imagens. Tal como o método de impressão "infernal" de Blake, deve-se queimar a superfície para revelar o Gênio Poético. Negar o esoterismo de Blake não levará ninguém a lugar algum. Estas não são "impressões" para apresentarem quantidade, mas qualidade, e devem ser consideradas extremamente experimentais.

Uma nota final sobre as impressões de Blake: observem atentamente, se puderem, *Cristo aparece aos Apóstolos depois da Ressurreição*. Cristo apresenta-se brilhante, seu corpo espiritual redimido do poder da morte e da visão do mundo. Todos os discípulos, salvo apenas Madalena, caem de joelhos e não podem olhar para ele; prostrados, seus olhos estão voltados para a terra, para a matéria, o discípulo que está à frente até mesmo puxa a *veste* de Cristo, enquanto arranha a terra, beijando-a (como Nabucodonosor comendo terra), previamente ecoando o escárnio de Blake dirigido ao "Acusador que é o Deus Deste Mundo": "Ó meu Satã, tu és verdadeiramente um ignorante/ Que não distingue o traje do Homem/ Toda Prostituta já foi Virgem um dia".[141] O simbolismo não poderia ser mais óbvio. Há marcas ou sinais dos sofrimentos passados no corpo visível de Cristo, mas sem sangue (como Zinzendorf teria apreciado), pois tudo está curado. Como Swedenborg afirmava, o ser espiritual no céu pode tanto sofrer dor como sentir alegria. Mas os discípulos não enxergam; eles ainda adoram a imagem, a carne, e ainda estão no "túmulo" – ao contrário da mulher – e, portanto, paradoxalmente, moldarão um evangelho *de medo do corpo*. A "prostituta", que é Sabedoria, enxerga o verdadeiro Homem, o Gênio Poético.

---

141. Do "Epílogo" da versão revista de *For Children: The Gates of Paradise* (ainda datada de 1793), reeditada em uma data desconhecida entre 1806 e 1818 como *For the Sexes: The Gates of Paradise* e ampliada com quatro novas páginas de texto e inscrições. O "Epílogo" conclui afirmando que, embora "o Acusador" ainda seja adorado como "Jeová" ou "Jesus", a figura ainda é Lúcifer, o "filho do Amanhecer no declínio das Noites cansadas / O Sonho perdido dos Viajantes sob as colinas".

Lenore

Em algum momento, no ano de 1795, William Miller, de Old Bond Street, empregou Blake para executar três projetos de impressão para o poema de terror *Lenore*, de Gottfried Augustus Bürger, traduzido pelo parlamentar Whig e Membro da Sociedade Real e da Sociedade dos Antiquários, o elegante John Thomas Stanley (1760-1850). Impresso por S. Gosnall, *Lenore* foi publicado em fevereiro de 1796. Projetado por D. Chodowiecki, o frontispício de *Lenore* foi gravado por Harding. A escolha de Blake para mais essas ilustrações pode ter sido uma sugestão de Fuseli, já que o poema tratava de cenas misteriosas e fantásticas como as de um sonho, como é possível inferir pelas primeiras linhas da tradução de Stanley:

> Agora, à luz do luar, girando e girando,
> De mãos dadas, os espíritos voam;
> E enquanto dançam, com gritos sonoros,
> Tenham paciência! Paciência! Eles gritam ruidosamente.

O artista e swedenborguiano Richard Cosway pode também ter recomendado Blake, por meio de Cosway que, como Stanley, era um membro da Sociedade dos Antiquários. Talvez o próprio Stanley tenha tido alguma ligação com Blake, provavelmente por intermédio de Johnson.

Gravados por "Perry", os desenhos de Blake são notáveis e, projetando novamente nossos olhares para uma época mais atual, podemos apreciar estilos de ilustração que, normalmente, associamos aos seguidores de Chagall, os estilos que aparecem nos livros infantis publicados nos anos 1960 e 1970. Na página 103, vemos um cavalo fantasticamente alongado, vividamente estilizado e fino como um alfinete. Ele se dirige para as estrelas como um foguete, soltando chamas pelas ventas e desdenhando a Terra com faíscas de fogos de artifício. O cavalo carrega William, enlaçado pela cintura por uma Lenore apavorada. William acena para um grupo de criaturas aladas terríveis e descontroladamente alegres, algumas das quais são somente ossos, ocupantes de túmulos, temporariamente libertados. Na face da Lua Cheia, um bando de três homens e duas mulheres nus dançam em cima de figuras humanas, firmemente presas à Terra.

Blake claramente adorou a incumbência e deixou sua imaginação correr solta como na infância, sujeitando o projeto a uma grande disciplina linear e formal.

A segunda gravura apresenta Lenore e sua mãe observando os soldados que retornam da guerra, enquanto três jovens formam uma banda com pífano e tambor. Um homem e sua esposa se abraçam, enquanto a criança agarra-se à perna de seu pai: outro desenho poderoso e inteligente.

O último projeto de Blake baseia-se no novo final de Stanley para *Lenore*, a partir de uma passagem em "Noite V", do início da obra *Reclamação de Young ou Pensamentos Noturnos*: "Quanto mais ele afeta as formas, menos ele se parece consigo mesmo". Vemos Lenore em seu sofá, como se despertasse de um sonho, enquanto William corre em sua direção, seguido pela mãe dela.

O interessante aqui é que Blake receberia, em 1796, uma encomenda do livreiro Richard Edwards, de New Bond Street, para uma nova edição de *Pensamentos Noturnos de Young*, enquanto o irmão de Edwards, James, livreiro de Pall Mall, também em 1796, produzia outra tradução de *Lenore* (chamada de "Leonora"), dessa vez por W. R. Spencer, com gravuras feitas por lady Diana Beauclerc (*nascida* lady Diana Spencer, conhecida como "lady Di"). Talvez a encomenda de Blake tenha derivado de seu trabalho na publicação concorrente de Miller.

Tudo isso indica quão pobre é nosso conhecimento sobre os detalhes da vida de Blake nessa época. Embora ele possa ter passado grande parte de seu tempo "no paraíso", provavelmente também houve tempo de sobra para tratar de relações de negócios e para socializar, mais do que se pode imaginar.

Blake produziu mais um trabalho iluminado em 1795, seu último poema iluminado, publicado por ele mesmo, em mais de uma década. A única cópia sobrevivente de *O Livro de Los* é composta de cinco lâminas, com apenas duas ilustrações de página inteira: as páginas do frontispício e do título. A página-título é francamente impressionante: uma grande rocha acastanhada como a crosta terrestre ou uma vasta montanha, apresenta uma pequena fissura na qual está calcada, encrustada ou aprisionada uma forma indefinida ou uma deformação: um ser desumano mutilado, de forma humana distorcida, inchada, machucada, um ser sozinho e totalmente constrangido, sufocado – como se a respiração ali lhe fosse realmente possível – e totalmente confinado na eterna e aprisionadora rocha. A imagem é visceralmente horrível, inflexível e completamente antirromântica.

Já o frontispício é uma representação desamparada, triste e funesta de "Eno, a Mãe envelhecida", que está sentada debaixo do "Carvalho eterno", lamentando os "Tempos remotos", quando "o Amor e a Alegria eram venerados:/ E ninguém era considerado impuro", um tempo de abundância antes da cobiça "quebrar suas fechaduras e grades", antes de Los ser colocado aos ferros, "Forçado a assistir a sombra de Urizen". Blake é, penso eu, fulminante diante da repressão da sociedade, da retirada da promessa de mudança e de revelação, da liberdade e da fraternidade, de coisas novas revolucionárias, de energias e de questões inesperadas.

Mas o melancólico Los revidará. Ele cria uma bigorna e constrói seus fornos e bate seu martelo fálico e inflama "esses infinitos incêndios/ A luz que fluíu para os ventos", condensando as "partículas sutis em um orbe". Ele forma uma grande esfera de poder, de fogo, uma massa que brilha como um grande turbilhão, um disco mágico, que ele lança para baixo, estendendo-se até as profundezas. Ela encontra sua presa, a "ampla coluna de Urizen". Urizen luta em um "vazio escuro" e em "tormentos ferozes". A página título descreve o clímax punitivo e macabro do poema, quando Urizen:

> ... com seu Cérebro em uma rocha & seu Coração
> Em um pântano carnudo formou quatro rios
> Obscurecendo o imenso Orbe de fogo
> Fluindo dentro da noite: até que a Forma
> Estivesse completa, uma Ilusão Humana
> Envolvida nas trevas e nas nuvens profundas.

E ali, com um pensamento talvez muito esperançoso, os restos de Urizen são deixados até outro dia e outra noite.

Capítulo 17

O Limiar da Aurora – 1795-1796

Diário do reverendo Ralph Churton, 19 de novembro de 1795:

"Em Northampton, na reunião para indagar Sua Majestade sobre sua Fuga Providencial. Cinco ou, acredito, no máximo seis ergueram as mãos em oposição. Um antigo professor dissidente foi um dos cinco". Ralph foi reitor de Middleton Cheney, da Faculdade de Brasenose, e vivia em Northamptonshire. O registro mostra o reflexo provincial de um evento que teve lugar em Londres, em 29 de outubro. Note-se como os dissidentes não estavam dispostos a agradecer a Deus publicamente pela libertação do rei e a implicação de Churton, com base na experiência, de que a dissidência religiosa deu motivos para a suspeita de deslealdade para com a Coroa.

Dois anos de guerra com a França e, apesar de alguns negócios que beneficiaram as compras do governo, o comércio pelo qual foram beneficiadas as governamentais, a perda de mercados continentais alimentou o descontentamento. A colheita do ano também não foi boa, resultando em condições de quase fome em algumas partes do país; os preços estavam subindo e os salários não acompanhavam o correspondente ritmo. O padrão de vida das pessoas simples deteriorou-se.

Em 29 de outubro, a caminho para abrir o Parlamento, a carruagem do rei George foi cercada por gritos de "Pão! Pão! Paz! Paz! Sem rei!". Um tiro foi disparado na carruagem ao passar pelo Old Palace Yard.

A fuga foi providencial, mas a viagem de regresso foi pior. Uma chuva de pedras quebrou as janelas do veículo e depois atingiu a parte interna. O rei foi atingido. Tomando uma pedra em sua mão, o rei a entregou a lorde Onslow, dizendo: "Eu te faço disso um presente como prova da cortesia com a qual nos deparamos nessa nossa jornada de hoje". Tão hostil foi a recepção que a carruagem teve de ser resgatado pela Guarda Montada. A decapitação de Luís XVI havia apagado a aura de santidade na pessoa do rei.

Em algumas semanas, o Parlamento aprovou o Ato contra as Reuniões Sediciosas públicas e a Lei Contra a Traição. As reuniões públicas foram restritas a um máximo de 50 pessoas. Foi exigido que essas reuniões, a partir de então, tivessem uma licença aprovada por um magistrado. Quartos de hospedagem onde havia discussões para criticar as leis ou a administração foram marcados como casas de desordem e seriam fechados. A interpretação otimista de Blake sobre a situação parece ter sido a de que, enquanto "Urizen" havia se inserido em um caminho de autodestruição, "Los", na verdade, era aquele que regia a orquestra, espiritualmente falando. Se esse fosse o caso, Blake estava otimista, e otimismo é apenas um estado de espírito.

Em 6 de dezembro, Blake escreveu a George Cumberland para parabenizá-lo pelos projetos que ele lhe havia encomendado para ser gravados em sua próxima obra, *Thoughts on Outline* (Pensamentos em Destaque) (1796).

Blake enfatizava que era certo e apropriado para os *designers* executarem seus próprios trabalhos (até Locke pensava assim!), e melhor seria se fosse sempre assim. Ele, então, instruiu Cumberland sobre a forma de "aplicar a cera" na placa de cobre a ser gravada. Blake não se importava em Cumberland fazer sua própria gravação, mas, apesar da economia que Cumberland pudesse aproveitar com o segredo do mestre, era a mão de Blake que ele queria em sua obra. Blake forneceu-lhe oito lâminas.

Blake adicionou uma chacota incisiva aos antiquários para quem Cumberland dirigia sua obra (Townley, Richard Payne Knight, Cosway), ao mesmo tempo informando que ele, Blake, precisava muito aumentar sua receita e pedia que Cumberland encorajasse os antiquários a procurá-lo.

Espero, agora, que você mostre a toda a família dos *Antique Borers* (Antiquários) que Paz & Abundância & Felicidade Interna são a fonte da Sublime Arte & provar aos Filósofos Abstratos que o Prazer & não a Abstinência é o Alimento do Intelecto.[142]

Cumberland empenhou-se ao máximo.

Dentre as lâminas de Cumberland, várias ilustraram o mito de Cupido e Psiquê. Thomas Taylor havia publicado sua interpretação da história de Apuleio em *O Asno de Ouro*, no início desse ano (1795). Blake escreveu sobre como *Metamorfoses*, de Ovídio e *O Asno de Ouro*, de Apuleio, "contêm a Visão em grau sublime, sendo derivados da Visão Real dos mais Antigos Escritos".[143] Cupido (o desejo erótico) foi um personagem da obra de Ovídio. Blake incorporaria o mito em seu próximo poema profético, apesar do fato de *Vala* vir a ser publicado mais de um século mais tarde.

De acordo com o *Jardim Botânico*, de Erasmus Darwin, a fábula de Cupido e Psiquê fazia parte dos mistérios de Elêusis, discutivelmente representada no Vaso de Portland – a alma sendo representada como uma borboleta, uma imagem significativa para Blake. Taylor descreveu Psiquê da seguinte forma:

> Então, Psiquê, ou a alma, é descrita transcendentalmente linda e essa é uma verdade própria de cada alma humana antes de ela fundir-se profundamente nas dobras contaminadas da matéria obscura. Em outro trecho, quando Psiquê é representada descendo do cume de uma montanha muito alta, em direção a um belo vale, isso significa a descida da alma do mundo inteligível para uma condição mundana do ser, mas ainda sem abandonar seu estabelecimento nos céus. Logo, o palácio que Psiquê contempla no vale dizem ser, com grande propriedade, "uma casa real, que não foi erguida por mãos humanas, mas por mãos divinas e pela arte".[144]

---

142. *LETTERS*, p. 5; de Blake para Cumberland, 6 de dezembro de 1795.
143. Kathleen Raine, *Blake and Antiquity*, Routledge & Kegan Paul, London, 1979, p.22-23.
144. *Fable of Cupid and Psyche*, trad. de Thomas Taylor, 8vo, London, 1795. O livro completo de Taylor de 11 volumes, *Metamorphosis, or The Golden Ass*, não surgiu até 1822.

De volta ao mundo rotineiro, os problemas de Stedman continuavam. Em 18 de dezembro, ele enviou gansos como presente de Natal para Blake e para Johnson; Johnson enviou para Stedman um índice confuso.

Em 27 de dezembro, o retratista Richard Cosway agradeceu a Cumberland por seu desenho que representava Leonardo, sugerindo que Blake o gravasse, pois poucas obras de Leonardo haviam sido gravadas e uma cópia desse trabalho poderia ser bem compensadora para Blake. Cumberland aceitou a sugestão e pediu a ajuda de Cosway para montar guarda na porta de casa de Blake. Um swedenborguiano que achava ser íntimo de Deus, Cosway acreditava poder ressuscitar os mortos e que a Virgem Maria havia a ele aparecido. Cosway e Blake juntos teriam formado uma companhia estimulante.

Dois meses depois, Cosway fez outra contribuição verbal para o bem-estar de Blake. De acordo com o diário do paisagista Joseph Farington (1747-1821), em 19 de fevereiro de 1796, ele, Farington, participara de uma reunião dos membros da Academia Real Benjamin Oeste, Richard Cosway e Ozias Humphry: "West, Cosway e Humphry falavam calorosamente dos projetos de gravação de Blake como obras de gênio e de imaginação extraordinária". Farington também participava dessa admiração geral de Blake.[145]

Em 16 de março de 1796, Nancy Flaxman escreveu que "um amigo comum" estava desenhando lindamente o *Pensamentos Noturnos*, de Young, em aquarelas, um amigo "cujo gênio está acima de todas as regras".[146] Foi Richard Edwards, de New Bond Street, que

---

145. Joseph Farington, RA (1747-1821), membro da Sociedade dos Antiquários, nascido em Leigh, Lancashire, filho de William Farington, reitor de Warrington e vigário de Leigh. O irmão de Joseph Farington, Robert, que entrou em Brasenose em 1777, era amigo, aluno e correspondente do reverendo Ralph Churton. Farington assumiu o cargo e os aposentos de Churton como tesoureiro júnior, quando Churton foi viver em Middleton Cheney, em 1792. Churton recebeu um pedido interessante de Farington, a que Churton respondeu em 17 junho de 1797: "Carta ao sr. Farington (Mountebank pediu licença para exibir. No.)". Farington estava pintando a si mesmo enquanto estudava para o doutorado em teologia (formado em 1803), sob Churton ou, talvez, ele quisesse deixar suas funções para participar de uma exposição em Londres; seu irmão Joseph era da Academia Real. Robert Farington aparece no famoso Diário de Joseph Farington, em 11 de setembro de 1809 (Vol. 5, C. 70...): "Vou encontrar meu irmão Robert em Salisbury e com ele vou prosseguir em uma excursão para Devonshire e Cornwall". Robert Farington tornou-se vigário de St. Jerome George in the East, Londres (Brasenose), em 1802, e foi sucedido lá em 1842 pelo filho de Ralph Churton, Henry Burgess Whitaker Churton (1810-1891).
146. BR, p. 69.

percebeu o potencial de Blake para elaborar o projeto editorial de *Pensamentos Noturnos*. Blake faria 537 desenhos para Edwards, sem dúvida esperando que essa seria a oportunidade para levantar sua fortuna e a de Catherine. Homens de influência estavam falando a favor de Blake. Nesse caso específico, apenas 43 das gravuras de Blake chegaram à publicação (inacabada) final, em 1797.

Os homens influentes ficaram de fato curiosos para saber quem Blake era. O filho mais novo do poeta Liberal William Hayley, Thomas Alfonso, aprendiz de Flaxman, foi aconselhado por seu pai a fazer uma viagem a Lambeth para visitar o gravurista cujo nome, embora não fosse famoso, estava começando a circular no meio artístico. Em 18 de junho, Thomas Hayley escreveu ao pai: "Eu não tenho sido capaz de entrar em contato com Blake como pretendia, mas farei isso na primeira oportunidade. Você já sabe da grande distância de Lambeth de nossa casa".[147]

No Dia de São João Batista (24 de junho), enquanto os maçons estavam ocupados em Great Queen Street com sua festa anual, Joseph Farington recebeu uma visita noturna de Henry Fuseli, que ficou até a meia-noite. Talvez o vinho tivesse azeitado sua língua. De acordo com o diário de Farington, a conversa voltou-se para Blake. Fuseli abriu seu coração em relação a "Blake, o Gravurista cujo gênio e invenção têm sido muito comentados". Farington observou que Fuseli o conhecia "há vários anos e acredita que ele tem muita criatividade, mas que a "fantasia era o fim e não o meio de seus projetos". Fuseli parece ter fornecido a Farington a visão de que "a soma dos objetivos de Blake era produzir formas singulares e combinações diferentes".

Esse ponto de vista é uma calúnia. Em outra ocasião, Fuseli declarou que Blake era "bom para ser roubado" – ladrões muitas vezes denigrem seus alvos. Farington aprendeu, a partir dos desenhos realizados por Blake, a "enquadrar" o texto emoldurado de *Pensamentos Noturnos*, de Young. De acordo com o diário, "Blake pediu cem guinéus por tudo". Enquanto o livreiro Richard Edwards reservava 900 folhas para a tarefa, Edwards disse que só poderia pagar 20 guinéus por toda a encomenda: JT Smith iria dispensar a soma como "vilmente irrisória". No entanto, "Blake aceitou". Farington acrescentou:

---

147. BR, p. 70.

"Fuseli foi informado de que Edwards propôs que fossem selecionados cerca de 200 do total dos desenhos e que fossem gravados como decoração para uma nova edição".

Farington então relatou como Fuseli lhe confidenciou algo que melhor teria sido se Fuseli tivesse guardado para si mesmo: "Fuseli diz que Blake tem algo de loucura em si. Ele reconhece a superioridade de Fuseli, mas pensa ser mais capaz do que Stothard".

O comentário de Farington espalhou-se rapidamente. Se Fuseli, velho amigo de Blake, fez essa declaração, quem poderia não acreditar? Fuseli ainda informou a Farington que agora Blake, com "38 ou 40 anos de idade", tinha "se casado com uma empregada que absorveu algo de sua singularidade. Eles vivem juntos com uma empregada, e com uma pequena renda".[148]

Ao contrário de Farington, Cumberland tinha confiança em Blake e tinha satisfação em espalhar essa confiança. Quando ele registrou seu *Thoughts on Outline* (Pensamentos em Destaque) no *Hall* da livraria, em 22 de novembro, o livro de Cumberland não apenas continha oito lâminas de Blake, mas também apresentava o reconhecimento que Cumberland sentia dever ao "gênio extraordinário e às habilidades" de Blake.

As gravuras de *Thoughts on Outline* revelaram "a divina forma humana" tal como já tinha sido vista pelos clássicos gregos e romanos. O projeto explícito de Cumberland para "A União Conjugal de Cupido" teria proporcionado a Mathias a inspiração. Entretanto, Cumberland estava, de fato, com as perspectivas priápicas de Richard Payne Knight.

Em 23 de dezembro, finalmente, Blake agradeceu a Cumberland por sua cópia. "Você é um verdadeiro Alquimista", exclamou Blake, que sabia como expressar entusiasmo quando queria. Blake também pode ter desejado fazer uma boa chacota tanto de Richard Cosway quanto do swedenborguiano John Augustus Tulk os quais, inspirados pelos iluministas franceses e pelo maçom Magus Cagliostro, estavam fazendo, em segredo, experiências com alquimia. Para Blake, a "quintessência" da alquimia madura

---

148. *The Farington Diary*, by Joseph Farington RA, ed. James Grieg, Vol. Um, 1793-1802, 3ª ed., Hutchinson, London, p.151-152.

foi o mais elevado estado de espírito que gerou a arte mais pura. Blake tinha absorvido a simbologia alquímica por meio de Boehme, pela tradição pietista, por Paracelso e pelo rosacruciano britânico Thomas Vaughan. O homem é um microcosmo que contém em si mesmo a Luz e os mundos de fogo, e, portanto, é um *microtheos*, um deus adormecido.[149]

Mas essa não era a voz do decoro estabelecido. Em setembro, o conservador *British Critic* (que seria comprado pelos anglicanos Joshua Watson e Henry Handley Norris, em 1811), preocupado que tivesse perdido sua solidez no mercado, fez uma crítica às ilustrações de *Lenore* por ter se atrevido a retratar "seres imaginários, que não podem nem deveriam existir". A *Analytical Review* de novembro, de Joseph Johnson, também rebateu os desenhos do livro, que para ele eram "perfeitamente absurdas, em vez de ótimas".

Em 22 de dezembro, o livreiro e agora editor Richard Edwards escreveu uma publicidade morna para *Pensamentos Noturnos*: "a execução ousada e magistral desse artista não pode ser despercebida ou não admirada", ele disse, ou melhor, não conseguiu sequer dizer direito. Ele não tinha confiança no que havia declarado ao mundo;

---

149. Em 5 de abril de 1797, Sigismund Bacstrom, maçom sueco, cabalista e estudioso da alquimia, amigo de Tilloch Blake Alexander (1759-1825), foi iniciado em sua Fraternidade Rosacruciana. Por uma curiosa coincidência, esse evento ocorreu no mesmo dia em que o sr. Blake assinou uma declaração (juntamente com William Sharp, James Basire e o escritor e gravurista W. S. Blake), entre outros gravuristas, apoiando a invenção de uma cédula não falsificável para o Banco da Inglaterra por Tilloch. Os gravuristas testemunharam que a nota de Tilloch não podia ser falsificada por meio das habilidades de gravação. Tilloch deu seu endereço como "Carey-street". Havia duas ruas com esse nome, uma em Holborn, perto de Chancery Lane, e outra em Foster Lane, Cheapside, ao norte da catedral de St. Paul. De acordo com o artigo de Adam McClean sobre Bacstrom (*Hermetic Journal*, nº 6, 1979), o próprio Bacstrom foi admitido em uma Ordem Rosa-Cruz, na ilha Maurício, em 12 de setembro de 1794, pelo conde de Chazal: "Quando Bacstrom estabeleceu-se em Londres, um de seus alunos mais importantes foi o escocês Alexander Tilloch, editor da *Philosophical Magazine*, que se concentrou em trabalhos de pesquisa e artigos científicos".
"Na década de 1980, eu descobri a cópia de Tilloch de seu documento de admissão na Sociedade Rosa-cruz de Bacstrom, que foi assinada por Bacstrom, na Coleção Ferguson da Biblioteca da Universidade de Glasgow. Eu decidi imprimir esse documento de admissão em sua totalidade, pois dá uma visão valiosa sobre o tipo de organização e princípios de onde Bacstrom trabalhava. É provável, considerando a possível conexão com o conde de St. Cermain, que este era um tipo de Societas Roseae Crucis que estava operando ao longo do século XVIII".
Os princípios da Sociedade teriam sido atraentes para Blake, incluindo a condição de que as mulheres (ao contrário da Maçonaria comum) podiam ser admitidas, pois não havia gêneros específicos no céu.
(Ver www.levity.com/alchemy/bacstrm1)

talvez Edwards tenha sido "levado" pelo sorriso de desdém insidioso de críticas hostis.

Em 1796, estranhos pensamentos planavam na mente de Blake. Em algum momento, a julgar pela marca d'água do papel que indicava o ano, ele esboçou alguns desenhos obscuros, carregados de erotismo. Os temas parecem derivar do etíope *Livro de Enoch**, que James Bruce tinha trazido consigo do Egito. Até onde se sabe, não existiu uma tradução completa do mesmo em inglês até 1821. Portanto, se Blake se baseou nessa obra recém-descoberta para o tema dos "Nefilim", que sujeitaram as mulheres humanas à sua luxúria e ciência (e com pênis enormes) e que introduziram, em grande escala, o pecado na humanidade, é um mistério saber como ele conseguiu isso, embora seja provável que o trabalho de tradução já estivesse em progresso em algum lugar. No entanto, o debate verbal sobre o tema dos "maus Vigilantes", que seduziram as mulheres bonitas da Terra e geraram uma raça de gigantes, poderia ter sido conseguido, de maneira geral, no livro de Gênesis, capítulo 6.

Blake ficou fascinado com a história, uma vez que o mito dos ímpios "Nefilim", ou anjos caídos (os "Vigilantes"), foi um dos mitos raízes centrais para o desenvolvimento da religião gnóstica – algo que Blake compreendia intuitivamente e com o qual estava perfeitamente à vontade.

Pensar nos desejos sexuais dos anjos, sem dúvida, levou a mente de Blake de volta ao seu envolvimento com as doutrinas sexuais de Swedenborg. Esse assunto continuou a persegui-lo.

---

*N.E.: Sugerimos a leitura de *O Livro de Enoch – O Profeta*, edição da Madras Editora.

Capítulo 18

Os Quatro Zoas – 1797-1800

Taverna de Wright, 12 de janeiro de 1797: cinco membros da Academia Real reúnem-se para discutir a recente descoberta do segredo da pintura de Ticiano.

De acordo com o diário de Joseph Farington, o assunto volta-se para Blake; é irônico, pois Blake detestava as técnicas venezianas das cores, um preconceito que o grupo teria achado desconcertante.

Jantando no Wright's com Farington estavam o retratista John Hoppner, famoso por seu colorido brilhante, o pintor John Opie, o amigo de Blake Thomas Stothard e o pintor histórico John Francis Rigaud:

> Os desenhos excêntricos de Blake foram mencionados. Stothard apoiava suas reivindicações à genialidade, mas admitiu ter sido desorientado pela extravagância em sua arte e ele bem sabia quem o confundira. [Fuseli, presumivelmente] – Hoppner ridicularizava o absurdo de seus projetos e disse que nada poderia ser mais fácil do que produzir coisas semelhantes. – Eles pareciam ser conceitos de um sujeito inebriado ou de um louco. "Representar um homem sentado na lua, urinando sobre o Sol – isso era uma inspiração de muito mérito". Stothard estava zangado, mal interpretando o riso causado pela descrição de Hoppner. [150]

Hoppner também atacou os desenhos de Flaxman, e Farington declarou a Hoppner que a "descrição das figuras de Flaxman era tão ridícula quanto as extravagâncias de Blake".

---

150. BR, p. 77.

Blake estava prestes a cometer outra "extravagância". Possivelmente inspirado pela divisão de "Pensamentos Noturnos" em obras individuais chamadas "Noites", que começavam com a "Primeira Noite", Blake iniciou seu manuscrito intitulado *VALA OU A Morte e o Julgamento do* [Eterno] *Homem* <Antigo>/*Um SONHO de Nove Noites, por William Blake*, 1797.[151]

Blake substituiu o adjetivo "Eterno" por "Antigo" no projeto da página de rosto, embora a ideia de um homem-deus arquetípico seja a mesma. Blake retornaria ao manuscrito ao longo da década seguinte, completando suas 133 páginas em torno de 1807. Em um trecho apagado, no início da página 3, o título era "O Livro de Vala", mas a confusão é endêmica em relação ao manuscrito, as páginas devem ter perdido sua ordem original antes de W. B. Yeats e E. J. Ellis terem-nas abordado nos anos de 1890.[152] Yeats e Ellis afirmaram ter visto outro título no verso de um desenho: "A Bíblia do Inferno, em Visões Noturnas recolhidas. Vol. 1. Lambeth".

Se o livro for considerado autobiográfico, então *Vala* parece estar esfacelado por estados depressivos persistentes, estados de frustração, refletidos no relato épico de Vala sobre a desintegração psíquica de "Albion, o Homem Antigo". Isso não é surpreendente, pois Blake tomou como rubrica o capítulo de Efésios 6, no versículo 12: "Porque não temos de lutar contra carne e sangue, mas contra... as hostes espirituais do mal nas regiões celestes".

Blake anuncia que ele reuniu seus versos "para o dia da Batalha Intelectual". Ele estava falando da intriga espiritual por trás do *status quo*, dando aos seus protagonistas um espaço infinito em sua infinita imaginação. Foi sorte ele não ter fontes infinitas de papel, pois, à primeira vista, o trabalho parece insuportavelmente longo. *Vala*, no entanto, não pode ser ignorado, mesmo que seja apenas para a percepção que ele proporciona do sistema psicoespiritual dos *Quatro Zoas*, de Blake. Antecipando-se em um século à estrutura de Jung para a psique "inconsciente", a psique de Blake – ou a Mente do Homem Eterno – decreto está consciente de si mesma quando experimenta a falência, com Blake como o anjo que tudo registra.

---

151. 1797 é a data da primeira cópia legal.
152. WB Yeats e EJ Ellis, *The Works of William Blake*, 1893.

Os "Quatro Zoas" de Blake correspondem, de maneira geral, à "quaternidade" equilibrada de Jung: suas quatro funções psíquicas, a razão, a intuição, os sentimentos e as sensações. Esses Zoas (ou "mentes da vida") são quatro aspectos personificados de um ser espiritual que está vivo; eles têm aventuras vivas. Em seu estado de não queda, Urthona, Urizen, Luvah e Tharmas são essências do mundo eterno que estão vivendo. Como tais, elas são as fontes da psique, os lineamentos arquetípicos antigos da Mente. Se houver algum conflito na Terra, ele é o reflexo de um conflito na psique de "Albion".

Essas figuras também se referem ao corpo humano: Urthona aos quadris; Urizen à cabeça; Luvah ao coração; e Tharmas aos sentidos do corpo, de maneira geral.

Análogos aos emanados "Éons" ou "formas-pensamento" divinas emanados de sistemas gnósticos, cada Zoa projeta "emanações" (ou emana projeções). A emanação de Urthona é Enitharmon: o que não pode ser obtido apenas a partir da Natureza – a *inspiração*. Seu consorte é Los e seu filho é Orc, que conhecemos anteriormente.

Em sua totalidade, o Zoa corresponde ao "Espírito Santo" de Blake, a Imaginação Divina ou o "Gênio Poético" envolvido sutilmente com o quinto sentido, o toque, o prazer sexual, quando o toque é visto em seu estado original, como uma porta de entrada para o céu.

A emanação de Urizen é Ahania ou a Sabedoria, também é sutilmente associada ao prazer. O Zoa Urizen corresponde ao "Satanás" cristão ou a razão derivada apenas da natureza. A emanação do Luvah é Vala ou a Natureza, derivada, em um nível, ao anseio do coração para o conhecimento das formas cristalinas, espirituais e ideais. Como é o Zoa do coração, Luvah corresponde também ao Filho de Deus e ao Amor.

A emanação de Tharmas é Enion, uma espécie de mãe-terra, derivada da divisão de uma unidade antiga, dona do mundo sensual. Os cinco sentidos *percebem* a forma da Natureza. De acordo com Blake, o mundo manifesto é a parte da alma percebida pelos cinco sentidos.

Armados com esse conhecimento, podemos entender o que Blake quis significar por seu ideal da "visão quádrupla", o estado harmonioso da visão exaltada, nestes versos famosos enviados ao seu amigo Thomas Butts, em 22 de novembro de 1802:

Agora eu vejo com uma visão quádrupla,
E quatro vezes mais me é dado;
E quatro vezes mais em meu supremo deleite
E três vezes mais na suave noite de Beulah
E Sempre duas vez mais. Que Deus possa guardar-nos
Afastados da visão simples & do sono de Newton!

A visão quádrupla é a *união dinâmica dos Zoas*; quando reunidos, suas individualidades são transcendidas em um êxtase divino. A "Visão Simples", por outro lado, é qualquer um dos Zoas isolado, associado à percepção de um sentido bruto (ver *com*, e não *através* do olho) ou a um estado de racionalismo abstrato, embora a intuição nos mostre a relação desses dois estados – a razão abstrata é escrava da percepção sensorial – em oposição ao amor e à inspiração, limitados ao tempo e espaço. "Beulah" é o estado marital, a promessa da união perfeita.

Um século antes de Freud e Jung, Blake mostrou-nos uma psique dinâmica trabalhando em princípios a maioria dos quais é inconsciente, mantendo, ao mesmo tempo, o caráter espiritual da mente humana, abandonada pelos freudianos rigorosos e por nossos "behavioristas". Se Blake tivesse nascido na Alemanha, teria sido considerado um grande filósofo.

Kathleen Raine observou que Vala "faz a mesma descida que Thel recusou-se a fazer; e sua figura é enriquecida por atributos de Psique [da obra de Apuleio, *Cupido e Psiquê*]. Ela também se dirige para o Portão do Norte e o porteiro a admite, porém ela não entra no mundo sozinha, pois é acompanhada por um amante divino que lhe preparou um jardim. Luvah, de Blake, fala de seu amor por Vala, "a alma sem pecado": "Eu a amava, e lhe dei toda a minha alma e meu prazer...".[153]

O fato de o épico *Vala* estar preocupado com o denegrir do prazer sexual é evidenciado nas inúmeras imagens explícitas de Blake esboçadas ao redor de seu manuscrito. Elas lamentam a degradação do prazer sexual em uma mania erótica mal dirigida ou em uma castidade forçada, paródias do verdadeiro papel da sexualidade na visão divina. Algumas imagens foram apagadas ou "obliteradas" por Linnell

---

153. Kathleen Raine, *Blake and Antiquity*, Routledge & Kegan Paul, London, 1978, p. 24.

ou Tatham, ou ambos, incluindo um cena de adoração coletiva de um enorme falo, um pouco como um culto de carga, onde as pessoas ignorantes adoravam coisas cuja verdadeira origem foi perdida, uma persistente sugestão da intuição de que talvez houve um tempo em que os órgãos genitais não eram objetos de vergonha, pecado ou excitação sensual, mas órgãos gloriosos e benditos da divina vida espiritual.

Outra imagem marcante mostra o corpo de uma mulher cujo ventre é aberto como portões de altares góticos em uma capela e santuário. Blake estava tão preocupado com o "Desejo Feminino", que usou esse poder para manipular os homens, como ele foi usado por causa da ignorância coletiva dos homens e das mulheres sobre as glórias de Deus negadas por nossa percepção errada do verdadeiro valor de nossas naturezas sexuais, nossa ligação com o céu. Um poema sem data do *Caderno de Anotações* de Blake pode servir como texto para o desenho:

> Eu vi uma capela toda de ouro
> Onde ninguém se atreveu a entrar,
> E muitos, chorando, ficaram de fora,
> Chorando, lamentando, adorando.

O sexo mau denigre um sacramento e o sexo mau é um sexo de visão única. Blake nos indica a direção de um êxtase sacramental em uma "visão quádrupla", dificilmente vislumbrada por nossa cultura pornográfica que ainda adora a "vestimenta", e não o Homem.

Eu penso que *Vala* foi a tentativa de Blake de escrever uma nova "Gênesis" e um novo "Apocalipse" para a Igreja espiritual e ilimitada da Nova Jerusalém. E é uma Bíblia do Inferno, porque ela tem sido escrita pelo fogo da eterna energia e do prazer. O que poderia ser mais bíblico – ou mais comovente – do que o lamento de Enion em "A Segunda Noite"?[154]

> Qual é o preço da Experiência, que faz com que os homens a comprem por uma canção
> Ou a Sabedoria por uma dança na rua? Não, ela é comprada com o preço

---

154. As palavras de Blake foram tomadas por Van Morrison em "Let the Slave (Incorporating the Price of Experience)", faixa do álbum *Sense of Wonder* (1985).

De tudo o que o homem tem, sua casa, sua esposa, seus filhos
A Sabedoria é vendida no mercado desolado, onde ninguém vai para comprar
E no campo já seco onde o fazendeiro ara em vão pelo pão

É uma coisa fácil triunfar sob o sol dos verões
E na colheita e cantar na carroça carregada de milho
É uma coisa fácil falar sobre paciência para os aflitos
Falar das leis da prudência ao andarilho sem teto
E ouvir os corvos famintos chorarem no inverno
Quando o sangue vermelho está repleto com vinho e com a gordura dos cordeiros

É uma coisa fácil rir dos elementos em fúria
Ouvir o uivo do cão às portas do inverno, o gemido do boi no matadouro
Ver um deus em cada vento e uma bênção em cada trovão
Ouvir os sons do amor na tempestade que destrói a casa de nossos inimigos
E alegrar-se com a praga que cobre seu campo e a doença que ceifa seus filhos
Enquanto nosso azeite e vinha cantam e riem ao redor de nossa porta e nossos filhos colhem frutas e flores
Então, o gemido e a dor são bem rapidamente esquecidos e o escravo trabalha no moinho
E o cativo está em grilhões e os pobres na prisão e o soldado no campo
Enquanto o osso triturado levou-o gemendo entre os mortos mais felizes
É uma coisa fácil alegrar-se nas tendas da prosperidade
Assim Eu também poderia cantar & com isso me alegrar, mas não é assim que acontece comigo!

Blake deixa de lado por um momento sua luta interior e volta seu olhar coletivo sobre o mundo da sociedade humana. A visão revela imediatamente o que o jornalismo simples nunca conseguiu revelar; o mundo exterior manifesta a "invisível" história interna. "A

Sétima Noite" irrompe em uma visão lúcida da revolução industrial e sua inerente "alienação" acontecendo ao redor de Blake e dos reinos públicos da guerra:

E todas as artes da vida eles transformaram em artes mortais
A ampulheta é desprezada, porque seu artesanato simples
Foi a obra do lavrador & da roda de água
Que levanta a água em Cisternas quebradas & queimadas no fogo,
Pois sua obra era como a obra do pastor
E no lugar das rodas intrincadas inventou a Roda sem roda
Para confundir os jovens em suas despesas & prendê-los em seus deveres
Do dia & da noite, as miríades da Eternidade. Que eles possam aparar
E polir a hora de bronze as ferro após & horas de obra laboriosa
Mantidos ignorantes do uso que eles poderiam fazer para passar os dias de sabedoria
Em míseros trabalhos para obter uma escassa ração de pão
Na ignorância de ver uma pequena parte e pensar no Todo
E chamar isso de Manifestação cega para todas as regras simples da vida

Se você tiver tempo, não deixe de ler *Vala* até o fim. Você será capaz de dizer: "Eu estive em algum lugar e vi algo além disso...". Blake leva seu navio castigado para casa: "Como foi que conseguimos caminhar por incêndios e, no entanto, não fomos consumidos/ Como foi que todas as coisas foram mudadas como em tempos antigos [...] A guerra de espadas agora separada/ As Religiões obscuras se foram e a doce Ciência reina/ Fim do Sonho".

A propósito, a "ciência doce" não é aquela que aprendemos na escola; Blake define como a "ciência inata" ou o conhecimento espiritual, sem a qual a ciência quantitativa fica sem rumo.

Em 1797, no 40º ano de Blake, a "guerra de espadas" ainda rugiam. No diário de Churton, as anotações de fevereiro e de março registra discussões com Edward Farington (irmão do dono do diário), da Faculdade de Brasenose, Oxford, sobre a Lei da Cavalaria, promulgada para alistar voluntários regimentos de cavalaria para combater uma ameaça da Espanha, França e Holanda; os estudantes seriam tentados a se alistarem.

Em 4 de março, Churton estava em Banbury: "E lá ouvi que o almirante Jervis, com uma frota de 15 navios, derrotou uma frota espanhola de 26 navios, muito maior do que a própria frota, tomando posse de dois [navios] de 112 e 2 de 84 canhões. D.G. [*Deo Gratias* = Graças a Deus]".[155] A Batalha do Cabo de São Vicente, de 14 de fevereiro, proporcionou um alívio temporário ao país, mas a guerra deprimiu o mercado de arte.

Publicado em novembro de 1797 por Blake, com 43 ilustrações descomunais, de página inteira, *Pensamentos Noturnos dos Jovens* foi um desastre, embora seu mérito não tenha passado totalmente despercebido. Nancy Flaxman escreveu a um amigo, cujo "Bardo favorito" foi o autor Edward Young (1681-1765): "Blake é o nome do artista, um "Poeta Nativo, ele é aquele que cantou suas notas selvagens em alto e bom som – de uma Forte e Singular Imaginação – ele tratou o seu Poeta bem Poeticamente – Flaxman o tem empregado para Iluminar as obras de Grey para a minha biblioteca".[156]

No final do ano, Blake estava quebrado. A guerra abateu não só o mercado de arte, mas também sufocou a expressão artística. Em 1798, George Cumberland planejava publicar seu romance utópico *O Cativo do Castelo de Senaar: Um Conto Africano*, em duas partes, no qual o narrador tinha ouvido falar de "seu mestre judeu" sobre a ilha de Sophis, que "vivia de acordo com a natureza". *Sofia*, a Sabedoria, está implícita no nome da ilha. A sociedade, em algum lugar na África, havia liberado as mulheres, não havia escravos e nada de guerra. Nenhum rei ou primeiro-ministro. Ali, eles praticavam o amor livre: "Ó, Energia Bendita... Tu és o Amor!". Nenhuma vergonha está vinculada aos órgãos do corpo.

Cumberland confidenciou uma cópia a um amigo que o instou a não publicar, pois "seria perigoso, sob a má administração do sr. Pitt".[157] E a edição foi cancelada. Diferentemente do platônico e purista Thomas Taylor, que desprezava "a mera união dos corpos", Blake ficou encantado com seu exemplar: "Tenho devorado sua visão da Feliz Sophis. Ó livro delicioso",[158] ele declarou entusiasmado.

---

155. *Churton Papers*, "Ralph Churton, Private Journal 1793-1800".
156. BR, p. 80.
157. BR, p. 96.
158. Robert Essick e Morton Paley, "'Dear Generous Cumberland': A newly discovered Letter & Poem by William Blake"; *Blake, an Illustrated Quarterly* 32, 1998, p. 4-5. Blake enviou a

Thomas Butts

Os problemas financeiros de Blake moveram-no para o mesmo caminho de seu contemporâneo iluminista, Antoine Fabre d'Olivet (1767-1825). Seguindo a crise espiritual (1800-1805), o francês d'Olivet escreveria sobre o muito raro "Homem Providencial", que falava sobre o que ele chamava de "Tradição", o conhecimento primordial de como vincular o Desejo à Providência – a vontade, a visão a provisão de Deus.[159] Os Homens Providenciais conhecem o caminho de volta para a Unidade que está por trás de todos os fenômenos. Os Homens Providenciais não confundem a mera "racionalidade" com a "razão"; esta última, de acordo com d'Olivet, é um poder espiritual que conhece o que a razão comum desconhece. As verdades espirituais transcendem a racionalidade e, contrariamente à filosofia de Kant, elas, sim, podem *ser conhecidas*. Foi o filósofo neoplatônico Plotino, do século III, que se referiu ao nôus grego, ou a "razão maior" (a "mente" ou o "espírito") como "rei".

Em 26 de agosto de 1799, Blake escreveu a Cumberland: "Eu vivo por milagre". Depois de *Pensamentos Noturnos*, ele confessou: "Mesmo Johnson & Fuseli têm dispensado minhas Gravações". Mesmo assim, Blake ria da Sorte, "continuava e não desistia". Ele confiava na Providência: "Eu acredito prever Coisas melhores do que as que eu já vi. Meu Trabalho está agradando meu empregador e tenho um pedido para criar Cinquenta pequenas Imagens por Um Guinéu cada uma".

O "empregador" era Thomas Butts (1757-1845), um assistente no escritório do Comissário Geral de Inventários, e o próprio emprego de Butts foi um fato irônico, pois envolve o aprovisionamento do exército. Tal como aconteceu, Butts também aprovisionava "Luta Intelectual". Talvez Blake conhecesse Butts da época em que ele morava em Poland Street (Blake saiu de lá em 1790); nessa época a família Butts ocupava uma bela casa, que também abrigava o internato

---

carta de Felpham, Sussex, para Cumberland, em 1º de setembro de 1800, acrescentando: "Como podes esperar qualquer outra coisa além de Inveja nas paredes malditas de Londres". Talvez Blake imaginasse trazer algo de "Sophis" para uma Felpham rural, como Hayley tinha feito de Eartham Hall um santuário de repouso para o poeta William Cowper.
159. Para a narrativa de Olivet, ver Tobias Churton, *The Invisible History of the Rosicrucians*, Inner Traditions, Vermont, 2008.

para meninas da sra. Butts, na esquina da Polland Street com Great Marlborough Street.

Assim como a compra de novas obras, Butts, ao longo dos anos, encomendaria de Blake 135 ilustrações para a Bíblia, tanto em têmpera quanto em aquarela. Um trabalho em têmpera de 1799, "Cristo abençoando as Criancinhas", pode ser visto no Tate Britain. Ele tem as dimensões de somente 27 x 39 centímetros, mas embala o poder da reverência e da percepção. Jesus convoca as criancinhas para virem a ele e é possível ver por que elas fariam isso. A forma sentada de Jesus parece crescer a partir da árvore que está atrás dele. Ele segura duas crianças junto ao seu coração. Um terceiro menino, de costas para o observador, parece totalmente focado na região pélvica de Jesus. Atrás da árvore de carvalho, uma cena clássica, que lembra os cenários rurais de Poussin e de Da Vinci, liga a Inglaterra a uma impecável e bucólica Terra Santa.

Em maio de 1799, Blake, com 41 anos, exibe na Academia Real a encomenda em têmpera feita para Butts, "A Última Ceia": "Em verdade vos digo que um dentre vós me trairá" (Mateus, 26:21). Butlin observou como as figuras reclinam para a mesa em estilo romano, como nas pinturas eucarísticas de Poussin de suas duas séries sobre os Sete Sacramentos, que passaram por Londres nas décadas de 1780 e 1790.[160]

Curiosamente, Judas é mostrado contando seu dinheiro na mesa, antes mesmo da prisão de Jesus. A mensagem de Blake foi, provavelmente, de que o mundano obtém logo seu tesouro ilusório, mas as recompensas verdadeiras provêm do céu. A obra deve deliciar aqueles que acreditam que a "Última Ceia" de Da Vinci retrata uma Madalena andrógina perto de Jesus, que Blake, sem nenhum traço de ambiguidade, retrata uma Madalena feminina sentada intimamente à esquerda de Jesus, com os ombros encostados – e ela olha para ele afetuosamente –, enquanto os outros discípulos estão sentados a certa distância do casal. Blake parece familiarizado com a identificação gnóstica de Madalena com *Sophia*, a Sabedoria.

---

160. Martin Butlin, *The Paintings & Drawings of William Blake*, Text, Yale University Press, 1981, p. 332.

Mas eu, tua Madalena, observo teu Corpo Espiritual Ressuscitado
Deverá Albion ressurgir? Eu sei que ele ressurgirá no Último dos Dias
(Jerusalém; Capítulo 3, lâmina 62*)*

Talvez a exposição de Blake na Academia, em maio, incentivou Charles Townley a convencer Henry Blundell a aceitar Blake como gravurista de artefatos de sua coleção clássica, no Ince Hall, Cheshire (hoje demolida) e, no dia 23, o diário de Townley revela que Blundell aceitara encontrar-se com Blake: "Eu o levei para ver o andamento das lâminas que estavam sendo feitas – e convidei o sr. Blake, gravurista, de Hercules Buildings, Lambeth [.]".[161] Se somente Blake tivesse deixado um registro da ocasião, teria ele considerado o urbano e católico Townley como um dos "Antique Borers" (Antiquários) que ele havia referido a Cumberland, em 1795?

Bentley especula um propósito adicional, derivado do fato de o poeta William Hayley ter visitado Townley no dia 1º de maio. O novo livro de Hayley, *Um Ensaio sobre Escultura,* precisava de uma gravura do busto de Péricles, de Townley, para o qual Flaxman providenciou o desenho, e Blake, subsequentemente, a gravura. No processo, Blake provavelmente visitou a famosa coleção de Townley, em Park Street, perto de Grosvenor Square.[162] A ligação entre Townley, Flaxman e Hayley em breve mudaria as vidas do sr. e da sra. Blake.

---

161. BR, p. 81.
162. Quando, em 1800, o arquidiácono Ralph Churton começou a pesquisar seu *Life of Dean Nowell* (Oxford, 1809), com gravuras de James Basire (o filho do mestre de gravação de Blake), Churton correspondia-se com o amigo íntimo de Charles Townley, o antiquário Thomas Dunham Whitaker FSA, reitor da Holme (falecido em 2 de junho de 1822). Whitaker (*Churton Papers,* "Cartas a Ralph Churton 1800-1806") escreveu de Holme em 3 de setembro de 1806: "Eu darei a Basire as indicações a respeito disso [os investimentos para a gravação a partir de um parente de Townley, o sr. Alexander Nowell, descendente de um biógrafo de Churton], se você me informar o que deseja que seja feito". Whitaker investigou os "Townley Papers" em nome de Churton; os Nowell e os Townley se relacionavam havia tempos. Whitaker garantiu ao artista Read fazer um desenho de Dean Nowell, com gravação e tratamento feitos por Basire (*Churton Papers,* de Whitaker para Churton, 14 de fevereiro de 1806). Townley tinha considerado Basire para a tarefa da gravação de Blundell. Charles Townley morreu em 3 de janeiro de 1805. Whitaker escreveu para Churton, em 14 fevereiro de 1806: "Eu tenho a satisfação melancólica de saber que um belo monumento em memória do sr. Charles Townley está agora quase finalizado por Nollekens [Joseph Nollekens,

Um novo século, um novo passo

O ano de 1800 começou muito bem para John Flaxman. Ele foi eleito membro titular da Academia Real, em 10 de fevereiro. Talvez Hoppner tivesse superado suas críticas ao desenho de Flaxman e talvez Townley tivesse dito algo a seu favor. De qualquer forma, a opinião de Flaxman agora tinha mais peso e ele estendeu sua generosidade recomendando Blake para as necessidades de gravação de Hayley.

Autor dos bem-sucedidos *Os Triunfos da Têmpera, A Vida de Milton* e, por último, *Um Ensaio sobre Escultura – em uma Série de Epístolas de John Flaxman Esq. R. A.* (T. Cadell Jr. e W. Davies, no Strand, 1800), Hayley foi um personagem liberal e amável, um bom erudito clássico e um verdadeiro amante da arte. Sua poesia era fácil de ser entendida, demonstrava conhecimento e era anemicamente sem inspiração. A cópia de *Um Ensaio sobre Escultura,* que eu tinha inspecionado, teve as duas gravuras de Blake removidas, deixando o leitor desprovido de figuras em um mar de mais de 250 páginas de versos, sem adornos para proporcionar uma pausa ao gênio. Era de bom gosto para seu tempo.

E, no entanto, Hayley era amigo de um dos maiores poetas da época, William Cowper, cujo *The Task* havia sido publicado por Joseph Johnson. E foi esse grande azar de Blake, pois, como ele se aproximara do universo paternalista de Hayley, impulsionado por Flaxman para o "próprio bem de Blake", este último sentir-se-ia um intruso nas diversas reuniões "muito pessoais" de um grupo formado por Hayley, o pintor de retratos George Romney, lady Hesketh, seu segundo primo William Cowper e o amigo de Cowper, John "Johnny"

1737-1823]. É muito mais do que eu esperava e, se não tivesse sido encomendado nos primeiros Momentos de Tristeza ou de Gratidão, talvez nunca tivesse sido encomendado".
Whitaker inspecionou os manuscritos de Charles Townley logo após sua morte: "Essa pesquisa tem sido uma tarefa melancólica –, o volume em que os documentos relativos à família se encontram está trancado no próprio quarto do sr. Townley, onde ainda restam muitas coisas deixadas pelo falecido proprietário (até mesmo os remédios), só para excitar sentimentos dolorosos naqueles que o amavam. [...] O Museu [de Estatuária, em Park St.] está sendo transferido [...] para Townley [Lancashire], onde será exposto como um Objeto nacional". (*Churton Papers*, "Cartas de Whitaker para RC 1800-1806"; Holme, 25 de abril de 1805). A coleção foi finalmente comprada para o Museu Britânico por decreto parlamentar – e por 30 mil libras. Ela consistia em mais de 300 bolas de gude, terracotas, bronzes e outros artefatos. O busto de Townley, feito por Nollekens, seria vendido no exterior, mas foi comprado por Towneley Hall, Burnley, Lancs.; ele foi devolvido à residência ancestral de Townley em 2008.

Johnson, reitor de Dereham, em Norfolk: todos residentes de um local feliz em Eartham Hall, West Sussex.

Do ponto de vista de lady Hesketh, Blake, o pobre londrino, sempre pareceu ser um intruso. Tudo a respeito da sincronização do tempo estava errado, mas Blake, agora com 42 anos, não precisou de muito para convencer-se de que a Providência havia optado por um lado e, se não era a Providência, então a Sorte.

Flaxman ensinava escultura para o ilegítimo filho adolescente de Hayley, Thomas Alphonso Hayley, mas o jovem sofria de uma doença que afetava a sua coluna vertebral. Hayley queria demonstrar o seu amor pelo menino dando-lhe uma gravura de presente. O esforço inicial de Blake não conseguiu satisfazer expectativa de Hayley, mas sua segunda tentativa foi o que Hayley esperava.

O tempo estava se esgotando; uma cirurgia para tentar parar a doença não teve sucesso. Em seguida, em 25 de abril, William Cowper morreu em Dereham, um sofrimento agravado uma semana depois com a morte do filho de Hayley (2 de maio).

Em 6 de maio, Blake estendeu suas condolências com um relato de como ele ainda conversava diariamente "em Espírito" com seu falecido irmão, Robert. "Toda perda Mortal é um ganho Imortal", assim Blake tranquilizava Hayley: "As Ruínas do Tempo constroem as Mansões na Eternidade".[163]

Ao relato, Blake incluiu a prova do "Péricles", de Townley, para o frontispício do livro sobre escultura de Hayley. Os sentimentos de ternura de Hayley ficaram mais aquecidos pela empatia que sentia pelo irmão de Blake a ponto de começar a ter ideias sobre como o "gentil visionário", Blake, fantasioso e gentil de uma maneira sublime",[164] poderia ser induzido a vir e derramar um pouco do calor de seu coração na costa sul. Afinal, Hayley tinha agora duas grandes lacunas em sua vida. Ele, então, decidiu preenchê-las com trabalho e, o que poderia ser mais apropriado do que a *Vida* do falecido Cowper, empregando o humilde gravurista sob sua direção pessoal?

Em junho, Blake visitou Hayley em Felpham, perto de Bognor Regis, onde Hayley, que se autodenominava "Eremita", tinha cons-

---

163. *LETTERS*, p. 16; de Blake para Hayley, 6 de maio de 1800.
164. *LETTERS*, p. 16; de Hayley para Blake, julho de 1800.

truído uma "Torre" com uma biblioteca, para onde ele planejava mudar-se, alugando Eartham Hall tentando aumentar sua renda. Blake levou consigo um rolo de impressões enviadas por Townley, via Flaxman, para que fosse entregue a Hayley, possivelmente em troca de uma cópia do *Ensaio sobre Escultura*, uma das prezadas obras gregas da coleção de Townley.

Em 2 de julho, Blake escreveu a Cumberland, desnudando sua alma. Ele confessou que tinha começado "a emergir de um poço profundo de melancolia, uma melancolia sem qualquer motivo real, uma doença pela qual Deus guarda você e todos os homens bons".[165] Blake tinha notado que as coisas estavam melhorando para os artistas em Londres, como se ele se sentisse culpado por seus pensamentos de sair da capital e talvez seja culpado de pensamentos assim proferidos: "É preciso que nos lembremos de quando uma loja de Impressão era uma ave rara em Londres assim como me lembro de quando eu pensava que minhas atividades artísticas eram uma espécie de dissipação criminosa & negligência das principais oportunidades de trabalho a ponto de esconder meu rosto por não ser capaz de abandonar minha Paixão, proibida pela Lei e pela Religião e que hoje parece ser a própria Lei e Religião, pelo menos é o que ouço dos meus poucos amigos os quais me aventurei a visitar em minha estúpida melancolia".[166]

Sem o conhecimento de Blake, Hayley havia discutido com lady Hesketh sobre quem deveria escrever a *Vida,* de Cowper. Em 22 de julho, ele sugeriu que ela o fizesse na forma de uma série de cartas para Earl Cowper, informando-a também de que "um gravurista, digno e entusiasta" havia se ligado a ele que até "alugou uma casa nessa pequena aldeia marítima para praticar sua arte, em seus vários ramos, sob meus auspícios, & como ele tem um Gênio infinito, aliado à simplicidade de seu caráter, eu espero que ele venha a executar muitas coisas admiráveis". Essa missiva quebrou um pouco o gelo entre Blake e lady Hesketh.

---

165. *LETTERS*, p. 17; de Blake para Cumberland, 2 de julho de 1800.
166. *Ibid.*

Lady Hesketh

Nascida Harriet Cowper, Lady Hesketh (falecida em15 de janeiro de 1807) foi esposa de *sir* Thomas Hesketh e irmã de um antigo amor de Cowper, Theodora. Ela estava pessoalmente envolvida na vida e no legado de Cowper. Sua própria saúde e nervos tinham ficado em frangalhos por frequentar a clínica para doentes mentais, onde Cowper ficou, em Weston, perto de East Dereham; Cowper tinha crises recorrentes de mania e acreditava estar eternamente amaldiçoado. Qualquer sinal de loucura a repelia.

Em 22 de outubro de 1801, ela escreveria a um parente, o reverendo "Johnny" Johnson, reclamando das perguntas de Hayley sobre a vida do primo Cowper que ela não podia responder e que um "excelente amigo" de Cowper "em Staffordshire" havia dito que "ele sempre temeu que Cowper fosse sofrer com os metodistas".[167] Cowper, ela afirmou, foi, ao longo da vida, um anglicano sem nenhuma simpatia por "entusiastas" ou sectários. A referência era claramente dirigida a Blake, cujo nome ela se negava até mesmo a citar. Ser chamado de "entusiasta" por Hayley foi ruinoso para a ideia que lady Hesketh fazia de Blake, uma visão que ela destacou em outra carta a "Johnny", datada de 18 de fevereiro de 1802. Lady Hesketh contava que Hayley planejava erguer um "soberbo e pomposo" monumento para Cowper, na igreja em East Dereham. Esse desejo de Hayley tinha a intenção de promover Flaxman, alguém que ela claramente não valorizava:

> Você sabe, querido Johnny, do entusiasmo do sr. Hayley pelos *Artistas* de todas as áreas e sua relação particular com Flaxman e com a Arte da Escultura, embora eu me pergunte por que esse seu ardor não esfriou a esse respeito, uma vez que o Filho que ele tanto lamenta a ele se sacrificou, mas isso certamente não aconteceu, e ele continua ferozmente obstinado a ir adiante com esse projeto.[168]

Blake acabou entrando em uma agitação de caráter invisível, em setembro de 1800, quando alugou um chalé com telhado de sapê em Felpham, do senhorio do Fox Inn, a um campo de distância do

---
167. *Letters of Lady Hesketh to the Rev John Johnson L.L.D.* Edited by Catharine Bodham Johnson (née Donne), Jarrold & Sons, 1901, London, p. 111.
168. *Ibid.*, p. 115.

mar, no valor de 20 libras por ano. Ele estava pagando por uma cela de prisão espiritual, mas demorou a percebê-lo. Ele poderia ter se apercebido mais cedo se tivesse visto a pretensiosa e, francamente, traiçoeira carta que Flaxman escreveu a Hayley em 19 de agosto:

> Espero que a residência de Blake em Felpham seja um Conforto Mútuo, tanto para você quanto para ele, e eu não vejo nenhuma razão para que ele não tenha, ali, um bom meio de sustento, como ele teve em Londres, gravando e ensinando a desenhar, o que poderia render-lhe um bom dinheiro, e, além disso, ele poderia fazer agradáveis desenhos de diferentes tipos, mas, se ele insistir em pintar quadros grandes, para os quais não está qualificado, seja por falta de hábito ou de estudo, ele acabará ficando miseravelmente decepcionado.[169]

Hayley colocou Blake para trabalhar nas placas para um projeto de caridade. O "Eremita" tinha escrito uma balada, "Little Tom, o Marinheiro", a fim de arrecadar fundos para uma viúva enlutada.

Entretanto, em sua primeira saída de Londres, dirigindo-se para seu chalé, Blake passou por uma libertação espiritual. Ele descobriu que podia mais distintamente ver e ouvir as vozes dos "habitantes" celestiais.[170] Talvez ele estivesse experimentando uma melhora em seu "prazer sensual" com Kate. Presumivelmente, ele progrediu a partir de *Vala* e parecia que trabalhos suficientes estavam chegando para poder manter no alto seu voo visionário.

Em 1º de setembro, ele escreveu para Cumberland, em Bishopsgate, Windsor Great Park, dizendo que havia se apaixonado pela casa e que tinha "melhores perspectivas do que nunca"; também o informava ter conseguido 12 meses de trabalho e outros mais estavam surgindo no horizonte: "eu agora me chamo de Independente. Posso ser Poeta, Pintor e Músico, dependendo de minha inspiração".[171]

Parece que Blake estava tentando convencer os amigos de que essa curiosa decisão fosse bem melhor para seu bem-estar. As últimas observações, no entanto, são irônicas, pois a independência era algo ao qual ele renunciara e Hayley não precisava dele nem como

---

169. BR, p. 95.
170. *LETTERS*, p. 23; de Blake para Flaxman, 21 de setembro de 1800. .
171. BR, p. 95.

poeta, pintor nem tampouco como músico, salvo, no devido tempo, como pintor de *miniaturas,* uma habilidade que Hayley alegava que teria sido ele mesmo a ensinar a arte a Blake, em cartas a amigos.

Hayley tratava Blake e sua esposa como se fossem animais exóticos de estimação para entretenimento e ser exibidos como peças de exposição. A situação era horrível e ficou ainda pior.

Em 12 de setembro, Blake escreveu a Flaxman chamando-o de "Caro Escultor da Eternidade" e "Sublime Arcanjo".[172] A ingenuidade de Blake, ao afirmar ao swedenborguiano Flaxman que "o tempo é agora chegado em que os Homens deverão novamente conversar no Paraíso & caminhar com os Anjos" é angustiante de se ler, mesmo depois de mais de 200 anos.

Ele escreveu a Thomas Butts, em 23 de setembro, dirigindo-se a ele como "Caro Amigo de Meus Anjos", com a narração de uma viagem longa, mas alegre, do sr. e da sra. Blake por sete *chaises* (carruagens) diferentes, de Lambeth para Felpham. A resposta de Butts é fascinante.

Butts duvidava se o "Título" seria realmente digno dele, uma vez que não sabia se os anjos de Blake eram pretos, cinzentos ou brancos! Ele também suspeitava que Blake estivesse sob a proteção de algum "demônio". Contudo, agradeceu a Blake, pois, se ele realmente tivesse acesso a "outras Mansões", poderia, possivelmente, ter acesso também à "Corte da Realeza", embora Butts acreditasse que ele fizesse parte da equipe das "sombras".

> Se você se tornou um Pintor ou um poeta melhor a partir da sua mudança de Caminhos & Meios, eu não sei dizer, mas isto eu posso dizer: que você seria um homem melhor – peço-lhe desculpas – acostumado que foi pela amizade a fazer, mas algumas opiniões embebidas de leitura e nutridas pela indulgência, em círculos fechados, que foram igualmente prejudiciais ao seu Interesse e Felicidade, acredito que tudo isso agora será dissipado como Vapor ao Amanhecer e você passará a tornar-se membro da Comunidade a que você pertence atualmente, na opinião do arcebispo da Cantuária. Entretanto, há um sinal que

---

172. *LETTERS*, p. 23; de Blake para Flaxman, 21 de setembro de 1800.

marca a existência de uma certa incredulidade e suspeita de uma filosofia fantasiosa...[173]

Na resposta de Blake, de 2 de outubro, ele se dirigiu a Butts como "Amigo da Religião e da Ordem"; esse não é um "Título" que Blake teria gostado de usar para si mesmo. A impressão é que Blake, inteligente, estivesse se divertindo à custa de Butts.

Ele, então, acrescentou alguns versos, aparentemente espontâneos, sobre seus estados visionários, dizendo que viu a "Luz da Manhã", como "partículas brilhantes" e, ao olhar dentro de cada partícula, ele viu que era "um Homem". Curiosamente, um dos títulos que os antigos gnósticos davam à sua representação do "homem original" ou *Anthropōs* era *Phōs*, que significa "Luz". Em seguida, a imaginação de Blake o leva a uma visão pela qual cada partícula de areia também era um Homem. Ele estava tentando transmitir uma visão de "humanização" do universo. Quando todas as partículas se juntaram, elas se transformaram e formaram "Um Homem", um Messias, um "Carneiro com Chifres de Ouro". Então, Blake, "qual uma Criança", fica observando o sr. e a sra. Butts pelas "fontes da Vida". Seus olhos, seus olhos interiores, continuam em expansão. Era como se Los tivesse saltado da página e repintado toda a costa de Sussex, regando-a com a essência da alma de Blake, um tipo de cola misturada com a luz na forma de partículas e ondas, até que o artista, perdido em êxtase, volta a si mesmo e fala de Chichester e dos "Saxões Genuínos" que habitavam em vilarejos, "pessoas bem mais bonitas do que as de Londres".[174]

Os leitores das cartas de Blake de repentino e explosivo contentamento, em Felpham, foram impossibilitados de enxergar o estado real da Inglaterra nessa época, misturando as breves alegrias de Blake com ideias de uma vida rural romântica, em choupanas poéticas, com roseiras em volta das portas, ocupadas por amáveis pessoas do campo.

Ao final do outono de 1800, reverendo Ralph Churton, de Middleton Cheney, escreveu para Henry Addington (1757-1844), que frequentou a Faculdade de Brasenose e, então, presidente da Câmara

---

173. *LETTERS*, p. 25; de Butts para Blake, 23 de setembro de 1800.
174. *LETTERS*, p. 27-30; de Blake para Butts, 2 de outubro de 1800.

dos Comuns. Churton estava realmente preocupado com a manutenção artificial do preço dos grãos ingleses e uma premente pressão de importar produtos mais baratos fazia-se necessária a fim de amenizar e salvar da fome as pessoas dos campos. Em 6 de novembro, a partir de sua propriedade famíliar, em Woodley, Berkshire, Addington respondeu que, mesmo sendo Churton "uma pessoa cujo entendimento e princípios eu verdadeiramente respeito", o preço dos grãos não poderia "ser levado a níveis mais baixos naquele momento".[175]

O inverno de 1800-1801 foi repleto de tumultos. Unidades do exército voluntário tentaram sufocá-los, mas os voluntários provaram não ser confiáveis. Em Wolverhampton, uma unidade recusou-se a agir contra os manifestantes, enquanto vários voluntários, em Devon, até lideraram motins contra os fazendeiros e os moleiros que, segundo eles, também pareciam ser conspiradores contra os pobres.

Em março de 1801, Henry Addington sucedeu a William Pitt Júnior na função de primeiro-ministro.

---

175. *Churton Papers*, Cartas para Ralph Churton B33–D.79; Carta de Henry Addington para Ralph Churton, Woodley, 6 de novembro de 1800.

Capítulo 19

Um Entusiasta no *Status Quo* – 1801-1803

Hayley estava ansioso para que lady Hesketh viesse a apreciar Blake. Em fevereiro de 1801, ele lhe escreveu prometendo que ela iria deliciar-se quando, afinal, chegasse a ver uma miniatura de seu falecido primo William Cowper realizada pelas mãos de uma "entusiástica e excelente Criatura, um Amigo de Flaxman".[176]

Ao receber a miniatura de Blake, Lady Hesketh imediatamente escreveu: "Sinceramente, a visão dessa miniatura inspirou-me tamanho horror do qual muito demorarei para me recuperar. Acho-a *apavorante! Chocante!*".[177]

Conseguir o apoio de lady Hesketh era importante para os planos de Hayley e ele ficou esperando pelo momento certo. Enquanto isso, quando não estava em seu chalé gravando "Michelangelo" para a obra *Leituras da Pintura*, de Fuseli (Joseph Johnson, 1801), Blake pintava retratos para os painéis da nova biblioteca, situada na Torre da propriedade de Hayley: Cowper, Spenser, Chaucer, Cícero, Voltaire, Shakespeare, Dryden, Milton, Tasso, Camões, Ercilla, o papa, Otway, Dante, Demóstenes, Homer, Klopstock e Thomas Alphonso Hayley, todos receberam o dom da visão e da simpatia de Blake.

Nesse meio-tempo, lady Hesketh levou suas objeções a Johnny Johnson, que tinha visitado Hayley no início de março, e conheceu e, é claro, gostou de Blake e de sua esposa. Entretanto, lady Hesketh

---

176. BR, p. 104.
177. BR, p. 105.

tinha uma *idée fixe* (obsessão) de que Cowper (mesmo na morte) poderia sofrer com os "metodistas". Ela associava o "gravurista" de Hayley aos metodistas porque essa palavra passou a significar "entusiastas" da religião, dissidentes do *status quo* (da ordem estabelecida).

Quatro anos após a morte de John Wesley, em 1791, o Metodismo havia rompido com a Igreja da Inglaterra, criando sacramentos rivais nas paróquias individuais, ameaçando o estabelecimento religioso e civil já perturbado por movimentos políticos pela "Emancipação Católica". Apesar de a Emancipação Católica ter sido apoiada por Pitt, o rei prometeu que nunca permitiria qualquer medida que viesse a violar o juramento feito em sua coroação, ou seja, o de defender a Igreja estabelecida.

O diário de Ralph Churton nos dá uma ideia exata de como os defensores da Igreja viam a dissidência religiosa:

> Um velho anabatista (como ele provou ser), um dissidente da Igreja, diante do meu questionamento se ele frequentava a igreja, começou a falar com palavras sem qualquer sentido. "A alma é tudo" – "novo nascimento" – "em verdade, em verdade" – "Cristo morreu pelos pecados" – "domínio de Satanás". A luta interna parecia ser tudo o que importava para ele; nem eu conseguia entender, embora tentasse muito, se ele pensava ser necessário abster-se do pecado e subjugar as luxúrias. Espero que ele o faça. Ó Senhor tenha piedade de nossa ignorância, e perdoa nossos erros, que a vossa infinita misericórdia traga de volta aqueles que se desgarraram para que todos façam parte de um só rebanho com Jesus Cristo, seu único Pastor.[178]

Lady Hesketh pode não ter estado disposta a orar pelas pessoas percebidas por ela como obstrutivas, mas, apesar de sua hostilidade, à medida que a primavera passava para o verão, Blake, agora com 44 anos de idade, recebia abundantes pedidos de suas apreciadas miniaturas por parte das famílias locais. Enquanto ele pudesse servir, tudo

---

178. *Churton Papers*, "R.C. Private Journal 1793-1800", 20 de novembro de 1797.

estava bem; seu canto doce, humor amigável e voz suave encantavam os eruditos visitantes de Hayley.

Ao final do mês de julho, Flaxman mediou uma negociação entre Blake e o coletor reverendo Joseph Thomas, de Epsom, para a encomenda de uma série de aquarelas, cenas do *Comus* de Milton e outras de Shakespeare.

Enquanto isso, Hayley estava com pressa a respeito de sua obra *Vida e Obras Póstumas de William Cowper,* a ser publicada por Joseph Johnson (1803-1804). A partir de setembro de 1801, Blake gravaria seis lâminas para um trabalho de três volumes, a mais problemática delas sendo a impressão do retrato de Cowper, feito por Romney.

Entre setembro e novembro, Hayley escreveu um poema curioso para seu falecido filho, pedindo-lhe orientação espiritual sobre Blake: "Meu Anjo Artista nos Céus/ Tu podes inspirar e controlar/ As Mãos & os Olhos Falhos de um Irmão/ ou temperar sua excêntrica Alma.[179]

Hayley, é claro, nunca percebeu, no que dizia respeito a seu relacionamento com Blake, que ele estava lidando com "Orc" reprimido. Por outro lado, Flaxman não precisava de qualquer intercessão e, em outubro, Hayley contratou-o para criar um monumento de mármore para sua esposa, Elizabeth, filha do Deão de Chichester, que havia morrido em 1797. A Catedral de Chichester serviria novamente como galeria para as habilidades de Flaxman, quando Hayley pediu para que ele esculpisse o monumento funerário do vereador Francis Dear.

Em 3 de outubro, Ralph Churton, em Northamptonshire, apresentou o alívio nacional que resultava do tão esperado acordo de paz com os franceses:

> Agora que a PAZ está selada, Bendito seja Teu nome, Tu que és o Deus da Paz – Mas, Ó, Senhor, concedei-nos a paz e a unidade entre nós mesmos na Tua Verdade para que a essa paz pública possa ser uma bênção real e desejada.[180]

---

179. BR, p. 110.
180. *Churton Papers*, "R.C. Private Journal 1801-1806", 3 de outubro de 1801.

Em Sussex, Blake era caracteristicamente menos reservado e, em 19 de outubro, ele revelava a Flaxman, com entusiasmo, que "os reinos deste Mundo agora se tornaram o Reino de Deus e do seu Cristo, e que, com Ele, nós reinaremos para todo o sempre. O reinado da Literatura e da Arte está começando... Espero que, doravante, a França e a Inglaterra sejam como Um só País, e que as Artes também sejam Uma só, e que você esteja Brevemente erigindo Monumentos em Paris – Emblemas da Paz".

O Tratado de Amiens, de maio de 1802, concluiu as negociações com Napoleão. Durante esse tempo, Blake e Hayley pareciam estar se estreitando cada vez mais; tensões não ditas, no entanto, persistiam. O diário de Hayley de 26-27 de abril registra-o lendo o poeta alemão Klopstock para Blake em sua biblioteca. Algumas dessas sessões levaram Blake a, mais tarde, confessar sua frustração ouvir Hayley, segundo ele, com a língua enraizada dentro da boca. Alguns anos antes, Blake havia mencionado em seu *Caderno de Notas,* com respeito à difamação de Klopstock dos versos ingleses (os hexâmetros heroicos, aparentemente, não eram ingleses), algumas linhas satíricas de autoria própria:

> Quando Klopstock desafiou a Inglaterra
> Levantou-se o terrível Blake em seu orgulho
> Para o velho Nobododaddy lá de cima
> Peidou e arrotou e tossiu e,
> Então, fez um grande juramento que fez tremer o céu
> E convocou em voz alta o Inglês Blake

O "Inglês Blake" (uma alcunha reveladora) estava "relaxando o corpo/Em Lambeth, sob as árvores de álamo", quando começou, a partir de seu assento (do lavatório), a lançar um feitiço turbulento que perturbou as entranhas de Klopstock a ponto de essa agonia fazer com que o Velho Nobodaddy implorasse que Blake parasse, o que ele fez por piedade: "Se Blake podia fazer isso sentado na privada/ Imaginem o que ele poderia fazer se ele se sentasse para escrever".[181]

Pergunta-se como Hayley teria recebido as vulgaridades de Blake para com seu adorado Friedrich Gottlieb Klopstock (1724-1803).

---
181. CPP, p. 500.

Querendo, de qualquer forma, ajudar seu amigo, Hayley cunhou a ideia de dar a Blake o benefício de seu nome e de sua reputação em um projeto editorial. Hayley escreveria uma série de poemas dedicados a animais e Blake faria as gravuras dos respectivos animais. Assim foi lançada a obra de Hayley, *Baladas Fundadas em Histórias Relativas a Animais, com Impressões* [14 delas], *Desenhadas e Gravadas por William Blake*.

O trabalho tende a ficar preso no fogo cruzado dos problemas entre Blake e Hayley e hoje sofre pela brandura dos versos de Hayley, mas as gravuras são muito finas, cheias de ternura, liberdade, comédia e graça.

Blake sofreu para produzi-las. Em maio, ele e Catherine passaram mal com reumatismo e graves resfriados causados por correntes de ar, mas, mesmo assim, Blake levantou-se para trabalhar no frontispício: "Adão cercado por animais". Talvez Hayley tenha pensado que uma simpatia geral para com assuntos de animais entre os ingleses e a inocência das gravuras iria embalar lady Hesketh em uma aceitação do esquema. Ela recebeu amostras das gravuras para apresentar à sociedade e promover sua distribuição. Previsivelmente, lady Hesketh alegou ser ignorante de assuntos de arte, mas disse que ela, por consideração a Hayley, apresentaria os trabalhos para aqueles cujo gosto impunha o respeito de todos. Muito provavelmente, lady Hesketh estava se referindo às filhas do rei a quem ela tinha acesso.

Em junho, Flaxman ficou satisfeito em poder contribuir o *Baladas* e fornecer cópias aos amigos. As coisas estavam melhorando. Então, em julho, lady Hesketh levou os Elefantes de Blake para Bath. Ela informou Hayley que Bath era monótona nessa época do ano para poder promover a causa do *Baladas* ou a de seu gravurista. Quando chegou o momento de apresentar seus comentários, ela alegou que faltava gosto às gravuras e que os animais estavam fora de proporções. O bispo de Worcester, Richard Hurd (1720-1808), de 82 anos, foi particularmente ferino; ele era velho, mas o bispo tinha *gosto*.

Johnny Johnson, ao contrário, adorou os Elefantes e as Águias. Hayley também enviou para lady Hesketh as gravuras da "Águia", de Blake, porém ela não gostou delas nem tampouco as pessoas de "gosto". Essas pessoas, lady Hesketh insistiu, acharam-nas confusas.

O ponto de vista de Blake sobre "gosto" pode ser encontrado em suas anotações a respeito de *As Obras de Sir Joshua Reynolds* (ed. Edward Malone, Londres, 1798.): "A Questão na Inglaterra não é a de analisar se um Homem tem talento e Gênio. Mas se ele é Passivo, Educado e um Imbecil Virtuoso, além de ser obediente às Opiniões da Nobreza sobre Artes & Ciência. No caso de sê-lo, então ele é um Bom Homem, mas, no caso contrário, ele será condenado a morrer de fome".[182]

O problema era que a palavra "gênio" significava coisas diferentes para pessoas diferentes. No estabelecimento religioso da época, encontramos o seguinte:

> O bispo de Bristol é um gênio, isto é, um homem inteligente, mas também um homem estranhamente excêntrico; e suas filhas, de acordo com William, também parecem ser gênios.[183]

Em 15 de julho, Hayley escreveu uma resposta cuidadosa a lady Hesketh, imprudentemente usou a tática de fazer com que a dama tentasse enxergar as semelhanças entre Blake e Cowper, especificamente sua ternura de coração, sua devoção à Bíblia, seus "ousados" poderes de imaginação e, até mesmo, os "pequenos Toques de *Enfermidade nervosa* quando sua mente fica obscurecida por qualquer apreensão desagradável.[184] Se Hayley acreditava que podia conseguir que lady Hesketh mudasse de opinião a respeito de Blake e defini-lo, de qualquer maneira, como um substituto para o falecido Cowper, suas simpatias haviam ultrapassado os limites de sua razão. Quanto aos seus louvores a respeito do "casamento quase perfeito" de Blake – Hayley descreveu sua vida como uma "lua de mel" perpétua, o que pode sugerir que o casal Blake desfrutava de uma sexualidade espiritualizada –, nada poderia ter irritado lady Hesketh mais. A ideia de um *ménage* sentimental influenciando o julgamento de seu amigo sobre o seu próprio era demais.

Em 19 de agosto, ela escreveu para Johnny Johnson. Hayley não tiraria as impressões dela de que as pessoas de bom gosto não tiveram nenhuma consideração pelo trabalho do gravurista de Hayley. O

---

182. CPP, p. 635ff.
183. *Churton Papers*, "Letters Ralph Churton to Thomas Townson Churton, 382-400", 13 de outubro de 1814. O "William" a que se refere a carta é o filho de Ralph Churton, William Ralph (1801-1828), irmão de Thomas Townson Churton (1798-1865).
184. BR, p. 140.

"gravurista" sem nome era simplesmente indigno para empreender a *Vida de Cowper*, de Hayley. Parece que lady Hesketh tinha o mercado do lado dela, pois nesse mês a *Revista Europeia* deu às *Baladas* uma recepção morna: cópias sem vendagem foram devolvidas. Blake, ao que parece, não poderia fazer parte do grupo principal de artistas.

A resistência a um personagem como Blake era uma prioridade da política do *status quo* naquele momento. Os fundamentos da resistência foram estabelecidos em 1802 com erudição penetrante e forense nas Palestras da Universidade Bampton de Oxford que, naquele ano, foram apresentadas pelo antigo colega palestrante de Bampton, o professor Ralph Churton, e pelo antigo colega da Faculdade Oriel, George Frederick Nott (1767-1841), em oito sermões publicados e intitulados *Entusiasmo Religioso Considerado*.

> O primeiro canal de iluminação divina na mente do Entusiasta é em razão da ação desordenada de sua imaginação, a qual, quando veementemente excitada, é reconhecida por representar objetos ideais tão vivamente para apreensão que eles são confundidos com objetos materiais. Sua subsequente crença de que a realidade dessa iluminação surge do defeito natural ou da perversão intencional de sua razão; em consequência da qual ele é incapaz, ou não tem vontade de detectar a falácia dessas pretensões pelas quais ele é iludido. [...] É observável que o Entusiasta é uniformemente ocupado com a busca de sua própria exaltação, muitas vezes por meio da afirmação de sua excelência individual, e por sempre engendrar algum sistema pelo qual ele deve ser honrado como o pai, e temido como o governador; podemos apenas argumentar que o amor pela distinção e a esperança pela proeminência foram as causas que convocaram pela primeira vez os poderes de sua imaginação. Para as paixões indignas, mas poderosas do orgulho, da vaidade e da ambição, todo o Entusiasmo, talvez, devesse ser referido em estrita propriedade [...] sentido estrito, referido. [...] Mas é o caráter peculiar do orgulho aquele que não conhece limites.[185]

---

185. *Religious Enthusiasm considered*; in *Eight Sermons, preached before the University of Oxford, in the year MDCCCII, at the lecture founded by John Bampton MA*, Canon of Salisbury, Oxford, 1803, p. 37-44.

Devastador. Naquele momento, qualquer pessoa que lesse as cartas de Blake para Thomas Butts, de 22 de novembro de 1802, poderia pensar que Nott estivesse pessoalmente brigando com Blake. Segundo seu irmão James, Blake, de alguma forma, havia ofendido Butts. Blake começou por afirmar suas habilidades como pintor.

> Não há nada na arte que nossos Pintores realizam dos quais eu possa me confessar ignorante. Eu também Conheço e Compreendo & posso seguramente afirmar que as obras que fiz para vocês são Iguais às de Carrache ou Rafael, ou Então eu sou Cego, Estúpido, Ignorante e Incapaz depois de dois anos de Estudo de entender as coisas que a Estudante de um Internato possa compreender em duas semanas [...] Minhas imagens são diferentes de qualquer um desses Pintores [Carrache, Rafael, Corregio], tal como as deles também devem ser. Acredito que a maneira por mim adotada é Mais Perfeita do que a de qualquer outro. Sem dúvida eles também pensavam o mesmo com respeito às suas obras.[186]

Blake pediu desculpas por não realizar uma miniatura prometida da sra. Butts, mas, quando confrontado pela Natureza, ele não poderia fazer uma pintura histórica. Ou seja, o retrato não era consistente com a arte imaginativa. Ele, então, confessou que tinha estado muito infeliz, mas por pouco tempo. Ele tinha lutado "nos Abismos do Acusador" e emergira para a luz do dia: "Meu Entusiasmo ainda é o mesmo de outrora, mas Ampliado e confirmado". Ele escreveu outra carta no mesmo dia prometendo a Butts mais imagens "com toda a Pressa possível". Em seguida, ele acrescentou um poema longo que indica a sensação de oposição que ele sentia por parte de seus amigos – da irmã de sua esposa (que estava morando com eles), do próprio Butts, de Flaxman, de Fuseli: "Por estar dando a Hayley seu devido respeito". "Deve Flaxman olhar para mim de maneira assim tão selvagem?, ele perguntou, antes de concluir com seu verso sobre a Visão Quádrupla, implorando para não ser julgado pela "visão Simples e pelo sono de Newton".

---

186. *LETTERS*, p. 41-42; de Blake para Butts, 22 de novembro de 1801.

Em 29 de dezembro, lady Hesketh escreveu a Hayley dizendo que havia recebido sua biografia de Cowper. Em uma *reviravolta* surpreendente, ela acrescentou: "Devo dizer-lhe que admiro todas as coisas vindas da cabeça de Romney! Agora que a gravura está *Suavizada*, sem pretender julgar, eu gosto dela". O motivo pelo qual ela odiara a miniatura agora ficou claro... Cowper em miniatura tinha um "olhar distraído e perturbador". Em outras palavras, Blake havia assumido a sugestão de Romney sobre a insanidade de Cowper da parte de Romney, o que extremamente irritou lady Hesketh. Com essa alusão removida, a integridade da imagem de seu amado primo estava novamente preservada.

Teria sido interessante ouvir a opinião do velho James Basire sobre o novo trabalho de seu aprendiz de longa data; mas foi uma pena, pois o antigo mestre de Blake tinha morrido no outono e o pobre Blake não havia encontrado ninguém que o igualasse no meio artístico estabelecido. Seria seu gênio, e o conhecimento que ele tinha do próprio, o seu maior inimigo?

Inimigos espirituais de formidável magnitude

Em 10 de janeiro de 1803, Blake, de Felpham, escreveu uma carta para Butts dizendo que o sr. e a sra. Blake estavam "tão adoentados" com febre e reumatismo, que desculpas eram necessárias pela demora em declinar a oferta de ajuda de Butts. O "Trabalho incessante" os manteria razoavelmente bem financeiramente.

Apesar do novo pedido de Hayley por outras seis gravuras a dez guinéus cada para a 12ª edição de seu poema *Os Triunfos da Têmpera*,[187] Blake sentiu-se profundamente frustrado. Algumas razões são óbvias. Se olharmos para o frontispício do poema publicado por Hayley, podemos ler (abaixo do título): "Com Novos Desenhos Originais feitos por Maria Flaxman", sem qualquer menção a Blake, apesar de seu trabalho tecnicamente requintado. Por meio de experiências com sombreamento mais escuro do que o de costume, ele conseguiu aproximar-se dos interiores sombrios da srta. Flaxman

---

187. *The Triumphs of Temper, A Poem by William Hayley* in *Six Cantos*, impresso por J. Seagrave, Chichester, para T. Cadell & W Davies, The Strand, London, 1803.

com estilo; as duas imagens oníricas são magnificamente refinadas e dramaticamente eficazes. Mas os desenhos eram da srta. Flaxman.

Blake sentiu-se atacado por inimigos espirituais e por obstáculos naturais, já que "por todos os lados" ele se deparava com "grandes obstáculos para poder fazer qualquer coisa, além do trabalho penoso dos negócios e as insinuações de que, se eu não me enquadrasse de acordo, não teria como sobreviver. [...] O que aconteceu com Johnson e Fuseli me deprimiu, mas o que o sr. está me proporcionando me levantará novamente, pois eu não posso viver sem cumprir meu dever de amealhar tesouros no céu Seguro e Determinado".[188] Esse seria seu último inverno em Felpham.

Os valores espirituais lhe proporcionavam motivação. Ele estava "sob a Direção de Mensageiros do Céu, Dia e Noite", e preferia que suas obras "fossem preservadas em sua (de Butts) estufa do que na fria galeria da moda. O Sol ainda pode brilhar e, então, eles serão levados para o céu aberto".[189]

A seguinte declaração significativa de Blake para Butts é aquela que iria provocar a pergunta de um crítico: *"Quem esse homem pensa que é que?"*. Era ele artista, pregador ou messias? Blake declarou: "O que eu mais desejo – mais do que a própria vida ou de qualquer coisa que, externamente, pareça tornar a vida confortável – é o interesse pela Verdadeira Religião e Ciência, e onde quer que alguma coisa pareça afetar esse Interesse (Especialmente se eu mesmo deixar de cumprir qualquer dever de minha Função de Soldado de Cristo), Isso me causa os maiores tormentos".

Grande parte da filosofia de Blake está contida nestas palavras: "Verdadeira Religião e Ciência". Para Blake, a verdadeira religião significava o pleno exercício dos talentos proporcionados por Deus, sem que esses talentos fossem enterrados "na terra" (cf. Mateus 25:14-30). A arte da vida era a vida da arte. Por "Ciência" Blake indica a essência-raiz do que ele, em outro momento, chamou de "ciência inata", e nós – em um sentido moral restrito – chamamos de "consciência".

---
188. *LETTERS*, p. 47-48; de Blake para Butts, 10 de janeiro de 1802.
189. *Ibid*. A vontade de ter seus trabalhos fora das "Galerias Frias da Moda", sem dúvida, teve influência sobre s sua decisão de expor na loja de seu irmão, na Broad Street, em 1809-1810. Blake trabalhou para um público espiritual e para a posteridade. Eu penso que ele possa ter acreditado que o Cristianismo fosse uma "vida divina" e não uma "ciência divina".

Para Blake, "Ciência" era o *conhecimento espiritual*. Acredito ser justo, em nossos termos, dizer que Blake trabalhou para a Arte e para a *gnose*: os valores eternos.

Em 30 de janeiro, Blake informou seu irmão James, por correspondência, de sua intenção de voltar a Londres. Segundo ele, Hayley era secretamente nervoso com a possibilidade de sua reputação sofrer o juízo da sociedade londrina no caso de a mesma suspeitar que ele estivesse maltratando o artista. Blake imaginava-se no topo das coisas e Hayley sentiu-se compelido a parecer mais solícito com ele, e Blake fazia com que Hayley o tratasse com mais respeito. Seu tempo não havia sido desperdiçado (observem o sentimento de culpa da família). Blake afirmou que ele havia aprendido os segredos das publicações de Hayley: "Os Lucros decorrentes das Publicações são imensos",[190] disse ele, autenticamente. Mas, se Blake pensou que esses lucros estivessem em seu caminho, ele estaria enganando a si mesmo e a seu irmão.

Sem aviso prévio, Blake elevou seus preços para garantir o respeito de Hayley. Ele disse a Butts que tinha sofrido o bastante da "Ignorância gentil e da Desaprovação educada de Hayley".[191] Emocionalmente, aumentar os preços foi uma tentativa de recuperar sua independência, mas, no momento em que Hayley sentiu-se pressionado a fazer mais por Blake, ele sentiu-se ferido pelo repentino aumento dos preços e começou, sob a influência de lady Hesketh, a perder a fé na causa de Blake. Em uma carta, Hayley questionou Joseph Johnson sobre os novos preços de Blake. Em 4 de janeiro, Johnson respondeu que Blake deveria ser pago livremente, mas seus preços eram maiores do que os dos "bons artistas daqui". Hayley se perguntou se Blake não estava supervalorizando a si mesmo.

Johnson aproveitou a oportunidade para reclamar da insistência de Hayley em ter a vida de Cowper impressa por Joseph Seagrave, em Chichester, em vez de um impressor de Londres (a sra. Blake chegou a participar da impressão atual). Os atrasos de Seagrave significavam que Cowper tinha perdido a valiosa temporada do outono de 1802,

---

190. *LETTERS*, p. 50; de Blake para James Blake, 30 de janeiro de 1803.
191. *LETTERS*, p. 56-58; de Blake para Butts, 6 de julho de 1803.

quando a cidade estava cheia e com pouca concorrência para novas leituras.

Hayley estava sentindo a pressão. A carta de 3 de março da poetisa Anna Seward, o "Cisne de Lichfield", ocupada que estava com seu livro *Memórias* de Erasmus Darwin, alimentou ainda mais as dúvidas de Hayley. Ao receber três das *Baladas*, Seward disse sem rodeios: "Você as escreve para a multidão". Ela não fez nenhum comentário sobre as gravuras.[192]

E o mundo deu outra virada. Em 11 de março de 1803, Ralph Churton anotou em seu diário:

> A Inteligência de uma mensagem do Rei ao Parlamento informando que os franceses estavam se armando, etc. Como consequência, foi autorizado o recrutamento forçado. Ó Senhor, sereis e nosso Defensor e Escudo; & não deixeis aqueles que queiram derrubar o mundo prosperarem; Perdoai, uni e salvai-nos pela glória do Vosso querido Filho.[193]

O recrutamento forçado permitia ao Exército e à Marinha "recrutar" homens para o serviço. A costa sul estava preocupada com as "gangues de alistamento", que agarravam homens pelas ruas e os empilhavam em navios de Sua Majestade. Blake provavelmente ficou com muita raiva quando o primeiro-ministro Henry Addington ordenou a construção, na costa, das defensivas Martello Towers e a captação de cerca de 600 mil homens armados.

Esses sentimentos encontraram seu caminho em cartas piedosas para Thomas Butts, para quem Blake estava pintando quadros bíblicos, como o "Riposo", representando a Sagrada Família repousando em sua jornada para o Egito.

Em julho, Blake informava Butts que sua permanência em Sussex estava chegando ao fim, com a bênção de Hayley que tinha um novo trabalho para ele. Tratava-se de uma edição de traduções feitas por Cowper dos poemas italianos e latinos de Milton, com gravuras extraídas de desenhos de Blake, Romney e Flaxman. Os lucros obtidos com a encomenda foram destinados a um monumento para

---
192. BR, p. 150.
193. *Churton Papers*, "R.C. Private Journal 1801-1806", 11 de março de 1803.

Cowper, em St. Paul ou na abadia de Westminster. Blake assegurou a Butts, do Comissariado de Guerra, que "o sr. Addington & o sr. Pitt estão ambos entre o Colaboradores".[194]

Blake esperava que seus "três anos de problemas" fossem acabar e que havia chegado "Finalmente, a Boa Sorte", seu "Memento", como ele o descrevia, uma "Alegoria Sublime" completada em um "Grande Poema", aque que, posteriormente, pode ser o poema iluminado Milton (datado de 1804), embora ele possa ter pensado em Vala ou até mesmo em Jerusalém (também datado de 1804). A sincronicidade do projeto "Milton", de Hayley, com o título da eventual publicação de Blake, parece ser mais do que uma coincidência. De qualquer forma, Blake considerava seu novo trabalho "o Mais Grandioso Poema que este Mundo Contém", cujos "Autores estão na Eternidade".[195] Hayley tinha olhado para ele e Blake podia ver, pelo olhar de desprezo de Hayley, que ele devia ser bom. Hayley, Blake exclamou, era tão avesso à sua poesia quanto ele era a "um capítulo da Bíblia". Esse, sem dúvida, angariaria favores de Butts; se Blake tinha sido tão repelido pela indiferença liberalista de Hayley para com a Bíblia, por que ficou tanto tempo em Felpham?

Blake parou de atacar Hayley: "Eu me reconheço tanto como Poeta e Pintor, e não é seu afetado Desprezo que poderá me demover para qualquer outra coisa, ao contrário, ele me incentivará cada vez mais na persistência das duas artes".

Uma semana depois de Blake ter postado sua carta para Butts, o diário de Ralph Churton registrou uma "Carta Circular do lorde lugar-tenente [do condado de Northamptonshire] sobre a Defesa da Nação, um superintendente para cada Paróquia – responda!".[196] Embora tenha havido um debate parlamentar sobre como, ou se, deveriam corresponder ao rearmamento francês, a rendição das forças do rei ao general Mortier, em Hanover, em 3 de junho, pôs um fim a essa dúvida. A Inglaterra enfrentava uma invasão francesa. O patriotismo estava centrado no rei, mas havia muita preocupação com os colaboradores.

---

194. *LETTERS*, p. 57-58; de Blake para Butts, 6 de julho de 1803.
195. *Ibid.*
196. *Churton Papers*, "R.C. Private Journal 1801-1806", 14 de julho de 1803.

Se as cartas de Blake sugerem uma desconsideração com relação à ameaça de invasão, o mesmo acontecia com Hayley, que agora tinha um novo projeto.

O artista George Romney falecera em novembro do ano anterior e Hayley planejava escrever sobre sua *Vida*. Em agosto, ele escreveu para Flaxman a fim de obter algumas reminiscências e, ao mesmo tempo, explicava algumas das dificuldades com as quais Blake se deparava "com as senhoras" – Lady Hesketh e sua irmã Theodora – com relação às gravuras anteriores, incluindo aquelas para a nova edição de *Os Triunfos da Têmpera* (em 1º de julho, lady Hesketh havia declarado a Hayley sua desaprovação). Hayley queria que a sorte favorecesse mais Blake por meio de seu trabalho para a *Vida* de Romney. Em seguida, ele confidenciou a Flaxman que:

> Blake me surpreendeu um pouco ao dizer (depois que tinha estabelecido o preço de 30 guinéus para o primeiro, o preço que Ele conseguira para o Cowper) que a cabeça de Romney exigiria muito trabalho dele e que ele cobraria 40 por isso – assustado como eu estava, respondi que não iria economizar, em memória de Romney – e que ele receberia 40 – mas, logo depois, enquanto estávamos analisando o desenho menor e mais fino do medalhão [de Romney, completo], ele me surpreendeu dizendo: eu preciso receber 30 guinéus para isso. Eu, então, respondi: A esse respeito, eu devo refletir, porque é preciso levar em conta que a *Vida* de Romney dificilmente poderá fazer tanto sucesso quanto a de Cowper e eu, provavelmente, deverei imprimi-lo inteiramente por minha conta e risco. Então, por enquanto, o assunto fica entre nós, mas assim mesmo, eu certamente gostaria de ter ambos os retratos gravados.[197]

A Sorte nesse momento deu a Blake o golpe mais difícil de sua vida. Cinco dias depois de Hayley descrever suas queixas para Flaxman, Blake saiu de seu chalé e deparou-se com um soldado postado na Rua Fox Inn e rondando seu jardim. Sem o conhecimento de Blake, o jardineiro havia solicitado a ajuda do soldado. Quando Blake insistiu para que saísse de sua propriedade, o soldado tornou-se

---

197. *LETTERS*, p. 60, de Harley para Flaxman, 7 de agosto de 1803.

abusivo. Imediatamente, Blake, em seu estado habitual de justa indignação, tomou a arma do soldado e, com força, empurrou-o por todo o caminho até um *pub*, onde o soldado ameaçou Blake de uma forma tão alta que alguns moradores não puderam deixar de ouvir a algazarra. Era sexta-feira, 12 agosto de 1803, e o assunto não iria parar por aí.

Em 15 de agosto, após uma consulta com seu companheiro, o soldado Cock, do Primeiro Regimento de Dragões de Sua Majestade, John Scolfield fez uma denúncia oficial à Justiça de Paz local. Scolfield acusou Blake de uma torrente de explosões sediciosas, dizendo que a Inglaterra era como um grupo de crianças que brincam com fogo, até se queimarem; que, quando Napoleão chegasse, ele se tornaria o governante da Europa em uma hora e, ao chegar na Inglaterra, todos os homens teriam a opção de ter suas gargantas cortadas ou juntar-se aos franceses; e que somente o homem mais forte seria o vencedor. Ele disse que Blake havia insultado o rei, o país e seus súditos; que todos os soldados eram todos escravos, assim como o eram todos os pobres. Foi quando apareceu a esposa de Blake e disse que, enquanto ela tivesse sangue nas veias, lutaria com Napoleão. A denúncia de Scolfield continuou por um bom tempo com suas acusações. Blake então disse que ele havia exposto seus pontos de vista a homens bem mais importantes do que Scolfield e acusou-o de ter sido enviado por seu capitão ou pelo Escudeiro Hayley para ouvir o que ele tinha para dizer. Nas palavras de Scolfield, "sua Esposa [de Blake] então disse a seu Marido para enxotar aquele Informante [Scolfield] para fora do Jardim". Scolfield, em seguida, alegou que havia se voltado para sair "pacificamente", quando Blake o empurrou para fora e para baixo em direção da estrada por duas vezes, levando "o Informante" pelo colarinho sem que ele resistisse, enquanto Blake, ao mesmo tempo, "condenava o rei, e dizia que os soldados eram todos Escravos".[198]

Isso era mais do que suficiente para que o "Pintor de Miniaturas", Blake – como Scolfield o descreveu no *Processo* – fosse preso e transportado para sempre para a Austrália ou, até mesmo, dada a natureza altamente carregada daqueles tempos, ser enforcado, para que a "clemência" não incentivasse a dissidência ou a traição.

---

198. *LETTERS*, p. 62, "Scofield"s [sic] information and complaint", 15 de agosto de 1803.

Em 16 de agosto, um mandado foi expedido contra Blake pelo magistrado de Chichester, John Quantock. Para evitar a prisão, William Hayley pagou cem libras pela fiança inicial de Blake. Esse ato de bondade iria mudar completamente as relações entre Blake e o homem que ele, havia apenas alguns dias, havia considerado como inimigo.

Felizmente, Blake teve testemunhas para apoiar sua defesa. A sra. Haynes, o sr. Hosier, o sr. Cosens e o sr. e a sra. Grinder puderam todos testemunhar que Blake não tinha feito os comentários sediciosos na casa e nem mesmo na rua, e que Scolfield havia sido observado gritando palavrões e ameaçando bater no sr. e na sra. Blake, quando o jardineiro não estava olhando. O sr. Hosier tinha ouvido o soldado dizer que ele iria se vingar e que teria Blake enforcado, se pudesse.

De acordo com as testemunhas, Blake disse que ele tinha enxotado o soldado por dizer algo que ele considerou como um insulto. Afinal, eles todos não ficaram tanto tempo no jardim para que tudo o que foi alegado fosse dito. A sra. Grinder ainda ouvira o soldado dizer que ele procurava a casa de Blake por ter mal entendido a profissão de Blake, pensando que ele fosse um Pintor "Militar", em vez de um Pintor de "Miniaturas" (isto é, Scolfield suspeitava que Blake fosse um espião que transmitia ao inimigo as posições militares britânicas), e, portanto, poderia, inicialmente, ter vindo para o jardim com más intenções, em primeiro lugar.

Em 24 de agosto, Flaxman escreveu a Hayley: "Estou com o coração triste por causa de irritabilidade de Blake e de seus consequentes problemas". A mente de Blake entrou em profunda agitação, embora ele estivesse confiante de que o soldado havia tolamente cometido um perjúrio. Entretanto, Blake teria, de qualquer forma, de enfrentar a justiça DA LEI. E quando Blake pensou em Lei, ele pensou no *Acusador;* ele pensou em Urizen; e ele pensou nas correntes. Ele deve ter ficado extremamente apavorado.

Em 7 de setembro, Ralph Churton estava em "Brackley, em uma reunião de Tenentes Delegados, Inspetores e Superintendentes dos Distritos de Voluntários – £ 748,10 [10 *shillings*] subscritos".[199] Haveria uma Revista do Brackley & Chipping Warding Yeomanry, perto de Marston, em 4 de novembro.

---

199. *Churton Papers*, "RC [ditto] Private Journal 1801-1806", 7 de setembro de 1803.

À medida que a consternação aumentava para uma tensão obscura, as Sessões do Quartel de Michaelmas foram realizadas em Petworth, Sussex. Na terça-feira, 4 de outubro, as acusações de sedição e agressão contra Blake foram ouvidas diante de Charles, duque de Richmond, de John Sargent e de George O'Brien Wyndham, terceiro conde de Egremont. Blake foi condenado a comparecer nas próximas sessões. A fiança foi novamente fixada em cem libras; dessa vez, foi o editor de Chichester, Joseph Seagrave, que pagou 50 libras, e o restante foi pago pelo próprio Blake; Hayley provavelmente emprestou-lhe o dinheiro.

Deve ter aliviado um pouco a mente sombria de Blake quando ele e Kate voltaram para Londres, no outono, para os quartos no andar superior do número 17 da South Molton Street, ao norte da Oxford Street, na paróquia de St. George. Charles Townley tinha uma casa lá, como era também o caso do artista Richard Cosway.

Em 7 de outubro, Blake escreveu a Hayley, tratando-o como seu "rebelde dedicado", lamentando que: "A Arte em Londres está florescendo. Os Gravuristas, em particular, estão sendo solicitados. [...] Mas, por enquanto, ninguém me deu qualquer trabalho". Ele assinou: "Eternamente seu, Willm. Blake".[200]

Em 26 de outubro, ele estava de volta em Londres a tempo de presenciar a revista do rei George a mais de 12 mil homens do Corpo de Voluntários da Cidade de Londres. Com a presença dos príncipes de Bourbon exilados e seus sete filhos, o rei desceu de sua carruagem na entrada de Hyde Park e montou em um cavalo de guerra. Uma multidão estimada em 200 mil pessoas o aclamou intensamente e lorde Eldon declarou que foi a melhor visão que já testemunhara. Teria Blake tentado juntar-se à multidão, para demonstrar lealdade para com a causa? Cerca de 46 mil homens da área de Londres juntaram-se aos voluntários.

Na verdade, nesse dia, Blake escreveu para William Hayley. O projeto *Baladas* estava falhando: "Eu visitei o sr. Evans [livreiro] que dá poucas esperanças para o nosso Baladas; ele diz que vendeu, no máximo, 15 números; ele disse que, se insistirmos em continuar, isso quase certamente causaria uma perda de despesas".[201]

---
200. *LETTERS*, p. 68; de Blake para Hayley, 7 de outubro de 1803.
201. *LETTERS*, p. 70; de Blake para Hayley, 26 de outubro de 1803.

Em 27 de novembro, lady Hesketh decidiu que havia chegado o momento de expressar a Hayley seus pontos de vista a respeito de Blake: "Se eu tiver de dar crédito a alguns relatos que me chegaram naquele momento, o sr. B: era mais *Seriamente* culpado [pelo incidente com Scolfield] do que, eu acredito, você estava consciente. Mas eu apenas acrescentarei uma coisa sobre este Assunto. *Se ele realmente for culpado*, eu sinceramente espero que você não fique Indiferente a isso!".[202]

Se essa carta potencialmente incriminadora chegasse às mãos do Ministério Público, ela poderia ter sido desastrosa. Hayley escreveu de volta para repetir que as alegações contra Blake eram falsas, mentiras vingativas da parte de um soldado que havia sido rebaixado de grau por má conduta. Resta-nos apenas perguntar sobre a fonte das informações de lady Hesketh sobre Blake.[203] Depois dos eventos, o próprio Blake suspeitou que ele havia sido alvejado ou exposto por conta de suas crenças e por causa dos extremos daquele período. Seu poema *Jerusalém* demonstra repetidamente o que poderia ser chamado de uma obsessão com os personagens e com os nomes das pessoas ligadas ao seu processo e julgamento, ainda vívidos anos mais tarde. Como poderia Blake considerar os acontecimentos como acidentais, se ele acreditava que cada evento físico tinha uma causa espiritual?

Flaxman tentou conseguir trabalho para ele. No dia de Natal, ele escreveu ao príncipe Hoare, o secretário de Correspondência Estrangeira da Academia Real, para conseguir a encomenda para uma gravação, a partir de um esboço de Flaxman, um busto recém-descoberto da deusa Ceres. Blake aceitou o pedido, mas com o passar do Natal, como ele poderia estar certo de que viveria para realizar esse trabalho?

---

202. BR, p. 174; de Lady Hesketh para William Hayley, 27 de novembro de 1803
203. Vale ressaltar que um retrato de um parente de lady Hesketh, Peter Leopold Nassau Cowper, residente no número 5, Earl Cowper, é atribuído a John Hoppner RA, que sabemos que desprezava a arte de Blake. O retrato de Cowper pertenceu à família até ser vendido. De acordo com os registros na Bonhams (negociantes de arte), foi registrada a venda de um retrato de lorde Cowper em meio às obras inacabadas de John Hoppner, em 31 de maio 1823, no lote 29. Hoppner foi pintor dos ricos e poderosos. Sua mãe alemã tinha sido serviçal real, e Hoppner era frequentemente visitado pelo príncipe de Gales. Seu estilo ecoava deliberadamente o de Reynolds, a quem Blake, é claro, desprezava.

Capítulo 20

Os Cabelos de Lady Hesketh Arrepiam-se! –1804-1805

Em 1633, o reverendo Peter Studley, vigário de St. Chad, Shrewsbury, publicou *O Espelho do Cisma*. Ele incluía uma explicação do sacristão Thomas Hickes, que resolvera arrebentar uma cruz no adro da Igreja de Tewkesbury. A família de Hickes imediatamente sofreu uma série de nascimentos monstruosos. Não reconhecendo ser esse um castigo divino, Hickes tomou as pedras da cruz que os paroquianos haviam segregado embaixo da igreja e com elas fez um cocho para os porcos; e os porcos morreram. Studley concluiu que essas mortes e o subsequente suicídio abominável de Hickes derivaram da blasfêmia original; Hickes, Studley acreditava, era um fanático vândalo de monumentos sagrados.

Quando John Brickdale Blakeway (1765-1826), o historiador de Shrewsbury, levou o relato para ser apreciado pelo reverendo Ralph Churton, em março de 1804, este respondeu:

> *O Espelho do Cisma*, de 1633, deve ser, eu me atrevo a dizer, um livro curioso. O aumento dos metodistas & dos sectários em Shrewsbury é uma circunstância que é lamentável, mas, oh!, não é peculiar somente a essa cidade e temo que isso seja comum a todas as nações. Acho que foi uma ideia do bispo Butler de que as nações são como indivíduos, elas também têm acessos de loucura, eu acredito que não estamos perfeitamente sãos neste momento e, portanto, somente Deus sabe disso, e

pode Ele nos curar. Nós temos o pior tipo de doença, a doença de estar bem, e detestamos nosso próprio maná, a melhor liturgia e a melhor Igreja na Terra, desde os dias dos Apóstolos.[204]

Churton entendeu os extremos da iconoclastia protestante do século XVII como "curiosos"; mas o extremismo persistiu em outras formas de "Entusiasmo" dissidente e religioso. Na verdade, os extremos do entusiasmo poderiam concebivelmente transformar-se em imaginações tentadoras tão sedutoras que o entusiasta religioso poderia até mesmo imaginar Napoleão Bonaparte como um instrumento de Deus para livrar o país de uma suposta "tirania" da Igreja e do rei. Aqui reside o conflito essencial na raiz do julgamento de Blake, a dissidência *contra* a ordem. A suspeita de que Blake fosse da tendência anterior explica tanto seu terror pessoal – Kate quase morreu de susto – quanto os ataques crescentes de lady Hesketh sobre o caráter e as causas de Blake. Se a Arte estivesse do lado do "Entusiasmo", então ela provavelmente seria como uma prima da dissidência, e a dissidência pode criar traidores, como o que havia notoriamente acontecido no caso da Conspiração da Pólvora. Blake estava em sérios apuros.

Ano-Novo, 1804. Hayley escreveu ao extrovertido "Johnny" dizendo que esperava que ele fosse chegar à "Torre" no dia 10 a tempo de encontrar-se com o advogado de Hayley, Samuel Rose (1767-1804), "para que defendesse de forma eloquente e com sucesso nosso interessante artista".

Os prognósticos não eram promissores. O julgamento previsto para acontecer na Sessão Trimestral da Corte de Guildhall, em Chichester, foi adiado por um dia por causa da pressão do trabalho. Então, alguns dias antes do julgamento, William Hayley, testemunha-chave do processo, foi jogado de seu cavalo. O dr. Guy atendeu ao grave ferimento que ele sofreu na cabeça. Será que ele estaria bem o suficiente para participar do julgamento?[205] Mais preocupante foi o fato de que o superior dos sete magistrados era Charles,

---

204.*Churton Papers*, "Cartas de Ralph Churton para John Brickdale Blakeway", 5 de abril de 1804.
205. BR, p. 183.

duque de Lennox (1735-1806), terceiro duque de Richmond, lorde e lugar-tenente de Sussex; era da responsabilidade de Richmond levantar a milícia para a defesa do país, para a qual a de Sussex era fundamental. Sua Graça também havia sido marechal de campo e servido como coronel comandante do 72º Regimento de Infantaria e dos Cavaleiros Reais. Seu pai lutara com Cumberland quando os jacobitas foram esmagados em Culloden. Um ex-Whig e defensor da reforma parlamentar, Richmond havia se juntado ao governo de Pitt, em 1784, transformando-se em um Tory antirreformista. Ele gostava dos retratistas neoclássicos e tinha apadrinhado *sir* Joshua Reynolds. Seu sobrinho, Charles Lennox, posou para o artista John Hoppner, um crítico desdenhoso de Blake.[206] Blake provavelmente não sabia que o retrato da duquesa lady Mary tinha sido gravado por William Ryland, aquele que Blake, adolescente, acreditava que acabaria sendo enforcado (como realmente foi); veja p. 113.

Estimulado pela crise nacional, Richmond não estava disposto a tolerar abusos contra soldados regulares ou voluntários – os quais raramente eram bem-vindos nas ruas civis, mesmo no melhor dos tempos – ou no tratamento de homens sediciosos de maneira leviana. De acordo com o livro *Memórias,* de Hayley, o velho duque "foi amargamente preconceituoso contra Blake", fazendo "sugestões durante o decorrer do julgamento que, afinal, podem ter predisposto o júri contra Blake".[207]

Richmond queria fazer de Blake um exemplo.

Começando bem, o advogado de Blake, Samuel Rose, declarou que, já que ele nunca defenderia qualquer pessoa que ele acreditasse ter pronunciado palavras sediciosas, o réu Blake era "um sujeito tão leal quanto qualquer homem deste tribunal: que ele [o réu] sentia muita indignação com a ideia de expor ao desprezo ou à lesão a pessoa sagrada de seu soberano, como qualquer outro homem; que sua indignação era igual àquela que, eu não duvido que cada um dos senhores sentiu, quando a acusação foi-lhes apresentada pela primeira vez".[208]

---

206. Ver nota nº 203, capítulo 19.
207. BR, p. 183-184.
208. BR, p. 180.

É claro que Rose não tinha visto a lâmina 12 de *Europa: a Profecia*, onde constavam estas palavras: "Ele viu Urizen no Atlântico/ E seu livro de bronze/ Que Reis e Sacerdotes haviam copiado na Terra", com uma figura sentada aparecendo com as vestes de um sacerdote, asas de demônio e o rosto, ao que parece, do rei George III, encimado por uma coroa papal!

Tendo demonstrado que os depoimentos das testemunhas não correspondiam ao depoimento de Scolfield e de Cock, o pobre Rose, de repente e de forma dramática, entrou em colapso. Não era possível continuar, ele acabara por sucumbir a uma "febre reumática na cabeça". Mas Rose havia suficientemente estabelecido o caso para convencer o júri que o fato de aceitar os testemunhos dos soldados seria impugnar a honestidade das testemunhas.

O duque de Richmond ficou descontente. Quando Hayley felicitou-o por "ver um homem honesto honrosamente liberado de uma perseguição infame", Richmond respondeu sem rodeios: "Eu nada sei a seu respeito", ao que Hayley, à beira da euforia, respondeu: "É verdade, meu Senhor, Sua Graça pode não saber nada sobre ele; e eu, no entanto, lhe proporcionei essa informação; Que sua Graça tenha uma boa noite".[209] Esta troca de palavras e o conhecimento do preconceito do duque foram cortados da versão impressa das *Memórias* de Hayley.[210]

A absolvição de Blake explodiu em um júbilo generalizado, testemunhando as excelentes relações que Blake desfrutava com os habitantes de Felpham e Chichester, desde sua primeira visita, em 1800; não era ele, mas os soldados que eram os forasteiros.

É improvável que o incidente tenha sido encenado como um estratagema secreto do governo; pode-se argumentar que, por mais hostil que Richmond tenha sido para com Blake, de forma pessoal ou impessoal, a melhor maneira de questionar a lealdade de Blake poderia ter sido extraída de suas próprias obras, mas nenhuma tentativa foi feita nesse sentido. Sua circulação e conteúdo eram obscuros demais para provocar a intervenção do governo. Não obstante, a imputação do preconceito levantado por Hayley deixa em aberto a

---

209. BR, p. 184.
210. *Ibid. Memoirs* de Hayley é datada de 1823; o terceiro duque de Richmond morreu em 1806; a autocensura era a política, dadas as circunstâncias.

questão de como a influência de outras partes podem ter influenciado o julgamento de Richmond.

A maior parte do estabelecimento literário e artístico tenderia, com o tempo, a isolar-se do pobre gravurista William Blake, convenientemente afastado por seus inimigos que o consideravam louco ou excêntrico demais; o desequilíbrio da mente é a fonte de um "gênio" vulnerável à exploração.

Blake voltou a South Molton Street, onde sua libertação chamou Kate de volta da beira da morte. Nos dois anos seguintes, Blake tornou-se um agente humilde de Hayley em Londres, executando os interesses dele nos projetos sobre as vidas de Cowper e Romney. Algumas das cartas que ele mandou a Hayley, despojadas dos floreios blakeanos, poderiam ter sido escritas por qualquer pessoa. Ao pagar a fiança e ter emprestado a Blake seu advogado e sua reputação, Hayley tinha salvado a pele do artista, e Blake sabia disso. Quem era agora o anjo? E qual o preço da salvação?

Blake precisava de apoio. O rápido triunfo mal tinha começado a ser esquecido quando, em 1º de fevereiro de 1804, uma resenha no *Jornal Literário* da *Correspondência Acadêmica* do príncipe Hoare atacou a gravura de Blake que representava a deusa Ceres, feita a partir de um esboço de Flaxman: "Com certeza, a Academia Real da Inglaterra poderia ter oferecido uma gravura digna do tema e da pátria".[211] A resenha não impediu, no entanto, mais uma encomenda, em 1806, feita pelo secretário de Correspondência Estrangeira da Academia.

No mesmo dia em que o comentário maldoso foi publicado, lady Hesketh deu parabéns tardios à Hayley e à "bondade e Eloquência do nosso bom Rose na absolvição de seu amigo". Ela, então, acrescentou, enfaticamente: "Você é tão Leal e Ciumento com suas amizades a ponto de descuidar do tipo de escolha que você faz",[212] ou seja, Blake era amigo de Hayley e não dela, e preferível seria se ele tivesse feito uma escolha melhor.

Em março, Hayley começou a pressionar Blake para criar duas gravuras especiais para seu terceiro volume de *Vida de Cowper*. Amigos aguardavam ansiosos a parte final dessa obra. Blake evitou

---

211. BR, p. 190.
212. *Ibid.*

as tentativas de levá-lo a trabalhar sob pressão, atrasando as respostas e apresentando desculpas. Finalmente, o trabalho foi entregue ao final de abril. O amigo de Hayley, Samuel Greatheed, escreveu para elogiar a gravura do frontispício que Blake fez do túmulo de Cowper, em East Dereham: ela era tão bem-feita que talvez pudesse evitar o dever de visitar o próprio local.

Em fins de maio, Blake escreveu para Hayley em um estilo literário e rebuscado, agradecendo-o pelo empréstimo do segundo volume de *Vida de George Washington,* de John Marshall (Philadelphia, 1804-1807):

> Suponho que um americano me diria que Washington fez tudo o que ele fez antes mesmo de ele nascer, da mesma forma que o francês agora adora Bonaparte e o inglês nosso pobre Rei George; de modo que os americanos considerarão Washington como seu deus. Essa é apenas uma adoração grega, ou melhor, troiana, e talvez ela seja revista em uma geração ou duas.[213]

Em junho, Hayley estava determinado a contratar Caroline Watson, em vez de Blake, como gravurista para seu *Vida de Romney.* Lady Hesketh tinha promovido brilhantemente a causa dessa gravurista. Flaxman, que havia encomendado de Blake três gravuras para seu *Odisseia de Homero* (1805), sugeriu que, embora esse fosse um assunto entre Hayley e o gravurista, ele achava Caroline Watson uma figura inexpressiva, e escolhê-la seria "insatisfatório para todas as pessoas envolvidas".[214]

---

213. *LETTERS*, p. 91; de Blake para Hayley, 28 de maio de 1804. "Nosso pobre George": o rei teve outro ataque como aquele que o acometeu em fevereiro (porfiria?). O primeiro-ministro Addington temia outro surto de loucura, mas o lorde chanceler, lorde Eldon, protegeu o rei dos métodos restritivos dos "médicos de loucos", os irmãos Willis, e da fé equivocada de Addington neles. George não perdeu a cabeça, mas ele estava ficando velho. Um efeito colateral da doença foi a catarata. George estava perdendo a visão de seu olho direito, e encontrava dificuldades para ler; ele ainda estava convalescendo em maio, quando decisivamente impediu um governo de coalizão de Pitt-Fox, após a derrota de Addington na Câmara dos Comuns, em 25 de abril de 1804. Durante todo esse tempo, o príncipe de Gales tratou o pai com uma arrogância altiva reservada para os doentes mentais; os rumores de loucura ou de um mal-estar permanente persistiram.
214. BR, p. 195.

Hayley também teve a ideia de empregar um amigo de Flaxman que ele chamava de "Cromak", para gravar *O Naufrágio*, de Romney. Em agosto, Flaxman respondeu que "Cromek" (Robert Hartley Cromek, 1770-1812) estava totalmente ocupado e sugeriu que, uma vez que o original de *O Naufrágio* de Romney estava com Blake, seria problemático retirá-lo dele. Flaxman começou a imaginar se Blake não havia sido profético quando ele lhe escrevera, no início do ano, dizendo que, da maneira pela qual as coisas estavam acontecendo, Londres estava tornando-se a "Cidade dos Assassinatos".

Em 7 de agosto, ciente de que Hayley estava considerando outros artistas para contribuir com o livro de Romney, Blake escreveu-lhe em tom de queixa: "Os lucros nunca foram venturosos em minha Soleira, embora a pedra da soleira de todos os outros homens esteja afundada até a própria Terra pelos passos das feras do comércio".[215]

Hayley conhecia muito bem as dificuldades financeiras de Blake. No final de setembro, ele recebeu uma carta de Blake pedindo "o favor de mais dez libras" a mais" para *O Naufrágio* e, ao mesmo tempo, procurando pela encomenda de uma boa gravura para o "Tobias e Tobit", de Romney, exposto em Eartham. Blake assinou a carta: "Teu agradecido, humilde e sincero servidor".

Enquanto Hayley hesitava em efetivamente trair o homem que o estava servindo enquanto também pensava em Flaxman e sua irmã, Blake teve um tipo de experiência religiosa artística em uma exposição em New Road, com vista para a zona rural, do lado oposto de Portland Place.

Joseph, conde de Truchsess, tinha trazido para a Inglaterra uma coleção de mestres alemães, flamengos e holandeses para ser vendida a uma empresa com renda direcionada ao público. Apesar da baixa opinião do retratista líder, Thomas Lawrence, a respeito da exposição, inaugurada em agosto de 1803, Blake informou a Hayley que ela tivera tamanho efeito sobre ele, a ponto de "eu estar novamente iluminado pela luz com a qual eu me deliciava em minha juventude e que, por exatamente 20 anos, havia sido fechada para mim por portas e janelas. Portanto, eu posso, de maneira segura, prometer uma

---

215. *LETTERS*, p. 98; de Blake para Hayley, 7 de agosto de 1804.

demonstração ocular do meu estado alterado nas placas de Romney que eu agora estou gravando".[216]

A referência a "20 anos" é um mistério. Ironicamente, 1784 foi o ano em que Flaxman escreveu ao seu (então) novo amigo William Hayley sobre "Esboços Poéticos", de Blake: "sua educação (de Blake) pedirá suficientes desculpas para sua (de Hayley) mente Liberal com respeito aos defeitos de seu trabalho". De fato, um círculo completo!

É como se Blake estivesse negando sua carreira madura. Será que ele queria começar tudo de novo com o sabor da mente que uma vez surgiu da própria juventude? Ele estava agora com 47 anos. A meia-idade tem suas desvantagens, embora nenhuma fosse evidente em sua magnífica gravura de *O Naufrágio*, uma obra que antecipa a *Jangada de Medusa*, de Géricault, em cerca de 15 anos, e seu dinamismo épico era suficiente para induzir o enjoo ou o alívio por estar em terra firme.

Em 14 de novembro, lady Hesketh escreveu a Hayley insistindo ardentemente "que não pode mais ser aceito que artistas inferiores ou medíocres coloquem suas mãos inadequadas em qualquer um de seus futuros trabalhos!". Ela disse que já havia escrito a Caroline Watson para contar que a encomenda era dela.[217]

Watson gravaria *Romney* a partir de desenhos feitos por Maria Flaxman.

Será que *ninguém* queria que Blake tivesse sucesso em seus próprios termos? Sua revelação pessoal na Galeria de Truchsess não encontrou nenhum sucesso público: foi um marco sem marco e o triunfo silencioso de Blake logo se dissolveu.

Em 18 de dezembro, ele escreveu a Hayley: "Estou novamente precisando de dez linhas para *O Naufrágio*, e desejando a Hayley um "Feliz Natal", Blake informou ao cavalheiro que a recuperação da sra. Blake relativa ao inchaço do miserável reumatismo nas pernas e nas articulações tinha melhorado muito por conta da *Magia Elétrica* de Birch, "mas teve de suspender o tratamento nestes três últimos meses" – presumivelmente por falta de fundos.[218]

---

216. *LETTERS*, p. 101; de Blake para Hayley, 23 de outubro de 1804.
217. BR, p. 197.
218. *LETTERS*, p. 104-105; de Blake para Hayley, 18 de desembro de 1804.

Joseph Johnson tinha reeditado a obra de John Birch, *O Ensaio sobre a Aplicação Médica da Eletricidade,* em 1802; tão impressionado Blake ficou com o uso que Birch fazia da energia elétrica para restaurar a saúde do corpo de Kate que ele traduziu essa ideia em seu poema inacabado, *Milton,* no qual o corpo adormecido de Albion é regenerado pela súbita chegada de Milton – "sentindo a descida precipitada da terrível chama elétrica de Milton". O que os Blake precisavam era um choque de dinheiro.

Dez dias depois, falecia o advogado temporário de Blake, Samuel Rose.

Ele o envenenará em sua torre

Sete meses depois, lady Hesketh ainda insistia que haviam sido unicamente "as dores pelas quais nosso pobre Rose sofreu durante esse processo", [219] o trabalho que salvara Blake. A caridade de Hayley, ela sustentava, o tornara cego à verdade:

> Certamente, meu caro Senhor, você está dotado pela *mais* verdadeira caridade do que acontece com a maioria dos mortais (ou talvez devêssemos desejar que houvessem mais como você) já que você pode não somente perdoar, mas continuar protegendo e valorizando alguém (a respeito do qual, pelo seu próprio bem, me arrepio somente em pensar, e quem certamente não nomearei)... [220]

Mas ela o nomeou em 31 de julho de 1805 em uma carta a Johnny Johnson:

> Meu cabelo fica arrepiado só de pensar que Hayley e Blake continuam sendo amigos tão queridos! Hayley fala dele como se ele fosse um Anjo! Johnny, como você pode suportar que nosso pobre amigo se relacione com alguém como ele? Eu não tenho dúvidas de que ele vai envenená-lo em sua Torre ou incendiar todos os seus documentos, e o pobre Hayley vai se consumir em suas próprias Chamas.[221]

---

219. BR, p. 206; de Hesketh para Hayley, 1º de setembro de 1805.
220. BR, p. 204; de Hesketh para Hayley, 27 de julho de 1805.
221. *Ibid.*; de Hesketh para Johnny Johnson, 31 de julho de 1805.

Em 1º de agosto, Hayley respondeu, sorrindo pelo fato de lady Hesketh tê-lo considerado com uma "*superabundância de caridade cristã*", dizendo que ele era simplesmente um "mortal desprezível" se não tivesse protegido um homem bem-intencionado e "muito trabalhador, apesar de não ser um artista *bem-sucedido*" e da natureza briguenta de "um sargento depravado" (Scolfield). Hayley acreditava que a "imponente intimação" de lady Hesketh fosse em razão de comentários maldosos. Quanto a ele mesmo:

> [...] será sempre um prazer proporcionar-lhe [a Blake] todo pequeno bem ao meu alcance e motivos extraordinários (*que talvez façam você sorrir*), porque ele é muito *suscetível a falhar em sua arte*: uma espécie de falha que, peculiarmente, leva a ter pena dele, pois ela decorre de uma irritação nervosa e de um *veemente desejo de atingir o estado excelente.* Também tenho o desejo de manter sua amizade por causa de outro motivo especial, que eu sei que o nosso querido e angelical Cowper *aprovaria*, pois esse pobre homem, que tem uma rapidez admirável de apreensão e poderes incomuns da mente, *muitas vezes pareceu-me à beira da Insanidade* [...][222]

À beira da Insanidade...

---

222. BR, p. 205; de Hayley para Hesketh, 3 de agosto de 1805.

Capítulo 21

Aquele que Zomba da Arte, Zomba de Jesus – 1805-1807

Em 22 de março de 1805, Henry Fuseli tornou-se mestre da Academia Real. Pode ter sido esse potencialmente vantajoso evento que, em combinação com a determinação de Flaxman de ver Blake empregado, incentivou o oportunista gravurista que se tornou editor, o empresário Robert Cromek, a empregar William Blake, na época com 47 anos, tanto como desenhista quanto gravurista em um novo projeto.

Esse projeto foi anunciado no primeiro *Prospecto* de Cromek, como sendo: "uma nova e elegante edição de A SEPULTURA, DE BLAIR, ilustrada com QUINZE IMPRESSÕES de Desenhos Criados e Gravados por WILLIAM BLAKE, com um Prefácio contendo uma explicação sobre a visão dos desenhos do artista e Uma Crítica do Poema".

A Sepultura, um poema de Robert Blair Scotsman (1699-1746), tinha sido muito popular, apesar de seu tema aparentemente sombrio: a Sepultura e o Juízo Final. Felizmente, a obra de Blair tinha humor, bem como um significado espiritual.

Doze membros da Academia Real proporcionaram o volume de assinaturas antecipadas. Eles eram: o presidente, Benjamin West, Richard Cosway, Henry Fuseli, John Flaxman, Thomas Lawrence, Joseph Nollekens, John Opie e Thomas Stothard. A ausência do nome de John Hoppner é um fato notável.[223]

---

223. Ver nota nº 203, capítulo 19.

Em 18 de outubro, Flaxman informou Hayley que vários acadêmicos tinham visto amostras dos desenhos de Blake para *A Sepultura*, de Blair, e tinham sido por eles favoravelmente impressionados. O próprio Flaxman estava particularmente impressionado com uma composição chamada *As Travessuras dos Fantasmas de Acordo com Suas Afeições Anteriores ao Juízo Final*. Este foi um de uma série de 20 desenhos produzidos em aquarelas que Blake vendeu para Cromek considerados perdidos até sua redescoberta (com apenas um faltando) em uma livraria de Glasgow em 2001! Separadas de seu contexto, as imensamente encantadoras *Travessuras dos Fantasmas* foram vendidas no Old Master Drawings da Sotheby, em 30 de janeiro de 2013, por 722.500 dólares.

Flaxman também admirava *O Forte Homem Mau Morrendo*, vendido na Sotheby, em 2006, por 1,5 milhão de dólares. Em 1805, Blake lutava para pagar seu aluguel e Cromek não era um patrono filantrópico das artes.

Enquanto isso, longe da costa sudoeste da Espanha (como Ralph Churton anotou em seu diário):

> 21 de outubro. Segunda-feira. Neste dia (como se soube depois, em 7 de novembro), 19 navios de guerra franceses e espanhóis foram tomados por nossa frota ao largo do Cabo Trafalgar. Mas, infelizmente, a morte de lorde Nelson, que sempre será lamentada, foi o preço da vitória.[224]

Aparentemente, o sacrifício da grandeza estava no ar. As informações de Flaxman eram de que "o sr. Cromak" havia encomendado 40 desenhos, 20 dos quais seriam gravados pelo desenhista (Blake), mas, quando o primeiro *Prospecto* de Cromek surgiu, por volta do final de novembro, as 20 gravuras de Blake foram reduzidas a 15. Em seguida, parece que algo sobre a amostra de Blake da gravura a *Porta da Morte* chocou Cromek. Comparando-se a gravura com o desenho de hoje, talvez seja possível verificar o porquê. O desenho é cheio de luz, mas, na gravura, parece que as luzes sumiram, sem dúvida por causa da gravidade do tema. No processo, o refinamento das linhas

---

224. *Churton Papers*, "R. C. Private Journal 1801-1806", 21 de outubro de 1805.

traçadas foi trocado por uma força emocional. Talvez Cromek tenha ouvido as dúvidas de Hayley sobre os níveis de consistência no trabalho de Blake e, com tanta coisa em jogo, tenha entrado em pânico. Isso é provável, porque outro *Prospecto* foi rapidamente emitido, também datado de novembro de 1805. Isso teve um significado devastador para Blake. *A Sepultura* de Blair foi dessa vez "Ilustrada com DOZE GRAVURAS ESPIRITUOSAS feitas por LOUIS SCHIAVONETTI a partir de Desenhos Criados por William Blake".

O Terceiro Anúncio para Blair! Schiavonetti! Onde estavam as "Quinze Impressões" feitas por William Blake? E o dinheiro? O que estava acontecendo?

Flaxman escreveu a Hayley sobre Blake em 1º de dezembro de 1805:

> Blake está indo muito bem com seus desenhos de *A Sepultura*, que são patrocinados por uma lista formidável por parte da Academia Real e de outras pessoas ilustres. – Além disso, como mencionei antes, ele tem um bom emprego, mas, mesmo assim, estou com muito medo de que seus hábitos distraídos, em muito desacordo com os costumes habituais da vida humana, cheguem a tirar toda a vantagem de fazer sucesso a partir das presentes circunstâncias favoráveis.[225]

Não era exatamente um apoio, mas, a julgar pela carta resignada de Blake para Hayley, de 11 de dezembro de 1805, Blake estava plenamente consciente de que seus bens terrenos estavam afundando novamente.

Em um discurso apaixonado que deve ter embaraçado o grande cristão que Hayley era, Blake deu sua resposta para qualquer pessoa que considerasse que o "Entusiasmo" espiritual deveria ser evitado por pessoas Cristãs e àquelas que acreditassem que a ordem racional deveria prevalecer sobre a experiência espiritual e, ainda, àqueles que entendessem que as forças do Estado, por mais sutis que fossem, deveriam ser empregadas para suprir o espírito vivo do Homem:

---

225. British Library Add. MSS 39, 780, f. 92; BR, p. 220.

Receber um Profeta Como um Profeta é um Dever que, Se omitido, é mais Severamente Vingado do que, e além de, Cada Pecado e Maldade Cometidos. É o Maior dos Crimes Reprimir a Arte e a Ciência Verdadeiras. [...] Eu sei que esses Escarnecedores são Severamente Punidos na Eternidade. Eu sei, porque eu o vejo e não me atrevo a interferir. Aquele que zomba da Arte, zomba de Jesus. Prossigamos, Caro Senhor, seguindo sua Cruz e a carregá-la diariamente, Persistindo no Labor Espiritual e no Uso desse talento o qual é a Morte a ser Enterrada e desse Espírito para o qual somos chamados.[226]

Hayley não se sentia "chamado"; não tinha ele informado lady Hesketh que qualquer bem que ele fizera havia sido simplesmente a resposta de um cavalheiro ao desafio da injustiça? Hayley aceitava a espiritualidade de Blake, mas não a compartilhava. A carta de Blake provavelmente fez muito mais para definitivamente afastar Hayley do que qualquer outro simples estímulo. Hayley nunca iria reconhecer o artista como um "profeta" ou aceitar que a crítica à arte poderia ser uma blasfêmia; Hayley e Blake eram de mundos diferentes, como sempre tinham sido.

O escultor Flaxman faz uma pausa

Em sua própria mente, Flaxman provavelmente estivesse cansado e até mesmo frustrado, tal como ele percebia, com sua busca de um nicho rentável para Blake. Talvez ele tivesse outros afazeres mais urgentes e, decerto, ele os achou mais atraentes.

Em dezembro de 1805, *sir* Roger Newdigate (1719-1806), ex-membro do Parlamento para Oxford, antiquário, colecionador e benfeitor público, doou à universidade 2 mil dólares com a finalidade de mudar a localização dos Mármores de Arundel ou de "Pomfret" de um espaço sombrio onde se encontravam, perto da Biblioteca Bodleiana, para a Biblioteca Radcliffe ou "Câmera", como é conhecida atualmente; uma construção neoclássica, com cúpula circular, do lado oposto à Faculdade Brasenose, dedicada ao estudo científico.

---

226. *LETTERS*, p. 120-121; de Blake para Hayley, 11 de dezembro de 1805.

Montadas pelo grande colecionador de arte Thomas Howard, 21º Conde de Arundel (1585-1646), as Esculturas em Mármore tinham sido legadas a Oxford em duas partes, a parte mais recente pela mãe do 2º Conde de Pomfret, em 1755, em uma operação supervisionada por *sir* Roger quando ele se transferiu para Oxford.

Sir Roger pediu ao seu bom amigo Ralph Churton, recentemente designado à Arquidiocese de St. David, para realizar negociações delicadas com a universidade e agendar as apropriadas reuniões. Foi assim que o nome de Flaxman entrou no diário de Churton, por ele ter sido escolhido para organizar a proposta exposição, restaurar as estátuas quebradas e registrar a transferência nos mais altos padrões.

Em 2 de janeiro de 1806, Churton estava em Londres quando se encontrou com o padrinho de sua filha, Richard Gough (do famoso *Sepulchral Monuments*), e com o "Escultor" Flaxman, como Churton a ele se referia em seu diário.

Enquanto certo pobre gravurista, em South Molton Street, exasperava-se com seu abandono, em 21 de janeiro, Flaxman foi para Banbury, perto da residência de Churton, em Middleton, de onde ele e o arquidiácono viajaram juntos de carruagem até a residência de *sir* Roger Newdigate, em Arbury Hall, Warwickshire. A conversa provavelmente abrangeu os negócios em andamento e, sem dúvida, o mundo clássico, um mundo com o qual Churton estava familiarizado, como estudioso, tal como Flaxman era como escultor. O nome de Charles Townley provavelmente surgira, pois havia sido Townley a dar assistência à pesquisa antiquária de Churton por meio dos auspícios do amigo em comum, T. D. Whitaker, antes da morte de Townley, um pouco menos de um ano antes. Farington e Nollekens teriam sido outros nomes de interesse mútuo. Se tivesse surgido o assunto sobre o swedenborguianismo de Flaxman, só podemos imaginar o que poderia ter se passado entre os dois homens! O senso de humor de Churton era mais desenvolvido que o de Flaxman. Será que pensamentos do pobre Blake refletiram na mente de Flaxman quando a carruagem entrou nos belos jardins do Gothic Revival Arbury Hall, onde, congratulando-se consigo mesmos, os homens puderam apreciar o belo retrato de *sir* Roger Newdigate, feito por Romney?

Conforme relatos, as negociações arrastaram-se até o fim do ano seguinte, até que a resistência teimosa do bibliotecário de Radcliffe, Thomas Hornby, finalmente colocou o projeto na geladeira.[227] Hornby insistiu que artes e ciências eram duas coisas distintas. Blake poderia ter contribuído para a discussão, mas poucos desejavam ouvir sua voz.

Reação e perseguição

Dependente agora do apetite de Thomas Butts para as pinturas de Blake (Butts havia contratado Blake como mestre de desenho do filho, Tommy Butts), o artista desabafou sua raiva em uma carta, defendendo a pintura controversa de Fuseli do conde Ugolini de uma crítica malévola publicada pelo *Bell's Weekly Messenger*. Em julho, a *Monthly Magazine* de Richard Phillips publicou o ataque de Blake aos especialistas insensatos que tudo julgam a partir dos adquiridos cânones do gosto. Ele estava, é claro, defendendo-se, embora talvez estivesse expressando gratidão a Fuseli, cujo retrato do conde Ugolini havia capturado algo da própria condição de Blake: os filhos de Ugolini "deixaram que ele curtisse seu apaixonado e inocente pesar, sua inocente e venerável loucura e insanidade, e fúria". Do mesmo modo que o retrato apontava para sua própria "agonia", a carta de Blake implorava o direito do homem comum de julgar as imagens com o coração: "Mas, ó ingleses! Eu sei que todo homem deveria ser um juiz das imagens, e assim é todo homem que não se proclama um perito fora de seu juízo".[228]

A crítica democrática de Blake da autoridade acadêmica não podia passar despercebida. No mesmo mês, o *Jornal Literário* avaliou as *Memórias de Seu Filho*, por Benjamin Heath Malkin MA, FSA. Contratado por Cromek para escrever o Prefácio de *A Sepultura*, de Blair, Malkin havia encomendado de Blake a gravação de um retrato de seu filho falecido para o frontispício do livro resenhado. Diante dos elogios de Malkin para Blake na introdução das *Memórias de Seu Filho*, o *Jornal Literário* foi mordaz: "Não podemos estender nossa aprovação para o panegírico irrelevante do sr. William Blake,

---

227. Os Mármores de Arundel fazem agora parte da coleção do Ashmolean Museum, Oxford.
228. *LETTERS*, p. 122; de Blake para Richard Phillips, junho de 1806.

pintor e gravurista. Desse cavalheiro, a nós impingido como poeta, teremos ocasião de falar [...] ao final desta crítica".[229] A poesia de Blake foi ridicularizada por ter "intensificado" o "absurdo moderno"; a "Canção Risonha" de *Canções da Inocência* foi ridicularizada. A *British Critic* do mês de setembro de 1806 usou de sua influência para desvalorizar o elogio de Malkin como "uma das obras mais ociosas e supérfluas que já foram vistas". A *Monthly Review* pegou pesado com seu ponto de vista no mês de outubro, repudiando as versificações "inferiores" de Blake.

Essa destilação unânime de veneno não pode ter sido acidental. A campanha geral na imprensa conservadora contra o "Metodismo" pode ter inspirado os ataques que se intensificaram. Do ponto de vista do governo, era uma questão de unidade nacional diante do perigo comum. Unidade implica uniformidade.

Os Peregrinos da Cantuária

Podemos imaginar algo como uma paranoia envolvendo a alma sensível de Blake e alguns eventos iriam logo convencê-lo de que Cromek havia roubado uma de suas melhores ideias. O fato de Cromek já ter tomado o pão da boca de Blake e passado um trabalho para Schiavonetti apresentava um justo motivo para que a mente de Blake considerasse Cromek como bandido. Blake reclamaria que ele já havia feito esboços preliminares para uma preparação da obra *Peregrinos da Cantuária*, de Chaucer, antes que qualquer um tivesse considerado essa ideia.

O desfile de personagens distintos de Blake – publicamente exibido em um tratamento de têmpera em 1809 – é sem dúvida uma afirmação de Blake sobre "uniformidade". Em *Peregrinos*, de Chaucer, Blake viu uma imagem da marcha do "grande exército de Deus" para "Jerusalém", de uma Inglaterra onde cada característica humana tinha seu lugar em toda a movimentação. Os *Peregrinos da Cantuária* são uma declaração política contra a uniformidade repressiva, pois cada peregrino, seja ele bom, ruim ou indiferente, tem seu lugar na tapeçaria da vida, enquanto todos os viajantes estão em busca do miraculoso onde tudo pode ser perdoado. O "Gótico" não era

---

229. BR, p. 229-230.

simplesmente um estilo atraente para Blake, ele era também uma abordagem espiritual para a vida.

Que Blake teve a ideia não está em questão. O que está em questão é se Cromek, tendo visto os esboços, tomou ou não a ideia de Blake para seu amigo Thomas Stothard e encomendou uma versão comercial dos mesmos. Cromek alegou que a ideia original era *dele*. O filho de Cromek, T. H. Cromek, contou que seu pai foi inspirado pela ideia por volta de outubro de 1806, depois de ler a obra de Chaucer. A nora de Stothard lembrou-se do pintor George Stubbs ao querer ver *Peregrinos da Cantuária*, de Stothard, em 1806. Já que Stubbs morrera em julho, a encomenda deve ter sido feita anteriormente.[230] Mas Stothard pintava retratos equinos e é possível que tenha havido uma confusão e que Stubbs, um pintor de animais, tenha vindo para vê-las. No entanto, a história, conforme relatada pela biógrafa de Stothard, Anna Eliza, menciona especificamente que Stubbs ficou fascinado ao ver como Stothard lidava com tantos cavalos em um projeto.

O que é difícil de entender é por que Blake ainda estava disposto a ter qualquer negócio com Cromek em 1807, se ele tinha certeza de que havia sido alvo de um roubo de ideia em 1806. Blake apresentou um projeto para Cromek em maio de 1807 e, ali, enquanto ele criticava a obra *Peregrinos*, de Stothard, como "tratada de modo desprezível e baixo",[231] nenhuma acusação de desonestidade da parte de Cromek foi feita. Mas Blake estava em um terreno tranquilo, já que *A Sepultura* ainda não tinha sido publicada e, como concebido por Cromek, seu frontispício ostentou um retrato gravado por Blake de Thomas Phillips. Era essencial para a carreira de Blake que ele se beneficiasse dessa publicação pesada. Cromek tinha colocado Blake em uma situação difícil.

O problema para Blake, ao final de sua vida, foi o de acusar *Stothard*, seu amigo de longa data, de lucrar com bens roubados, causando uma ferida que nunca foi sanada. Não há razão para acreditar que Stothard soubesse da ideia de Blake antes de sua encomenda feita por Cromek; ele sempre declarou inocência e sentiu-se ofendido com

---

230. BR, p. 227.
231. *LETTERS*, p. 127; de Cromek para Blake, maio de 1807.

a acusação. A questão então agora é saber se Cromek roubou a ideia e a apresentou como sendo sua.

A julgar por uma curiosa carta que Cromek escreveu ao poeta James Montgomery, em 17 de abril de 1807, buscando elogios para o brilhantismo de suas ideias e, particularmente, para os *Peregrinos*, Cromek parecia ser um tagarela profissional. Depois de ridicularizar e menosprezar Blake por viver em um "Mundo das Fadas", ele passou a divulgar a própria fraseologia e os conceitos de Blake como um meio de exaltar a si mesmo perante Montgomery. Em uma desajeitada, e talvez inconsciente, paródia no estilo de Blake, Cromek lamenta a Montogomery que o "Homem de Gênio", o alvo da "Zombaria e do desprezo dos Homens" é:

> O Peregrino & o forasteiro no planeta Terra viajando para uma terra muito distante, levado pela Esperança &, algumas vezes, pelo desespero, mas cercado por Anjos & protegido por Vós, imediata Presença Divina, que é a luz do Mundo. Portanto, Reverencia-te a ti mesmo, ó Homem de Gênio![232]

Um homem capaz de roubar os pensamentos e a linguagem de outro dessa forma, e fazê-los passar como se fossem seus, era certamente alguém que poderia convencer a si mesmo de que ele era inocente do roubo. Eu suspeito que a criatividade pessoal de Cromek – até mesmo seu gênio – repousava em uma habilidade de *reconhecer uma boa ideia* e, simultaneamente, agarrá-la e ver *como explorá-la*. Em sua própria estimativa, esse dom fazia dele um indivíduo de uma originalidade estupenda. A partir de tal conceito, era fácil imaginar que a ideia original também fosse dele; afinal, *o que é uma ideia sem alguém para explorá-la?* A exploração do potencial era verdadeiramente uma criação sua! Quantos mercadores de arte têm abrigado ressentimentos em relação ao alegado "gênio" de um artista, enquanto em seu íntimo eles elevam seu dom mais pragmático a fim de transformar suas obras em dinheiro vivo? Afinal, Chaucer não pertencia a esse mesmo mundo? Apenas um "gênio" como Cromek podia ver o que os homens simples como Blake não conseguiam: que

---

232. *LETTERS*, p. 125; de Cromek para James Montgomery, 17 de abril de 1807.

havia dinheiro na arte, se alguém fosse inteligente o suficiente para perceber isso.

A apresentação inteligente de Cromek de *Peregrinos da Cantuária*, de Stothard, e da lucrativa gravação feita por Schiavonetti e, depois, por Heath, transformou-se em uma obra-prima de *marketing*. A pintura saiu em turnê; milhares a viram e muitos compraram suas gravuras. Era uma situação em que todos se beneficiaram. Em março de 1807, Hoppner mostrou a pintura de Stothard para o príncipe de Gales. "Prinny" permitiu que Cromek lhe dedicasse uma gravura. Não é de se admirar que Blake pensasse que Stothard o havia roubado. O trabalho de Stothard havia tirado, ainda que inadvertidamente, a chance de Blake de mostrar ao mundo seus bens mais acessíveis. Stothard tinha efetivamente tirado a *fama* de Blake, seu futuro, deixando tanto ele como todos os outros à mercê de bandidos como Cromek. E ainda mais, a pintura de Stothard, soberba como ilustração, não acrescentava nada às ideias políticas e filosóficas essenciais de Blake. Ela ilustra, mas não penetra. Na verdade, o trabalho em si era parte de um cânone unificado de bom gosto, sentimentalismo e muito aceitável para o *status quo*: uma das gravuras mais bem-sucedidas do século. Poderia até ser concebida como patriótica; era para *isso* que estávamos lutando! A Boa e Velha Inglaterra! Michael Powell e Emeric Pressburger aproveitaram essa ideia propagandista de forma brilhante em seu filme *Os Contos da Cantuária* (1943): primeiro Chaucer e, em seguida, o Spitfire!

O trabalho espiritual sempre lança suas implícitas ironias na realidade.

Em 17 de abril de 1807, Cromek informava Montgomery que os desenhos de Blake para *A Sepultura* haviam sido apresentados à "rainha e à princesa, em Windsor". Sua Majestade desejava que o trabalho fosse dedicado a ela. Blake ficou tão encantado que produziu um desenho como dedicatória, com um traço poético "marcado", de acordo, segundo disse Cromek, "com suas características [de Blake] usuais – Sublimidade, Simplicidade, Elegância e *Pathos* (Sentimento/Sofrimento), ou seja, sua impetuosidade de sempre, é claro".[233] Blake fez constar a dedicatória em seu poema: "A Vossa Majestade,

---

233. *LETTERS*, p. 126; de Cromek para James Montgomery, 17 de abril de 1807.

do dedicado Súdito & Servo William Blake". O poema é, sem dúvida, sincero: "Ó Pastora dos Recônditos da Inglaterra/ Contemplai este Portão de Pérola e Ouro".

Em maio, Cromek voltou com a "vinheta" de Blake dedicada à rainha, pela qual Blake pediu quatro guinéus. Cromek insistiu com Blake que era ridículo esperar que ele pagasse pela honra que lhe havia sido concedida pessoalmente; além disso, o desenho não valia o dinheiro. Mas, disse Cromek, em vez de negar a Blake qualquer melhoria à sua reputação que dela decorria, ele estaria disposto a pagar a Schiavonetti dez guinéus para gravar uma placa a partir do desenho de Blake!

Cromek lançou-se em um discurso retórico incisivo, rancoroso e feroz contra Blake: "Quando pela primeira vez recorri a você, eu o encontrei com a reputação em baixa [...] Sua reputação pública, a reputação de excentricidade e de exceção, fui eu que consegui para você. [...] Por que você tem essa raiva tão *furiosa* do sucesso da pequena imagem "A Peregrinação" [de *Peregrinos da Cantuária*, de Stothard]? Três mil pessoas já a viram e aprovaram. Acredite em mim, a sua é "a voz que clama no deserto!".[234]

Vamos deixar à *Vida de Stothard, R.A.*, de Anna Eliza Bray, a última palavra sobre a generosidade incrível e autoalardeada de Cromek. De acordo com uma carta de Stothard reproduzida por sua biógrafa, o empresário, Cromek, que arrecadou grandes lucros do trabalho de Stothard, pagou-lhe apenas 60 libras de um preço acordado na conclusão de cem libras.[235]

Mas *A Sepultura* acabou sendo a própria sepultura de Cromek, pois sua carreira entrou em um rápido declínio logo após sua publicação, em 1808; ele morreu em 1812, com 42 anos de idade. Ele sempre será lembrado por suas calúnias contra Blake.

Na mente de Blake, ele agora havia perdido dois de seus mais antigos amigos. Seu *Caderno de Anotações* contém linhas intituladas "Sobre F---- & Sobre S----" – o que significa claramente Flaxman e Stothard:

---

234. *LETTERS*, p. 128-129; de Cromek para Blake, maio de 1807.
235. Anna Eliza Bray, *Life of Stothard RA*, John Murray, London, 1851, p. 142-143.

Eu os encontrei cegos e Eu lhes ensinei a enxergar
E agora eles não conhecem nem a si mesmos nem a mim.[236]

Blake voltar-se-ia para os amigos espirituais.

Milton

Cumberland provavelmente visitou Blake em Londres, no verão de 1807. Em anotações feitas depois de 6 de junho, Cumberland observou: "Blake gravou 60 placas de uma nova Profecia!".[237]

Bentley pensou que aquelas 60 placas fossem para *Jerusalém* (que, eventualmente, passou para cem placas), mas é mais provável que elas tenham sido feitas para *Milton*. A "Cópia D" de *Milton* (1818), da Biblioteca do Congresso, com o poema dividido em dois "Livros", é composta por 50 lâminas. Uma marca d'água, em parte mascarada no frontispício (mais claramente visível nas cópias B e C), sugere que o poema foi originalmente destinado a ser apresentado em 12 "Livros", em vez de dois e, por causa disso, pode ter perdido uma série de placas, ou talvez as que estavam foram destinadas a outros usos. Nós sabemos de um grupo de 51 lâminas que Blake fez para *Milton*, mas nenhuma cópia tem todas elas completas; pode ter havido uma versão anterior de *Milton* com 60 placas.

Milton retirou seu material a partir de *Vala*, o que indica que Blake pode ter feito algumas placas, ora perdidas, do manuscrito de *Vala* (não temos nenhuma versão gravada do texto de *Vala*), antes de se transformar em *Milton*; Tatham destruiu muitas das placas de cobre de Blake. Também é possível que Cumberland tenha se lembrado da quantia de "60", depois de ouvir "50" ou alguma variante. De qualquer maneira, *Milton*, como *Jerusalém*, é datado de "1804"; foi produzido em algum momento entre 1804 e 1811 e, no "Prefácio", no mínimo tumultuoso, assim como em numerosas passagens do zombeteiro da Arte, cabia bem a angústia de Blake na época de 1806-1807:

> Levantem-se, ó Jovens da Nova Era! Coloquem suas frontes contra os Mercenários ignorantes! Pois temos Mercenários no Campo, na Corte e na Universidade os quais, se pudessem, eles poderiam para sempre reprimir

---
236. CPP, p. 508.
237. British Library Add. MSS 36, 519H, f. 336; BR, p. 246.

a Guerra Mental e prolongar a Guerra Corpórea. Pintores! Eu os convoco! Escultores! Arquitetos! Não apoiem os Tolos da moda que desvalorizam seus poderes pelos preços que eles pretendem oferecer para obras; desprezíveis ou pela dispensiosa propaganda que ostenta a execução dessas obras acreditem, por Cristo e seus Apóstolos, que há uma Classe de Homens cujo prazer total é o de Destruir. Nós não queremos os Modelos Gregos nem Romanos se nós formos apenas verdadeiros e justos para com nossas próprias Imaginações, esses Mundos de Eternidade nos quais viveremos para sempre, em Nosso Senhor Jesus Cristo.

Esse é o momento de ouro quando Blake nos entrega a letra que melhor conhecemos como o Hino *Jerusalém*:

E assim, em tempos passados, trilharam esses pés
As verdejantes montanhas da Inglaterra,
E foi o Cordeiro Sagrado de Deus
Visto nos agradáveis pastos da Inglaterra!

E teria o Divino Semblante
Brilhado em cima de nossas colinas nubladas?
E foi Jerusalém erguida aqui
Em meio a esses sombrios Moinhos Satânicos?

Tragam meu Arco de ouro brilhante!
Tragam minhas Flechas do desejo!
Tragam minha Lança: Ó nuvens, revelem-se!
Tragam minha Carruagem de fogo!

Eu não desistirei dessa Luta Mental;
Nem minha Espada descansará
Até que tenhamos erguido Jerusalém
Nas agradáveis & verdejantes Terras da Inglaterra.

Essa beleza é seguida por uma citação da primeira parte do livro de Números, 11:29: "Quisera Deus que todo o povo do Senhor fosse Profeta, e que o SENHOR pusesse seu espírito sobre eles!". O pano de fundo da citação de Moisés é o santo acampamento em que os jovens de Israel se preparavam para a conquista de Canaã. Isso esclarece a abertura de *Milton*. Blake vê os jovens da Inglaterra como potenciais guerreiros sagrados de uma Luta Mental para recuperar o terreno perdido próprio para os pés de Jesus andar sobre ele.

De fato, Blake está dizendo: "Não tenha medo de aceitar os Clássicos, e os homens que veneram a Grécia e Roma!". Essa foi a marca d'água do renascimento clássico; políticos poderiam ser vistos em casa ou nos clubes vestindo togas.

A abertura de *Milton* acusa Homero, Ovídio, Platão e Cícero de roubar e perverter com artifícios a verdadeira inspiração da Bíblia "Sublime". Shakespeare e Milton, ele declarou, "foram ambos refreados pela doença e infecção gerais dos tolos gregos e latinos escravos da Espada". Ele pode ter se referido a que, recentemente, havia trabalhado no *Ilíada*.

Em *Milton*, o próprio John Milton vem à Terra para confessar seus erros.

O frontispício diz que *Milton* deve "Justificar os Caminhos de Deus aos Homens"; a intenção de Blake é teológica. Ele fala como um profeta. O "Primeiro Livro" deixa claro que, embora sublime, a Bíblia tem sido mal interpretada pelos inimigos de Jesus: "até Jesus, a imagem do Deus Invisível/ Tornou-se sua presa; uma maldição, uma oferta e uma expiação,/ para a Morte Eterna, nos céus de Albion". Se São Paulo acreditasse que a crucificação era necessária para a expiação, então ele seria um crucificador. Blake conclamava o povo da Inglaterra para uma visão de Albion que poderia salvá-lo das profundezas de Urizen, e também as mentes pacificadas que, ignorantes, são oprimidas e desprovidas de tudo, com apenas a morte ao final.

> Então Los e Enitharmon souberam que Satanás é Urizen
> Derrubado por Orc e o Sombrio Feminino em Geração

É Satanás que divide as nações, aquele que fez de Albion uma "Canaã", "aprisionando Los pela Eternidade nos Penhascos de Albion/ Um poderoso Demônio contra a Humanidade Divina convocando uma Guerra". Blake está falando da guerra com Napoleão e seu preço:

> Satanás! Ah! Ele foi para o lugar ao qual pertence, disse Los!
> Seu Deus eu não adorarei em suas Igrejas, nem o Rei em
> seus Teatros.

Blake enxerga os sacrifícios druidas "entre as rochas dos Templos de Albion", revividos e oferecendo vítimas humanas por toda a Terra. Blake não era romântico em relação a Stonehenge, pois essa era a casa dos "filhos druidas de Satã" feitos vivos novamente por meio da perda da luz espiritual, lutando agora entre si por um império construído sobre a opressão. Os poderes das trevas desejam "devorar" Albion e "Jerusalém é a emanação de Albion".

Em uma placa magnífica, Blake revela o grande Milton em sua majestade celestial, antes de descer para a Terra, o reino da Morte:

> Com trovões altos e terríveis, assim a sombra de Milton caiu
> Precipitando em alta trovoada no Mar do Tempo e do Espaço.
> Então, primeiro eu o vi no Zênite, como uma estrela cadente, Descendo perpendicular, veloz como a andorinha;
> E ali entrou, em meu pé esquerdo, caindo sobre o tarso;
> Mas, do meu pé esquerdo, uma nuvem preta abundante espalhou-se por toda a Europa.

A imagem gravada e pintada de Blake mostrando o momento em que "Milton" realmente entra no pé de Blake é surpreendente. Enquanto o poeta nu "eletrificado" inclina-se para trás, com os braços estendidos em uma postura erótica de total aceitação, um cometa estrelado cai em chamas e explodindo como um fogo de artifício, penetra em seu calcanhar esquerdo e nos artelhos. A figura apresenta uma ereção saudável, obscurecida em algumas cópias da placa por roupa íntima (a placa número 32 da cópia que está na Biblioteca do Congresso, por exemplo), aplicadas por razões de "gosto" por Tatham ou Linnell. A aplicação é do pior gosto possível.

A ereção é importante.

Blake está familiarizado com o significado esotérico do dedão do pé esquerdo. De acordo com o *Diário Espiritual,* de Swedenborg (1758), o estado dos pés está diretamente relacionado com o estado espiritual da pessoa. Nas seções 5105-07, por exemplo, Swedenborg vê Lutero condenado no céu pelos vexatórios conflitos, ignorando a luz superior, com raiva de todos os que discordavam dele. Quando Lutero é lançado no inferno para a "vastação" (isto é, a purificação), "percebe-se que agora ele está purificado sob as solas dos pés; quando ele foi lançado naquele inferno, frio, como [ocorre] quando os espíritos são totalmente purificados, ele tomou posse das solas dos pés por duas horas". Milton, sendo lançado na Terra na obra de Blake, espelha exatamente a purgação de Lutero. Blake, experimentando o espírito de Milton, sente os sintomas espirituais e físicos de Milton.

Swedenborg especificamente relaciona do dedão o pé esquerdo aos órgãos genitais (uma doutrina tântrica também), e sua estimulação pela condição espiritual da pessoa provoca ao pé esquerdo uma sensação "de fogo" ligada ao fogo nos órgãos genitais:

> A dor foi sentida no dedão do pé esquerdo [por Lutero]. A razão é porque o dedão do pé esquerdo corresponde àqueles que falam pela fé derivada da Palavra e continuamente brigam por causa das doutrinas. Eles induzem a dor nesse dedão. Portanto, o dedão também se comunica com os órgãos genitais, pois os órgãos genitais correspondem à Palavra, como foi larga e frequentemente mostrado. Isso foi muitas vezes aceito como sendo a sensível percepção dessa comunicação.[238]

Blake não apenas experimenta a *gnose* de Milton, que percebeu haver confundido as naturezas de Satanás e da sexualidade, em *Paraíso Perdido*, como também fica extremamente excitado sensualmente; para Blake, os êxtases espirituais são refletidos nos sentidos, mesmo quando esse êxtase é o de perceber um erro. A verdade é o orgasmo espiritual, pois a verdade é energia, e "Energia é o prazer eterno". Blake diria a Crabb Robinson, em dezembro de 1825, que o próprio Milton tinha explicado como, no céu, ele percebera seu erro em pensar que o prazer sensual era resultado da Queda – ou seja, relacionado ao pecado e ao mal. Como algo de bom poderia vir de algo mau?, perguntava Blake. A bela placa gravada (nº 38 no Museu Britânico, Cópia "A") que mostra um homem nu, languidamente abraçando sua esposa, em uma rocha, em um mar agitado, enquanto, uma águia escura paira acima, que poderia ser "Milton adormecido dentro de sua humanidade" ou Albion, ou pode até ser um idealizado Blake e sua esposa Kate na praia Felpham, embora as rochas pareçam muito ameaçadoras para isso: "O Espectro de Satanás, sobre o mar que rugia, e contemplava/ Milton adormecido dentro de sua humanidade" (a partir da placa nº 39, Cópia "A"). Quem quer que seja, a

---
238. *Spiritual Diary* de Swedenborg (1758), seção 5107; trad. Bush, Smithson and Buss (1883-1889) em www.sacred-texts.com.

figura é representada claramente com uma ereção suave, estilizada, embora tenha sido deliberadamente obscurecida – ou seja, censurada – em outras cópias, por "razões de bom gosto" que fariam com que Urizen ficasse orgulhoso.

Quanto à "nuvem negra pairando sobre a Europa", a que saiu de seu pé esquerdo, Blake enxergou a guerra como sendo o resultado de não perceber os segredos da natureza sexual do homem, de perverter a vida espiritual com a guerra corpórea e não com a guerra mental, uma visão impressionante para a época de Blake e até mesmo para nossa época. Urizen não conhece a si mesmo, mas sua emanação, Ahania, conhece. Nas páginas do manuscrito de Blake, *Vala*, encontramos um desenho curioso de Ahania olhando fixamente para o Dedão do Pé de Urizen, pois Urizen afasta-se dos Eternos e, portanto, de acordo com Swedenborg, ele deve sentir dor em seu isolamento frio, que Ahania deseja dissipar por meio do amor. O desenho assemelha-se a outro, em *Vala*, que mostra pessoas adorando um falo monumental ou, como depois viemos a saber, o "Shivalingam".

Se Blake tivesse sido solicitado a substituir o título da obra mais famosa de Milton, ele poderia tê-la chamado de *Paraíso Invisível*. Com esse pensamento, a última faixa do disco *Sgt. Pepper's Lonely Hearts Club Band*, dos Beatles, surgiu na mente deste autor. Assim como John Lennon e Paul McCartney na canção "A Day in the Life", o Milton de Blake adoraria *excitar você*.

Capítulo 22

A Coragem para Suportar a Pobreza e a Desgraça – 1808-1810

Com a idade de 50 anos, Blake continuava lutando. No início do ano de 1808, as forças de Napoleão estavam em Portugal, com a intenção de destruir o comércio desse país com a Grã-Bretanha. No verão, o lugar-tenente general Arthur Wellesley, o futuro duque de Wellington, também estaria em Portugal, com um exército de 15 mil homens; a Guerra Peninsular havia começado.

Em janeiro, Blake terminou uma aquarela notável, *O Juízo Final*, para a condessa de Egremont, de Petworth House, Sussex. Ele devia essa encomenda à generosidade e ao crédito do miniaturista Ozias Humphry (1742-1810), "o Pintor Retratista do Rei" desde 1792. Blake escreveu vários relatos sobre essa sua pintura (dois deles para Humphry), mas nenhum faz jus ao caráter extraordinário da mesma (ela ainda é mantida em Petworth pelo National Trust).

Baseado em uma criação mais simples feita anteriormente para *A Sepultura*, de Blair, Blake retrata o Juízo Final como uma grande roda de energia monocromática, com figuras subindo e descendo, presas nos vórtices de suas próprias vontades ou na vontade de Deus. O detalhamento das figuras classifica Blake entre os mestres da arte religiosa, enquanto sua originalidade esquemática coloca a pintura em uma classe própria. Outra coisa notável é seu tamanho. É espantoso como Blake conseguiu fazer tantas figuras com tantos detalhes, já que as dimensões da obra toda eram não mais do que 20 x 15 ½ polegadas, mas ele conseguiu fazê-lo. Talvez ele sentisse que estava competindo com Humphry para criar efeitos surpreendentes em miniaturas.

A teologia da obra carrega uma análise cuidadosa: ela não é ortodoxa. A essência do pensamento por trás do projeto é a crença de Blake de que, quando um indivíduo cai em erro, um "Juízo Final" lhe é imposto. O julgamento, então, não é uma acusação, como no conceito usual de "julgamento", mas uma troca de energia, uma aquisição de conhecimento e parte de um processo eterno, atemporal. Jesus não condena; Ele é amor, e o amor busca o bem-estar da alma; mas o indivíduo deve travar a Luta Mental por amor e não por terror, embora o terror certamente está reservado àqueles que ignoram ou atacam a verdade.

Como se ele estivesse ciente de que sua concepção merecia uma tela maior, Blake começou a trabalhar em *Uma Visão do Juízo Final*, um trabalho de sete por cinco pés – e Flaxman aconselhara Hayley que Blake devia ser desencorajado a tentar pinturas de tamanho grande! É de partir o coração que essa obra, com a qual Blake se esforçou tanto, de tempos em tempos, durante anos, como também outra, do mesmo tamanho, *Os Antigos Bretões*, tenham desaparecido. Se as pinturas tivessem sobrevivido, a percepção da importância artística de Blake certamente teria sido reforçada e as pessoas poderiam ver por que ele comparou a si mesmo, sem qualificação, a Michelangelo e a Rafael.

Na primavera, Blake participou de uma exposição na Academia Real (sala de desenho e miniatura), na Somerset House, pela primeira vez em nove anos. As obras expostas foram *Cristo no Sepulcro Guardado por Anjos*, *O Sonho de Jacó* e *O Juízo Final*, possivelmente um dos desenhos mais detalhados de Blake sobre o assunto.

Talvez a exposição tenha chamado a atenção de Abraham Raimbach, que estava fazendo gravuras para a tradução do latim de um projeto de poemas de Cowper, por Hayley. Quando, em 4 de maio, Raimbach sugeriu a Flaxman que Blake poderia fazê-las melhor, Flaxman respondeu que ele não estava naquele momento tendo "relações sexuais com o sr. Blake".

Então, finalmente, *A Sepultura*, de Blair, foi publicada, com os desenhos feitos por Blake.[239]

Avaliada pelo *The Examiner*, em 7 de agosto de 1808, por Robert Hunt, irmão do editor da revista, Leigh Hunt (1784-1859), a obra de Blake foi atacada sem piedade. Acusado de impossibilidades, o artista tinha aparentemente excedido os próprios limites da arte; será que Blake não sabia que o mundo espiritual estava além da pintura caracterizada? Bentley observou que *The Examiner* estava atacando o Metodismo e Blake foi identificado como um Entusiasta ou Metodista. Em 1809, Blake defendeu-se nas páginas de seu *Catálogo Descritivo*. As pessoas que o culparam por representar espíritos com corpos reais deveriam pensar em Minerva e Apolo; suas estátuas eram representações de existências espirituais para os órgão perecíveis da visão.

Em 28 de agosto, Leigh Hunt juntou-se aos críticos, atacando o que ele chamou de "A Instituição Antiga e Temível de Charlatães", cujos "Agentes da Pintura" incluíam *sir* Francis Bourgeois, Copley, Craig e "Blake", ao passo que entre os poetas charlatães estavam Wordsworth e Walter Scott. Hunt tinha apenas 24 anos e tentava fazer seu nome por meio de um tipo de sátira matreira da qual os jovens inexperientes e egocêntricos são eminentemente capazes. Hunt, aliás, era autor dos versos "Abou Ben Adhem" (Possa Sua Tribo Aumentar), maravilhosamente parodiados por uma sátira da equipe do programa da BBC *Not the 9 O'clock News* no ano de 1980.

Em novembro, a *Anti-Jacobin Review* pegou pesado com *seus* ataques a Blake, enquanto a *Scots Magazine* mostrou mais generosidade com seus créditos.

Blake, então, decidiu pegar o touro pelos chifres e dar ao público a oportunidade de julgar seu trabalho por si mesmo. No catálogo descritivo de sua exposição seguinte (1809), ele declarou que a Academia Real não iria apresentar seus "afrescos", por ser viciada em arte veneziana e em pintura a óleo: "O sr. B. apela para o Público, para que

---

239. Publicado por R. H. Cromek com Cadell & Davies; J. Johnson, T. Payne, 1808. Houve 89 subscrições.

ele julgue aqueles olhos restritos e tediosos que, por muito tempo, regeram a arte a partir de um cubículo escuro".[240]

Em 19 de dezembro de 1808, Blake informava Cumberland que, apesar deste último ter encontrado para Blake um comprador para as suas (de Blake) obras impressas e iluminadas, ele não tinha tempo para a gravação por estar totalmente envolvido na criação e na pintura. Ele estava trabalhando para Butts, e em sua próxima exposição que devia ser realizada na casa de seu irmão James, no próprio local de seu nascimento, em Broad Street, 1º andar.

A exposição e seu Catálogo Descritivo eram tanto uma polêmica corrente quanto uma autodefesa e uma promoção audaciosas. Blake repete sua oposição à arte veneziana e flamenga – o culto às sombras, os óleos, o *chiaroscuro* (o claro/escuro) – por razões morais e espirituais. Para ele, essas incursões foram dominando os artistas, tornando-os receosos de confiar em sua própria imaginação: "é como andar no estilo de outro homem, ou falar ou olhar imitando o estilo de outra pessoa, de uma maneira não apropriada e repugnante para o próprio caráter individual; atormentando o verdadeiro artista, até que ele deixa o florentino [Rafael e Michelangelo], e adota a prática veneziana ou faz como o sr. B. fez, ter a coragem de sofrer a pobreza e a desgraça até convencer e vencer".[241]

A exposição de Blake era, então, uma exposição *alternativa* e, como tal, ela foi amplamente ignorada pela comunidade artística, que se comportou como um grupo. Quem pagou os substanciais dois *shillings* e seis *pence* pelo bilhete e o catálogo podia ver, no andar acima da loja de artigos de malha do Carnaby Market, nove "afrescos" e sete desenhos coloridos.

Os afrescos eram *A Forma Espiritual de Nelson Guiando o Leviatã*, *A Forma Espiritual de Pitt Guiando Behemoth* (Pitt tinha morrido em 1806), *Os Peregrinos da Cantuária*, de Chaucer, *O Bardo*, de Gray, *Os Antigos Bretões*, *Um Motivo de Shakespeare* (o Espírito de Shakespeare), e *As Cabras* (do conto "Viagem Missionária", das cabras que tiravam as folhas das videiras de "meninas selvagens").

---

240. *A DESCRIPTIVE CATALOGUE of PICTURES, Poetical and Historical Inventions* [...] London, impresso por D. N. Shury, 7, Berwick-Street, Soho, for J. Blake, 28 Broad-Street, GoldenSquare. 1809. p. iii-iv.
241. *Ibid.* p. 56.

Os desenhos expostos foram *O Preceptor Espiritual* (a partir das visões de Swedenborg), *Satanás Chamando suas Legiões*, de Milton, *Os Brâmanes* (tradução feita pelo sr. Wilkin do *Bhagavad-Gita*), *O Corpo de Abel Encontrado por Adão e Eva, Caim Fugindo, Soldados Tomando Sua Parte das Vestes de Cristo, A Escada de Jacó, Anjos Pairando sobre o Corpo de Jesus no Sepulcro, Rute* e *A Penitência de Jane Shore* (executado 20 anos antes).

Nem é preciso dizer que os comentários de Blake são totalmente informativos e seriamente excêntricos, mas, além da maneira excêntrica, percebe-se conhecimento e percepção de primeira classe. Seus comentários sobre a antiga Grã-Bretanha, em *Os Antigos Bretões*, em relação ao "despertar de Arthur do sono", são esclarecedores e inspiradores. Não podemos deixar de lamentar a perda dessa enorme pintura dos bretões nus: o Belo, o Forte e o Feio, que Blake compara a três aspectos da natureza quádrupla do Homem, e o quarto, que é o Filho de Deus.

Os comentários de Blake sobre Swedenborg mostram que ele tinha assimilado a ideia do visionário sem o rancor que havia sentido durante os dias de fundação da Nova Igreja. Ele se refere à visão de Swedenborg de como "Os Eruditos que se esforçam para subir ao Céu por meio do aprendizado, aparecem para as Crianças como cavalos mortos quando são repelidos pelas esferas celestes. As obras desse visionário merecem ter a atenção dos Pintores e Poetas; elas são a base para grandes coisas [...] Ó Artista! você pode desacreditar de tudo isso, mas terá de ser por sua própria conta e risco".[242]

As descrições detalhadas das intenções de Chaucer e de seus personagens deixam claro o que o público britânico perdeu quando lhe foi oferecida a alternativa da visão invisível de Cromek. Essa também foi a conclusão de um amigo de Samuel Taylor Coleridge, Charles Lamb (1775-1834), quando leu o relato de Blake sobre Chaucer, após Crabb Robinson dar a ele uma cópia do *Catálogo Descritivo*.

Blake relaciona os personagens eternos dos peregrinos aos antigos deuses da Fenícia: "Esses Deuses são visões dos atributos eternos ou nomes divinos que, quando promovidos à categoria de deuses, tornam-se destrutivos para a humanidade. Eles deveriam ser servos,

---

242. *Ibid.*, p. 53.

e não mestres do homem ou da sociedade. Eles deveriam ser feitos para serem sacrificados ao Homem, e não o homem ser obrigado a sacrificar-se a eles, pois quando são separados do homem ou da humanidade, para Jesus, o Salvador, que é a videira da eternidade, eles são ladrões e rebeldes, são destruidores".[243]

Notavelmente, Crabb Robinson deixou um relato de sua visita à exposição em suas *Reminiscências*:

> Eu fui ver uma exposição de pinturas originais de Blake em Carnaby Market, no ateliê de seu irmão, um camiseiro. Essas pinturas preenchiam vários cômodos de uma casa comum e, para a visita, foi-me cobrada meia coroa e para a qual havia também um catálogo. Esse catálogo, que eu possuo, é uma exposição muito curiosa do estado de espírito do artista. Eu quis enviá-lo para a Alemanha para dar uma cópia a Lamb e a outros e, para tanto, fiquei com quatro e, por pagar 10s., eu esperava ter a liberdade de ir novamente. "Grátis! enquanto você viver", disse o irmão, espantado com essa liberalidade, a qual, provavelmente, ele nunca havia experimentado antes. Lamb ficou encantado com o catálogo, especialmente com a descrição de uma pintura gravada posteriormente [*Os Peregrinos da Cantuária*], e estava ciente de uma história que, sem explicação, refletiria em descrédito para um homem muito amável e excelente, mas que Flaxman considerava não ter sido tão amável para com Stodart. Foi depois de os amigos de Blake terem feito circular um documento de subscrição para uma gravura de seu *Peregrinos da Cantuária* que Stodart apareceu com a gravura de uma pintura do mesmo tema feita por ele mesmo. O trabalho de Stodart é bem conhecido, enquanto o de Blake não é conhecido. Lamb o preferiu ao de Stodart e declarou que a descrição de Blake foi a melhor crítica que ele já tinha lido sobre o poema de Chaucer.

---

243. *Ibid.*, p. 22.

Nesse catálogo, Blake escreve sobre si mesmo na linguagem mais arrogante, ao declarar que "esse artista desafia qualquer concorrência em coloração", e que ninguém poderia vencê-lo, pois ninguém podia vencer o Espírito Santo; que ele, Rafael e Michelangelo estavam sob influência divina – enquanto Corregio e Ticiano adoravam um deus lascivo e, portanto, cruel; Reubens era um diabo orgulhoso, etc. Ele declarou, falando de coloração, que os homens de Ticiano eram de couro e suas mulheres de giz, e atribuiu sua própria perfeição na coloração à vantagem de poder ver diariamente os homens primitivos andando em sua nudez nativa nas montanhas do País de Gales. Havia cerca de 30 pinturas a óleo, cuja coloração era excessivamente escura e carregada, as veias pretas, e a cor dos homens primitivos era semelhante à dos índios peles-vermelhas. Em sua estimativa, eles provavelmente seriam os homens primitivos. Muitos de seus desenhos eram imitações inconscientes. Isso aparece também em suas obras publicadas – os projetos de *A Sepultura*, de Blair, que Fuseli e Schiavonetti altamente exaltaram – e em seus desenhos para ilustrar a obra *Jó*, publicados após sua morte, em benefício de sua viúva.[244]

Os Antigos Bretões, que media dez por 14 metros, suscitou o elogio de Robinson quando ele escreveu sobre a obra em 1811 para a publicação alemã *Vaterländisches Museum*: "Seu maior e mais perfeito trabalho é intitulado 'Os Antigos Bretões'. É baseado na estranha sobrevivência do conhecimento bárdico galês a que Owen chama de Tríades [...]".[245] De acordo com o poeta Robert Southey (1774-1843), "Owen" foi:

Meu velho conhecido William Owen, agora Owen Pughe (1759-1835), antiquário galês e autor de um dicionário galês-inglês, que se tornou rico [...] e encontrou tudo o que desejava no sistema bárdico de Bardo e, ali,

---

244. *Diary, Reminiscences, and Correspondence of Henry Crabb Robinson, Barrister-at-Law, F.S.A. Selected and Edited by Thomas Sadler, Ph.D.* Vol. 2, XI, Macmillan, London, 1869.
245. BR, p. 598.

ele encontrou as ideias de Blake. Foi assim que Blake e sua esposa convenceram-se de que seus sonhos eram antigas verdades patriarcais, há muito esquecidas, e agora novamente reveladas. Eles me disseram isso, e eu, que conhecia bem a natureza confusa da cabeça de Owen, sabia o quanto seu parecer sobre esse assunto era valioso. Saí da visita com um sentimento tão triste que nunca mais voltei a repeti-la.

A exposição de seus quadros [de Blake], que eu tinha visto na casa de seu irmão, perto de Golden Square, produziu em mim uma semelhante expressão melancólica. De maneira geral, a coloração de tudo era como se consistisse apenas de tinta preta e vermelha em todas as misturas. [...] Em outras pinturas, percebe-se que nada, além da loucura, o impediu de ser o pintor sublime deste ou de qualquer outro país.[246]

O texto acima foi escrito em 8 de maio de 1830 para a noiva de Southey, Caroline Bowles, quando as gravuras de Southey eram hostis em relação a outras associações desagradáveis que ele tinha em sua mente sobre Blake e Owen.[247] Em 1847, Southey chamou *Os Antigos*

---

246. BR, p. 531, de *The Correspondence of Robert Southey with Caroline Bowles* (1881), p. 193-194.
247. Owen tinha se juntado ao culto milenar de Joanna Southcott e tornou-se um ancião. Southey também associou Blake, em sua mente, com a profetisa Southcott Blake (a qual acreditava que daria à luz o Messias) e o profeta radical do Anglo-Israelismo, Richard Brothers (1757-1824), e em algum momento seus seguidores radicais revolucionários milenares William Bryan e John Wright, que tinham ambos ligações com os Illuminés de Avignon. Os Irmãos foram presos por traição em 1795, depois de terem profetizado a morte do rei (eles também haviam profetizado a morte de Luís XVI, e corretamente). Enviado para um asilo, e liberado em 1806, ele passou o resto de sua vida desenhando bandeiras e planos para sua "Nova Jerusalém", da qual ele se acreditava príncipe. Em 30 de janeiro de 1815, Crabb Robinson visitou Flaxman, que lhe disse sobre o gravurista Sharpe: "ele parece um joguete pronto para qualquer um e para cada fanático religioso e impostor que se apresentar". Sharpe, apesar de "enganado pelos irmãos, se tornou um partidário ardoroso de Jeanne Southcoat [sic depois de 1795]. Ele se esforçou muito para fazer do gravurista Blake um convertido, mas, como Flaxman observou criteriosamente, homens como Blake não gostam de fazer um papel secundário. Por isso Blake, um vidente de grandes visões e um sonhador de sonhos, não renderia homenagem a um pretendente rival ao privilégio da profecia". O sr. Blake estava conversando com Flaxman novamente nesse período (1815); BR, p. 319-320. Southey tinha começado a conhecer os milenares na década de 1790, quando compartilhou com seu amigo Coleridge ideias radicais e escreveu sobre elas em *Letters from England* (1808), sob o pseudônimo de Don Manuel Alvarez Espriella. Ele foi o único escritor que teve o conhecimento dentro da milenar cultura radical dominante e conheceu pessoalmente seus protagonistas. O pensamento que mais que tudo o intrigou no final de sua vida foi quando o

Bretões de "uma de suas piores pinturas, para dizer o mínimo".²⁴⁸ Em contrapartida, o artista Seymour Kirkup (1788-1880), que se lembrou da visão ímpar de Blake durante esse período, com seus óculos invertidos na Academia (para que pudesse ver as imagens penduradas no alto), chamou *Os Antigos Bretões* de o "melhor trabalho" de Blake. Kirkup era estudante da Academia, onde até ganhou uma medalha. Quando jovem, ele pensava que Blake fosse louco. Butts introduziu o filho desse joalheiro a Blake e à "sua excelente e idosa esposa", e é graças a Kirkup que temos hoje o comentário que Kate fez a ele na época: "Eu tenho muito pouco da companhia do sr. Blake, ele está sempre no Paraíso". *Os Antigos Bretões*, do modo que Kirkup escreveu, havia causado "uma impressão tão grande em mim, que eu fiz dele um desenho, 50 anos mais tarde, e o dei a Swinburne".²⁴⁹ Tal como o trabalho original, este também desapareceu.

Em 17 de setembro, Leigh Hunt atacou ferozmente a exposição de Blake no *The Examiner*. Usando uma mão acusadora como símbolo editorial para assinar sua obra, Hunt chamou *Os Antigos Bretões* de "uma caricatura completa", e declarou ser Blake um louco. O grau de dor que Hunt causou a Blake é demonstrado pelo número de vezes que uma entidade chamada "Mão" apareceria em seu próximo poema épico, *Jerusalém*, bem como os magistrados e os soldados do julgamento de 1804. Esses foram para Blake todos acusadores e ele acreditava que o espírito de acusação era Satanás. A mão que apontou foi a do Acusador; a oposição espiritual de Blake manifestou-se uma vez mais em forma humana.

Sua amargura irrompeu em versos ásperos em seu *Caderno de Anotações*:

O Interrogador cujo nome verdadeiro é Hunt
Chamou à Morte um Louco que treme pela afronta
Como a trêmula Lebre, ele se senta sobre seu fraco jornal
Sobre o qual ela costumava dançar & correr & saltar

---

crítico hostil William Hazlitt o ridicularizou por ter trocado a "Liberdade" pela "Legitimidade". Southey tinha vindo para ver a suscetibilidade britânica para os credos revolucionários e os possíveis resultados violentos, e estava determinado a expor os ideólogos perigosos. Blake, por associação, em seguida, foi marcado com a suspeita de Southey de loucura ligada ao entusiasmo religioso revolucionário e ao fanatismo.
248. BR, p. 307.
249. BR, p. 294-295; de Seymour Kirkup para lorde Houghton, 25 de março de 1870.

O *Caderno de Anotações* de Blake também contém notas sobre "Endereçamento Público" (1809-1810), o que ele nunca fez. A intenção poderia ter sido destinada à "Chalcographic Society" para gravuristas em cobre, formada em 1802, e dominada por seu antigo colega aprendiz, James Parker, e uma anotação a esse respeito aparece no *Caderno de Anotações*. Blake defendeu e afirmou sua arte e, na página 18, deu seu ponto de vista sobre a política:

> Estou muito triste por ver meus compatriotas brigarem sobre Política. Se os Homens fossem Sábios, nem mesmo os príncipes mais arbitrários poderiam prejudicá-los [.] Mas, se eles não forem Sábios, o mais Livre Governo é impelido a tornar-se uma Tirania. Para mim, os príncipes me parecem Tolos. A Câmara dos Comuns & a Câmara dos Lordes me parecem ser tolices, elas me parecem ser alguma coisa Diferente da Vida Humana.[250]

O que a Vida Humana realmente significava, Blake, o profeta, o demonstraria nas extenuantes cem lâminas de *Jerusalém, a Emanação do Gigante Albion,* com as quais ele se ocupou durante 1810 e ao longo da década seguinte.

---

250. CPP, p. 580.

Capítulo 23

Obscurum per obscurius – 1811-1819

Um ano antes de embarcar em seu caso notório com lorde Byron, lady Caroline Lamb (1785-1828), esposa do honorável William Lamb, abriu sua residência para uma festa. Era a noite de 24 de julho de 1811. A Inglaterra estava sendo governada pelo príncipe regente desde fevereiro, enquanto o pai do príncipe entrou em reclusão e em uma insanidade mais profunda, em Windsor. Entre os convidados de lady Caroline estavam Crabb Robinson e Robert Southey, a respeito do qual Robinson escreveu em seu diário: "Southey tinha visitado Blake e admirado tanto seus projetos quanto seus talentos poéticos, assegurando, ao mesmo tempo, que ele, decididamente, era louco. Blake – disse ele – falou de suas visões com a simplicidade que é habitual a essas pessoas que não parecem esperar que se deva acreditar nelas. Ele [Blake] mostrou a Southey um poema perfeitamente insano chamado *Jerusalém*. E a Oxford Street está em Jerusalém".[251]

De que maneira Southey viu *Jerusalém*, de Blake, é desconhecido. Costuma-se considerar que o texto somente foi concluído em 1815 (por conta da referência que o poema faz ao Tratado de Paris daquele ano), enquanto se estima que a maior parte das gravuras tenha sido feita entre 1815 e 1820, sendo que, neste último ano, o amigo de Blake, Thomas Griffiths Wainwright (mais tarde julgado por assassinato em série), anunciou em setembro, na edição do *London*

---

[251]. *Blake, Coleridge, Wordsworth, Lamb, ETC. Being Selections from the Remains of Henry Crabb Robinson*, ed. Edith J Morley, Manchester University Press, 1922, p. 1.

Magazine, que ele examinaria o conteúdo gigantesco de *Jerusalém* em tempo oportuno. A avaliação de Wainwright nunca apareceu, mas Southey tinha encontrado referências a ela em Oxford Street, e isso o teria introduzido em um épico que exigiria a difícil leitura de um dia inteiro.

> Há em Albion um Portão de pedras preciosas e ouro
> Visto apenas por Emanações, através de vegetações invisíveis,
> Há uma curva do outro lado da estrada de Oxford Street onde, de Hyde Park
> Até as sombras mortais de Tyburn onde as almas errantes são admitidas...

Se Southey estivesse lendo consecutivamente, seus olhos teriam de vagar por mais de 30 lâminas antes de chegar à Oxford Street, no segundo capítulo de *Jerusalém*.

A Oxford Street fica *na* Jerusalém de Blake: é só mais uma incisão para marcar o corpo terreno de Albion, pois *Jerusalém* engloba cada vila e distrito de Londres, bem como alguns bares, sítios, ruas e cidades rurais antes que sua sucção espiritual atraia em seu escopo psíquico todo o território e história da Grã-Bretanha e da Irlanda, sugados e atravessados, como se o fossem pelo ar e exibidos como sendo o corpo na terra de Albion, o homem gigante, o Homem como ideia espiritual que perdeu contato com sua emanação, "Jerusalém", que é a *Liberdade*, a liberdade espiritual, a fonte de todas as liberdades. "Jerusalém, tua irmã te chama!" O épico é um grito profético do coração e da mente perturbados de William Blake, agora um dos "pobres", como os apóstolos, os dervixes ou os velhos profetas desprezados, reduzidos a uma força de simplicidade, uma força de Deus. "Acorda, Grã-Bretanha e saiba por que tu eras Grande!", toca o tema.

Blake diz que está nos entregando a extremidade de um cordão de ouro. Temos de enrolá-lo em uma bola. E a bola nos conduzirá às portas do céu, construído na muralha de Jerusalém. É preciso lembrar que, no poema, "Jerusalém é uma cidade e, ao mesmo tempo, uma mulher". Observem que os versos da "bola de ouro" foram provavelmente inspirados no verso final de Andrew Marvell no poema "*Para Sua Tímida Amante*":

> Vamos enrolar toda a nossa força, e toda
> A nossa doçura, em uma única bola;
> E rasgar nossos prazeres com força bruta
> Através dos portões de ferro da vida.

Será que Southey viu qualquer uma das gravuras? Elas são sem paralelo na literatura e na arte inglesas. Dos enormes megalitos, maiores do que os de Stonehenge, até os amantes tântricos em abraço orgástico e até Los empunhando seu poderoso martelo, que é claramente um falo e testículos, martelando como o grande tambor que costumava ser usado para acompanhar os festivais da fertilidade das aldeias, até que as Igrejas os proibiram, o poema é preenchido com a angústia mais intensa e os êxtases mais extremos. Pode ser chamado de "Bem-vindo ao meu Pesadelo", pois o ser espiritual de Albion é apresentado dilacerado, esfolado vivo, perfurado, crucificado. E por quê? Será que é porque os filhos de Albion rejeitaram o bardo William Blake? Blake, nesse poema, descobriu *quem ele realmente é* e o que deve fazer; ele não é apenas Will, o poeta, pintor, gravurista, artista – não, ele descobriu o que é a *Arte*:

> Eu não descanso em minha grande tarefa!
> De revelar os Mundos Eternos, de abrir os olhos imortais
> Do Homem para dentro dos Mundos do Pensamento, na Eternidade
> Em contínua expansão, no Seio de Deus, a Imaginação Humana.

Dentro das "fornalhas da aflição" descritas por Blake, surgem e espreitam as figuras persistentes de seus algozes: "Scofield" (o ex-sargento Scofield, com ênfase talvez em "SCOF" como sendo "escarnecedor"); "Kox" (o pênis dos soldados do Regimento dos Dragões); "Coban" (provavelmente um anagrama de Francis Bacon); "Kwantok" (Quantock, um dos magistrados de Chichester); "Peachey" (outro magistrado); a "Mão" (Hunt), e "Hyle" (grego para a palavra *matéria*, provavelmente referida a "Hayley"). Eles são como uma gangue de ladrões que rouba em seu caminho por toda a Inglaterra, o que sempre se repete na história; os tipos de sombra que oprimem, frustram e assassinam em todas as épocas. E, no entanto, eles são os filhos de Albion que também são chamados. Sua queda dos espelhos da verdade, o vórtice no qual os Filhos de Albion afundaram, esquecendo sua dignidade primitiva. Recuperar essa dignidade primitiva é um dos temas que giram, ressoam e ganham destaque no poema que, por sinal, teria desafiado os melhores animadores de Hollywood a limites vertiginosos, mas profundamente satisfatórios e ilimitados.

> O Universo Vegetativo desabrocha como uma flor do centro da Terra:
> No qual está a Eternidade. Ele se expande em estrelas para a Concha Mundana
> E ali ele encontra novamente a Eternidade, dentro e fora,
> E nos Vazios abstratos entre as Estrelas estão as Rodas Satânicas.

Sim, Blake desvenda um mistério escondido, um mistério também das origens da religião. Na Lâmina 27 do capítulo 1, ele se dirige "aos judeus": "É verdade", ele pergunta, "que a Grã-Bretanha foi a Sede Primitiva da Religião Patriarcal?". Se realmente foi, então, o frontispício está correto e Jerusalém é a Emanação de Albion "Vós estais unidos, vós, ó Habitantes da Terra, em uma Única Religião. A Religião de Jesus, a Mais Antiga e Eterna, e o Evangelho Perpétuo".

O destino do mundo todo está, de alguma forma, profundamente envolvido com o que acontece na Grã-Bretanha. A Grã-Bretanha é um centro de pulsação espiritual, um *omphalos* (umbigo) do mundo: "Todas as coisas Começam e Terminam na Antiga Orla Rochosa Druida de Albion".

Blake informa ao seu público judeu imaginário que seus antepassados, de fato, derivam de Abraão, Héber, Sem e Noé. Esses homens, diz Blake, foram druidas. Seus templos eram os pilares patriarcais e os bosques de carvalho descritos na Bíblia, como são encontrados em toda a Terra. Está claro que Blake tirou sua tese dos druidas do livro do antiquário William Stukeley sobre Stonehenge. Na época, essa foi uma história respeitável baseada, em parte, nos *Anais* do historiador romano Cornélio Tácito. Ele descreveu uma aniquilação dos druidas em Anglesey por um exército romano, justificada como retaliação pelos sacrifícios humanos dos druidas, o que até mesmo os romanos achavam intolerável. Então, a ideia de que o sacrifício de Isaac por Abraão, no livro de Gênesis, nos tempos patriarcais, era druídico, foi um ato natural para os profetas de Israel que, atendendo ao "Gênio Poético", se enfureceram contra os sacrifícios humanos, os bosques e os pilares do culto à natureza. A visão de Blake, então, era uma simples fusão das escrituras com a História.

Ele lembra "aos judeus" de sua tradição cabalística, "que o Homem antigamente continha em seus poderosos membros todas as coisas do Céu e da Terra e isso vocês receberam dos druidas". Agora, diz ele, "os céus estrelados fugiram dos membros poderosos de Albion". Esse esfolamento do corpo de Albion, anteriormente coberto com planetas e constelações, é transmitido graficamente nas gravuras que acompanham o texto. O que Blake quer dizer é que uma vez o Homem viu e sentiu-se *um com* o Cosmos, tendo as estrelas, e os sóis, e os planetas dentro e fora dele mesmo e não houve alienação ou "objetividade"; agora, através do véu rasgado da psique forjada pela Razão e pela abstração, o Homem tornou-se "um verme rastejante e escorregou para fora de si mesmo", alienado e sozinho, dependente da matéria, cego para o espírito e para a verdade, agressivo e belicoso, e dado a sacrifícios, leis, opressões, crueldades e destruição de tudo o que uma vez adornava os palácios de joias do universo total.

O pai dos druidas, diz Blake, foi Albion, o HOMEM Antigo, mas ele caiu no sono caótico, suas faculdades foram divididas e, a partir dessa queda, Elohim criou Adão e o mundo. Blake, em seguida, abre o poema com uma visão da Inglaterra onde Jerusalém e Albion, reconciliados um com o outro, restauram também a vida do mundo, uma visão de paz, amor, cor e brilho, ternura para as crianças, fidelidade no casamento, honestidade no trabalho. Por outro lado, ele mostra o todo caindo, mas diz que tudo cairá em sangue e guerra, se Jerusalém cair.

Blake encerra o capítulo com uma declaração intrigante: "Se a Humildade é o Cristianismo; Vós, ó judeus, sois os verdadeiros Cristãos". Talvez inspirado pelo herético rabino Jacob Frank, Blake sonha com o impossível: "O retorno de Israel é um retorno ao Sacrifício mental e à Guerra. Tomai a Cruz, ó Israel, e segui Jesus". Pode-se dizer que eles já o seguiram, em todo o seu caminho para Jerusalém.

O que está Em cima está Dentro, pois cada coisa na Eternidade é transparente:
A Circunferência está Dentro; Fora forma-se o Centro do Egoísmo
E a circunferência ainda se expande, indo para a frente, em direção à Eternidade.
E o Centro tem os Estados Eternos! São esses os Estados que nós agora exploramos.

Todas as nações virão finalmente para Jerusalém.

O Evangelho Perpétuo

Jerusalém foi a última e maior obra escrita e publicada por Blake. Seus originais são excepcionalmente raros; só existem nove cópias originais. Sabe-se que existiu outro exemplar conhecido, mas ele desapareceu. Talvez Blake tenha sentido que já havia dito o suficiente; talvez ele se desesperasse por encontrar um público ao final de sua vida. Ele trabalhou para os espíritos com um olhar para a posteridade. Mas, para o biógrafo, há muito pouca carne para mastigar na segunda década do século XIX. Blake, com seus 50 anos, parece ter vivido em grande obscuridade no nível de subsistência, em South Molton Street. Como ele sobreviveu é um mistério, pois, nesse período, enquanto ele e Kate viviam de um modo excepcionalmente frugal, o aluguel ficava pendente de pagamento e parece que Blake tinha poucos trabalhos de gravação. Ele provavelmente teve alguma discreta ajuda graças à Providência.

E, lentamente, a poesia de Blake chegou ao conhecimento de uma nova geração de escritores "românticos", em geral desconfiados do racionalismo do "iluminismo" e muito ansiosos por excitar a imaginação, tal como Blake tinha sido quando, em seu período mais erudito, sua voz ecoou em um deserto distante.

Em 24 de maio de 1812, Crabb Robinson leu alguns dos poemas de Blake para William Wordsworth, cuja reputação como poeta da "nova sensibilidade" ficou mais forte, ao mesmo tempo que seu entusiasmo pela liberdade política diminuía. De acordo com Robinson, Wordsworth "estava satisfeito com alguns deles e considerava Blake como tendo mil vezes mais elementos de poesia do que qualquer Byron ou Scott, mas ele achava também que Scott era superior a Campbell".[252] Thomas Campbell (1777-1844) foi um poeta escocês que, em 1812, deu uma palestra sobre poesia na Royal Institution. Quem mais se lembra agora de Campbell?

Quando Blake anotou suas próprias cópias do prefácio da obra de Wordsworth, *A Excursão, uma Porção do Recluso, um Poema* (1814), e da edição de 1815 dos *Poemas*, de Wordsworth, ele levantou uma questão que chamou de adoração de Wordsworth pela Natureza, o que, para Blake, fazia do poeta um "ateu": "eu vejo em Wordsworth o Homem Natural que, continuamente, se levanta contra o Homem Espiritual; e, além do mais, ele não é nenhum poeta, mas um Filósofo Idólatra, inimigo de toda verdadeira poesia ou da Inspiração".[253] Blake pode ter parecido espiritualmente selvagem em 1815, mas a Igreja podia enfrentá-lo agora! Mas, em minha opinião, poucas pessoas perceberiam esse fato.

Diário de Ralph Churton, 25 de março de 1815:

> Ai de mim! Bonaparte está, sem dúvida, mais uma vez em Paris pela traição do exército [O marechal Ney tinha traído Luís XVIII]. Ó Pai de Misericórdia, pelo amor de Jesus Cristo, perdoai este mundo pecaminoso e restaurai a paz e a ordem![254]

Durante a crise do repentino retorno de Napoleão do exílio na Ilha de Elba, os filhos de George Cumberland, George e Sydney, visitaram o sr. e a sra. Blake. Em 21 de abril, George relatou como havia transcorrido essa visita para seu pai:

> Visitamos Blake ontem à noite e o encontramos tomando chá com sua esposa, mais sujo que nunca. Mas ele nos recebeu bem e mostrou-nos seu grande desenho em aquarela do Juízo Final [;] sobre o qual ele tem trabalhado muito. O desenho é quase tão escuro quanto seu Chapéu [Tatham imaginava que ele tinha cerca de seis metros de comprimento por cinco de largura, mas que estava bem

---

252. *Ibid.*
253. CPP, p. 665.
254. *Churton Papers*, "Journal of Ralph Churton 1807-1827".

estragado pelo excesso de trabalho] – as únicas luzes são as de um *Roxo Infernal* – e seu tempo é agora inteiramente tomado pelo Desenho e pela Gravação – Blake diz que receia que eles façam de Napoleão um Grande Homem com poderes demais e autorizá-lo a vir para a Inglaterra. A sra. B. diz que, se este País for à guerra, nosso Rei merecerá perder a cabeça.[255]

Enquanto Napoleão convocava um novo exército e marchava para o norte, em direção a Bruxelas, para dividir Wellington das forças prussianas aliadas, lideradas pelo príncipe Blücher, Blake trocava cartas com Josiah Wedgwood, o filho mais jovem do fundador da cerâmica Etrúria, no norte de Staffordshire.

Em 29 de julho, Wedgwood escreveu que aprovava um desenho que Blake havia feito de uma terrina e que, agora, podia ser gravado. O trabalho era destinado ao catálogo de vendas de Wedgwood – um trabalho não muito auspicioso, mas permitia que o aluguel fosse pago. Blake ainda estava fazendo desenhos para Wedgwood em setembro, mas, antes disso, o mundo balançou novamente, como registra o diário de Ralph Churton:

> 23 de junho de 1815. Banbury, Oxfordshire. Importante vitória do duque de Wellington perto de Nivelles, 150 canhões tomados e 60, no meio da noite, pelo príncipe Blucher, no encalço das forças francesas; mas com grande perda de Oficiais, etc. O 18 foi o dia decisivo em uma batalha (a de Waterloo)], que durou das dez horas da manhã até sete da noite. Uma batalha que começou no dia 16 e terminou no dia 18. D. G. [Graças a Deus].[256]

> 27 de junho de 1815. Banbury. Dizem que Bonaparte abdicou. Possa ele nunca mais reinar e nunca mais perturbar o mundo.[257]

Parecia ser o fim do amargo legado da Revolução Francesa.

---

255. BR, p. 320.
256. *Ibid.*
257. *Ibid.*

Blake aparece novamente dois anos e meio depois, na terça-feira, 20 de janeiro de 1818, como convidado em uma das festas de lady Caroline Lamb. A autora lady Charlotte Bury (1775-1861) mantinha um diário e Blake aparece nele como uma figura de outro mundo:

> Jantei na casa de Lady C. L. Ela havia reunido um grupo estranho de artistas e literatos, e uma ou duas outras pessoas que não se sentiram à vontade com o grupo. *Sir* Lawrence T. (o grande retratista), junto ao qual me sentei no jantar. Como sempre, ele foi muito cortês. Sua conversa é agradável, mas tenho a impressão de que ele nunca expressa o que realmente pensa...
>
> Além de *sir* T., também esteve presente nesse encontro a sra. M [ee], pintora de miniaturas, uma pessoa agradável e modesta; ela se parece muito com as imagens que produz, suave e doce.
>
> Além deles, havia outro pequeno e excêntrico artista, o sr. Blake. Ele não é um pintor profissional regular, mas uma dessas pessoas que seguem a arte por conta própria e derivam sua satisfação a partir de sua busca. Ele pareceu-me ter uma boa e bela imaginação e gênio; mas, até onde a execução de seus projetos é igual às concepções de sua visão mental, eu não sei, pois nunca os vi. Muitas vezes há falta de uma boa mão de obra onde a mente é mais poderosa.
>
> O sr. Blake parece desconhecer tudo o que diz respeito a este mundo e, a partir do que ele disse, eu deveria acreditar que ele seja um desses seres cujos sentimentos são muito superiores à sua situação na vida. Também tem pouco cuidado com sua pessoa e tenho a impressão de que esteja deprimido; mas seu semblante brilha quando fala de seu passatempo favorito e fica satisfeito quando fala com uma pessoa que compreende seus sentimentos. Posso facilmente imaginar que ele raramente se encontre com alguém que tenha seus mesmos pontos de vista, pois eles são peculiares e exaltados acima das opiniões de nível comum. Eu não podia deixar de contrastar esse artista humilde com o grande e poderoso *sir*

Thomas Lawrence e pensar que o primeiro seria muito mais digno de distinção e de fama do que o segundo já alcançou, mas dos quais ele está longe de conseguir. Entretanto, o sr. Blake, embora possa ter o mesmo direito ao talento e mérito para conseguir as vantagens que *sir* Thomas possui, evidentemente ele não tem o conhecimento do mundo e o maneirismo que permitem ao homem ganhar eminência na profissão e ter sucesso na sociedade. Em cada palavra que ele pronunciou, falou com a perfeita simplicidade de sua mente e sua total ignorância de todos os assuntos mundanos. Ele me disse que Lady C. L. tinha sido muito gentil com ele. "Ah!", disse ele, "há muita bondade nessa dama". Eu concordei com ele e, embora fosse impossível não rir da maneira estranha pela qual ela tinha organizado esse encontro, não pude deixar de admirar a bondade de coração e sua percepção do talento desse artista que fez com que ela o patrocinasse, apesar de ser desconhecido.

Sir Lawrence T. olhou para mim várias vezes enquanto eu converva com o sr. B., e eu vi em seus lábios um certo sorriso de escárnio, como se ele me desprezasse por falar com tão insignificante pessoa. (Lawrence era admirador de Blake e chegou a comprar algumas de suas obras.)

Era muito evidente que *sir* Thomas não gostou da reunião em que se encontrava, embora ele tenha sido muito educado e muito prudente para arriscar qualquer comentário a respeito.

Os literatos também eram de vários graus de eminência, começando com lorde B., e terminando com ---. Os nobres eram o sr. L, que aprecia o talento e, portanto, não estava tão desconfortável no grupo como estavam a sra. G. e lady C., que nada fizeram além de bocejar a noite toda, e a sra. A., que todos olhavam com evidente desprezo.

Como Bentley observou, o verão de 1818 foi um ponto de virada na vida de Blake. O filho de Cumberland, George, apresentou Blake, de 60 anos, ao jovem de 26 anos John Linnell (1792-1882), paisagista, gravurista e vencedor de medalhas de desenho, pintura e modelagem na Academia Real. Linnell logo decidiu que queria ajudar Blake. Em junho, ele levou para Blake o retrato que tinha de James Upton, um pregador batista, para que ele lhe fizesse uma gravura.

Linnell também introduziu Blake a um homem que o veneraria, John Varley (1778-1842), notável aquarelista e astrólogo.

Ao redor dessa época, Blake foi apresentado a Samuel Taylor Coleridge, cuja mente idealista tinha muito em comum com a de Blake. Essa apresentação provavelmente foi feita por intermédio de Charles Augustus Tulk (1786-1849), cujo pai foi um dos fundadores da Nova Igreja, em 1789, quando Blake e sua esposa participaram da conferência swedenborguiana de Eastcheap. Tulk, inspirado em Swedenborg e amigo de longa data de Flaxman, parece ter conhecido Blake desde 1816; e ele pode tê-lo ajudado financeiramente em algum momento.

Tulk conheceu Coleridge em Littlehampton, em setembro de 1817 e, para descobrir o que Coleridge pensava da poesia de Blake, enviou-lhe uma cópia de *Canções da Inocência*, à qual Coleridge respondeu com um comentário em 12 de fevereiro de 1818. Coleridge apreciava muito os poemas e, apesar da inevitável crítica, ele imediatamente reconheceu a dimensão poética de Blake e sua marcante e atraente "audácia".

Tulk levou Coleridge para os aposentos de Blake para que pudesse apreciar o grande quadro de *Visão do Juízo Final*, que inspirou uma corrente de eloquência por parte de Coleridge. É possível que Tulk tenha escrito um artigo chamado "As Invenções de William Blake, Pintor e Poeta", que apareceu em 1830 na revista da Universidade de Londres. Em uma nota de rodapé para o texto, o autor descreveu como "Blake e Coleridge, quando juntos, pareciam seres congênitos de outra esfera, de passagem temporária em nossa Terra, o que pode ser facilmente percebido pela comunhão de pensamento que permeia suas obras".

Coleridge entendia que a sede da crença religiosa espiritualmente vital era a imaginação animada pelo coração.

Nessa época, Blake trabalhou em um poema didático baseado na expressão o "evangelho eterno", levado por um anjo para cada pessoa na Terra, em Apocalipse 14:6. O poema sobreviveu, espalhado em nove seções no *Caderno de Anotações* de Blake, além de outras três seções em papéis avulsos. Reunidos, os versos iluminam a decrépita visão da figura de Jesus, satirizando o que Blake considerava ser uma falsa imagem difundida pelas Igrejas. Eu não sei se Blake, alguma vez, se perguntou se esses versos eram ou não apropriados para o público em geral da época ou, até mesmo, de nossa época:

> A Visão de Cristo que tu podes ver
> É a maior inimiga de minhas Visões
> A tua tem um grande nariz adunco, que é teu
> A minha tem um nariz arrebitado, que é meu
> A tua é a Amiga de Toda a Humanidade
> A minha fala por parábolas aos Cegos
> A tua ama o mesmo mundo que a minha odeia
> Tuas portas do Céu são meus Portões do Inferno

E há muito mais de onde isso veio e, em, certo trecho, Blake insere um ponto de interrogação sobre as futuras imagens de um Jesus manso, suave, pálido e romântico – próprio para escolas dominicais vitorianas – e um assexuado homem-deus catolicizado com o órgão cardíaco por todo o peito. O Jesus de Blake tem bolas, ele é vigoroso!

Blake tinha desenvolvido um humor um tanto cínico e irônico com respeito ao mundo em geral, assim como os homens brilhantes fazem na meia-idade, e já não se pode ter certeza de que ele não estivesse ocasionalmente brincando com John Varley na questão das chamadas "Cabeças Visionárias".

Varley ficou muito impressionado com as habilidades visionárias de Blake e desejou que elas fossem demonstradas de uma forma que Blake achasse confortável. A ideia era evocar personagens da história para que viessem sentar-se diante de Blake, que passaria a desenhá-las, geralmente, no meio da noite.

De acordo com Samuel Palmer, Varley provavelmente pensava que as pessoas estivessem objetivamente presentes, na forma de sessões espíritas. Mas, embora Blake ficasse às vezes impressionado pelos movimentos aparentemente independentes de seus visitantes visionários, uma espiada aos desenhos de William Wallace, Eduardo III, Ricardo Coração de Leão, o "homem que construiu as pirâmides",

Voltaire, Cleópatra ou muitas outras figuras da história (Blake fez mais de 40 desenhos para Varley, em 1819) revela-os como retratos *que ilustram* o que Blake viu vividamente em sua imaginação "através", e não "com" os olhos.

Ora, essa habilidade pode ter sido tão forte a ponto de ele ter chegado a tocar zonas atemporais da percepção espiritual, acessando estados de visão que transcendiam o tempo, mas é claro que as figuras não são retratos fotográficos. Elas estão no estilo de Blake e, mais ou menos, tal como ele queria vê-las. Varley, no entanto, considerou que o misticismo de Blake foi milagroso. Mas Blake sabia o que estava acontecendo. Ele tinha desenvolvido uma faculdade que a maioria perde na infância, juntamente com a inocência. Entretanto, a ideia disso tudo não é a de admitir totalmente o pensamento de que Blake[258] possa, às vezes, ter considerado seus "visitantes" como entidades reais de outros reinos que se expressavam por meio das limitações de seu lápis.

---

258. Citado em Mona Wilson, *The Life of William Blake*, London, Granada, 1971, p. 314-316. Wilson data a ocasião em 20 de janeiro de 1820, mas, de acordo com Bentley (BR), há um erro na data do diário de lady Bury. Bentley argumenta convincentemente para o ano de 1818.

Capítulo 24

Um Novo Tipo de Homem – 1820-1827

Foi, provavelmente, por intermédio de John Varley que Blake conheceu o jovem artista Francis Oliver Finch, aquarelista e membro do grupo dos chamados "Antigos", cuja devoção do jovem ao velho Blake aliviou consideravelmente seus últimos anos de vida e cuja confiança deixou-lhe tempo para realizar experiências com sua paleta infinita.

Filho de um comerciante de Cheapside, nascido enquanto Blake estava vivendo em Felpham (1802), Finch, órfão, foi aprendiz de Varley por cinco anos, com a idade de 12 anos cuja taxa de 200 libras foi paga por um amigo. O talento artístico de Finch chamou a atenção de lorde Northcliffe e Finch foi incentivado a especializar-se em paisagens românticas, cenas familiares do país e edifícios antigos em ambientes rurais. Portanto, podemos imaginar a admiração com a qual Finch brindou a execução de Blake de uma encomenda do médico de Linnell, Robert John Thornton, MD, em 1821.

A terceira edição de *Pastorais de Vergil*, de Thornton, destinada às escolas, foi enfeitada com xilogravuras profundamente marcadas de Blake.

Blake fez 17 blocos para transmitir cenas intensas da natureza para serem vistas através e não com os olhos. Sua visão de vales tranquilos, ovelhas recolhidas em seu curral, as estrelas ao redor de um celeiro, pessoas do campo dançando livremente, filósofos liberalmente expondo suas ideias durante refeições simples e vinho, pastores ao amanhecer e ao entardecer, contemplativos na terra profundamente escavada ou um riacho gentilmente fluindo, cativaram totalmente Finch e os amigos que compartilharam, por sua maneira comum ou incomum, o amor de Blake.

Finch disse a Gilchrist que ele considerava Blake "um novo tipo de homem", um tipo totalmente original de homem que tinha produzido uma nova arte e uma nova poesia. Para Finch e seus amigos, Blake era de fato o Bardo.

Havia poucos vestígios de "Orc" nos jovens que buscavam ansiosamente os aposentos de Blake; eles eram sinceros, meninos religiosos, mas seu interesse era suficiente para convencer Blake de que havia um novo mundo nascendo.

A influência dos Pastorais de Blake pode ser vista em muitas obras dos "Antigos", mais particularmente nas obras mais queridas de Samuel Palmer, como uma de suas primeiras obras, "O vale repleto de milho" (1825), executada sobre papel com pena e tinta marrom escura e escova com sépia misturada com goma. Ela pode ser vista hoje no Ashmolean, em Oxford.

Essas imagens nos levam de volta para um cenário rosacruciano dos séculos XVI e XVII, quando a Natureza transbordava de magia, quando Izaak Walton, autor de o "Perfeito Pescador de Tamboril", recomendou o "Estudo para Ficar em Silêncio", enquanto ele pescava a recompensa de Deus, ou o alquimista alemão Heinrich Khunrath, que procurava "Cristo, a Pedra", no interior do núcleo verde e exuberante da paisagem alemã: "enquanto vós, meus contemporâneos, estáveis de braços cruzados cochilando, eu estava atento e no trabalho, meditando fervorosamente dia e noite sobre o que eu tinha visto e aprendido, sentado, em pé, ou deitado, à luz do sol, ao brilho da lua, pelas margens, nos prados, rios, bosques e montanhas". (A "Confissão" de Khunrath, *Anfiteatro da Sabedoria Eterna*, 1595). Havia luz divina na natureza oculta. Eles procuravam a transmutação da natureza em um espírito recluso pelo poder da visão e da alquimia. Tal como Blake, eles não viam o Sol como uma moeda de um guinéu dourado, mas como uma multidão de Hostes Celestiais cantando "Glória, glória, glória ao Senhor Deus Todo-Poderoso". É por isso que Palmer, Finch, Calvert, Richmond e, por um período, Tatham (o Judas do grupo) se autointitularam "os Antigos". Eles foram inspirados espiritualmente por algo intenso, religioso e grande, oculto pela hera rasteira do tempo e vivendo eternamente no passado e, no entanto, ainda acessível e capaz de ser levado como um cálice de maravilhas para o mundo materialista de uma Londres comercial do século XIX, para transformá-la. Eles mantiveram o sentido sacramental da Natureza, acreditando que a imaginação pudesse (nas palavras de Coleridge) "descarnar a alma do fato", e eles acreditavam que Blake compartilhava de sua visão em sua raiz.

Ao ver o *Pastorais,* de Blake, é possível pensar que ele, sim, estivesse compartilhando. Mas Blake não olhava com tão bons olhos o mundo natural quanto se supõe dos românticos e, além disso, ele não gostava de paisagens (embora admirasse as de Constable por considerá-las visionárias). Ele também viu os terrores da natureza, pois entendia a natureza como sendo "caída" e precisando de redenção; mas ele sabia que no *unus mundus* (mundo único), na visão completa, a Terra e as estrelas eram um com o Homem espiritual e que no mundo sensual existem caminhos secretos que levam para Deus, que é o Homem, pois estamos n'Ele assim como Ele está em Nós; assim ele acreditava e assim viveu por essa causa.

Eles eram românticos e amavam seu país – acima de tudo, o país. Palmers sequer deixava que Blake saísse de sua zona de segurança de Londres para visitar o velho avô de Palmers, em Shoreham, Kent. Eles exploravam uma velha ruína com feltros que cheiravam a relva molhada, a campo, a orvalho, a samambaias e a musgo, e Blake mostrava sinais de clarividência. Os Antigos realizaram uma homenagem a Blake como se ele fosse um profeta, e sua veneração por ele ficou para nós, até hoje, na reverência que muitos homens e mulheres têm para com William Blake, pois ele havia se tornado, por meio da experiência e do sofrimento, da vivida pobreza, e por abraçar a Vida Espiritual e a Providência com Vontade, um santo, um testemunho da verdadeira vida santa, uma vida não simplesmente de isolamento, mas de criação divina, de ação e do pensamento na própria ação.

Em 1821, o sr. e a sra. Blake mudaram de South Molton Street para Fountain Court, nº 3, no Strand, em um edifício mantido pelo marido da irmã de Kate, o sr. Baines. Fountain Court ficava ao lado de Beaufort Buildings, onde Blake tinha aprendido desenho com o sr. Pars quando menino e onde, por coincidência, Ralph Churton passara sua lua de mel, no nº 11, com sua noiva Mary, em 1796. Churton conhecia bem a reputação da área de Fleet Street – na área do Strand.

Em 16 de março de 1820, ele escreveu a esse respeito para Bowyer Nichols (1779-1863), impressor e editor da conservadora e influente revista *Gentleman's Magazine*, que havia se mudado recentemente mais para o oeste, em Parliament Street:

> Em Fleet Street há impressores *radicais* ou não radicais, em todos os quarteirões e esquinas; mas em Westminster e na melhor rua de Westminster não há um impressor sequer, e onde espero ser encontrado a uma distância de um *shilling* de transporte por carruagem.

Embora as gravuras de Blake fossem associadas com a liberdade, Churton via o comércio frequentemente difamado por radicais "esquentados". Na verdade, *The Examiner*, de onde Leigh Hunt lançara seu ataque contra Blake em 1808, estava baseado em Beaufort Buildings, que Blake chamava de "antro de vilões". Churton teria concordado e, em 1813, *The Examiner* dirigiu seus canhões jornalísticos contra o príncipe regente, um ataque pelo qual Leigh Hunt e seu irmão foram penalizados com dois anos de reclusão na cadeia de Surrey. Alguns gostariam de saber se Blake considerou a sentença justa.

Blake, "radical ou não", continuou sua luta. Em 1822, sua angustiosa situação chamou a atenção da Academia Real. Por recomendação de William Collins e Abraham Cooper, Blake recebeu uma ajuda de 25 libras. A sra. Blake, sem dúvida, deve ter apreciado a doação. Kate havia se acostumado a pôr pratos vazios diante de seu marido, em vez de sua ceia, como um protesto silencioso para forçá-lo de volta ao trabalho remunerado.

Em 25 de março de 1823, com a idade de 65 anos, o sr. Blake foi contratado pelo fiel John Linnell para fazer uma série de gravuras do Livro de Jó, um assunto que Blake já havia tratado em uma pintura para Thomas Butts. Linnell pagou a Blake cem libras pela concepção e os direitos autorais. Publicado em março de 1826, o trabalho se tornaria, entre os *cognoscenti* de uma era que Blake não viria a conhecer, sua produção visual mais amplamente apreciada.

Jó

Blake tinha todas as razões do mundo para identificar-se pessoalmente com a figura bíblica cuja fé na justiça de Deus foi mais do que severamente testada pelo conselho acusatório do Todo-Poderoso chamado "Satanás", ou o "Adversário" e, por Blake, o "Acusador".

Então Satanás levantou-se para responder ao alarde que o SENHOR demonstrava por seu servo Jó ser "um homem fiel e justo", e acusa Jó diante do Senhor alegando que ele assim prosseguiria em razão de todas as coisas boas que ele possuíra na vida. "Retire-as dele", disse o Demônio, "e Jó o amaldiçoará". Eles, então, combinaram uma aposta sendo que o Senhor daria as costas a Jó e Satanás faria de tudo para despojar Jó de seus mínimos resquícios de dignidade pessoal a fim de demonstrar que era bom apenas porque ele havia sido abençoado pelo Senhor.

Bem, acredito que todos conhecem a famosa frase que se refere à "paciência de Jó". Mas o Jó bíblico tem muito pouca paciência. Ele fica surpreso e tenta descobrir o que fez para merecer essa sua "desgraça". Seus amigos chegam para dizer-lhe que, como Deus é justo, ele deve ser culpado de alguma coisa, em algum nível. Mas Jó nega isso. A "paciência" de Jó consiste em sua fé persistente de que Deus, em toda a criação, fará o que for justo e certo, embora, interiormente, ele perceba que não há fim para sua aflição, nenhum fundo para sua miséria. No desfecho da história, o Senhor, satisfeito com o fato de que Jó não blasfemou, como Satanás havia previsto, aparece a Jó em uma epifania visionária e lhe mostra as complexidades da criação, esmagadoramente impressionantes, para torná-lo consciente de que ele nunca conseguirá entender os caminhos misteriosos do Senhor. Como George Bernard Shaw disse brincando, não é solução para um problema do sofrimento inocente perguntar a um homem se ele pode fazer algo impossível! Mas a figura de Jó não é necessariamente uma tentativa de *justificar* os caminhos de Deus para o homem; é uma afirmação simples das leis justas de Deus, mesmo em face de circunstâncias e dores incompreensíveis.

Ora, o sr. Blake não era o tipo de homem que deixaria a Bíblia conforme ela parecia para uma leitura ortodoxa. O *Jó*, de Blake, não é apenas um trabalho da mais alta capacidade artística, mas também é uma manifestação magistral inimitável de concepção e de técnica, e, portanto, muito influente aos demais artistas; *Jó* também se destaca como sendo um comentário independente sobre esse assunto – um ensaio blakeano.

A primeira coisa a ser observada é que a face do Senhor espelha o próprio estado espiritual de Jó. Quando a história começa, vemos um Jó acomodado em sua presunção, um servo da legislação, mas não do espírito. lei. Os instrumentos da alegria, os instrumentos musicais, estão todos pendurados em uma árvore, com suas cordas quebradas. Da mesma forma, a esposa de Jó é ignorada. Quando vemos Blake dar pão para um pobre homem, podemos vê-lo fazer isso com a mão esquerda. Em sua mão direita, ele retém metade do pão. Ele apenas parece ser bom.

O simbolismo da direita e da esquerda é mantido. Direita representa o eterno, o espiritual, e a esquerda, o finito e material. O erro de Jó aparece como Satanás, e quando vemos que Satanás derruba Jó, podemos vê-lo pisar sua perna direita. O sofrimento espiritual dará sequência ao sofrimento físico. Jó realizou práticas tolas e atraentes para seus filhos, reprimindo-os. Jó é a fonte do pensamento de acusação que voa para derrubá-los. Quando os mensageiros chegam, seus pés esquerdos são apresentados: a destruição material está chegando. Podemos notar também como uma catedral gótica (forma de vida) é substituída, conforme a turbulênça começa, por um altar druida. Jó está em ruína, seus "Zoas" estão em desordem: e essa é sua queda. Satanás atira quatro setas em Jó. Quatro de seus sentidos foram derrubados e Satanás está ferindo o quinto: o toque e o sexo. A estrada para o céu está fechada. Jó é agora verdadeiramente miserável, um pária de si mesmo. Ele deixou de fazer o único sacrifício que importava: o de seu *self*. Ele ofereceu a legislação, mas não o espírito, que ele negou a si mesmo e aos outros. Seu "Urizen" interior assumiu o controle e isso é refletido na imagem do "Senhor" quando a crise de Jó se aprofunda e torna-se mais escura.

Quando Elifaz vem para pregar a justiça legal do Senhor, vemos o Senhor limitado à sua própria lei. Jó está agora sujeito à lei e sofre de acordo com a mesma: cegueira para sua visão, surdez para sua audição; ele é um verme rastejando para fora de si mesmo. Mas há uma fenda na caverna.

O "consolador" de Jó, Elihu, chega com raiva dele por não ter se submetido a Urizen, "o rei estrelado". "A Oposição é a Amizade verdadeira", Blake tinha escrito muitos anos antes. E, ao opor-se a Jó, Elihu faz com que seu amigo perceba que há esperança na resistência às invasoras imagens do desastre. Ele reúne a força do Espírito e, assim, absorve o Gênio Poético e, logo após, Deus vai até ele em um turbilhão. Deus mostra a Jó o Leviatã e Behemoth, cujas formas visionárias de Blake, de Pitt e Nelson, haviam surgido das profundezas. Finalmente, o erro de Jó é expurgado no "Juízo Final", por ele ter abraçado a verdade e, então, tudo lhe é restituído. Na imagem final de Jó com sua família, vemos que os instrumentos da alegria foram retirados da árvore (da natureza) e são apreciados para a glória da Glória.

É preciso um certo tipo de genialidade para reescrever a Bíblia sem mudar nenhuma de suas palavras!

E Blake tinha esse gênio. De fato, a capacidade de Blake de transfigurar essas fontes me faz lembrar o que Orson Welles disse de *O Processo*, de Franz Kafka, no excelente filme que ele fez em 1962. Kafka criou um pesadelo burocrático, no qual o inocente "Joseph K." é acusado e vitimizado.

O ator Anthony Perkins, acreditando ser "K." uma vítima totalmente inocente, ficou primeiramente consternado com o conselho que Welles lhe deu sobre como fazer aquele papel: "Ele é tão culpado quanto o Diabo!". A presunçosa autossatisfação de K. é seu erro espiritual. Blake viu Jó da mesma maneira.

Linnell tinha um gênio para manter Blake ocupado e entretido. Em novembro de 1821, por exemplo, ele levou Blake e Varley ao London Theatre West, em Tottenham Street. Sentaram-se lá para assistir a uma produção de Édipo, de John Dryden e Nat Lee, que foi mal apresentada como sendo a obra de Sófocles. Vendo a impostura, a imprensa a atacou, mas os homens divertiram-se na peça. Linnell escreveu sobre o que se passara nessa noite para o jovem Baronete Edward Denny (Linnell estava pintando retratos de Denny e de sua família). Denny se tornaria um grande aficionado de Blake; Linnell os apresentara em 1819.

Em novembro de 1826, depois que *Jó* foi publicado, *sir* Edward Denny escreveu a Linnell: "O que eu devo dizer, o que eu *posso* dizer sobre o livro de Jó – eu só posso dizer que é uma *grande* obra – e não posso me aventurar a fazer meus humildes comentários sobre uma coisa verdadeiramente sublime – de fato, eu profundamente senti sua maravilhosa beleza e grandeza – é um privilégio possuir uma obra desse porte e, ainda maior, o de ser capaz de senti-lo – e eu acho que é a coisa mais perfeita já vista vinda das mãos do sr. Blake[259] e, se seu Dante for ainda maior, posso dizer que ele vai superar a si mesmo. – Eu sinceramente espero que ele possa concluir mais este valioso trabalho...".[260]

Em 29 de abril de 1826, *sir* Thomas Lawrence tinha pagado cinco guinéus por sua cópia da obra.

Em 20 de junho de 1827, dois meses antes da morte de Blake, o próprio rei George IV encomendou uma cópia por intermédio de *sir* William Knighton e do dr. Robert Gooch. Linnell recebeu dez guinéus pela cópia do rei dos srs. Budd & Calkin, de Pall Mall. *Jó* está ainda hoje na Biblioteca do Castelo de Windsor.

Sir Edward Denny tinha boas razões por esperar para ver o "seu Dante". Pouco depois do 67º aniversário de Blake, Linnell o contratou para uma série de desenhos sobre a *Divina Comédia*, de Dante. O primeiro pagamento de Linnell a Blake, de três libras para esse trabalho foi feito em 21 de dezembro de 1824. Pouco antes, Blake tinha sido apresentado a Samuel Palmer. Em 9 de outubro, Linnell tinha trazido Palmer a Fountain Court. Agora um grande número de peregrinos visitava a casa de *Jerusalém,* localizada no Strand.

Tal como Palmer e Richmond transmitiriam a Gilchrist, 30 anos mais tarde, a *presença* de Blake fez de Fountain Court um portal para o céu, sempre em expansão. O sr. Blake era uma alma liberta, uma *jivanmukta*, e as almas libertas transmitiam algo da visão do céu para aqueles que entravam em contato genuíno com eles.

A alma liberada estava capenga na cama, com uma perna prejudicada quando Palmer o visitou em sua casa pela primeira vez com Linnell. Relembrando o momento de ouro, anos depois, Palmer disse que Blake estava trabalhando, sentado como um "antigo Patriarca" ou um "Michelangelo quase morto", os lençóis cobertos de livros. Ele estava trabalhando em um *folio* de fino papel de aquarela holandês, medindo 25 x 14½ polegadas. Palmer viu "os desenhos mais sublimes" que estavam sendo feitos para *Dante*. Blake disse ao jovem de 19 anos que ele os tinha começado com temor e com tremor. Palmer

---

259. *Churton Papers*, "Cartas de Ralph Churton para John Nichols 1784-1820 inc.", carta para John Bowyer Nichols (filho do impressor John Nichols), 16 de março de 1820.
260. LETTERS, p. 165; de *sir* Edward Denny para John Linnell, 26 de novembro de 1826.

disse: "Ó, eu tenho temor e tremor suficientes". "Então", disse Blake, "você vai conseguir".

"Ele os desenhou (cerca de cem, acredito)", Palmer disse a Gilchrist, em uma carta de 23 de agosto de 1855, "durante a doença que o deixou duas semanas na cama". E Palmer tinha mais a dizer: "isolando-se, em uma esfera acima da atração das honras do mundo, ele não aceitou a grandeza, mas a conferiu. Ele enobreceu a pobreza e, com sua conversa e a influência de seu gênio, tornou duas pequenas salas em Fountain Court mais atraentes do que os domínios de príncipes".[261]

Sempre que Palmer e seus amigos visitavam Blake, a evidência física de *Dante* inacabado era visível. O *folio* ainda estava aberto sobre a cama quando ele morreu, em 12 de agosto de 1827.

Dante

Blake fez 102 desenhos em vários estágios de conclusão. Para produzir as pinturas luminosas acabadas, ele começava esboçando com um lápis para, em seguida, definir o esboço com pena e tinta, e com tinta e pincel; em seguida, ele aplicava um banho de cores amplas para então trabalhar ao longo de todo o projeto complementando com pequenas quantidades de cores à medida que as tintas abaixo fossem secando, de maneira diferente daquela executada por Cézanne, como Milton Klonsky observou.

Blake aprendera sozinho um pouco de italiano e utilizou tanto uma versão veneziana de 1564, com notas por Cristoforo Landino, quanto a tradução para o inglês de Henry Carey, de 1814. Ele veio a conhecer Cary e, juntos, eles sem dúvida discutiram o trabalho de Dante.

Afinal, Blake produziu sete gravuras, das quais seis ficaram inacabadas. "O Círculo da Luxúria: Francesca da Rimini" atingiu a maior dimensão de lâmina que ele já tinha tentado fazer: 13½ x 21 polegadas. No entanto, ela era maior do que a placa de cobre expandido com a qual ele trabalhou. O estilo de Blake crescia à medida que ele ganhava liberdade e projetava seu estado interior, a ambição

---

261. Carta de Palmer para Alexander Gilchrist, 23 de agosto de 1855, citada em Milton Klonsky, *Blake's Dante*, Sidgwick & Jackson, London, 1980, p. 6.

e a liberdade de seus desenhos. Ele estava "indo fundo, com tudo", e devia ter consciência disso, além do fato de suas doenças – icterícia, hemorroidas, malária – terem contribuído para essa sua urgência.

Mais uma vez, Blake coloca sua própria marca no relato de *Inferno, Purgatório* e *Paraíso*, de Dante, pois ele estava em profundo desacordo com a concepção literária do poeta florentino de um Deus que aceitasse que parte da alegria dos cidadãos do céu fosse a de assistir aos tormentos dos pecadores no inferno. Blake disse a Crabb Robinson que Dante foi, realmente, apenas um "político" que aprendera no céu a arrepender-se de suas crueldades e vaidades. Então, *Dante* de Blake é um trabalho crítico, bem como uma obra-prima artística incompleta.

Nós achamos que Deus é retratado na forma inconfundível do Velho Nobodaddy, um Urizen caído: um tirano cego. Disseram que nossas concepções de Deus espelham nossas próprias limitações. Blake tinha ido além do material e encontrou mais do que um Deus material e mais do que um Homem material. O inferno era para aqueles presos à Terra. E estar preso à terra é o inferno.

Mas, então, os tormentos infernais de Blake não são torturas permanentes, mas "estados" pelos quais a alma passa para chegar à verdadeira liberdade. O estado da mente cria o inferno; vejam o exemplo de Hitler, Stálin e de outros dessa mesma cria esquecida por Deus cujo Céu é a destruição e cujo Inferno é o autossacrifício, pessoas que não se libertam e, assim, não deixam os outros ser livres.

Em 1825, a primeira linha férrea pública mundial foi inaugurada na Inglaterra, entre Stockton e Darlington, locomovendo-se sobre trilhos de ferro, soltando fumaça e fazendo muito barulho. Infelizmente, não temos os pensamentos de Blake em relação a esse assunto, mas é de se supor que ele não tenha compartilhado da euforia dos acionistas. Ele não teria ficado contente com a ideia dos Peregrinos de Canterbury aproximando-se do santuário de St. Thomas transportados por uma estrada de ferro, o que oprimia suas individualidades em contêineres de tamanho regulamentado, feitos propriamente para proporcionar lucro. O tecido deve ser cortado para adequar-se ao tamanho do homem, e uma mesma lei para o leão e para o boi é repressão.

Blake gostava de andar, quando podia. Ele andava com o jovem Palmer para ver a família de Linnell em sua fazenda de Hampstead, embora Blake sempre dissesse que seu corpo instintivamente teve problemas quando ele se aventurou ao Norte.

Os filhos de Linnell aguardavam suas visitas com emoção. Blake se fazia criança e brincava com eles. Ele amava as pessoas felizes muito mais do que os pensadores miseráveis, escravos de Urizen.

Ele era convidado para os jantares na casa dos Aders, em Euston Square, e, como sabemos, tornou-se sujeito ao questionamento contraditório e bastante manhoso de Crabb Robinson. O sr. Blake era conhecido por dizer coisas ridículas para as pessoas que ele achava ridículas, mas, como mantinham Palmer e Linnell, Blake podia sempre dar uma explicação racional sobre as coisas que poderiam ser racionalmente explicadas. Palmer considerava alguns de seus pontos de vista religiosos irritantes, às vezes, e, mais ao final da vida, ele se questionava sobre a ortodoxia global de Blake, suspeitando que ele pudesse ter absorvido muito da "Má Companhia" presente no círculo de jantares literários de Joseph Johnson e de outros radicais políticos; entretanto, Blake acabou tornando-se mais radical do que qualquer um deles, pois todo mundo aceita que um operário vale seu salário, mas Blake diria que um operário valia muito mais, se apenas ele soubesse disso.

Em 1826, Blake começou a reclamar de tremores pelo corpo. Ele parece ter sofrido de mau funcionamento da vesícula biliar – o que teria sido responsável pela icterícia e pelas dores de estômago. Em julho, o sofrimento causado pela malária o afligia bastante. Quando Crabb Robinson lhe perguntou como ele havia recebido a notícia da morte de Flaxman, ocorrida em 7 de dezembro, Blake simplesmente comentou que esperava encontrar-se logo com ele, e nada mais disse, mantendo seus pensamentos pessoais para si mesmo.

Em fevereiro de 1827, Linnell sugeriu que o sr. e a sra. Blake mudassem para sua casa, em Cirencester Place, por causa da saúde dos dois, mas Blake não aceitou. Ele tinha encontrado sua rocha e, desde que ela o apoiasse, ele a aceitou.

Em 12 de abril, ele escreveu para Cumberland, que havia perguntado se ele tinha mais poesias para oferecer. Blake disse que a última obra que ele havia produzido intitulava-se *Jerusalém,* datada de 1820. Ele quis dizer que essa seria sua última obra. "Eu tenho estado muito perto das portas da morte", ele disse a Cumberland, e que se tornara um velho fraco de físico, mas não de espírito e de vitalidade: nisso ele sentia que ficava cada dia mais forte, embora "este corpo insiste em definhar".

Agora que Flaxman estava morto, e "todos nós devemos logo segui-lo", cada um para sua casa eterna, onde cada um reina como rei e sacerdote para sempre.

Não ousando mais "contar com o futuro", ele prosseguiu com Dante através do Inferno, do Purgatório e, finalmente, do Paraíso, que ele sabia ser destinado às crianças como ele.

Richmond Palmer disse que seu amigo morreu "da forma mais gloriosa", no domingo, 12 de agosto de 1827. Seu corpo, usado e esgotado, foi sepultado em Bunhill Fields, Finsbury, de acordo com os ritos da Igreja da Inglaterra, cuja irmã, Jerusalém, a convocara.

Bibliografia

ACKROYD, Peter. *Blake*. Vintage, 1996.
AGRIPPA, Heinrich Cornelius. *Three Books of Occult Philosophy* (versão em inglês, 1651), reimpressão: Chthonios Books, Hastings, 1986.
ANDERSON, Rev. James. *Constitutions of Free-masons*, Kessinger Reimpressão (sem data); originalmente: London, 1723.
BENTLEY, Jr. GE. *Blake Records* 2 ed. Yale University Press, 2004.
_____. *The Stranger from Paradise*: A Biography of William Blake. Yale University Press, 2003.
BLAKE, William. *The Complete Poetry & Prose of William Blake*. ed. David V. Erdman, comentários de Harold Bloom, Anchor Books, New York, ed. revisada 1988.
_____. *The Notebook of William Blake*: A Photographic and Typographic Facsimile. ed. David V Erdman, com Donald K. Moore), Clarendon Press, Oxford, 1973.
Boehme, Jacob. *Mysterium Magnum*. London, 1654.
_____. *Of the Election of Grace*. Tradução para o inglês por John Sparrow, London, 1655.
_____. *Of Heaven and Hell; A Dialogue between Junius, a Scholar, and Theophorus, His Master*, de *The Works of Jacob Behmen*. 4 vol., ed. G. Ward and T. Langcake, trad. William Law, London, 1764-1781.
_____. *Sämtliche Schriften*. ed. W. E. Peuckert, vol. 16, Frommann, Stuttgart, 1957.
BRETTINGHAM, Matthew; Hamilton, Gavin; Revett, Nicholas; Stuart, James. *The Antiquities of Athens and Other Monuments*. John Haberkorn, London, 1762.

BRYANT, Jacob, *A New System, or an Analysis of Ancient Mythology: Wherein an Attempt is made to divest Tradition of Fable, and to Reduce the Truth to its Original Purity*. 3 vol., London, 1774-1776. Bürger, Gottfried Augustus, *Lenore*. Trad. John Thomas Stanley, impresso por S. Gosnall, 1796.

BUTLIN, Martin, *The Paintings and Drawings of William Blake*. Plates, Yale University Press, 1981.

_____. *The Paintings and Drawings of William Blake*. Text, Yale University Press, 1981.

CENNICK, John. *The Life of Mr John Cennick... written by himself*. 2 ed., vendida por J. Lewis and Mr [James] Hutton (livraria de Little Wild St.), London, 1745.

CHANDLER, Dr. Richard; PARS, William; REVETT, Nicholas. *Ionian Antiquities*, publicado com a permissão da Sociedade Dilettanti, impresso por T. Spilsbury e W. Haskell, London, 1769.

CHANDLER, Dr. Richard. *Travels in Asia Minor and Greece*, incluindo *A Memoir of Dr Richard Chandler*, pelo arquidiácono Ralph Churton FSA, e notas por Nicholas Revett, Oxford, 1825.

CHURTON, Ralph. *Life of Dean Nowell*. Oxford University Press, 1809.

CHURTON, Tobias. *Freemasonry: The Reality*. 2 ed., Lewis Masonic, Hersham, 2009.

_____. *The Invisible History of the Rosicrucians*. Inner Traditions, Vermont, 2008.

COMENIUS. *Orbis Sensualium Pictus* ("The Visible World in Pictures"). Nuremberg, 1658.

CUNNINGHAM, Allan. *Lives of the Most Eminent British Painters, Sculptors and Architects*. 6 vol., John Murray, "The Family Library", London, 1830.

DARWIN, Erasmus. *The Botanic Garden* (primeira parte). London, Joseph Johnson, 1791.

GILCHRIST, Alexander. *The Life of William Blake*. ed. Ruthven Todd, Everyman's Library, Dent, London, 1982 (primeira ed. 1863).

GOUGH, Richard. *Sepulchral Monuments of Great Britain, applied to illustrate the history of families, manners, habits and arts at the diffe-*

rent periods from the Norman Conquest to the Seventeenth Century. 2 vol., Londres, impresso por J. Nichols, 1786-1796.

GUYON, Madame (Jeanne-Marie Bouvier de la Motte Guyon). *L'Âme Amante de son Dieu, representée dans les Emblèmes de Hermannus Hugo*, Paris, 1790.

HANEGRAAF, W.J. (ed.). *Dictionary of Gnosis and Western Esotericism*. E.J. Brill, Leiden, 2006.

HARTMANN, Franz. *Paracelsus, Life and Prophecies*. Kessinger Legacy Reprints, US, sem data.

HAYLEY, William. *An Essay On Sculpture – in a Series of Epistles to John Flaxman Esq. R.A.*, T. Cadell Jr. & W. Davies, The Strand, London, 1800.

_____. *The Triumphs of Temper, A Poem by William Hayley in Six Cantos*. Impresso por J. Seagrave, Chichester, para T. Cadell & W. Davies, The Strand, London, 1803.

HIRST, Désirée. *Hidden Riches, Traditional Symbolism from the Renaissance to Blake*. Eyre & Spottiswoode, Londres, 1964.

HUGO, Herman. *PIA DESIDERIA ["Pious Desires"], or Divine Addresses, In Three Books. Illustrated with XLVII. Copper-Plates. Written in Latine by Herm. Hugo. Englished by EDM. ARWAKER, M.A, LONDON, Printed by J.L. for Henry Bonwicke at the Red Lion in St Paul's Churchyard MDCXC* (1690).

JACKSON, John. *A Treatise on Wood Engraving, Historical and Practical*. Charles Knight, Londres, 1839.

JOHNSON, Catharine (ed.). *Letters of Lady Hesketh to the Rev John Johnson L.L.D*. Editado por Catharine Bodham Johnson (née Donne), Jarrold & Sons, Londres, 1901.

JONES, Rufus M. *Spiritual Refomers in the 16th and 17th centuries*. Beacon Press, Boston, 1959.

KEYNES, *sir* Geoffrey (ed.). *Blake: Complete Writings*. Oxford University Press, Oxford and New York, 2 ed. revisada,1966.

_____. *The Letters of William Blake, with related documents*, 3 ed., Clarendon Press, Oxford, 1980.

KLONSKY, Milton *Blake"s Dante*, Sidgwick & Jackson, Londres, 1980.

KNIGHT, Richard Payne. *Account of the remains of the worship of Priapus*. 1786.

LARDNER, Nathaniel. *The History of the Heretics of the two first centuries after Christ*. Joseph Johnson, Londres, 1780.

LOWERY, Margaret Ruth. *Windows of the Morning: a Critical Study of William Blake's Poetical Sketches*. 1783, Yale Studies in English, 93, Yale University Press, New Haven, 1940.

MADAN, Martin. *Thelyphthora: Or a Treatise on Female Ruin*, J. Dodsley, London, 1780.

MALKIN, Benjamin Heath. *A Father's Memoirs of His Child*, Longman, Hurst, Rees and Orme, Londres, 1806.

MATHIAS, Thomas James. *The Pursuits of Literature, A Satirical Poem in Four Dialogues*. 7 ed., "Impresso por T. Becket, Pall Mall" (Londres), 1798.

MEYER, Henry. *Child Nature and Nurture according to Nicolaus Ludwig von Zinzendorf*. Abingdon, New York, 1928.

MORLEY, Edith J. (ed.). *Blake, Coleridge, Wordsworth, Lamb, ETC. Being Selections from the Remains of Henry Crabb Robinson*. Manchester University Press, 1922.

MOSHEIM, J. L. *Ecclesiastical History Ancient & Modern*, 6 vol., trad. Archibald Maclaine, T. Cadell, Londres, 1782.

NOTT, George Frederick. *Religious Enthusiasm considered; in Eight Sermons, preached before the University of Oxford, in the year MDCCCII, at the lecture founded by John Bampton MA, Canon of Salisbury*. Oxford University Press, 1803.

PALEY, Morton D. (ed.). *William Blake, Jerusalem, The Emanation of the Giant Albion*. The William Blake Trust, Tate Gallery, Londres, 1991.

PRIESTLEY, Joseph. *An History of the Corruptions of Christianity*. 2 vol., Joseph Johnson, Birmingham, 1782.

RAINE, Kathleen. *Blake and Antiquity*. Routledge & Kegan Paul, London, 1979.

_____. Blake and Tradition. 2 vol., Princeton University Press, 1968.

RIMIUS, Henry. *A Candid Narrative of the Rise and Progress of the Herrnhutters*. A Linde, Londres, 1753.

_____. *A Solemn Call on Count Zinzendorf*. "Impresso por A. Linde", London, 1754.

RIMIUS, Henry (ed.). *A Pastoral letter against Fanaticism, Addressed to the Mennonites of Friesland, by Mr. John Stinstra.* "Impresso por A. Linde, Papeleiro de Sua Majestade", London, 1753.

SADLER, Thomas (ed.). *Diary, Reminiscences, and Correspondence of Henry Crabb Robinson, Barrister-at-Law, F.S.A. Selecionado e Editado por Thomas Sadler, Ph.D.* Vol. 2, Macmillan, London, 1869.

SCHUCHARD, Marsha Keith. *William Blake's Sexual Path to Spiritual Vision.* Inner Traditions, Rochester, Vermont, 2008; originalmente publicado como *Why Mrs Blake Cried: William Blake and the Sexual Basis of Spiritual Vision.* Century, London, 2006.

SMITH, John Thomas. *Nollekens and his Times: Comprehending a Life of that Celebrated Sculptor; and memoirs of several contemporary Artists, from the time of Roubiliac, Hogarth and Reynolds, to that of Fuseli, Flaxman, and Blake.* Vol. 2, Henry Colburn, London, 1828.

STOUDT, J. J. *Sunrise to Eternity: A Study in Jacob Boehme's Life and Thought.* University of Pennsylvania Press, Philadelphia, 1957.

ST. MARTIN, Louis Claude de. *Des Erreurs et de la Vérité (Of Errors and of Truth, or Men recalled to the universal principle of Science).* Paris, 1775.

STUDLEY, Rev. Peter. *The Looking-Glass of Schism* (panfleto). Shrewsbury, 1633.

STUKELEY, William. *Stonehenge, a Temple Restor'd to the British Druids*, London, 1740.

SWINBURNE, Algernon Charles. *William Blake: A Critical Essay.* Londres, JC Hotten, 1868.

TAYLOR, Thomas. *Dissertation on the Eleusinian and Bacchic Mysteries.* J. Weitstein, Amsterdam, 1790.

TAYLOR, Thomas (trad.) *Concerning the Beautiful, or a paraphrased translation from the Greek of Plotinus, Ennead I, Book 6.* Impresso pelo autor, London, 1787.

_____. *Fable of Cupid and Psyche*, traduzido de... Apuleius, impresso pelo autor, London, 1795.

_____. *Five Books of Plotinus*, London, 1794.

_____. *The Phaedrus of Plato*, London, 1792.

THOMPSON, Stanbury (ed.). *The Journal of John Gabriel Stedman 1744-1797.* Mitre Press, London, 1962.

UNDERHILL, Evelyn. *Mysticism: A Study in the Nature and Development of Man's Spiritual Consciousness*. E.P. Dutton & Co., Nova York, 1911.
WILKINS, Rt. Rev. John. *Mathematical and Philosophical Works*. impresso por J. Nicholson, London, 1708.
_____ *Principles and Duties of Natural Religion*, 2 vol., 8 ed., impresso por J. Nicholson, London, 1722.
WILSON, Mona. *The Life of William Blake*. Granada, London, 1971.
WOLLSTONECRAFT, Mary. *Original Stories from Real Life: with Conversations, Calculated to Regulate the Affections and Form the Mind to Truth and Goodness*. J. Johnson, London, 1791.
WRIGHT, Thomas. *The Life of William Blake*. 2 vol., T. Wright, Olney, 1929.
YEATS, William Butler; Ellis, Edwin John (ed.). *The Works of William Blake, Poetic Symbolic and Critical*, 3 vol., B. Quaritch, Londres, 1893.
YEATS, W.B. (ed). *The Poems of William Blake*. Routledge & Kegan Paul, London, 1979.
ZINZENDORF, conde Nicolaus. *An Exposition, or the True State, of matters objected in England, of the People known by the Name of Unitas Fratrum*. J. Robinson, Ludgate Street, Londres, 1755.

Documentos e Artigos Consultados

Churton Papers, transcrito e editado por Victor Churton (1927-2007), incluindo os diários e a correspondência do arquidiácono Ralph Churton (1754-1831).
Dr. Keri Davies, Nottingham Trent University, documento intitulado "The Lost Moravian History of William Blake's Family: Snapshots from the Archive", www. academia.edu/713215.
Marsha Keith Schuchard e Keri Davies, "Recovering the Lost Moravian History of William Blake's Family", Blake, *An Illustrated Quarterly, 38/1* (verão de 2004), University of Rochester, Nova York, p. 36-43.
David Haycock. "A Discovery of a rare document on Masonic Origins – Stukeley and the Mysteries", *Freemasonry Today*, outono de 1998.

Piloo Nanavutti. "Blake and the Gnostic Legends", *The Aligargh Journal of English Studies*, vol. 1, 1976, nº 2, India, Aligargh Muslim University, p. 168-190.

Clarke Garrett. "Swedenborg and the Mystical Enlightenment in Late Eighteenth-Century England", *Journal of the History of Ideas*, janeiro de 1984.

Trevor Harris. "The Masonic Benefit Society", *Freemasonry Today*, Spring 2000.

Robert N. Essick e Morton D. Paley: "Dear Generous Cumberland: A newly discovered Letter & Poem by William Blake"; *Blake, An Illustrated Quarterly 32* (1998), University of Rochester, Nova York, p. 4-13.

Índice Remissivo

A

"A Árvore Envenenada" 245, 247
Abadia de Westminster 39, 42
Academia Real de Artes 113
A Canção de Los 301, 307
Samuel Adams 108
Adão 101, 177, 212, 230, 232, 233, 237, 239, 241, 242, 243, 245, 254, 288, 307, 314, 315, 316, 354, 399, 409
Henry Addington 348, 349, 361
Charles e Elizabeth Aders 80
A Descoberta de um Mundo na Lua 177, 187
"A Divina Imagem" 65
"Aeons" 131
"A Garotinha Perdida" 214, 215, 260
Ahania 19, 299, 308, 310, 311, 312, 333, 394
Albion 12, 37, 40, 123, 125, 144, 145, 147, 169, 208, 237, 241, 249, 277, 278, 280, 284, 292, 293, 294, 309, 332, 333, 341, 376, 391, 392, 393, 404, 406, 407, 408, 409, 433
Aldous Huxley 32

alma 22, 30, 56, 62, 65, 68, 70, 94, 95, 101, 115, 138, 152, 155, 158, 172, 173, 175, 179, 180, 188, 198, 214, 215, 219, 235, 237, 261, 276, 278, 293, 295, 302, 311, 313, 325, 333, 334, 344, 348, 351, 384, 396, 420, 425, 427
alquimia 17, 23, 174, 328, 329, 419
"amor conjugal" 209, 211, 223, 226
amor livre 33, 70, 223, 338
"A Morte de Earl Godwin" 146
James Anderson 120, 125
Johann Valentin Andreae 96
anjos 48, 56, 78, 79, 80, 81, 82, 83, 84, 85, 95, 99, 108, 232, 244, 248, 282, 330, 347
anjos guardiões 95
A Ordem dos Cavaleiros Maçons, Sacerdotes Eleitos do Universo 288
aquarelas 48, 165, 170, 257, 301, 326, 352, 379
Archeus 237
"A Reivindicação dos Negros" 182
A Revolução Francesa 212, 249, 257
Thomas Armitage 43, 57, 58, 59,

64, 66, 68, 70, 71, 72, 87
arquétipos 291
arquitetos 81, 116, 117, 122
arte veneziana 397, 398
A Sepultura 378, 379, 380, 383, 385, 387, 388, 395, 397, 401
Ásia 104, 105, 106, 141, 265, 307, 310, 312
John Conway Philip Astley 254
Austrália 110, 168, 200, 364

B

Francis Bacon 407
Baladas Fundadas em Histórias Relativas a Animais, com Impressões 354
Charles Baldwyn 185
James Basire II 128
James Basire 42, 107, 110, 111, 114, 115, 127, 128, 264, 329, 341, 358
G. E. Bentley 48, 100, 113, 120, 165, 265
Beulah 334
Bhagavad-Gita 307, 399
Bíblia 37, 46, 56, 97, 143, 190, 191, 192, 194, 195, 216, 221, 231, 243, 273, 292, 300, 309, 316, 332, 335, 340, 355, 362, 391, 408, 422, 424
  abordagem de WB
    ilustrações de WB 37, 46, 56, 97, 143, 190, 191, 192, 194, 195, 216, 221, 231, 243, 273, 292, 300, 309, 316, 332, 335, 340, 355, 362, 391, 408, 422, 424
      Ver também Adão; Demônio; Jesus Cristo; Jó; Novo Testamento 37, 46, 56, 97, 143, 190, 191, 192, 194, 195, 216, 221, 231, 243, 273, 292, 300, 309, 316, 332, 335, 340, 355, 362, 391, 408, 422, 424
bidentais 303
John Birch 376
Robert Blair 378
Catherine Blake 11, 12, 50, 96, 101, 203, 204, 209, 210, 223, 253, 270, 294, 310
Catherine Blake 11, 12, 50, 96, 101, 203, 204, 209, 210, 223, 253, 270, 294, 310
James Blake 73, 74, 85, 86, 87, 90, 100, 105, 110, 111, 113, 114, 127, 150, 151, 166, 167, 360
James Blake 73, 74, 85, 86, 87, 90, 100, 105, 110, 111, 113, 114, 127, 150, 151, 166, 167, 360
Robert Blake 179
William Blake 11, 12, 13, 15, 16, 18, 22, 24, 26, 28, 30, 31, 32, 41, 43, 45, 46, 49, 56, 58, 59, 60, 62, 63, 72, 75, 76, 78, 80, 86, 87, 90, 91, 92, 93, 94, 96, 110, 115, 132, 133, 137, 142, 145, 147, 150, 154, 162, 170, 175, 184, 185, 186, 192, 214, 218, 220, 221, 238, 262, 264, 280, 304, 305, 317, 332, 338, 340, 354, 372, 378, 380, 384, 388, 406, 407, 415, 417, 420, 430, 431, 432, 433, 434, 435, 436
Henry Blundell 341
Jacob Boehme 15, 17, 37, 61, 79, 97, 164, 185, 190, 192, 205, 232, 236, 434
Peter Böhler 57, 62
Boëce van Bolsvert 94, 95

Sarah Boutcher 203
Henry Boyd 166
A. E. Bray 148
Robert Bridges 34
James Bruce 130, 153, 330
Gottfried Augustus Bürger 320
Edmund Burke 130, 229
Charlotte Bury 413
lorde Bute 108
Thomas Butts 41, 82, 301, 333, 339, 347, 357, 361, 383, 421

C

"Cabeças Visionárias" 416
"Caderno de Anotações" 77
Alexandre de Calonne 183
"Cama Celestial" 136
Canções da Experiência 40, 214, 244, 245, 285
Canções da Inocência 22, 32, 59, 95, 156, 157, 174, 181, 212, 251, 285, 304, 305, 384, 415
George Canning 45
Bligh 183, 211, 213, 229
castigo 82, 83, 85, 233, 255, 368
Catolicismo 147, 234, 273
John Cennick 71, 93, 431
Ceres 214, 367, 372
Chamado Solene ao Conde Zinzendorf 89
Richard Chandler 104, 106, 107, 184, 204, 205, 265, 431
Pierre Gaspard Chaumette 288
Ralph Churton 12, 41, 42, 107, 184, 185, 204, 205, 267, 268, 323, 326, 338, 341, 348, 351, 352, 355, 356, 361, 362, 365, 368, 369, 379, 382, 411, 412, 420, 425, 431, 435
ciência 20, 32, 38, 39, 92, 123, 124, 126, 130, 135, 162, 175, 178, 196, 197, 198, 206, 236, 238, 246, 259, 293, 299, 313, 318, 330, 337, 359
Thomas Clarkson 181, 210
Robert Clive 72, 91
John Clowes 186
cola 257, 315, 318, 348
Samuel Taylor Coleridge 84, 195, 259, 399, 415
Johann Amos Comensky 60
Conferência de Eastcheap 208, 210, 229
Congregação do Cordeiro 58, 59, 63, 71, 73, 90
consciência espiritual 173
"corpo divino" 66
Henry Cort 162
Maria Cosway 142
Richard Cosway 104, 142, 209, 320, 326, 328, 366, 378
Harriet Cowper 345
William Cowper 182, 219, 339, 342, 343, 350, 352
Robert Cromek 378
crucificação-expiação 104
Ottobah Cugoana 181
George Cumberland 11, 141, 146, 147, 169, 174, 223, 268, 303, 305, 324, 338, 411
Allan Cunningham 81, 93, 111
Cupido 172, 325, 328, 334
currículos escolares 194

D

Georges Danton 287
Erasmus Darwin 152, 162, 182, 259, 260, 276, 297, 303, 325, 361
Keri Davies 43, 58, 59, 62, 69, 73,

74, 435
Demônio 104, 135, 192, 193, 311, 391, 422
Edward Denny 424, 425
Desejo 68, 95, 145, 175, 178, 179, 180, 207, 241, 243, 289, 298, 335, 339
Baron d'Hancarville 140
Paul-Henri Dietrich 109
Diralada 309
Divina Comédia 425
Francis Douce 304
Druidas 167
Dublin 71, 166, 255, 266
Jacob Duché 208, 253, 290
Albrecht Dürer 105, 115
Alexander Dyce 171

E

Edom 230, 232, 233, 234, 240
educação 28, 29, 31, 60, 76, 92, 93, 96, 97, 100, 101, 115, 160, 161, 194, 223, 288, 375
Richard Edwards 321, 326, 327, 329
Eidophusikon 173
Elihu 423
"emanações" 333
Enion 333, 335
Enitharmon 291, 292, 294, 298, 310, 333, 391
"entusiasmo" 88
Esboços Poéticos 59, 100, 118, 157, 159, 160, 167, 181, 375
escravidão 72, 104, 128, 131, 146, 182, 210, 213, 260, 265, 273, 282, 287, 289
Estados Unidos 24, 30, 62, 108, 132, 133, 136, 142, 154, 183, 203, 211, 213, 252, 254, 261, 282
eternidade 32, 38, 77, 178, 179, 191, 217, 226, 242, 246, 248, 249, 276, 280, 307, 313, 400

F

Pierre Étienne Falconet 113, 114
falso ego 37, 38
"fanatismo" 88
Joseph Farington 326, 327, 328, 331
Millicent Garrett Fawcett 35
"Fertilização do Egito" 260
Filhos de Albion 408
filosofia abstrata 308, 312
Francis Oliver Finch 418
John Flaxman 11, 42, 76, 80, 112, 141, 155, 161, 182, 187, 209, 342, 378, 432
Maria Flaxman 358, 375
Nancy Flaxman 265, 286, 326, 338
Abraham von Frankenberg 236, 241
Frankenstein 264, 299
Jacob Frank 233, 234, 409
Benjamin Franklin 63, 104, 116, 131, 133
Henry Fuseli 149, 152, 153, 262, 327, 378
Fuzon 310, 311, 312

G

"gangues de alistamento" 361
Gênio Poético 16, 33, 190, 193, 194, 195, 198, 199, 207, 208, 222, 235, 291, 307, 308, 319, 333, 409, 424
genitais 66, 89, 139, 240, 249, 277, 335, 393

George III 41, 104, 114, 116, 131, 132, 133, 137, 154, 204, 272, 281, 371
George IV 41, 45, 272, 425
George Stubbs 109, 385
Alexander Gilchrist 44, 76, 83, 220, 426
Glad Day, Albion Rose 144
Johann Wolfgang Goethe 129
Oliver Goldsmith 129
Gordon Riots 7, 146, 147
Richard Gough 42, 119, 184, 185, 382
James Graham 135, 219
Gerard van der Gucht 123

H

Albert de Haller 156
William Hamilton 136, 140, 259
Thomas Hartley 187
John Hawkins 156, 157
David Haycock 124, 435
William Hayley 11, 42, 76, 95, 117, 160, 161, 303, 327, 341, 358, 365, 366, 369, 375, 432
Heinrich Khunrath 419
Henrique V 158
Hermes Trismegisto 126, 190, 308
Frederick William Herschel 154
lady Hesketh 342, 343, 344, 345, 350, 354, 355, 356, 358, 360, 363, 367, 369, 372, 375, 376, 377, 381
Thomas Hickes 368
hinos 30, 59, 71, 93
Homem Natural 190, 205, 411
John Hoppner 367, 370, 378
Thomas Hornby 383
Herman Hugo 11, 93, 175
Ozias Humphry 113, 326, 395

Leigh Hunt 397, 403, 421
Robert Hunt 397
Jan Hus 60
James Hutton 63, 68
Aldous Huxley 32

I

Igreja da Inglaterra 26, 43, 64, 66, 67, 184, 185, 186, 208, 228, 351, 429
Igreja da Nova Jerusalém 8, 186, 204, 211
Igreja Luterana 96
Iluministas 209
imagens fálicas 139
imaginação 15, 85, 95, 97, 99, 112, 121, 122, 124, 126, 149, 162, 164, 165, 175, 176, 183, 191, 218, 224, 242, 257, 275, 277, 289, 290, 295, 307, 321, 326, 332, 348, 355, 356, 398, 410, 413, 415, 417, 420
impressão Newton 314
impressores 421
Inferno 11, 36, 97, 164, 166, 178, 187, 195, 201, 206, 207, 209, 215, 218, 226, 227, 230, 231, 232, 234, 235, 236, 237, 238, 240, 243, 244, 245, 246, 247, 248, 253, 258, 261, 276, 285, 290, 300, 304, 312, 332, 335, 416, 427, 429
infinito 15, 18, 37, 38, 199, 234, 235, 245, 246, 249, 277, 278, 291, 293, 297, 300, 332, 344
Irmandade Morávia 57, 59, 60, 61, 62, 64

J

Jeanne-Marie Bouvier de la Motte Guyon 175, 432
Thomas Jefferson 109, 142, 153, 191, 213
Jerusalém 4, 7, 8, 13, 26, 30, 33, 34, 35, 36, 37, 38, 39, 42, 52, 68, 99, 123, 126, 144, 156, 176, 184, 186, 189, 204, 207, 208, 210, 211, 216, 232, 241, 289, 335, 341, 362, 367, 384, 389, 390, 392, 402, 403, 404, 405, 406, 408, 409, 410, 425, 429
Jesus Cristo 49, 97, 351, 390, 411
Jó 9, 12, 28, 122, 170, 243, 276, 284, 301, 401, 421, 422, 423, 424, 425
John Potter, arcebispo da Cantuária 66
reverendo "Johnny" Johnson 345
Jornal Literário 372, 383
Joseph Johnson 152, 153, 156, 162, 171, 182, 198, 200, 230, 259, 262, 265, 285, 313, 329, 342, 350, 352, 360, 376, 428, 431, 433
Judaísmo 234
Judas 137, 340, 419

K

Kabbalah 177, 193, 237
Franz Kafka 424
Immanuel Kant 15, 149
Seymour Kirkup 403
Friedrich Gottlieb Klopstock 353
Richard Payne Knight 139, 223, 303, 324, 328

L

Caroline Lamb 405, 413

Charles Lamb 399
Lameque e Suas Duas Esposas 314, 317
Johann Caspar Lavater 200
Henri Lavoisier 130
Thomas Lawrence 374, 378, 414, 425
Elisabeth Vigée Le Brun 137, 138
John Lennon 98, 394
Lenore 320, 321, 329, 431
"liberdade espiritual" 36
John Linnell 11, 12, 32, 54, 76, 80, 176, 414, 421, 425
livros de emblemas 64, 65, 93, 156, 175
John Locke 88, 196
London Corresponding Society 269, 273, 294
lorde Liverpool 45
Los 291, 294, 297, 298, 301, 307, 308, 309, 310, 321, 322, 324, 333, 348, 391, 407
Luís XVI 133, 149, 174, 183, 203, 211, 258, 259, 272, 274, 299, 324, 402
Vincent Lunardi 164
"luta mental" 39
Luvah 333, 334
Lyca 214, 215
Emma Lyon 136

M

Maçonaria 28, 125, 126, 127, 129, 142, 174, 193, 205, 207, 250, 263, 289, 309, 314, 329
James Macpherson 99
Martin Madan 219
Benjamin Heath Malkin 76, 78, 383
Maria Madalena 62

Andrew Marvell 98, 407
Masonic Benefit Society 255, 436
sra. Mason 263
masturbação 136, 279
materialismo 31, 33, 189, 192, 199, 246, 317
Anthony Stephen Mathew 159
Thomas James Mathias 287, 302
"Memoráveis Fantasias" 244
Memórias de Seu Filho 383
Menonitas 88
William George Meredith 172
Metodismo 13, 351, 384, 397
John Michell 165
Milênio Interno 208
Milton 34, 39, 76, 98, 222, 243, 244, 275, 284, 292, 342, 350, 352, 361, 362, 376, 389, 390, 391, 392, 393, 394, 399, 426, 432
John Milton 98, 222, 391
missionários 62, 63
Mistérios de Elêusis 214
moinhos de algodão 38
"moinhos satânicos" 126
monarquia 39, 133, 232, 233, 270
James Montgomery 386, 387
George Michael Moser 112, 137
Thomas Muir 306

N

Não Existe Religião Natural 153, 175
Napoleão Bonaparte 286, 369
Natureza 37, 46, 95, 109, 132, 140, 143, 166, 190, 195, 206, 207, 232, 236, 239, 241, 242, 245, 246, 247, 275, 276, 277, 281, 289, 303, 311, 316, 333, 357, 411, 419, 420

Jacques Necker 203, 211, 258, 262
Nefilim 330
Roger Newdigate 381, 382
Isaac Newton 23, 125
Nikolaus Ludwig von Zinzendorf und Pottendorf 60
Nollekens and his Times 49, 81, 434
Joseph Nollekens 49, 81, 341, 378
Augustus Nordenskjöld 209, 210, 211
George Frederick Nott 356
Nova Igreja 186, 204, 207, 209, 210, 226, 227, 399, 415
"Nova Jerusalém" 36, 402
Novo Testamento 102, 153, 191

O

O Casamento do Céu e do Inferno 11, 36, 178, 201, 218, 226, 227, 230, 231, 234, 240, 243, 244, 248, 253, 258, 261, 285, 304
O Céu e o Inferno 209, 238
O Culto a Príapo 303, 304
Odin 309, 312
sr. Ogleby 148
O Juízo Final 395, 396
O Naufrágio 374, 375
"O Pequeno Garoto Negro" 181
O Primeiro Livro de Urizen 295
Orc 20, 21, 250, 275, 281, 282, 283, 286, 291, 292, 293, 294, 298, 309, 310, 333, 352, 391, 419
O Sistema da Natureza 109
Os Peregrinos da Cantuária 384, 398, 400
Os Portões do Paraíso 274, 285, 304, 305
Ossian 99, 129

Os Triunfos da Têmpera 342, 358, 363
Ovídio 325, 391
William Owen 401

P

Tom Paine 130, 132, 182, 230, 259, 269, 270, 281
Samuel Palmer 32, 49, 76, 83, 111, 113, 254, 273, 313, 416, 419, 425
Thomas Palmer 306
Parábola do Filho Pródigo 106
Parabrahman 308
Paracelso 37, 97, 129, 144, 190, 237, 238, 247, 248, 250, 288, 308, 311, 329
Paraíso 11, 23, 24, 94, 96, 164, 175, 177, 178, 183, 222, 230, 232, 233, 238, 242, 243, 262, 274, 275, 277, 285, 304, 305, 347, 393, 394, 403, 427, 429
James Parker 120, 163, 166, 404
Charles Hubert Hastings Parry 34
Henry Pars 7, 104, 105, 106, 107, 265
William Pars 104, 105, 184, 265
patriarquétipos 125, 291
Robert Peel 252
Pensamentos Noturnos 11, 12, 95, 263, 321, 326, 327, 329, 332, 338, 339
Perséfone 214
Stan Peskett 78
Arthur Phillip 200
papa Pio VI 259
William Pitt (Sênior) 108
Plato 434
poligamia 219
Porfírio 172, 179, 180, 318

Beilby Porteus 185, 186
Michael Powell 25, 156, 387
prazer sensual 235, 346, 393
preços dos grãos 45
Priapismo 139
Joseph Priestley 130, 135, 152, 162, 174, 191, 261, 303
"profecia" 189, 203
Providência 227, 339, 343, 410, 420
Psique 172, 277, 334
"pudenda" 89

Q

"Quatro Zoas" 333

R

radicalismo 43, 148, 268
Abraham Raimbach 396
Kathleen Raine 21, 23, 24, 25, 26, 27, 28, 31, 33, 171, 173, 179, 214, 245, 246, 247, 259, 260, 325, 334
Rathbone Place 155, 161
Razão 19, 20, 33, 71, 88, 96, 143, 165, 173, 178, 194, 198, 199, 230, 243, 246, 250, 276, 277, 288, 290, 296, 299, 309, 409
Cecil Reddie 144
Rei Eduardo III 158, 169
"Reintegração" 295
reis 202, 268, 272, 278
religião
  dissidente
    origens da
      sexualidade e 43, 56, 57, 62, 67, 71, 88, 96, 103, 124, 125, 126, 128, 135, 139, 149, 152, 153, 186, 192, 193, 195, 196, 222, 223, 234, 243, 248, 264,

279, 292, 293, 303, 308, 309, 310, 330, 351, 359, 408
Religião Natural 135, 153, 175, 177, 195, 196
Christian Renatus 69, 70, 89
Willey Reveley 264
Nicholas Revett 104, 106, 107, 141, 184, 265, 431
Revolução Francesa 19, 183, 189, 212, 231, 249, 257, 260, 295, 412
Joshua Reynolds 109, 113, 114, 137, 138, 139, 165, 169, 170, 355, 370
Richard Payne Knight 139, 223, 303, 324, 328
duque de Richmond 366, 370, 371
George Richmond 49, 50, 81, 83
Henry Rimius 88
Rintrah 231, 292, 307
Henry Crabb Robinson 12, 50, 76, 79, 102, 103, 221, 316, 401, 405, 433, 434
George Romney 11, 136, 160, 342, 363
Samuel Rose 369, 370, 376
Peter Paul Rubens 137
Benjamin Rush 131
William Wynne Ryland 113, 114

S

sacrifícios humanos 409
"Santo Anjo da Guarda" 193
Satanás 243, 293, 314, 316, 333, 351, 391, 393, 399, 403, 422, 423
Marsha Schuchard 147
John Scolfield 364
Second 112
sedição 272, 306, 366

sêmen 136
Serra Leoa 182, 210, 214
Ser Supremo 288, 302
Anna Seward 361
sexualidade 66, 217, 223, 334, 355, 393
Granville Sharp 181, 182, 210
William Sharp 146, 209, 305, 329
Mary Shelley 264, 299
Frederic Shields 48
William Shipley 104
Angelus Silesius 276
sistema triádico 237
Adam Smith 132
John Raphael Smith 203
John Thomas Smith 49, 55, 76, 80, 81, 111, 155
Sociedade de Artes e Manufaturas 109
Sociedade Dilettanti 104, 108, 115, 139, 141, 303, 431
Sociedade Teosófica 209, 210
Sofrimentos do Jovem Werther 129
Soho 57, 64, 86, 162, 398
Sophia 11, 150, 264, 299, 340
Robert Southey 79, 401, 402, 405
Philip Jacob Spener 95
John Thomas Stanley 320, 431
John Gabriel Stedman 265, 266, 434
Johann Stinstra 88
St. Martin, Louis Claude de 434
Stonehenge 123, 124, 391, 407, 408, 434
Thomas Stothard 146, 331, 378, 385
Strand 45, 47, 55, 63, 104, 105, 107, 112, 121, 125, 137, 142, 164, 342, 358, 420, 425, 432

John Clark Strange 81, 82
James Stuart 106, 141, 265
George Stubbs 109, 385
Peter Studley 368
William Stukeley 123, 124, 408
Algernon Charles Swinburne 220, 221

T

Tácito 408
Tate Britain 30, 40, 314, 340
Charles Heathcote Tatham 54
Frederick Tatham 50, 52, 54, 76, 81, 192
têmpera 315, 319, 340, 384
Tharmas 333
The Examiner 397, 403, 421
The Gnostics 22, 24, 25, 26
Thel 8, 173, 178, 179, 180, 181, 207, 212, 219, 285, 304, 334
Theotormon 278, 280, 309
Thomas Taylor 171, 214, 307, 318, 325, 338
Robert John Thornton 46, 418
Thoughts on Outline 324, 328
"O Tigre" 109, 244
Alexander Tilloch 59, 329
Matthew Tindal 195
tirania 213, 268, 270, 272, 369
"Tiriel" 212, 214
John Horne Tooke 268, 294, 302, 305, 306
Charles Townley 42, 141, 142, 303, 341, 342, 366, 382
Thomas Townson 267, 355
Tratado de Amiens 353
Barlow Trecothick 268
Hermes Trismegisto 126, 190, 308
William Tryon 110
Charles Augustus Tulk 415

John Augustus Tulk 210, 216, 328
Richard Twiss 304

U

conde Ugolini 383
Uma Ilha na Lua 8, 169, 170, 171, 173, 174, 176, 178
Uma Visão do Juízo Final 396
Urizen 18, 19, 20, 21, 25, 26, 212, 250, 261, 277, 290, 292, 293, 295, 296, 297, 298, 299, 300, 305, 307, 310, 311, 312, 316, 318, 322, 324, 333, 365, 371, 391, 394, 423, 427, 428
Urthona 282, 283, 333

V

Vala 224, 281, 289, 325, 332, 333, 334, 335, 337, 346, 362, 389, 394
John Varley 76, 415, 416, 418
"Vaso de Portland" 259
Velho Nobodaddy 250, 353, 427
Velho Testamento 102
Vida de Romney 363, 373

W

Carl Wadström 209, 211
Thomas Griffiths Wainwright 405
Izaak Walton 419
George Washington 89, 130, 131, 211, 230, 373
Caroline Watson 373, 375
James Watt 129
Josiah Wedgwood 140, 170, 171, 260, 412
John Wesley 63, 110, 187, 351
Benjamin West 115, 116, 135, 378
John "Liberty" Wilkes 136

Charles Wilkins 307
Will 85, 91, 100, 105, 111, 151, 254,
    283, 407
William Wordsworth 410
Mona Wilson 18, 417
Carl Gottfried Woide 130
Mary Wollstonecraft 152, 220, 262,
    263, 264, 278
Catherine Wright 62
Thomas Wright 59

X

xilogravuras 93, 418

Y

Yliaster 311
Edward Young 11, 12, 338

Z

Zoas 281, 289, 331, 332, 333, 334,
    423
Zoonomia 297

Nota do Editor

A Madras Editora não participa, endossa ou tem qualquer autoridade ou responsabilidade no que diz respeito a transações particulares de negócio entre o autor e o público.

Quaisquer referências de internet contidas neste trabalho são as atuais, no momento de sua publicação, mas o editor não pode garantir que a localização específica será mantida.

Este livro foi composto em Times New Roman, corpo 12/14,5.
Papel Offset 75g
Impressão e Acabamento
Orgráfic Gráfica e Editora — Rua Freguesia de Poiares, 133 —
Vila Carmozina — São Paulo/SP — CEP 08290-440 —
Tel.: (011) 2522-6368 — orcamento@orgrafic.com.br